Knaur.

Im Knaur Taschenbuch Verlag sind bereits folgende Bücher der Autorin erschienen:
Die Chaos-Hochzeit
Fast perfekt und noch zu haben

Über die Autorin – Carmen Reid im Gespräch:
Wie kommen Sie auf die Ideen für Ihre Romane?
Normalerweise in meinen nächtlichen warmen Schaumbädern, wenn ich meine Gedanken schweifen lassen kann.

Welchen Rat würden Sie Nachwuchsautoren mit auf den Weg geben?
Schreiben, schreiben und noch mal schreiben – wir alle werden durch Übung besser. Und immer viel lesen. Man kann so viel von seinen Lieblingsautoren lernen.

Was ist das erste Buch, an das Sie sich erinnern?
Meine Mutter ist Deutsche, also lagen bei uns immer viele deutsche Bücher herum wie zum Beispiel der »Struwwelpeter«, der mir furchtbare Angst eingejagt hat. Besonders die Geschichte vom Daumenlutscher, dem der Daumen abgeschnitten wird. Ich habe selber am Daumen gelutscht.

Über die Autorin:
Carmen Reid ist Schriftstellerin und Journalistin. Sie hat bisher drei Romane veröffentlicht, die alle Bestseller wurden. Außerdem schreibt sie zwei regelmäßige Kolumnen für »The Scottish Daily Mirror« und »Scotland on Sunday« sowie zahlreiche Beiträge für weitere Zeitungen und Zeitschriften. Carmen Reid lebt mit ihrem Mann und ihren beiden Kindern in Schottland. Mehr Infos über Carmen Reid und ihre Romane finden sich auf ihrer Website: www.carmenreid.com

Carmen Reid

Gucci, Glamour, große Liebe

Eine romantische Komödie

Aus dem Englischen
von Elisabeth Hartmann

Knaur Taschenbuch Verlag

Die englische Originalausgabe erschien 2007
unter dem Titel »The Personal Shopper«
bei Transworld Publishers, London.

Besuchen Sie uns im Internet:
www.knaur.de

Sagen Sie uns Ihre Meinung zu diesem Buch:
frauen@droemer-knaur.de

Deutsche Erstausgabe Dezember 2008

Redaktion: Kathrin Stachora
Umschlaggestaltung: ZERO Werbeagentur, München
Umschlagabbildung: getty images
Satz: Adobe InDesign im Verlag
Druck und Bindung: Norhaven A/S
Printed in Denmark
ISBN 978-3-426-63963-4

2 4 5 3

Dieser Roman ist Diana
und meiner Mum gewidmet.

1.

Svetlanas erste neue Frühlingsgarderobe:

Kleid in leuchtendem Violett, Grün und Weiß (Pucci)
Breiter grüner Wildledergürtel (Pucci)
Violette Stiefel mit Pfennigabsätzen (Manolo)
Weißer Kaschmir-Mantel (MaxMara)
Grüne Handtasche (Chloé)
Geschätzte Gesamtkosten: 2800 £

»SEXY, ABER DAMENHAFT«

Annie Valentine, leitende persönliche Einkaufsberaterin auf den fünf Etagen von Londons Einzelhandelshimmel – genannt »The Store« (weil weniger oft sooo viel mehr ist) –, sah Svetlana Wisneski hinter dem fuchsiaroten Samtvorhang des Umkleideraums hervortreten.

Das Kleid aus Seidenjersey schmiegte sich an die Rundungen der Milliardärsgattin, und mit ihren zehn Zentimeter hohen Absätzen erhob sie sich über alle wie ein blondes übermenschliches Wesen.

Die Wirkung war atemberaubend, doch Annie, die stets ihr monatliches Planziel übererfüllte und fast immer den Zehn-Prozent-Bonus für die höchsten Gesamtverkaufszahlen absahnte, erkannte auf Anhieb den leicht unzufriedenen Ausdruck in dem aufwendig gepflegten slawischen Gesicht ihrer VIP-Kundin.

»Nicht ganz Ihr Geschmack, meine Liebe?«, fragte Annie. »Es weckt keine Vorstellungen von Frühling, herumtollenden Lämmern, Osternestern oder April in Paris?«

Svetlana schüttelte ernst den Kopf.

»Macht nichts … keine Sorge … wir finden das Richtige für Sie …«, zwitscherte Annie und ging geschwind eine Kleiderstange mit sensationellen Kleidern durch – Chloé, Missoni, Temperley, Gucci, Versace – viele so neu, dass sie noch immer in den Plastiküberzügen steckten. Sie zog ein weiteres atemberaubendes Kleid heraus und forschte: »Mmmm … wie wär's mit Pucci? Das hier könnte hinreißend aussehen.«

»Verrrsuchen wirrr's«, antwortete Svetlana mit tiefer Stimme.

Niemand ging aus Annies zweistündiger persönlicher Betreuung mit etwas anderem als dem perfekten Outfit hervor – meistens sogar mit mehreren –, wobei man drei, vier oder sogar fünf Mal so viel ausgab wie geplant, weil ihre Beratung – hervorgebracht in dem bodenständigen, nüchternen Tonfall der gebürtigen Londonerin – so überzeugend wie ausgezeichnet war.

Annie betreute ihre Kundinnen, ihre Freundinnen und sich selbst beim Einkaufen mit dem skrupellosen Eifer einer Wallstreet-Börsenmaklerin am letzten Tag ihrer Probezeit.

Für sie als Profi erster Klasse war nichts zu schwierig: Sie durchsuchte jeden indirekt beleuchteten Winkel des glamourösen ganz in Weiß gehaltenen Geschäfts nach dem absolut passenden Teil, und sie kannte die Designer-Kollektionen jeder Abteilung bis hinunter zu den Tangas.

»Extra für Sie, nur damit Sie's wissen!« Dieses geschäftige, unermüdlich arbeitende Wunderwesen konnte einem Mantel bis direkt ins Designer-Atelier nachspüren, konnte mit Hilfe ihres Charmes mürrischen italienischen Schuhmachern das letzte verfügbare Paar einer gewissen Moderichtung in Größe einundvierzig abschwatzen.

In einem Notfall konnte sie sogar mit der winzigen Boutique in Brighton, die als Einzige noch ein Exemplar *dieses* Kleides in Größe achtunddreißig hatte, handelseinig werden.

Die Kundin dieses Nachmittags, die klassisch schöne Svetlana, war überaus beliebt. Svetlana war mit dem reichsten bierbäuchigen, knollengesichtigen Russen in London verheiratet und gehörte zu der Handvoll auserwählter Käuferinnen, die ein Anrecht auf eine Gratis-Limousinen-Heimfahrt hatten, mit einem Kofferraum voller Einkäufe.

Heute, an einem Tag Anfang Februar, waren die endlosen Winterausverkäufe beinahe vorüber, und die bunten neuen Frühlingskollektionen brachen sich in Nuancen von hellstem Zitronengelb, Babyrosa, Grün, Grün und noch mal Grün, Ultraviolett und Himmelblau endlich Bahn. Svetlana kam so früh wie möglich, um für die neue Jahreszeit einzukaufen, denn sie war gern immer die Erste, um aus vollen Beständen auswählen zu können.

Fast eine Stunde lang hatte Annie diese Elitekundin und ihre plumpe Privatsekretärin Olga durch sämtliche glanzvollen Etagen von *The Store* begleitet. Angefangen hatten sie in der glitzernden Kosmetikabteilung, wo Verkäuferinnen Kompaktpuder und Musterdöschen hervorzauberten und entzückt über die »frische neue Palette« des Frühlings jubilierten.

Während Svetlana sich ausgiebig schminken und maniküren ließ, erklärte Olga den schimmernden Naturlack als »beinahe unsichtbar« und »entschieden zu teuer«.

»Sie arbeitet für ihn«, erklärte Svetlana Annie im Flüsterton, als Olga außer Hörweite war.

»Für wen?«, fragte Annie, ahnte die Antwort jedoch bereits.

»Kartoffelfresse«, antwortete Svetlana leise und begutachtete ihren Ocean-Spray-Lidschatten und Blossom-No.-5-Lippenstift im Vergrößerungsspiegel. »Er ist der Meinung, dass ich zu viel Geld ausgebe, und *sie* spioniert mir nach.«

»Nein!«, empörte sich Annie, obwohl sie – sehr zu ihrer fortdauernden Enttäuschung – nichts über das Leben wusste, das man als junge blendend aussehende Gattin eines steinreichen Mannes führt. Svetlana dagegen nannte bereits den dritten und bisher reichsten Mann ihr Eigen. Sie wechselte die Männer wie andere Frauen die Wohnungen. Für Annie lag auf der Hand, dass Svetlana die Frau war, an die sie sich wenden musste, falls sie, Annie, einen Rat brauchte, wie man sich einen reichen Mann angelt. (Und – Junge, Junge! – den konnte sie gebrauchen: Die Kreditkartenabrechnung, die an diesem Morgen gekommen war, hatte ihr Tränen in die Augen getrieben!) Es hing doch sicherlich nur von der richtigen Frage zum richtigen Zeitpunkt ab, um ins Gespräch zu kommen?

Im gläsernen Aufzug schwebten sie nach oben in den Designer-Himmel mit weißem Marmorfußboden, wo Kleider wie kostbare Kunstwerke ausgestellt und beleuchtet waren … und auch genauso viel kosteten.

Sollte eine Kundin so dumm sein und sich anmerken lassen, dass sie über die astronomischen Preise erschrak, würden die besten Verkäuferinnen schwärmen: »Aber das Kleid ist einzigartig! Fantastische Qualität! Sie werden es jahrelang tragen können!« Die Herablassenden würden eine Braue hochziehen und fragen: »Ach – zu teuer für Madam?« – auf eine Art, die in Annie den Wunsch weckte zu kreischen: Als ob *du* dir das leisten könntest!

Allerdings kauften die Mädchen hier tatsächlich Kleidung. Sie nutzten ihren Personalrabatt, reizten ihre Kreditkarten aus und teilten sich enge Atelierwohnungen, um McQueen und Jimmy Choo tragen zu können, wenn sie abends ausgingen. Es ergab keinen Sinn, war jedoch unverkennbar glamourös.

Als Svetlana die neuen Kollektionen der Designer inspiziert hatte, die sie gewöhnlich bevorzugte – Yves Saint Laurent und Givenchy für repräsentative, Donna Karan für lässige Garderobe –, versuchte Annie, sie in eine andere, farbenfreudigere Richtung zu locken: Missoni, Pucci, Matthew Williamson.

Die Milliardärsgattin hatte trauervoll die Kleiderständer durchsucht: »Nein, nein … na ja … vielleicht … Ich weiß nicht, ob es Igor gefallen würde«, erklärte sie. »Er mag es sexy, aber damenhaft, unbedingt damenhaft.« Als ob Annie das im Lauf der zwei Jahre ihres gemeinsamen Einkaufens nicht längst gemerkt hätte! »Sexy, aber damenhaft« war Svetlanas Mantra.

Gewöhnlich war Annie nicht gerade ein Fan der faulen, duldsamen und verwöhnten reichen Gattinnen, die sie regelmäßig einkleidete, doch allmählich verstand sie, dass Svetlana eine Ausnahme bildete. Svetlanas Ehe war ihr Beruf.

Zweimal wöchentlich gab sie eine Dinner- und einmal im Monat eine Cocktailparty, sie nahm an endlosen Geschäftsempfängen teil, hielt stundenlang charmant Smalltalk, sah immer makellos elegant aus, und alles nur für Igor und sein Imperium. Svetlana musste das Personal organisieren. Köche, Hauswirtschafterinnen, Reinigungskräfte und Stubenmädchen. Sie verfügte über fünf Häuser in drei Ländern, die eingerichtet, renoviert und dekoriert werden mussten. Mrs. Igor Wisneski zu sein war eindeutig ein anstrengender Vollzeitberuf. Doch wie sie Annie anvertraut hatte – als Olga wieder einmal außer Hörweite war –, ging sie auf die fünfunddreißig zu und benötigte alle Hilfe, die sie nur finden konnte, um ihre Position zu wahren. Svetlana war groß, von Natur aus eisblond, atemberaubend und insbesondere Mutter der zwei Söhne und Erben des Gasbarons. Dennoch gab es trotz eines ausgesprochen geschickten Faceliftings im mittleren Gesichtsbereich und einer frechen Brustvergrößerung keine Garantie auf ihren Platz als hinreißend schöne Status-Gattin.

Annie wusste, dass die frühere Miss Ukraine unermüdlich daran arbeitete, Kartoffelfresses Interesse an ihr wachzuhalten, sich täglich einem mörderischen Fitnessprogramm mit einem Kampfsport-Spezialisten, vierzehntäglich einer Colonhydrotherapie und allen nur erdenklichen anderen Schönheitsspritzungen und -behandlungen unterzog.

Einmal hatte sie die schwach ausgeprägten Linien auf ihren Wangen mit einem vielsagenden Augenrollen als »Blow-Job-Falten« bezeichnet.

Jetzt stand sie vor Annie, und ihre Miene war bedeutend zufriedener, denn sie erkannte, dass sie in dem engen gegürteten Pucci-Kleid atemberaubend aussah.

Eine Hand in die geschmeidige Hüfte gestemmt, betrachtete Svetlana sich eingehend im dreiteiligen Spiegel, bevor sie schließlich verkündete: »Es gefällt mir«, was angesichts ihrer ernsten, bedächtigen Art das höchste Lob war, das sie je von sich gab. »Ich weiß nicht, warum ich jemals unsicher Ihren Ideen gegenüber bin, Ahnnah« – sie brachte es nicht fertig, »Annie« richtig auszusprechen. »Sie haben immer, aber auch immer recht!«

»Zu diesem Kleid benötigen Sie einen hellen Mantel«, versicherte Annie. »Ich habe da einen weißen aus Kaschmir, knielang, wunderbar geschnitten. Den lasse ich heraufbringen, zusammen mit einer neuen Chloé – erst heute Morgen hereingekommen – für Ihren Arm.« Sie zwinkerte Svetlana zu, die, genau wie Annie, einer weichen traumhaften Lederhandtasche mit klimpernden Goldketten, Schnallen und dem Label des Modeschöpfers, der neuerdings »Pflicht« war, nie widerstehen konnte. Im Gegensatz zu Annie schreckte Svetlana niemals vor einem vierstelligen Preis zurück.

»Ähm … entschuldigen Sie die Störung.« Paula, die zweite persönliche Einkaufsberaterin im Dienst an diesem Tag, steckte den Kopf durch den Schlitz des Vorhangs, der Annies Bereich von ihrem trennte.

Annie schüttelte den Kopf und zog die Brauen hoch. »Dringend?«, fragte sie.

»Du bist bei der alten Miss Selfridge überboten worden …«, setzte Paula an.

Zwar hatte sie Paula eingeschärft, ein Auge auf die Sachen zu haben, für die sie an diesem Tag im Internet ein Angebot abgegeben hatte, doch das reichte nicht als Rechtfertigung dafür, Svetlana allein zu lassen, nachdem sie gerade das Gespräch auf neue Handtaschen gebracht hatte.

»Danke, aber mach dir deswegen keine Gedanken«, beruhigte Annie sie, und indem sie ihre einen halben Meter lange echte asiatische Haarverlängerung in den Nacken warf, die sorgfältigst in Hunderte von feinsten Zöpfen mit einer Perle am Ende geflochten war, verschwand Paula.

Svetlana hatte sich für drei Abendkleider, fünf Tageskleider, zwei Hosenanzüge, einen Mantel, vier Paar Schuhe und zwei Handtaschen entschieden. Sie rang noch mit sich wegen der Manolo-Stiefel, einem Ballkleid und »irgendetwas, um Olga bei Laune zu halten«, als Paula erneut hinter dem Vorhang auftauchte.

»Hilfe«, formte sie lautlos mit den Lippen, und Annie stieß einen kleinen Seufzer aus. Sie vermutete, dass es um Paulas nächste Kundin ging. Paula war nicht unbedingt schlecht in ihrem Job, sie war lediglich jung (vierundzwanzig), unerfahren und so modebesessen, dass sie nicht beurteilen konnte, ob Topaktuelles einer Kundin auch wirklich stand und zu ihr passte.

Ohne zu zögern würde sie eine pummelige vierundfünfzigjährige Anwältin in Juice Couture und mit Nieten besetzte goldene Keilabsatz-Sandalen stecken, weil: »Wow, das ist brandaktuell – absolut in!«

Gewöhnlich gab Annie darauf acht, dass Paulas Kundinnen zur gertenschlanken Modepolizei-Sorte gehörten, die sich von einer Expertin dazu überreden lassen wollten, einen Baby Doll mit einem Tulpenrock, Gaucho-Gürtel und Keilabsätzen zu kombinieren. Doch an diesem Nachmittag betreute Annie Svetlana, und Paula musste sich selbst um Martha Cooper, eine neue Kundin, kümmern.

»Würden Sie mich bitte für ein paar Minuten entschuldigen?«, bat Annie Svetlana, dich sich vor dem Spiegel drehte und wendete, um zu sehen, ob die Handtasche in ihrer linken Hand besser zu dem Mantel passte als die in ihrer rechten.

»Natürrrlich.«

»Zweifellos die grüne«, sagte Annie, drehte sich um und folgte Paula in den mit cremefarbenem Teppich ausgelegten Empfangsbereich.

Dort entdeckte sie Martha, eine sehr große Frau in den späten Dreißigern mit hängenden Schultern, die zur Konsultation in der universellen Uniform der sehr beschäftigten Hausfrau und Mutter erschien: ausgewaschene Jeans, ausgewaschenes T-Shirt, ausgewaschenes Gesicht, langes Haar mit anderthalb Zentimetern Spliss, grünen Turnschuhen und Marthas ureigenem Markenzeichen, einem wahrlich teuflischen grauen Parka. Kein Wunder, dass Paula in Panik geraten war!

Sekundenlang überkam Annie das Gefühl, dass eine solche Gleichgültigkeit gegenüber äußerer Erscheinung, Mode und der Meinung der Leute doch beinahe beneidenswert sei. Dann stellte sie sich vor, wie sie selbst ohne hohe Absätze, roten Lippenstift, Grundierung und einem Kopf voller blonder Strähnchen aussehen würde ... und das Gefühl verflüchtigte sich.

»Hi, Martha, ich bin Annie Valentine. Schön, Sie kennenzulernen.« Annie streckte Martha die Hand entgegen und bedachte sie mit ihrem ermutigendsten Lächeln. »Haben Sie sich schon umgesehen?«

»Hm ... ja ... Und jetzt bin ich noch unsicherer geworden«, lautete Marthas Antwort.

Annie war es gewohnt, alle möglichen Frauen anzukleiden: WAGs, vermögende Ehefrauen, wohlhabende Töchter, hochkarätige Geschäftsfrauen, Modekennerinnen und natürlich Frauen, die sich an irgendeinem Punkt selbst verloren hatten. Doch einen so extremen Fall hatte sie schon lange nicht mehr betreut. Die arme Martha war durch die verschiedenen Etagen geschlendert, hatte die Preisschildchen geprüft, die komplizierten Gewänder überhaupt nicht verstanden, und jetzt war sie hier und stand einer der glamourösesten Verkäuferinnen gegenüber, die ihr je begegnet waren: Paula. Geschmeidig und elegant wie die junge Naomi Campbell, einschließlich Knackarsch und ultravioletter Krallen. Zwar wirkte Annie ein bisschen realer, sie war aber auch gehörig aufgestylt und elegant: blond schimmerndes (ursprünglich mausbraunes) Haar, perfekt geschminkt mit penibel gezupften Brauen, französische Maniküre und leichte Sonnenbräune, geschmackvolle Kleidung, hohe Absätze. Und sie besaß eine unglaubliche Überzeugungskraft, wenn es darum ging, eine endlose Reihe von Frauen und gelegentlich auch Männer dazu zu überreden, um modischer und attraktiver auszusehen, horrende Summen hinzublättern.

Martha war wahrscheinlich inzwischen längst überzeugt, dass sie nicht hierhergehörte, sondern höchstens als Beispiel für schlechten Kleidungsstil fungieren könnte.

»Sie werden heute sehr viel Spaß mit uns haben«, sagte Annie mit einem aufrichtig freundlichen Lächeln und ohne Marthas Hand loszulassen, damit sie bloß nicht davonlief.

Im Grunde liebte Annie Kundinnen wie Martha. Mit ihnen musste man langsam anfangen, mit den schlichtesten Kleidern, die *The Store* zu bieten hatte, doch diese Kundinnen waren immer die dankbarsten und ausdauernd treuesten, weil Annie ihnen half zu verstehen, was eine Frau über ihren Look wissen muss, im Idealfall mit zwanzig, aber mit dreißig unbedingt.

Mit dreißig sollte laut Annie jede Frau Stunden in der Umkleidekabine verbracht haben, um herauszufinden, welche Farben, Formen und Schnitte ihr schmeicheln. Runder oder V-Ausschnitt? Knielang oder länger? Hoher Bund oder tiefer? Nuancen von Rot oder von Orange oder von Blau und Violett?

Mit dreißig sollte auch jede Frau die Macht eines besonders großartigen Accessoires und ihren persönlichen Stil begriffen haben.

Geschmackssichere Frauen verstanden die Bedeutung von Markenzeichen, wie zum Beispiel Prinzessin Dianas blauer Blazer, Mrs. Thatchers Schleife am Hals, Poshs Bustier, Liz Hurleys weiße Jeans.

Das waren die Geheimnisse, die Garderobe-Lektionen, die Annie vermitteln konnte.

»Tolle Körpergröße«, wandte Annie sich sogleich unverblümt Martha zu.

»Hat Vor- und Nachteile …«, antwortete Martha. »Ärmel …« Sie machte eine hackende Handbewegung in Ellenbogenhöhe. »Die Taille beim Kleid klemmt unter den Achseln.« Sie zeigte es mit einer Geste.

»Keine Sorge, wir kriegen das hin! Folgen Sie mir bitte in mein Boudoir.« Endlich ließ sie Marthas Hand los, im Vertrauen darauf, dass diese mit ihr kam.

In dem luftigen Raum mit den blickdichten Fenstern setzten sich Annie und Martha zu einem einleitenden Gespräch auf das fuchsiarote Sofa. Paula wartete in der Nähe.

»Also, wie alt sind Ihre Kinder?«, wollte Annie wissen. Die Frage, ob sie welche hätte, erübrigte sich für sie.

»Oh … sechs, fünf und gerade zwei.«

»Dann haben Sie bestimmt alle Hände voll zu tun«, bemerkte Annie mitfühlend.

»Ich muss verrückt geworden sein!«, kam Marthas Reaktion.

»Und wollen Sie zurück in Ihren Beruf?«, war Annies nächste Frage, denn das war gewöhnlich der Grund dafür, dass gestresste Mütter von Kleinkindern panisch in ihrer Suite auftauchten.

»Ja … mein erster Job seit sieben Jahren. Drei Tage pro Woche in der Personalabteilung … Nichts aus der Zeit vor den Kindern passt mir … und ich habe keine Vorstellung mehr, was man heute im Büro trägt. Wie es aussieht: Strickwesten, Glitzerröcke und hohe Absätze.« Martha schloss ihre Beobachtung mit einem jämmerlichen »Hilfe!«.

»Okay. Nun …« Annie rieb sich beinahe die Hände. Diese Aufgabe war leicht – ganz zu schweigen davon, dass es eine Freude für sie sein würde. Martha war groß, trug wohl aber noch Größe achtunddreißig, und mit der richtigen Garderobe und ein bisschen Pflege und Aufmerksamkeit würde sie nett aussehen. Sie würde sich nicht wiedererkennen.

»Paula ist für heute Ihre Beraterin, also« – Annie warf Paula ihren »Pass-gut-auf«-Blick zu – »Sie wird Ihnen helfen, *keinen* Hosenanzug zu kaufen. Nein, nein! Wohl aber Hosen, die passen und der Figur schmeicheln. Ich empfehle Grau, mit geradem Bein – nicht zu eng, nicht zu weit –, dann eine kurze, *abgestimmte*, aber nicht farblich übereinstimmende topaktuelle schwingende Jacke mit nur einem Knopf. Okay?

Dann benötigen Sie Schuhe, die gut passen und Ihnen gefallen, in einer zu dieser Kombination passenden Farbe. Also, Martha, Braun oder Schwarz ist nicht gestattet, von Marineblau ganz zu schweigen. Tut mir leid, aber so lauten meine Regeln!« Doch dabei zwinkerte sie Martha zu und schwächte den gebieterischen Ton ab. »Schauen Sie sich nach Gold,

Violett, Rot, Orange, Gelb um … Hübsch müssen sie sein. Wer will schon Schwarz? Wenn Sie die Schuhe gefunden haben«, fuhr sie fort, »suchen Sie sich drei atemberaubende Tops passend zu Hose, Jacke und Schuhen aus. Drei ist das Minimum. Schlappmachen gibt es nicht; hier müssen Sie hart arbeiten. Und dann, falls Sie sich entscheiden, die Bedingungen zu akzeptieren, besteht Ihre abschließende Mission darin, einen bunten Rock zu finden, der zu allen drei Tops, den Schuhen und der kurzen Jacke passt. Okay? Alles verstanden?«

Martha und Paula nickten gehorsam.

»Auf diese Weise, das verspreche ich Ihnen, werden Sie jeden einzelnen Tag im Büro wunderschön gekleidet sein. Falls Sie sich natürlich noch nach Regenmänteln, Schirmen, Stiefeln, Strickwesten … oder *Make-up* umsehen wollen« – auf das Wort »Make-up« legte sie besondere Betonung –, »kann Paula Ihnen raten, aber besorgen Sie sich zunächst die Basisgarderobe. Sie können jederzeit wieder zu uns kommen. Das wäre uns sogar sehr lieb. Hier ist es ein bisschen wie beim Zahnarzt: Wir sehen es gern, wenn unsere Kunden regelmäßig zum Check-up kommen.

Und dann … nur noch eines, meine Liebe, dann muss ich wirklich schnellstens zurück zu meiner anderen Kundin. Wie wollen Sie im Büro Ihr Haar tragen?«

Annie hatte sich diese Frage gut überlegt und war zu dem Schluss gekommen, dass dies die taktvollste Art war, das eigentliche Anliegen zum Ausdruck zu bringen: *Um Himmels willen, meine Gute, lassen Sie sich einen vernünftigen Schnitt und etwas Farbe verpassen!*

»Wie ich mein Haar tragen will? Mein Haar …?« Martha wiederholte die Frage, als verstünde sie den Sinn nicht ganz.

Annie nickte ermutigend, rechnete jedoch nicht mit der Beichte, die nun folgte.

Martha seufzte tief und platzte dann heraus: »Das Einzige, was ich mir wünsche, ist, einmal lange genug frei von Kopfläusen zu sein, um daran denken zu können, mir einen Friseurtermin geben zu lassen und ihn auch tatsächlich wahrnehmen zu können.«

»Oh! O nein!« Annie, die einmal einen »Ausbruch« auf dem Kopf ihres Sohnes miterlebt hatte, zeigte zumindest ein bisschen Mitgefühl, doch Paula war mehrere Schritte zurückgewichen und sah aus, als wollte sie laut schreiend aus dem Zimmer laufen.

»Oh, im Moment bin ich läusefrei«, fügte Martha hastig hinzu, während sie sicher war, dass das Personal im *The Store* mit Gesprächen über Kopfläuse nicht so vertraut war wie die Mitglieder ihrer Mutter-Kind-Gruppe.

»Die Läuse hatte ich völlig vergessen«, sagte Annie und widerstand dem Drang, sich bei dem Gedanken daran am Kopf zu kratzen. »Meine Kinder sind schon größer. Also … nun … am besten lassen Sie sich so schnell wie möglich die Haare schneiden, bevor die Läuse erneut auftreten. Gut!« Annie musste zurück zu Svetlana, so viel stand außer Frage. »An die Arbeit, ihr zwei! Und vergesst nicht, dass ich das Ergebnis sehen möchte!«

»Was ist jetzt wieder?«, wollte Annie wissen, als Paula zwanzig Minuten später erneut in ihrer Abteilung auftauchte. »Ich kann deine Arbeit nicht auch noch übernehmen!«, zischelte sie, mit ihrer Geduld am Ende.

»Donna – in deinem Büro!«, sagte Paula beleidigt.

»Was?!« Das waren keine guten Nachrichten. Annie gab

sich ohnehin schon Mühe, ihre Chefin – die Hexe – so selten wie möglich zu sehen, doch es gab mehrere Tage im Monat, sorgfältig in Annies Terminkalender verzeichnet, an denen Donna hormonbedingt so durchdrehte, dass man ihr um jeden Preis aus dem Weg gehen musste.

»Sie hat sich in deinen Computer eingeloggt!«, warnte Paula.

Kein Zweifel möglich: Annie musste gehen, und das ausgerechnet jetzt, da sie Svetlana wegen unbezahlbarer Ratschläge bezüglich eines neuen Mannes angezapft hatte.

»Es tut mir so sehr leid«, entschuldigte sich Annie bei der Russin. »Es gibt da ein kleines Problem, um das ich mich kümmern muss.«

»Macht nichts«, versicherte Svetlana. »Wir sind hier fertig. Alles ist beschlossene Sache. Wir werden gleich gehen.«

»Okay, ich bin in einer Minute zurück«, sagte Annie und hastete aus dem Umkleideraum in Richtung der fensterlosen Schuhschachtel, die als ihr Büro fungierte. Darin befanden sich ihr Schreibtisch, ihre Akten, der Firmencomputer und – was das Wichtigste war – ihr privater Laptop, der zurzeit an den Internetzugang von *The Store* angeschlossen war und ihre eBay-Homepage geladen hatte.

Die Arbeit als persönliche Einkaufsberaterin in *The Store* war Annies Tagesjob. Darum herum schob sie über ihren Garderobe-Service private Einrichtungsberatung ein, und dann war da noch die Annie-V-Handelsbörse bei eBay, mit der sie durch den Verkauf von Designermode gute Geschäfte machte: BNMP (brandneu mit Preisschild), neu, so gut wie neu, secondhand und nostalgisch. Aus welcher Quelle schöpfte Annie diese Dinge? Aus ihrer eigenen, mit Personalrabatt erstandenen Garderobe, aus Ausverkäufen in *The Store*, von den Wühltischen anderer Läden, aus Ramschläden, von Wohltätigkeitsbasaren, anderen eBay-Auktionen und Websites. Annie hatte den Blick der guten Verkäuferin für großartige Schnäppchen und einen profitablen Weiterverkauf.

Sie persönlich kaufte nie etwas zum vollen Preis: weder einen Haarschnitt (ihre Friseurin besuchte regelmäßig ihre Ausverkaufsvorschauen) noch eine Flasche Shampoo (das kaufte sie en masse im Internet) oder eine Dose Bohnen (sie wusste, was in jedem Supermarkt oder Großhandel im Umkreis von zwanzig Meilen im Angebot war) oder ein Auto (secondhand, Heiligabend, fantastischer Abschluss!). Und sie ließ andere großzügig von ihren Kenntnissen profitieren. Alle, die sie gut genug kannten, besaßen zu Hause einen Schrank vollgestopft mit Dosentomaten, Einweggrills, Weihnachtskarten, Jumbopaketen mit hauchfeinen halterlosen Strümpfen … und allen möglichen anderen Waren, die sie ihnen zu absoluten Schnäppchenpreisen besorgt hatte.

»Donna, grüß dich!« Annie gelang es ganz passabel, eine freundliche Begrüßung zu inszenieren. »Entschuldige, wir haben im Augenblick beide Kundinnen, aber kann ich irgendetwas für dich tun?«

Donna, die jetzt seit fünf Monaten Geschäftsführerin war, nahm ihre kurzen orangefarbenen Fingernägel nicht von der Tastatur. Sie tippte weiter, die schmalen Augen schwarz mit Prada gerahmt und auf den Monitor gerichtet.

Trotz des entzückenden geblümten Issa-Kleids, das ihren geschmeidigen Körper umhüllte, sah Donna – das lange schwarze Haar streng aus dem Gesicht gebürstet – aus, als wäre zu einem Mord bereit.

»Annie V's Handelsbörse!«, fauchte sie. »Du liebe Güte, wie viele Teile ich hier erkenne! Ist das da nicht eine von unseren jüngsten Mulberry-Taschen? Und sieh dir das an, sie geht für hundertfünfzig Pfund unter dem Einzelhandelspreis weg!«

»Sie stammt von einer Kundin, die sie schon satthat«, erklärte Annie. »Du weißt doch, wie wetterwendisch manche von ihnen sind. Sieh mal, Donna, das hat schon alles seine Richtigkeit – ich kann dir sogar die Steuererklärung für meine Handelsbörse zeigen.«

»Natürlich, ganz klar! Es gibt da nur ein kleines Problem, Annie.« Donna drehte sich zu ihr um und sah sie finster an. Ihre mit Botox unterspritzten Brauen zogen sich mit größter Mühe zu einer strengen Warnung zusammen, während Annie sich wieder einmal fragte, warum Donna nicht den deutlich sichtbaren Damenbart auf ihrer Oberlippe entfernte. War das eine Lesbenmarotte?

»Du machst das während deiner Arbeitszeit«, fuhr Donna sie an, »und ich habe dir deswegen schon zwei mündliche Verwarnungen erteilt.«

»Mündliche Verwarnungen?« Wollte die Schlangenfrau damit andeuten, dass frühere Gespräche über Annies Internetaktivitäten als offizielle Verwarnungen gelten sollten?

»Wir haben ein paarmal darüber *gesprochen*, ja«, pflichtete Annie ihr einschränkend bei und wünschte sich einen knallharten Anwalt, vielleicht einen von diesen aalglatten Amerikanern aus dem Fernsehen, an ihre Seite. »Und ich habe dir auch erklärt, dass ich es *nicht* während der Arbeitszeit mache. Mein Computer ist eingeschaltet, die Website ist geöffnet. Wenn ich einmal einen Moment Zeit habe, Teepause oder so … rasch etwas zu Mittag esse … dann schaue ich schnell nach. Ich beeinträchtige meine Arbeitsleistung dadurch in keiner Weise. Schau dir doch einfach einmal meine Verkaufszahlen für diesen Monat an, Donna!«, forderte Annie sie heraus. »Wenn du da ein Problem siehst, kannst du dich bei mir beschweren.«

»Es geht hier nicht um Verkaufszahlen«, entgegnete Donna. »Du gibst anderen Mitgliedern unserer Belegschaft ein schlechtes Beispiel. Deshalb gebe ich dir das hier.« Sie griff nach einem weißen Umschlag und reichte ihn Annie. »Das ist eine schriftliche Verwarnung, damit zwischen uns alles klar ist.«

»Was?!!«

Diese hinterhältige, durchtriebene Kuh!

Schon seit Donnas erster Woche in *The Store* war Annie klar, dass sie zu der Sorte von Vorgesetzten gehörte, die sich durch eine wirklich gute Angestellte bedroht statt unterstützt fühlen. Doch wenn sie auch vermutete, dass Donna sie liebend gern loswerden würde, um außer Konkurrenz Herrin im Haus sein zu können, hatte Annie doch fest geglaubt, ihre Achtung gebietenden Verkaufserfolge würden sie schützen. Jetzt, da sie eine schriftliche Verwarnung in der Hand hielt, war sie sich ihrer Sache nicht mehr so sicher.

»Und was ist mit Paula?«, ging Donna unvermittelt zum nächsten Angriff über. »Sie legt sich nicht richtig ins Zeug. Dir bleibt noch ein Monat, um sie vernünftig für ihre Aufgabe anzulernen, ansonsten müssen wir jemand anders finden.«

In Anbetracht der Tatsache, dass Paula von Donna – und zwar einzig und allein von Donna – angestellt worden war, erschien Annie dieser Vorwurf einigermaßen unfair, doch sie hatte nichts anderes von Donna erwartet.

Das Handy neben dem Computer klingelte. Annie besaß zwei Handys, und da es sich hier um ihr Firmenhandy handelte, verließ sie der Mut, als Donna danach griff und »Hallo?« in den Hörer bellte.

»Ja … aha … ach, wirklich? … Nun, das ist ja interessant … Nein. Ich sage ihr, dass sie zurückrufen soll.« Donna beendete das Gespräch und wandte sich wütend Annie zu. »Das war dein Immobilienmakler. Er will über eine ›höchst interessante neue Investitionsgelegenheit‹ mit dir reden. Du solltest ihn unbedingt anrufen, wenn du deine Verwarnung gelesen hast und offiziell Feierabend machen kannst!« Der vernichtende Blick, der diese Worte begleitete, war unmissverständlich.

In diesem Moment erschien Svetlana an der Tür ihres Büros. »Ahnnah, wir wollen jetzt gehen«, sagte sie und verlangte sofortige Aufmerksamkeit. »Könnten Sie veranlassen, dass alles zum Hinterausgang gebracht wird? Olga und ich gehen jetzt zum Wagen.«

Annie küsste Svetlana und Olga vier Mal, nach russischem Brauch, und dankte ihnen überschwänglich für ihren Besuch. Genauso überschwänglich wurde ihr Dank erwidert.

Svetlana fragte, als hätte sie Donna erst jetzt bemerkt: »Sind Sie Ahnnahs Chefin?«

Als Donna zur Antwort knapp nickte, begann Svetlana zu schwärmen: »Sie ist wunderbar – die beste Stylistin in London. Wirrrklich. Seien Sie nett zu ihr, denn wenn sie *The Store* jemals verlassen sollte, dann gehe ich auch.«

Donnas Miene verfinsterte sich, doch sie gab sich alle Mühe, ein Lächeln zustande zu bringen.

Und dann reichte Svetlana Annie als beiläufige Dankesbezeigung eine Chloé-Handtasche aus der vergangenen Saison und sagte: »Ich will sie nicht mehr. Nehmen Sie sie – für Ihr Geschäft. Ich bin voller Bewunderung für Ihr Unternehmen.«

»Nein, nein, meine Liebe, das kann ich nicht …«, setzte Annie an.

»Doch, narrrtürrrlich«, beharrte Svetlana, »und ich habe etwas für Sie hineingetan. Spezielle Informationen, Ahnnah, denn es ist Zeit für Sie, einen neuen Mann zu finden. Es ist nicht gut, lange allein zu sein.«

Bevor Annie sich auch nur bedanken konnte, war Svetlana bereits aus der Suite zu ihrer vollgepackten Limousine gefegt und fuhr ihrem Luxusleben in Mayfair entgegen.

Der Ausdruck echten Schmerzes auf Donnas Gesicht war herrlich anzusehen, aber trotzdem sagte sie schnippisch: »Diese Frau ist doch ein leibhaftiges Klischee!«

2.

Becca Wolstonecroft auf dem Elternabend:

Graues T-Shirt (M&S)
Rosa Fleece (M&S)
Graue (vormals schwarze) Freizeithose (Gap)
Graue (vormals weiße) Unterwäsche (M&S)
Kurze schwarze Socken (von ihrem Mann)
In einem vergeblichen Versuch, Obiges zu kaschieren:
Cremefarbener Webpelzmantel
(sechs Jahre altes Weihnachtsgeschenk)
Geschätzte Gesamtkosten: 220 £

»Herr im Himmel! Wie viel!?«

Kurz vor Ladenschluss verließ Annie *The Store* mit zwei luxuriösen Handtaschen über einer Schulter: ihrer eigenen kürbisfarbenen Chloé, die jetzt, in ein schützendes Tuch gehüllt, Svetlanas enthielt. Sie hatte sich noch nicht entschieden, ob sie sie behalten oder verkaufen würde.

Über der anderen Schulter schleppte sie eine riesige Einkaufstasche mit den restlichen Errungenschaften des Tages: drei Tupperdosen mit Resten aus der Personalkantine fürs Abendessen, acht Flaschen Clarins Gesichtsöl (Haltbarkeitsdatum abgelaufen), zwölf Estée-Lauder-Lippenstifte (aus der letzten Kollektion), ein Paar (beschädigte) Herrenhosen, ein Schnäppchen. Sie würde sie selbst ausbessern und als BNMP verkaufen.

Donnas Warnbrief, der Annie darüber informierte, dass sie im Falle einer weiteren »irregulären Aktivität« mit der Kündigung rechnen müsste, hatte sie gelesen und dann wütend zerknüllt. Er lag nun begraben unter all den anderen Teilen, denn Annie gab sich größte Mühe, nicht an ein Leben ohne ihren Job im *The Store* zu denken. Sie war die alleinige Ernährerin ihrer Familie. Ja, sie arbeitete sehr hart, um ihr Haupteinkommen aufzubessern, doch wenn Donna sie vom Hochseil stieß, war da kein Netz, das sie auffangen würde.

Ihr privates Handy meldete sich mit einer Rap-Version der *Star-Wars*-Titelmusik, denn ihr neunjähriger Sohn Owen hatte wieder einmal daran herumgedoktert. Ihre vierzehn-, beinahe fünfzehnjährige Tochter Lana (damit schlägt man sich mit fünfunddreißig herum, wenn man mit zwanzig Babys sooo süß findet und wahnsinnig verliebt ist!) wollte sie sprechen.

»Hallo, Lana«, meldete sich Annie. »Du willst mich erinnern, stimmt's? Aber ich habe es nicht vergessen, ehrlich nicht! Ich bin schon auf dem Weg und werde um 19.15 Uhr deinem Klassenlehrer gegenübersitzen. Großes Ehrenwort, Hand aufs Herz! Ich werde nicht zu spät kommen«, versicherte Annie ihrer Tochter, »ich schwör's!«

»Und du boxt mich aus diesem Wohltätigkeitsmist heraus, okay?« Lana brachte ihre weinerliche Stimme zum Einsatz. »Darüber musst du mit Owens Lehrer sprechen.«

»Ich werde es mir überlegen«, sagte Annie. Noch mehr wollte sie nicht versprechen.

Sie trabte flott auf sechs Zentimeter hohen Absätzen zur U-Bahn-Station, vorbei an den Modeirrtümern, die den Wunsch in ihr weckten, Leute auf der Straße anzuhalten: »Meine Liebe, enge Jeans? In Stiefel gestopft? Darin würde sogar Kate Moss ein bisschen fett aussehen. Du erinnerst darin an die ›Tamworth Two‹: zwei Schweine, die um ihre Freiheit kämpfen.«

»Eine Zottelweste, Schätzchen??? Drei Jahre, nachdem alle anderen aus dem Verkehr gezogen wurden?«

Annie fuhr in Richtung Highgate, eines der hübschesten und ältesten Viertel in Nord-London, in dem sie jetzt endlich wohnte. Vor Hunderten von Jahren war Highgate als Dörfchen entstanden, und es gab noch immer Kopfsteinpflaster und denkmalgeschützte georgianische Häuser mit Butzenscheibenfenstern und durchhängenden Eichenbalken. Obwohl es durch eine Hauptstraße, die ständig vom Stop-and-go-Verkehr verstopft war, zweigeteilt war, hatte Highgate immer noch eindeutig dörflichen Charakter (ah – sie hörte geradezu den schwärmerischen Tonfall des Immobilienmaklers!). An der High Street fand man echte Läden wie auch einen Tesco Metro, Banken und Maklerbüros. Leute zogen dorthin, verliebten sich in das Viertel und blieben meistens, wodurch eine bessere Nachbarschaft als in vielen anderen Teilen Londons gewährleistet war.

Annie hatte schon immer in Highgate wohnen wollen, trotz der unverschämten Preise, und sie hatte die enge Vier-Zimmer-Wohnung, in der sie mit ihren beiden Kindern lebte, über ihr privates Immobilienausbau-Projekt gefunden.

Dass sie in den vergangenen zehn Jahren acht Mal umgezogen war, konnte als Beweis ihrer unerschöpflichen Energie gelten, ganz zu schweigen von ihrer Abneigung gegen das Sesshaftwerden und gegen Stillstand. Immer kaufte sie die heruntergewirtschafteten, verkommenen Wohnungen, die sonst niemand wollte, und engagierte billige Handwerker, nutzte ihre eigenen rudimentären Fähigkeiten als Heimwerkerin, die sie aber geradezu unermüdlich einsetzte, und vor allem ihren treffsicheren, großartigen Geschmack, um dann mit Profit zu verkaufen und in eine etwas bessere Wohnung zu ziehen, die ihrem Traumziel ein klein wenig näher kam.

Verrottete Teppiche, schimmelige Bäder, kaputte Dächer, klappernde Fenster, Ungeziefer, Hausschwamm: Nichts davon konnte Annie jetzt noch Angst einjagen. Sie hatte alles erlebt und war mit Gewinn daraus hervorgegangen.

In ihrer derzeitigen Wohnung hatte sie gerade ein fantastisches (gehörig herabgesetztes) Muschelkalkstein-Bad eingebaut, mit Dampfdusche, Badewanne auf Füßen und allem Drum und Dran. Jetzt richtete sie sich darauf ein, die Wohnung im Frühling mit größtmöglichem Gewinn zu verkaufen und in die nächste renovierungsbedürftige Wohnung zu ziehen, wenngleich es ihr wirklich schwerfiel, sich von dieser Dusche zu verabschieden. Na ja … im Grunde tat es ihr aus vielerlei Gründen leid, sich überhaupt von dieser Wohnung zu trennen, und wie sie vermutete, würden sich auch die Kinder nur schwer davon überzeugen lassen, dass es eine gute Idee war … Aber ob es ihnen nun gefiel oder nicht – sie brauchte das Geld.

Ihre Absätze klapperten über das Pflaster, als sie die U-Bahn-Station Highgate verließ – nicht um nach Hause zu gehen, sondern vielmehr in Richtung St. Vincent's, die hervorragende, wenn auch absolut exklusive und selbstgefällige private Ganztagsschule, die ihre beiden Kinder besuchten.

Ihre Kinder für mehr als zweitausend Pfund monatlich auf die St. Vincent's schicken zu können, das war's, was Annie während ihrer langen Tage voller Schmeichelei, Feilschen, Beraten und Verkaufen antrieb und motivierte. Sie war als ältestes von drei Mädchen ihrer alleinerziehenden, rund um die Uhr arbeitenden Mutter in einem bedeutend weniger einladenden Winkel Londons aufgewachsen und zur ortsansässigen Grundschule geschickt worden, dann zur ortsansässigen Gesamtschule, bis sie und ihre Schwestern nacheinander das kritische Alter von vierzehn Jahren erreicht hatten. Dann hatte Fußpflegerin Fern (die sich lieber als Podologin bezeichnete) ihren Überstundenlohn, ihre Ersparnisse und ihre angeborene Intelligenz zum Einsatz gebracht, um den Mädchen Plätze an der außerordentlich angesagten Francis Holland School für Mädchen zu sichern, wo sie ihre Abschlussprüfung machen und sich ein bisschen Schliff zulegen konnten. Für Annie war Francis Holland das Gelobte Land gewesen, der Heilige Gral: eine Traumschule für die Reichen und Berühmten, denen sie sich mit leichten Einschränkungen anschließen durfte. Ja, sie hatte ihr Quantum an Hänseleien ertragen müssen, weil sie im falschen Stadtteil lebte und ihr Akzent mehr an Kieselsteine als an geschliffenes Glas erinnerte. Doch in erster Linie hatte sie einen großen Freundes- und Fankreis angezogen, weil sie Köpfchen hatte, sich auskannte und cool war und weil sie sehr viele Jungen kannte.

Annie hatte die Schule, ausgerüstet mit mehreren entscheidenden Attributen, nach vier Jahren verlassen: mit den für die Kunsthochschule notwendigen Qualifikationen (zu Ferns großer Enttäuschung nicht mit denen fürs Medizinstudium) und der festen Überzeugung, dass ihre Kinder, falls sie je welche bekommen sollte, vom ersten Tag an eine Schule wie diese besuchen sollten, ganz gleich, was es kostete. Und letztlich hatte sie, was vielleicht am wichtigsten war, gelernt, dass man, selbst wenn man aus dem Rahmen fiel, immer man selbst bleiben musste, weil die Menschen um so vieles positiver auf bodenständig Reelles reagieren als auf nervöses, aufgesetztes Getue und Gehabe.

»Ah, Mrs. Valentine, schön, Sie zu sehen. Und wie geht es Ihnen?«

Der Direktor, Mr. Ketteringham-Smith, stocksteif und flott in seinem hellgrauen Elterngesprächsanzug, begrüßte sie am Haupteingang persönlich mit einem charmanten, ans Schleimige grenzenden Lächeln.

»Spitze, Herr Direktor!«, versicherte sie ihm mit ihrem schönsten Lächeln. »Und Ihnen? Sie sehen sehr fit aus.«

»Oh, na ja … wirklich?« Ihr Kompliment brachte ihn aus der Fassung.

»Aber sicher, Sie sehen aus, als hätten sie eigenhändig und allein die First XV trainiert.« Zugegeben, das ging ein bisschen zu weit, aber immerhin war Lana nicht in der Nähe, die sich zu Tode schämen würde, wenn ihre Mutter mit dem Direktor flirtete.

»Tja … ähm … ich halte mich gern in Form, hier und da«, antwortete er.

Sie versagte sich eine freche Antwort darauf, denn wenngleich viele, viele interessante Männer an Elternabenden die Flure von St. Vincent's bevölkerten, gehörte Mr. Ketteringham-Smith mit seiner beginnenden Glatze sicher nicht dazu.

Annie hatte, was vielleicht verständlich war, einen Vater-

Fimmel. Nun ja, erstens hatte sie kaum je einen gehabt. Wem hatte Fern ihr Herz geschenkt? Sie musste natürlich einen Frachtschiffkapitän erwählen. Was für ein unübersehbarer Fehler! Frachtschiffkapitän? Schon die Bezeichnung enthielt eine deutliche Warnung. Mick Mitchell war nie da – er war nicht nur eine Stunde Weges entfernt, die er zur Arbeit pendeln musste, sondern am anderen Ende der Welt: an Orten wie Hongkong und Rio de Janeiro. Während der kurzen Zeitabschnitte, die er zu Hause verbrachte, spielte er immer noch gern den Kapitän, was Fern in Wut versetzte, die alles allein erledigte, wenn er fort war. Aber es waren die allzu regelmäßigen medizinischen Indizien (die gehörige Mengen an Antibiotika erforderlich machten) für Frauenbekanntschaften in fremden Häfen, die sein Schiff schließlich zum Sinken brachten.

Owens und Lanas Dad, Roddy Valentine – frech und witzig, ein keltischer Herzensbrecher mit blauschwarzen Haaren –, war anfangs so viel mehr ein Familienmensch gewesen. Allerdings war er Schauspieler, häufig unterwegs, und trotz seiner gegenteiligen Beteuerungen hatte Annie die Möglichkeit von Frauengeschichten nicht ausschließen können. Dennoch war sie in keiner Weise auf das abrupte und schockierende Ende ihrer Ehe vorbereitet gewesen. Auf den absoluten, unwiderruflichen Bruch und Zusammenbruch. Den Schlusspunkt. Über Nacht wurde Roddy zu Schnee von gestern, und sie musste damit fertigwerden, irgendwie darüber hinwegkommen, jedes Fitzelchen Kraft dafür einsetzen, sich und ihre beiden am Boden zerstörten Kinder aufzurichten und weiterzumachen.

Wie war es dazu gekommen? Das war eine Geschichte, die sie nicht gern erzählte. Es war eine Geschichte, die sie irgendwo in ihrem Kopf selbst nicht recht glaubte. Noch immer hörte sie nicht gern unverhofft seinen Namen, er ließ sie zusammenzucken. Obwohl Roddy sie vor inzwischen zweieinhalb Jahren verlassen hatte, wachte sie immer noch oft genug morgens auf und sah sich auf der anderen Bettseite nach ihrem attraktiven Mann um – im ersten Moment noch überzeugt, dass alles nur ein böser Traum gewesen war.

Ein Schuljunge reichte ihr ein Informationsblatt, und sie überflog es, prüfte die Reihenfolge der Programmpunkte und die Zimmer, die sie aufsuchen musste.

Eineinhalb Stunden waren für Lehrergespräche anberaumt, dann ging es in die Aula zur Ansprache des Direktors und zu den Vorstellungen. Würde es jemandem auffallen, wenn sie das Hauptprogramm schwänzte?

»Annie! Hallo! Wie geht's dir?« Becca Wolstonecraft kam auf sie zu, eine mollige, blondlockige, freundliche Mutter von vier Kindern – entweder fantastisch reich oder fantastisch pleite. Annie hatte noch nicht herausgefunden, was von beidem zutraf.

»Du siehst wunderbar aus – wie immer«, sagte Becca und gab ihr einen Kuss auf die Wange.

»Oh, wie lieb von dir«, antwortete Annie. »Vielleicht brauchst du eine neue Brille, Schätzchen.«

»Nein, nein. Aber, Annie, du wirst mich eines nicht zu fernen Tages generalüberholen müssen. Sieh mich doch an!« Becca senkte das Kinn und gestikulierte mit den Armen. »Ich sehe aus wie ein verdammter Labrador!«

Annie erstickte das Lachen, das dieser Behauptung zugestanden hätte – nicht nur, weil sie witzig war, sondern weil … nun ja, blonder knielanger Pelz vielleicht nicht gerade die beste Wahl für Beccas kleinen stämmigen Körperbau war.

»Rede keinen Unsinn!«, widersprach Annie.

»Das ist kuschelig und … so …«, sie rang nach Worten, »… warm.«

»Oh, na gut, dann eben wie ein warmer, kuscheliger Labrador!«, rief Becca.

»Genau, okay. Hast du am Dienstagabend schon etwas vor?«, fragte Annie.

»Nein«, antwortete sie zögernd.

»Dann also kommenden Dienstagabend.«

»Hmm?« Becca schien verwirrt zu sein.

Annie hatte längst ihr pinkfarbenes Filofax aus Kroko-Imitat aus der Tasche gezogen – sie hielt nicht viel von elektronischen Terminkalendern, weil ihr in der Vergangenheit schon zu viele kaputtgegangen waren. Sie hielt auch nicht viel davon, ihre Visitenkarte zu übergeben und darauf zu warten, dass man sie anrief: Das geschah nie; man musste die Leute festnageln, solange man sie noch am Schlafittchen hatte. Ein Event in St. Vincent's verließ sie nie, ohne wenigstens eine neue Kundin geangelt zu haben.

»Am kommenden Dienstagabend«, erklärte Annie. »Ich nehme mir deinen Kleiderschrank vor, um auszusortieren, dir zu sagen, was du behalten und was du in den Müll werfen sollst. Um dir in allen Einzelheiten und anhand von Bildern zu erklären, was und wo du kaufen musst, damit du von jetzt an immer umwerfend aussiehst.«

Becca sah sie skeptisch an. »Hm … na ja … Was nimmst du dafür?«

»Wahrscheinlich nur ein bisschen mehr, als dein gegenwärtiges Outfit wert ist«, zog Annie sie auf.

»Und was ist es deiner Meinung nach wert?« Becca blickte an ihrem pelzigen Mantel herab.

»Hmm … alles in allem, einschließlich der M&S-Schuhe … 220 Pfund?«, schätzte sie.

»Herr im Himmel! *Wie viel?!*« Becca wirkte ehrlich entsetzt.

»Das ist mein Freundschaftsrabatt«, versicherte Annie. »Und es dauert nicht einmal so lange wie eine Einkaufstour durch die Lebensmittelabteilung von M&S.«

»Hm, ja …«

»Hör zu, ich trage dich mit Bleistift ein. Gib mir deine Telefonnummer, dann rufe ich dich ein paar Tage vorher an, um den Termin zu bestätigen.«

»Okay, gut.« Beccas Miene hellte sich auf, vermutlich unter der irrigen Vorstellung, dass sie, wenn der Anruf kam, auf Zeit spielen konnte. Doch Annie trug die Telefonnummer zufrieden ein, wohl wissend, dass sie am Telefon Siegerin sein würde.

»Komm!« Becca drängte auf einen Themenwechsel. »Ich will zuallererst Erics Lehrerin abhaken. Gehen wir zusammen rauf zu Godzilla?«

»Nicht«, warnte Annie, »sonst rede ich sie womöglich noch so an, wenn ich ihr die Hand gebe!«

Lanas und damit auch Erics derzeitige Klassenlehrerin war das Schlachtross der Schule: die Sorte Drache, die nur um des Brüllens willen brüllte und Spaß daran hatte, wenn die Kinder verängstigt wegliefen.

»Eric!«, rief Becca ihren Ehemann, Eric senior, einen rotgesichtigen, in einen Nadelstreifenanzug gezwängten Mann. »Hier entlang – bringen wir's hinter uns!«

Oben auf den Gängen und in den Klassenzimmern schlenderten Eltern umher, betrachteten die Kunstwerke an den Wänden *(»Gottchen, Jessamy ist so talentiert, sieh dir nur diese Pinselführung an! Wir sollten in den Sommerferien mit ihr nach Florenz reisen. Die großen Meister werden sie inspirieren.«);* blätterten durch Kladden und Textbücher *(»Isaac ist großartig in Mathe ... sieh dir das an, er hat nicht einen Fußpunkt falsch gesetzt. Die Kumon-Klasse nach dem Unterricht war wirklich ihr Geld wert!«);* und warteten, bis sie an der Reihe waren, mit dem jeweiligen Lehrer zu sprechen *(»George ist längst der Meinung, sie hätte das Zeug für Oxbridge ... Stimmt, im April wird sie zehn ... aber sie liest jetzt schon Dickens. Ach? Henry liest James Joyce?«).*

In St. Vincent's zeigten die Eltern sehr großes Interesse dafür, wie ihre Kinder sich machten, und sie versäumten nie eine Gelegenheit, sich über ihre Fortschritte zu informieren.

»Jill!« Annie tippte einer der Mütter, die seit kurzem ihre Kundin war, auf die Schulter. »Sieh dich an! Richtig hübsch.« Sie lächelte, musterte Jill wohlwollend von Kopf bis Fuß, erkannte den karamellfarbenen Regenmantel, den sie zusammen gekauft hatten, den hinreißenden, kunstvoll geschlungenen Samtschal und den selbstsicheren Bobbi-Brown-Ausdruck auf Jills Gesicht.

Jill erwiderte ihr Lächeln und sagte »Danke«, ganz so, wie Annie es ihr beigebracht hatte. *»Danke ist völlig ausreichend. Aber nie wieder ›Ach, dieses alte Schätzchen?‹ oder ›Ich habe einfach übergeworfen, was mir gerade in die Finger kam‹ oder ›Auf dem Weg hierher bin ich rücklings in ein Gebüsch gestolpert‹ ... oder was du sonst früher auf Komplimente geantwortet hast.«*

Nach ein paar Plauderminütchen flüsterte Jill mit einer verstohlenen Geste Annie zu: »Da ist Tor – Tor Fleming! Sie wurde bei der Scheidung so richtig über den Tisch gezogen. Richard behält das Haus, er bekommt mit ihr das gemeinsame Sorgerecht für Angela mitsamt den besten Ferienwochen, und Tor kriegt nicht einmal Unterhalt. Total über den Tisch gezogen! Ich glaube, sie ist dem Zusammenbruch nahe. Schau sie nur an. Niemand braucht dich dringender als sie, Annie!«

Annies Blick folgte dem diskreten Finger, der auf die Mutter einer Klassenkameradin von Lana zeigte. Die arme Tor. Ihr nacktes, erschöpftes Gesicht schwebte zwischen einem formlosen blassblauen Anorak und einem zerzausten mittelbraunen Bob-Frisur mit tragischem grauen Scheitel. Und am schlimmsten war, dass Richard – groß, gutaussehend und gewohnt, Befehle zu erteilen, in einem teuren marineblauen Mantel, einen flotten Schirm in einer Hand – ein paar Schritte vor ihr stand und mit allzu großem Interesse ein Bild an der Wand betrachtete. Offensichtlich hatten sie beschlossen, um Angelas willen diese Schulveranstaltung gemeinsam zu besuchen.

Mit einem überschwenglichen »Tor!« preschte Annie an Richard vorbei. »Wie geht's dir? Ich habe dich ja ewig nicht gesehen, du musst wieder einmal vorbeikommen …«

Bald darauf war Annie an der Reihe, Lanas Lehrerin gegenüber, der gefürchteten superstrengen Miss Gordanza, deren Alter fünfzig und ein paar Zerquetschte betrug, Platz zu nehmen.

Nach einem knappen Hallo wandte Miss Gordanza sich den getippten drei Seiten Notizen über Lana zu – und das Schuljahr war nicht einmal zur Hälfte herum –, die auf ihrem Schreibtisch lagen.

»Nun, Mrs. Valentine, in der Vorweihnachtszeit hatten wir wahrhaftig Probleme mit Lana«, begann Miss Gordanza und rückte ihre violette Katzenaugenbrille auf ihrer zu stark gepuderten spitzen Nase zurecht.

»Probleme« war noch gelinde ausgedrückt. Lana und die Mädchen aus ihrer Clique hatten sich in der Weihnachtszeit gegenseitig zu einer Serie immer gewagterer und riskanterer Streiche angestachelt: übers Wochenende im Klassenzimmer rohen Fisch verstecken – und dann die spektakuläre Sabotage auf Sirupbasis an den Blechblasinstrumenten des Schulorchesters.

Darauf folgten dann Ermittlungen im Stil der für die nationale Sicherheit zuständigen MI5 unter Beteiligung des Direktors, verschiedener Lehrer, von Lana, fünf ihrer Freundinnen und allen betroffenen Eltern. Die Mädchen wurden bestraft und unehrenhaft in die Ferien entlassen. Im Januar, zurück in der Schule, wurde eine ausgeklügelte Buße verhängt: Lana und die übrigen Beteiligten sollten jetzt der Wohltätigkeits-Spendensammlungs-Gruppe der Schule vorstehen. Doch Lana versuchte noch immer, sich zu drücken.

»Sie fühlt sich inzwischen in der Schule sehr viel wohler«, erklärte Annie Miss Gordanza. »Sie hat mir versprochen, in diesem Schuljahr einen neuen Anfang zu machen, und wie es scheint, hält sie sich daran. Sie konzentriert sich wirklich auf die Prüfungsvorbereitungen …«, hörte sie sich entschieden begeisterter schwärmen, als es Lanas Motivation entsprach.

»Ich werde sie streng im Auge behalten«, sagte Miss Gordanza, während Annie den grellen fuchsiaroten Lippenstift auf den schmalen Lippen der Lehrerin fixierte. Es war die Sorte Rot, die niemals verwischte, nicht einmal bei Nacht. Wahrscheinlich erwachte Miss Gordanza allmorgendlich mit diesem kleinen verkniffenen roten Mund.

»Ja, ich auch«, versicherte Annie Godzilla und heftete den Blick auf das goldene Medaillon, denn die Lehrerin trug die Nationaltracht der über fünfzigjährigen Schlachtrosse:

einen marineblauen Rock mit messerscharfen Falten und einen hellen Acryl-Rollkragenpullover, der über dem üppigen Busen derart spannte, dass er ein kleines Trampolin für das Medaillon bildete. Aber sie würde sich wohl kaum mit einer Modeberatung einverstanden erklären, oder?

»Es gibt … Ich glaube … Lana hat wahrscheinlich Probleme wegen der … hm … Situation ihres Vaters«, fuhr Miss Gordanza umständlich fort. »Doch ich bin sicher, sie liegen nicht außerhalb der Kontrolle dieser Schule.«

»Ja, nun …« Annie bemerkte sanft: »Ich bin sicher, wir alle haben Probleme, Miss Godzil … zanza.« Sie glaubte, sich gerade noch gerettet zu haben.

»Ich werde von so vielen Leuten so genannt, dass ich erwäge, meinen Namen ändern zu lassen«, sagte die Lehrerin gereizt, ohne den Blick von den getippten Seiten zu heben.

»Entschuldigen Sie.« Annie schämte sich plötzlich und fühlte sich, als wäre sie zehn Jahre alt. »Entschuldigung. Ich wollte nicht …«

»Schon gut. Wollen wir uns jetzt Lanas Wahlfächern zuwenden?«

Owens neuer Klassenlehrer in der Grundschule war der Musiklehrer Mr. Leon. Er war erst kürzlich in den Lehrkörper eingetreten und jetzt schon sehr beliebt – nicht nur bei den Schülern, wie es aussah. Zahlreiche Mütter bekamen in seiner Gegenwart leuchtende Augen oder erröteten sogar, wie man gesehen haben wollte.

Doch Annie, die sich schon ein paar Mal mit ihm getroffen hatte, verstand nicht, was so attraktiv an ihm sein sollte. In ihren Augen war Mr. Leon zweifellos nett und ein schrecklich engagierter Lehrer, aber für ihren Geschmack einfach ein bisschen zu britisch-exzentrisch, als dass er sie hätte interessieren können.

Als sie im Flur darauf wartete, dass sie an die Reihe kam, hörte Annie eifrige Eltern reden: »Marcus ist erstaunlich klug«, informierte die Mutter Mr. Leon. »Wir wollen sichergehen, dass er sich noch ordentlich streckt.«

»Tja, leider haben wir keine Streckbank mehr in der Schule, Mrs. Gillingham, aber mal sehen, was mir sonst noch dazu einfällt«, erwiderte Mr. Leon, was zunächst Schweigen und dann ein verwirrtes Kichern von Mr. und Mrs. Gillingham bewirkte.

Als Annie an der Reihe war und in den Klassenraum trat, hockte Mr. Leon auf der Schreibtischkante und summte fröhlich vor sich hin.

»Mrs. Valentine! Kommen Sie, kommen Sie. Alle Vorschläge zur Folter von Kindern werden dankbar angenommen.«

Er löste seine Arme aus der Verschränkung vor der Brust, stand auf, versuchte, mit einer Hand durch sein Haar zu fahren, blieb jedoch in dem zerzausten Mopp stecken, gab den Versuch auf und wies auf zwei Stühle, die für die Eltern bereitstanden. In St. Vincent's pflegten die Eltern paarweise aufzutreten, wurde Annie mit einem kleinen Stich ins Herz bewusst.

»Wie wär's mit Geige?«, fragte Mr. Leon, setzte sich und verschränkte die Arme wieder. Dadurch wirkte er angespannt und unbehaglich in der Kleidung, die er, um flott zu wirken, zu diesem Anlass gewählt hatte. Große Mühe hatte er sich nicht gegeben, das musste einmal gesagt werden. An diesem Abend hatte er sich für den exzentrischen Tramp-Look entschieden: abgetragene Cordhosen, unvorteilhaft kombiniert mit klobigen Wanderstiefeln und einer engen Tweedjacke, die so haarig war, dass Annie sich fragte, wann sie anfangen würde zu bellen.

Der oberste Hemdknopf war offen, und seine Krawatte war zu einem knubbeligen kleinen Knoten festgezurrt, der nicht zu seinen breiten Schultern, dem gebräunten Gesicht und der spektakulären Haarmähne passte. Er sah aus, als wäre er von einem Berg gestiegen und in die erstbesten Kleider geschlüpft, die ihm in die Finger kamen. Außerdem umwehte ihn ein merkwürdiger Duft: feucht, leicht rauchig, wenn nicht sumpfig.

»Was ist mit der Geige?«, wiederholte Annie und fragte sich, ob sie den ersten Teil des Gesprächs irgendwie verpasst hatte.

»Owen sollte Geige spielen. Am Klavier ist er großartig. Er kann so gut wie jedes Instrument spielen, das er in meinem Unterricht in die Hände bekommt. Er ist neun, ein vortreffliches Alter zum Einstieg, und er hat ein gutes Gehör, ein wirklich sehr gutes. Plus«, sprudelte er weiter, »wir warten verzweifelt auf Geigernachwuchs. Drei verlassen uns am Ende des Schuljahrs.«

Annie konnte nur vermuten, dass er von Mitgliedern des Schulorchesters sprach.

»Mr. Leon«, setzte sie an.

»Ed«, fiel er ihr ins Wort, »bitte nennen Sie mich Ed.«

Er wandte sich ab, kramte in seinen Taschen und fing gerade noch rechtzeitig ein heftiges Niesen in seinem zerknitterten Baumwolltaschentuch auf.

»Tja, Gesundheit, Ed! Wo haben Sie sich denn diese Erkältung eingefangen?«

»Fünfte Klasse, Orientierungsmarsch in Snowdonia, bin

gerade erst zurückgekommen.« Er putzte sich energisch die Nase. »Ein irrer Spaß.«

»Bisschen kalt zum Zelten, wie?« Jetzt kannte sie den Grund für den feuchten, sumpfigen Geruch.

»Die Kinder haben in der Jugendherberge übernachtet, aber für mich war es kein Problem; meine Ausrüstung ist arktistauglich.«

»So. Nun …« *Er schläft im Februar draußen!? Siehst du: ein verrückter, exzentrischer Tramp!* »Glauben Sie mir, Ed, es würde keinem von uns gelingen, Owen zum Geigespielen zu überreden. Ausgeschlossen! Vielleicht konnten Sie dieses Thema noch nicht erschöpfend mit ihm diskutieren« – auf diese Weise wollte sie Owens akute und manchmal höchst hinderliche Schüchternheit einfließen lassen –, »aber ich kann Ihnen versichern, dass der supercoole Skateboarder, Chemiekastensprenger und Rapper, den ich kenne, nie im Leben ein so affiges Streberinstrument wie eine Geige anfassen würde.«

»Ich spiele auch Geige«, sagte Ed.

»Oh … na ja …«

»Es geht ja nicht nur um Konzerte«, versicherte er, »wenngleich die klasse sind. Aber es gibt auch noch Folk-Musik, irische Volkstänze, sogar Rock 'n' Roll.«

»Nein, ich glaube nicht, dass er sich dazu bewegen lässt, und ich möchte ihn nicht zwingen.«

»Für mich ist die Geige einfach eine so persönliche Stimme, eine Ausdrucksmöglichkeit …«, setzte Ed zu einer Erklärung an.

Doch Annie erinnerte ihn sanft: »Owen hat selbst eine völlig ausreichende Stimme. Zu Hause benutzt er sie ganz wunderbar und auch, wenn er sich bei Leuten wohlfühlt. Es ist unsere Aufgabe, unser aller Aufgabe, ihm zu helfen, damit er sich in der Schule auch wohlfühlt.«

»Ich bin völlig Ihrer Meinung«, sagte Ed rasch, »aber er ist sehr gut in Musik, und da sollten wir ihn fördern. Alle kreativen Ventile sind gut für Kinder. Wussten Sie, dass Owen etwa fünf Wörter am Tag mit mir redet, was ein großer Fortschritt ist? Ich versuche so behutsam wie möglich, das auszubauen. Wie wär's dann mit Gitarre?«, schlug Ed vor. »Gitarre ist doch cool.«

»Mag sein«, antwortete Annie vorsichtig, um nicht versehentlich eine ungewollte Zustimmung zu geben.

»Gut, so machen wir's«, begeisterte sich Ed. »Gitarrenunterricht.«

Na also!

»Ich weiß nicht, ob er möchte …« Sie hatte Angst, ob der superschüchterne Owen mit Einzelunterricht bei einem Fremden zurechtkommen würde.

»Ich will ihm gern Unterricht erteilen«, fiel Ed ihr ins Wort, »gern auch zu Hause, wenn er sich dort sicherer fühlt. Finden Sie nicht, dass das eine gute Idee ist: mich, seinen Klassenlehrer, in einer bedeutend normaleren, weniger bedrohlichen Situation zu sehen? Vielleicht hilft ihm das, in der Schule lockerer zu werden.«

»Hm, na ja …« Annie zögerte noch. Abgesehen davon, was Owen davon halten würde, war sie nicht sicher, ob sie diesen großen haarigen Mann in ihrem Haus haben wollte, in Wanderstiefeln und nach Sumpf riechend.

»Fragen Sie ihn, was er davon hält«, drängte Ed, »dann rufe ich Sie an, und wir besprechen den günstigsten Termin. Geben Sie mir Ihre Telefonnummer.« Er beklopfte die Taschen seiner Jacke, fand aber weder Stift noch Papier, noch sonst etwas Brauchbares. Er suchte auf seinem Schreibtisch, während Annie ihr Handy zückte und sich bereitmachte, seine Nummer direkt zu speichern. Das ersparte ihm die Sucherei nach Papier und Stift.

Anschließend nahm Ed wieder Platz und fragte: »Also gut. Und mein Lieblingsmitglied der Sirup-Sechs macht sich prima, nicht wahr?«

Annie hatte keine Ahnung, wovon er sprach.

»Seit der Sabotage an den Orchesterinstrumenten heißen sie für mich die Sirup-Sechs … Lana«, erklärte er.

»Ach, Lana! Ja, macht sich gut. Aber die Spendensammlung macht ihr nicht sonderlich viel Spaß.«

Warum Ed Leon der Lehrer war, der diese Spendenaktion betreute, blieb Annie ein Rätsel. Augenscheinlich bekam er ja nicht einmal genug Geld für neue Hosen zusammen.

»Nicht?« Er zog eine Braue hoch. »Tja, da muss sie wohl durch. Es ist ihre Strafe, und außerdem halte ich es für wichtig, dass sie sich wieder mehr in die Schule einbringt. Sie war nämlich im Begriff, sich ziemlich von uns abzuschotten.«

»Ja … hm … tja, da könnten Sie recht haben.«

»Ich habe eine Idee für die Spendenaktion, die die Sache vielleicht interessanter für sie machen könnte«, fügte er hinzu. »Wir könnten versuchen, eine Wohltätigkeits-Website einzurichten. Die Sirup-Sechs müssten dann allen möglichen Kram zum Versteigern besorgen, und so entsteht auch ein gewisser Konkurrenzkampf darum, wer das meiste Geld zusammenbringt. Das würde ihr doch Spaß machen, oder?«

Annie musste unwillkürlich lächeln. Da Lana bereits auf dem Weg war, ein eBay-Talent zu werden, wäre dieser Vorschlag genau das Richtige für sie. »Ja, sehr sogar. Aber behalten Sie sie streng im Auge. Sobald sie sich langweilt, läuft sie Gefahr, wieder ungezogen zu werden. Gestalten Sie die Auktionen sehr schwierig und sehr interessant, oder Sie müssen gut achtgeben.«

»Wird gemacht. Und wie wär's mit dem Donnerstag für den Gitarrenunterricht?« Ed ließ nicht locker.

»Ich muss zuerst wissen, was Owen davon hält.«

»O ja, klar doch. Vielleicht sollten wir uns jetzt seinen schulischen Leistungen zuwenden?«

»Mrs. Valentine?«

Annie fuhr zusammen, als jemand ihr auf die Schulter tippte. Es waren nur noch etwa zehn Schritte bis zu einem wenig bekannten Seitenausgang, und sie war sicher gewesen, unbemerkt vor dem Konzert entschlüpfen zu können. Doch jetzt sah sie ihre Pläne durchkreuzt.

Sie drehte sich um und sah die hohe schlanke Gestalt des Schulschatzmeisters hinter sich.

»Oh, hallo, Mr. Cartledge, ich wollte ... Ich fürchte, ich muss frühzeitig aufbrechen, so leid es mir tut.« Sie klopfte auf ihre Armbanduhr (Cartier – eBay, aus dritter Hand, womöglich gefälscht), um ihrer Entschuldigung Nachdruck zu verleihen.

»Nur auf ein Wort, Mrs. Valentine. Ich habe so gehofft, Sie noch zu erwischen.« Er senkte die Stimme. »Nun, kurz gesagt ...«

Mit einem inneren Ruck begriff Annie, was jetzt kam.

»Ihr Scheck für das Schulgeld dieses Jahrs war nicht gedeckt, Mrs. Valentine«, ließ Mr. Cartledge sie wissen.

Sie war ein großes Risiko eingegangen, als sie so kurz nach Weihnachten das Muschelkalkstein-Bad und die Saunadusche gekauft hatte. Womöglich musste sie nun doch schneller als erwartet verkaufen.

»Sie nehmen doch Kreditkarten, oder?«, fragte Annie und überdachte das Jonglieren mit den Karten, das ihr bevorstand. Sie wusste sehr wohl, dass fünf von ihren Karten ziemlich bis zur Obergrenze belastet waren, doch ihr blieb ja noch die sechste, die Notfallkarte. Die bot ihr vielleicht noch ein kleines bisschen Spielraum.

»Wir berechnen ein Prozent Gebühr bei Kartenzahlungen«, erklärte Mr. Cartledge.

»Keine Sorge, dieses eine Mal nehme ich das in Kauf!« Sie gab sich Mühe, möglichst heiter zu wirken.

»Sie haben doch keine ...hm ... Probleme, oder?«

»Nein, nein«, beteuerte Annie. »Nur ... Cashflow ... verzögerte Überweisungen«, schwindelte sie.

Sie würde das Schulgeld mit der Notfallkarte bezahlen und einfach – na ja – noch mehr arbeiten: tagsüber Extraverkäufe tätigen, neue Kundinnen für die Beratung zu Hause finden, noch mehr Kram im Internet anbieten. Es war ja nicht so, dass sie nicht schon früher mit solchen Überziehungen und Schulden jongliert hätte.

Den Großteil der Zeit, die Annie auf sich allein gestellt lebte, fühlte sie sich wohl. Meistens kam sie zurecht. Aber es gab auch Momente, in denen sie ihre Situation hasste, verabscheute, das Gefühl hatte, sie nicht einen Tag länger ertragen zu können.

In solchen Zeiten war sie überzeugt, dass es besser wäre, einen Partner zu haben – ganz gleich, was für einen –, als allein zu sein. Rückendeckung, Unterstützung, mehr verlangte sie ja gar nicht. Er brauchte die Hypothek nicht zu bezahlen (gut, eine kleine Beteiligung wäre schon angenehm), wenn er einfach nur ein Mensch wäre, zu dem sie nach Hause kommen könnte, einer, der ihr die Nackenmassage verabreichte, die Roddy so gut beherrschte. Jemand, der sie, wie Roddy es getan hätte, tröstend erinnerte: »Hey, es ist doch nur Geld. Davon wird jeden Tag neues gedruckt!«

Als sie draußen war, schloss Annie fest die Augen und wischte behutsam mit den Fingerspitzen ein paar Tränen weg. Nur jemand, der sie sehr, sehr genau ansah, hätte den Hauch einer Schmierspur dort bemerkt.

Sie öffnete ihre Handtasche und kramte zwei kleine Streifen Kaugummi heraus. Sie schob sie in den Mund und kaute. Manchmal reichte schon ein leichter Minzegeschmack aus, um die aufsteigenden, erstickenden Tränen zu vertreiben.

Sie zurrte den Gürtel ihres Regenmantels fest, schlug den Kragen hoch, straffte die Schultern und hob den Kopf. Ein starrer, glänzender Valentino-Mantel, und sei er secondhand übers Internet erworben, war so nützlich, wenn es galt, alle möglichen Sorgen in Schach zu halten!

Okay, beschloss sie, sie würde noch heute Abend Svetlanas Handtasche zum Verkauf anbieten und sich vielleicht die spannenden Informationen ansehen, die die Milliardärsgattin darin hinterlegt hatte.

3.

Dinah, leger gekleidet:

Luftiges blau und grün gemustertes Kleid,
Saum eine Handbreit über dem Knie (TopShop)
Dunkle Jeans mit geradem Bein (TopShop)
Weiche Lederstiefel (Camper)
Grüne Halskette, glitzernde grüne Haarclips
(Claire's Accessoires)
Erbsengrüner knielanger Ledermantel (Oxfam)
Geschätzte Gesamtkosten: 185 £

**»Nun frag schon,
woher ich den Mantel habe!«**

Es könnte schlimmer sein«, sagte Annies jüngere Schwester Dinah, als sie einen schleimigen, leicht verschimmelten Duschvorhang besichtigten, der an zwei Haken von einer wackligen Stange über der Badewanne hing, die anscheinend zum letzten Mal in den neunziger Jahren gereinigt worden war.

»Könnte es«, pflichtete Annie ihr bei. »Wenn eine große

schwarze pestverseuchte Ratte mitten in der Küche hockte, zum Beispiel. Dann wäre es schlimmer.«

»Schschsch!«, warnte Dinah. Es war wieder einmal typisch für sie, dass sie sich Sorgen machte, wie viel der Immobilienmakler und die zwei Kiwi-Bewohner dieser Höhle mithören konnten. Annie war es völlig egal. Das hier sollte die »exklusive Investitionsmöglichkeit« sein, um deren Besichtigung willen sie früh am Sonntagmorgen aus dem Bett gekrochen war?

Sie dachte über die Möglichkeit nach, ihr wunderschönes von oben bis unten renoviertes Heim gegen eine renovierungsbedürftige und kleine Mietwohnung einzutauschen, doch wenn das hier die Art von Altbauwohnung war, die sie sich leisten konnte: Vergiss es!

Es war ein düsterer Kellerknast, bewohnt von drei, wahrscheinlich aber noch mehr Reisenden aus Neuseeland, die eindeutig Besseres zu tun hatten, als sich um den Haushalt zu kümmern. Jeder verfügbare Platz war mit ihrem Kram zugemüllt: nasse Handtücher, volle Aschenbecher, Kleider und leere Bierdosen. Im Wohnzimmer gruppierten sich fünf Schachteln vom indischen Imbiss-Lieferservice wie Vorschüler im Halbkreis um den Fernseher.

»Ich glaube nicht, dass sie *HouseDoctor* angeschaut haben«, flüsterte Dinah ihr zu.

»Der Vermieter muss verrückt sein, es verkaufen zu wollen, während sie noch alle hier wohnen.«

»Wie Sie sehen«, fuhr der Makler fort, »hätte das Wohnzimmer wohl eine kleine Auffrischung nötig, aber es hat großes Potenzial.«

Ha! Ja, mit einiger Mühe konnte der Raum von einem verdreckten düsteren Kerker mit Fenstern nach Norden und

Blick auf eine Mauer in einen sauberen hübsch gestrichenen düsteren Kerker mit Fenstern nach Norden und Blick auf eine Mauer verwandelt werden. Ein Plus für die Wohnung war, dass die kleine Küche nach Süden ausgerichtet, an schönen Tagen beinahe sonnig war und sogar einen winzigen Streifen Rasen vorm Fenster aufwies. Das Entscheidende jedoch waren die beiden Schlafzimmer: ein Raum, skrupellos mit Rigips-Platten in zwei kleine Zellen unterteilt.

In jedem stand ein kleines Doppelbett unter Haufen von noch mehr Kleidungsstücken, Handtüchern und anderem Kram. In den Zimmern roch es feucht nach Unterhosen und Käsefüße-Turnschuhen.

»Ganz in Weiß könnte es so vollständig anders aussehen, Annie«, bemerkte Dinah in ihrer gewohnten rührend optimistischen Art.

Der Makler nickte zustimmend.

Sollte das ein Witz sein?

In der Küche bereitete einer der Bewohner gerade ein Rührei-Sandwich zu. Mutig stand er unter einer lockeren Styropor-Deckenfliese, die jeden Moment herunterzufallen drohte.

»Wie finden Sie die Wohnung?«, fragte Dinah ihn.

»Toll!«, kam die knappe Antwort. »Wie es aussieht, wollen wir im Augenblick gar nicht, dass jemand sie kauft.«

Annie ertappte sich dabei, dass sie seinen nackten gebräunten Brustkorb ein bisschen zu lange anstarrte. Sie konnte sich nicht erinnern, wann sie das letzte Mal braunen männlichen Brustwarzen so nahe gewesen war. Diese Küche war wirklich klein.

»Wollen wir uns dann einmal draußen umsehen?«, fragte Dinah.

»Oh … ja.« Annie löste den Blick von besagtem Brustkorb.

Draußen in dem winzigen, auf allen Seiten von einer hohen Mauer eingefassten Garten hüpfte Dinahs dreijährige Tochter Billie im Kreis und nahm nichts von dem enttäuschend armseligen Grundstück um sich herum wahr. Ihr glattes schulterlanges Haar, von der gleichen hellbraunen Farbe wie das ihrer Mummy, hüpfte auf ihren Schultern, während sie leise sang.

Vor ihrer geliebten Tante Annie (die Zuneigung beruhte auf Gegenseitigkeit) blieb sie stehen, versuchte, die pummeligen Arme zu verschränken, und fragte: »Man kann doch eine Angeldame und trotzdem Prinzessin sein, oder?«

»Ja, sicher.« Annie wusste nicht, was eine Angeldame war, doch sie war nicht in der Lage, diesem weichen runden Gesichtchen, den strahlenden Augen und dem perfekten rosigen Mund irgendetwas abzuschlagen. Anderen ging es genauso, was sich wahrscheinlich gewissermaßen problematisch auf Billies Langzeitentwicklung auswirken würde, aber darüber sorgte sich jetzt noch niemand.

»Gut, dann will ich eine Prinzessin-Angeldame sein, wenn ich groß bin.«

»Was macht eine Prinzessin-Angeldame denn so, Schätzchen?« Annie beugte sich herab, damit ihr bloß nichts entging.

»Tja …«, setzte Billie an, stemmte die Hände in die Hüften und beugte sich theatralisch-verschwörerisch vor, wie sie es wahrscheinlich ihrer Erzieherin im Kindergarten abgeschaut hatte. »Das ist eine Prinzessin, also hat sie ein rosa Kleid an und isst immerzu rosa Törtchen, aber sie fängt auch Fische, weißt du, mit einer Angel.«

»Und das möchtest du sein, wenn du groß bist?«

»Ja.«

»Perfekt. Und jetzt sollten wir zu mir gehen und Croissants essen. Was hältst du davon?«

»Jaaaa!« Billie fing wieder an, im Kreis herumzuhüpfen.

»Sag mal, willst du mich nicht fragen, woher ich meinen Mantel habe?«, fragte Dinah Annie auf dem Weg zurück in ihre Wohnung.

»Das ist doch zwecklos!« Annie lachte. »Jetzt spätestens weiß ich, dass du ihn im Benefizladen der Krebsforschung oder des Tierschutzes gekauft hast. Was hast du bezahlt?«, schloss sie die wichtigste Frage gleich an.

»Oxfam, dreißig Pfund«, antwortete Dina absolut ehrlich.

»Ich hätte ihn dir für weniger besorgt«, sagte Annie, doch das entsprach heute nicht der Wahrheit; es war lediglich eine Reflexreaktion, etwas, das sie immer behauptete, wenn Dinah und sie über Shopping sprachen.

»Gar nicht wahr!«, widersprach Dinah beleidigt.

Annie und ihre Schwester Dinah – drei Jahre jünger – kamen von jeher bestens miteinander aus. Sie waren einander nicht ähnlich. Sie akzeptierten das Anderssein der Schwester und verstanden sich einfach – immer schon, seit Annie gelernt hatte, morgens in Dinahs Bettchen zu krabbeln und sie zum Kichern zu bringen – ganz vorsichtig, um dem Baby nicht auf den Kopf zu treten.

Zwar gab Dinah entschieden weniger als Annie für Kleidung aus, doch sie behauptete ihren eigenen lebhaften, ausgefallenen Stil und scheute vor keiner modischen Herausforderung zurück: Tanktop zu Bermudas? Karierter Minifaltenrock und Wollstrümpfe? Sweaterkleid und schräge Stiefel? Gesteppter Daunenmantel? Dinah war dabei.

Immer noch herrschte ein gewisses Maß an Konkurrenz hinsichtlich des Kleidungsstils zwischen ihnen, ein Überbleibsel aus den Tagen, als sie einander Tops aus den Schränken klauten, sich um einen Rock zankten, den sie beide zur selben Party anziehen wollten, und weinten, wenn neue Kleider kaputt waren.

»Wie geht's Bryan?«, fragte Annie als Nächstes, im Bewusstsein, dass sie schon fast eine Stunde mit Dinah verbracht und nicht ein einziges Mal nach ihrem Schwager gefragt hatte. Allerdings war es ein offenes Geheimnis zwischen den Schwestern, dass Annie von Bryan nicht gerade hingerissen war. Ganz im Gegensatz dazu war sie geradezu verrückt nach Billie und konnte sich ihr Leben ohne das wöchentliche Treffen mit Dinah nicht vorstellen.

»Ihm geht's gut.« Dinah öffnete einen ihrer glitzernden grünen Haarclips, schob ihn erneut in ihren frechen Bob und lächelte. »Wartet immer noch auf Nachricht über dieses Projekt drüben in Hammersmith.«

»Sonst hat er kein Ass im Ärmel?«

»Doch, jede Menge, er bewirbt sich ständig um Aufträge, aber du weißt ja, wie hart der Wettbewerb ist.«

Eine der wahren Romantikerinnen, diese Dinah, Annies Meinung nach. Sie war verträumt, lieb und auf sanftmütige Weise hübsch: heller Teint, rosige Wangen, dunkelbraunes Haar. Nach einer unerwartet drogendurchsetzten Jugend und zahlreichen katastrophalen Beziehungen hatte sie schließlich Bryan gefunden – ein »Seelenverwandter« (angeblich), genauso lieb und sanft wie sie. Bryan war Architekt, der augenscheinlich immer nur Arbeit in den kleinsten Projekten wie zum Beispiel dem Umbau von Einbauküchen fand. Und da Dinah *gelegentlich* als Kinderbuchillustratorin arbeitete, lebten sie in einer winzigen Wohnung nicht weit entfernt von Annie, aber doch Millionen Meilen entfernt von Highgate, in einem Zustand, den sie selbst gern als »verarmte Glückseligkeit« bezeichneten. Es trieb Annie manchmal an den Rand des Wahnsinns. Ständig nörgelte sie an ihnen herum und trieb sie an, aktiver und ehrgeiziger zu sein ... nicht, dass sich dadurch irgendetwas änderte.

Annie fragte dann zum Beispiel: »Aber irgendwann wollt ihr doch die Küche renovieren?«

Und dann antwortete Dinah, während sie einen antiken alten französischen Bratentopf einfettete, den sie für zwanzig Pence auf dem Brick-Lane-Markt erstanden hatte: »Ach, weißt du, immerhin ist das hier ein Schrank aus echtem Holz.« Quieeetsch, schon fällt die Schranktür aus den Angeln!) »Diese Pressfaser-Dinger nutzen sich so schnell ab. Und diese Küche hat Charakter, ich koche gern hier.« Der Umstand, dass ihre Küche kaum größer war als der Kühlschrank mancher Leute, konnte sie auch nicht schrecken.

Oder Annie mit ihrem ausgeprägten Sinn fürs Praktische fragte: »Hast du dir überlegt, in welche Schule du Billie schicken willst?«

»Ach, ihr Kindergarten ist so schön, und die meisten von ihren Freundinnen gehen zur hiesigen Grundschule. Dahin schicken wir sie wahrscheinlich auch, und ... du weißt schon ... mal sehen, wie es läuft ...«, lautete dann Dinahs Rosarote-Brillen-Antwort.

»Aber du wirst doch nicht ... diese Schule ist das letzte Loch! Sie steht ganz unten auf der Bewertungsskala!«

»Ach ja?« Ehrliche Überraschung, gefolgt von: »Aber offenbar haben sie dort eine *prima* neue Schulleiterin.«

Annie, immer damit beschäftigt, genug Geld für ihre

eigene Familie zu verdienen, konnte es nicht lassen, Dinah und Bryan Vorschläge zur Verbesserung ihrer finanziellen Situation zu unterbreiten: »Wenn Dinah nur drei Tage in der Woche einem Job nachginge ...« – »Wenn du dir eine Website einrichten würdest, Bryan, auf der du deine besten Ideen darstellst ...« – »Dinah, hast du einmal versucht, dich bei anderen Verlagen zu bewerben?« – »Hast du einmal versucht, in Fachzeitschriften zu inserieren, Bryan?«

Doch sie hatte den Verdacht, dass Dinah und Bryan mit ihrer derzeitigen Situation ganz zufrieden waren: Es gefiel ihnen, nicht allzu hart arbeiten zu müssen, sie waren gern zusammen mit ihrem geliebten kleinen Mädchen zu Hause.

Für Billie jedoch hegte Annie hochfliegende Hoffnungen. Billie setzte sich mit ihrem Plan, Prinzessin zu werden, ein hohes Ziel und zeigte jetzt schon das zähe Verhandlungsgeschick eines Anwalts aus Washington.

»Nur noch vier Löffel voll«, bettelte Dinah zum Beispiel beim Essen.

Billie schüttelte den Kopf.

»Gut, dann sagen wir drei, aber große, okay?«

Energisches Kopfschütteln, zusammengekniffene Lippen.

»Zwei?«

»NEIN!«, brüllte Billie dann.

»Dann eben nur noch ein ganz kleines bisschen mehr – für Mummy?«

»NEIN heißt NEIN!«

Billie besaß eine glänzende pinkfarbene Spardose, in der sie auf Annies Rat hin alle Pfundmünzen aufbewahrte, die Annie ihr zusteckte. Aber das würde niemals reichen, um die St.-Vincent's-Schule bezahlen zu können.

»Tante Annie«, meldete Billie sich jetzt zu Wort, »stimmt es, dass der Dad von Lana und Owen mit anderen Damen auf einem Hügel wohnt?«

Aufgeschreckt durch diese Frage sah Annie Dinah an, in der Hoffnung auf Anleitung für eine Antwort.

Dinah zuckte nur mit den Achseln und sah aus, als müsste sie sich das Lachen verkneifen.

»Ja, also …« setzte Annie an, aber zu ihrer Erleichterung hatte Billie sich längst schon einem anderen Thema zugewandt.

»Mummy?«, fragte sie als Nächstes. »Du weißt doch, dieser rosa Fisch, den wir essen … ist das ein echter Fisch? So ein Fisch, wie man sie mit der Angel fängt? Essen wir *echte* Fische?«

»Die Antwort überlasse ich gern dir.« Annie lächelte und dachte unvermittelt an Owens hingebungsvolle vegetarische Phase im Alter von vier Jahren.

Zurück in ihrer Wohnung empfing Annie ein überwältigender Geruch nach Nagellack. Lana und ihre Freundinnen Greta und Suzie zauberten sich gegenseitig großzügig strassbesetzte Fingernägel und versuchten gleichzeitig, mit den noch feuchten Krallen Toast zu essen.

Annie forderte die Mädchen und Billie auf, sich an den Küchentisch zu setzen, wo sie Butter und Marmelade auf Toastscheiben strich und diese für die Maniküre-Künstlerinnen in handhabbare Stückchen schnitt. Währenddessen machte Dinah sich auf die Suche nach Owen, der in seinem Zimmer saß, las und sich vor dem Teenie-Aufruhr in der Küche versteckte.

Annies Kindern war es gelungen, das Erbgut ihrer Eltern

hinsichtlich ihres Aussehens so gründlich durcheinanderzuwirbeln, dass zwar beide Mutter und Vater glichen, untereinander jedoch keinerlei Ähnlichkeit festzustellen war.

Lana besaß Roddys dichtes glattes schwarzes Haar, die blauen Augen und den hellen Teint sowie Annies Mund, Nase und lange Gliedmaßen. Owen hatte Roddys Gesichtszüge, jedoch Annies dunkleren Teint, ihre braunen Augen, ihr zotteliges mausbraunes Haar. Zwar mochte sein Körperbau eines Tages so muskulös und kräftig werden wie der seines Dads, doch zurzeit war Owen ein schlaksiger, latschiger, dünner Junge.

»Sag ihm, er möchte in die Küche kommen, ja?«, bat Annie Dinah. »Und wenigstens ein Croissant essen.«

Irgendwann schlich Owen dann in die Küche, wurde tomatenrot, als er Lanas zwei Teenie-Eindringlinge sah, und wählte einen Stuhl möglichst weit von ihnen entfernt.

Greta und Suzie, zwei von Lanas engsten Freundinnen, waren klug genug, Owen nicht anzusprechen, ja, nicht einmal in seine Richtung zu blicken, was ihnen nicht sonderlich schwerfiel, da er viel zu jung war, um ihr Interesse zu wecken.

Nach einer Weile beruhigte er sich gewöhnlich und beteiligte sich mit ein paar eingeworfenen Worten an der Unterhaltung, doch direkt an ihn gerichtete Fragen von anderen als Familienmitgliedern bedeuteten zu viel Stress für ihn. Als Annie ihm sein Croissant auf einem Teller vorsetzte, versuchte sie nicht, ihn zum Reden zu bringen, massierte nur kurz seine schmalen Schultern und hoffte, dass ihn das ein wenig entspannte.

Der Sonntagmorgen war immer ein Problem im Hause Valentine. Früher hatte es üppige Sonntagsbrunches mit den erstaunlichsten dicken, luftigen Pfannkuchen gegeben.

Annie kam es noch gar nicht so lange vor, dass ein Brunch niemals vor 9.30 Uhr morgens begonnen hatte, weil sie und Roddy nach der allwöchentlichen sonnabendlichen Ausgehnacht, während der drei Babysitter sich bei der Beaufsichtigung von Lana und Owen ablösten, am Sonntagmorgen gern länger schliefen. Wohin sie sonnabends gingen, war Nebensache; wichtig war nur, dass sie zusammen ausgingen und Zeit füreinander hatten: für ein Dinner in einem schicken Lokal, wenn sie flüssig waren, um Freunde zu treffen oder ins Kino zu gehen oder auch nur mit Fish and Chips auf einer Parkbank zu sitzen, wenn sie pleite waren. Dann flüsterte Roddy ihr ins Ohr: »Können wir schon nach Hause gehen? Ich möchte schweinische Sachen mit dir machen.«

Zurück zu Hause endete der Abend im Idealfall damit, dass sie die Schlafzimmertür abschlossen und sich nahekamen, wie es nur Menschen vorbehalten ist, die schon seit langer Zeit zusammen glücklich sind. »Ich weiß genau, was du willst, und ich lasse dich warten … und warten … und noch länger warten … bis ich es dir endlich gebe.«

Roddy verabscheute ein langweiliges Leben immer schon, und in der Liebe duldete er schon gar keine Langeweile. Ein Abend zu Hause mit ihm war daher immer vorgeplant … mit Augenbinden oder Honig oder Eiswürfeln, vielleicht mit Seidenschals, Musik und stets mit Überraschungen.

Sie hatte ihn geliebt, durch und durch und in- und aus wendig, jeden mit absoluter Gründlichkeit erforschten Quadratzentimeter von ihm. Von seinen weichen weißen Schultern über sein festes Gesäß bis zu den beweglichen Zehen. Kein Fleckchen Haut hatte sie unberührt, ungeliebt gelassen, keine Stelle war tabu. Früher einmal waren sie vollkommen und absolut intim gewesen.

»Wir werden immer zusammenbleiben«, hatte er so oft zu ihr gesagt.

Der Lügner!

Früher einmal hatte für die Kinder am Sonntagmorgen die Regel gegolten: Bitte auf keinen Fall vor 9 Uhr stören!

Das Sonntagsbrunch hatte früher glückliche, verschlafene Eltern im Pyjama bedeutet. Roddy backte Pfannkuchen mit Bananen und Ahornsirup oder mit Blaubeeren oder mit Speck und Sirup oder sogar, allerdings weniger erfolgreich, mit Smarties.

Früher war die Küche am Sonntagmorgen erfüllt vom Rauch erhitzter Butter und brutzelnden Specks, von Kaffeeduft und den Klängen von Roddys sorgfältig der Jahreszeit entsprechend ausgewählten Melodien zum Mitsingen. Dean Martin, wenn es kalt war: *It's a marshmallow world in the winter …*; *Itsy, bitsy, teeny, weeny, yellow polka dot bikini*, wenn es heiß war und die Pfannkuchen mit eisgekühlten Erdbeeren und sogar mit Vanilleeis serviert wurden.

Eine Zeitlang nach Roddys Fortgang hatte Annie versucht, auf eigene Faust die Sonntagmorgen-Pfannkuchen-Tradition aufrechtzuerhalten. Aber es wollte ihr nicht richtig gelingen. Sie ließ die Butter anbrennen, und die Pfannkuchen gerieten außen schwarz und innen roh. Oder der Teig wurde zu dünn, und die Pfannkuchen glichen eher Crêpes. In ihrer Verzweiflung probierte sie sogar Fertigmischungen aus, aber die Ergebnisse waren zu süß oder zu schwer verdaulich und bewirkten genauso viele Tränen wie die misslungenen selbst gemachten.

Doch dann, als Dinah kam und ihnen wunderbare Pfannkuchen backte, indem sie Roddys große schwarze gusseiserne Pfanne aus dem Regal holte, sie sorgfältig abwusch und einfettete, da verstanden Annie und ihre Kinder, dass nicht einmal perfekte Pfannkuchen halfen.

Das, was fehlte, war allzu offensichtlich Roddy selbst und seine übermächtige, sonnige Präsenz in ihrem Leben.

Daher stellten die Sonntage jetzt eine sorgfältige Übung in Vermeidungsverhalten dar. Sie hatten eine andere Routine eingeführt. Lana lud gewöhnlich Freundinnen ein, Owen und Annie unternahmen häufig ausgedehnte Spaziergänge am frühen Morgen, wenngleich Annie in jüngster Zeit den Sonntagmorgen eher der Wohnungsbesichtigung opferte.

Heute hatte Annie die neue Sonntagmorgen-Delikatesse mitgebracht: Buttercroissants aus dem Feinkostladen. Sie wärmte sie im Backofen auf, und ein herrlicher Toastgeruch erfüllte das Haus. Es gab köstliche Kirschmarmelade und Lanas Musik aus der Stereoanlage, kannenweise Tee und das muntere Schwatzen von sieben Leuten in der Küche. Auf diese Weise gelang es Annie, Lana und Owen, nicht an Pfannkuchen und *Let it snow, let it snow, let it snow* zu denken.

Nach der Mahlzeit lockte Annie Dinah ins Wohnzimmer, indem sie sagte: »Komm mit, ich muss dir etwas Interessantes zeigen.«

Das Wohnzimmer im zweiten Stock, auf zwei Seiten mit Fenstern nach Süden, war einer von Annies triumphalen Neugestaltungserfolgen. Sie hatte eigenhändig den Fußboden abgeschliffen und versiegelt, Zentimeter für Zentimeter hatte sie die Fliesen vor dem Kamin von draufgeklatschtem Zement und von Farbe befreit. Jetzt erstrahlte das Zimmer in einem zarten Limonengrün mit zitronengelben Vorhängen (secondhand), einem bequemen biskuitfarbenen Sofa (Kleinanzeigen) und all den kleinen Feinheiten – ein antiker Spiegel, Schaffellteppiche, wunderschön gerahmte Fotos –, die gewährleisteten, dass sich ihre Wohnungen immer bombastisch verkaufen ließen.

Dinah kuschelte sich aufs Sofa, zog die Füße unter sich und bedeutete Annie durch Klopfen aufs Polster, sich neben ihr niederzulassen.

»Ich habe einen neuen Plan«, verkündete Annie und setzte sich.

»Du hast immer irgendeinen Plan, Annie. Verlangt dieser Plan etwa, dass wir um 9.30 Uhr am Sonntagmorgen noch eine weitere heruntergekommene Wohnung besichtigen müssen?«

»Nein, nein, nein!«, versicherte Annie. »Obwohl ich wirklich eine Wohnung finden muss, um umziehen zu können. Nein, bei diesem Plan geht es darum, die Einsame-Herzen-Seite aufzugeben.«

»Oh, Gott sei Dank!«, freute sich Dinah. »Ich habe nie verstanden, wie du dich zu all diesen Blind Dates aufraffen konntest. Ich weiß, dass du dir größte Mühe gegeben hast, Annie, aber ich habe nie daran geglaubt, dass es klappen könnte.«

Im letzten Sommer war Annie zu dem Schluss gekommen, dass das beste Gegenmittel für die schmerzliche Lücke, die ihr verschwundener Mann in ihrem Leben hinterlassen hatte, vielleicht darin bestand, nicht einfach so zu tun, als wäre alles in Ordnung und als käme sie allein prima zurecht, sondern darin, einen neuen Mann zu finden.

Sie ging an dieses Projekt heran wie an eine Shopping-Mission: Sie sah sich überall dort um, wo ihrer Meinung nach verfügbare Männer im Angebot sein könnten, und sie hatte es auf vielerlei verschiedene Arten versucht. Leider stellte sich heraus, dass es entschieden schwieriger war, einen Ersatzpartner zu finden als zum Beispiel ein Paar neue Schuhe.

Obwohl sie an beinahe jedem Freitag in den vergangenen

acht Monaten ein Date gehabt hatte, musste Annie sich eingestehen, dass sie keinerlei Fortschritte verzeichnen konnte.

Mit zweiundzwanzig Männern war sie ausgegangen. Sie hatte mitgezählt. Achtzehn von diesen Männern waren absolute Loser der tragikomischen Art: unglücklich geschieden, depressiv, verlassen, dysfunktional oder geschädigt – wahrhaft die billigste Ausschussware in der Romantikabteilung.

Drei hatten schon ein bisschen mehr erwarten lassen. Na ja … sie waren ein zweites, wenn nicht gar ein drittes Treffen wert gewesen, doch auch daraus war nichts geworden. Und dann kam das One-Night-Wunder.

Oscar, der Mann in zerknittertem Leinenanzug, unglaublich attraktiv für Kleinanzeigenverhältnisse, witzig, aufmerksam, äußerst überzeugend und ein solcher Überredungskünstler, dass sie die Situation ausgenutzt hatte, als die Kinder einmal über Nacht nicht zu Hause waren, und ihn zu sich nach Hause eingeladen hatte.

Sie hatte nicht lange darauf warten müssen, dass Oscar den ersten Schritt tat, o nein! Kaum hatte sie ihn zur Haustür hereingelassen, packte er ihr Handgelenk, wirbelte sie herum, zog sie an sich und sagte: »Wir müssen uns küssen, jetzt gleich! Das kann nicht warten.« Und seine Stimme erinnerte an Cary Grant.

Er war ein fantastischer Küsser: feucht, zielstrebig, geübt, köstlich und auf sie zugeschnitten. Er wusste ganz genau, dass sie viel zu lange nicht mehr einem Mann so nahe gewesen war, und er war da, um dieses Bedürfnis zu befriedigen, kein Zweifel.

Das Spiel seiner Zunge mit ihrer war atemberaubend; sie hatte den Mund weiter geöffnet, ihre Zunge um seine gewunden, sie hätte ihn aufessen mögen, gleich dort im Hausflur.

Natürlich waren sie miteinander ins Bett gegangen. Sie hatte erwartet, nervös zu sein, doch stattdessen lief sie die Treppe hinauf, ohne auch nur Licht zu machen, und warf sich über ihn.

Während er sie eifrig küsste, tastete er nach der Lücke zwischen ihrem Top und dem Rock, legte kühle Finger auf die nackte Haut ihres Rückens und bewegte sie langsam in Richtung Bauch.

Und die ganze Zeit über redete er mit ihr, scherzte, betörte sie mit seinem Charme: »*Hallo, ich glaube, ich liebe dich, wie heißt du noch gleich?*«, sang er in kicherigem Flüsterton an ihrem Ohr und fuhr mit einem Finger spielerisch um ihren Bauchnabel herum. Dann wanderten zwei Finger von ihrem Knie an aufwärts und nahmen den Saum ihres Rocks mit.

»Nein, nein«, kicherte sie zurück und schob seine Hand herab.

Also wanderten die Finger zurück zu ihrem Bauchnabel und umkreisten ihn verspielt und lockend.

Wenn er sie küsste, wenn ihre Lippen einander berührten, verspürte sie ein Prickeln wie von einem Stromstoß.

»Du willst es doch. Du willst es!«, sagte er und ließ seine Hand langsam wieder an ihrem Bein hinaufgleiten, während er wölfisch ihren Hals und ihren Mund leckte und biss.

Er roch würzig, verschwitzt und köstlich nach Gras. Sie konnte sich nicht erinnern, jemals einen Mann dringender gewollt zu haben, sie war hungrig wie ein Wolf … ausgehungert.

»Nein, nicht!«, wehrte sie sich, doch sie lachte dabei und drängte sich an ihn, fing an, seinen Gürtel zu lösen und ihn zu erkunden. Beide waren voll und ganz aufeinander konzentriert.

Seine Fingerspitzen bewegten sich weiter … *genau da, jaaa* … sanft und beharrlich auf ihrer Haut, während seine Zunge ihren Hals bearbeitete und sein Bein sich über ihre Beine legte.

Es wurde noch viel heißer … köstlich verzweifelt … wildes Aufbäumen, drängende Finger und Münder, bis … sie nackt waren und sich im gleichen Rhythmus bewegten, schwitzend und keuchend, Annie wild entschlossen, ihn zu bekommen, die verlorene Zeit wiedergutzumachen, jede Empfindung auszukosten, die ihr so lange versagt geblieben war.

Schließlich waren sie gegen Morgen eingeschlafen; sie hatten einander so lange wach gehalten. Er hatte sie im Arm gehalten, ihr Koseworte zugeflüstert, war unglaublich zärtlich gewesen, und sie war über alle Maßen scharf auf ihn. Doch im kalten Morgenlicht wirkte er bereits wieder distanziert – es drängte ihn zum Aufbruch –, und er hinterließ eine Telefonnummer, die sich, als sie es drei Tage später endlich wagte anzurufen, als falsch erwies.

»Ich bin emotional tief getroffen und sehr verletzlich!«, schrie sie den Hörer an, als sie aufgelegt hatte. »Es gehört sich nicht, mich so zu behandeln! Du verdammter Wichser!«

Ihr bester Freund Connor hatte Oscar das One-Night-Wunder getauft und versuchte hinterher ständig, ihn ins Lächerliche zu ziehen, um Annies Schmerz so schnell wie möglich zu lindern. Wenn sie sich jetzt an diese kleine Episode erinnerte, wollte sie nur an die wirklich guten Details denken (was ihr nicht allzu schwerfiel) – und, hey, Oscar hatte das Eis gebrochen, oder nicht? Nach Roddy war er der erste Mann, mit dem sie geschlafen hatte – was nicht hieß, dass er diese Ehre verdient hatte.

Inzwischen las Annie bei den Kontaktanzeigen genauso sicher zwischen den Zeilen wie bei den Immobilienangeboten.

»Erfolgreicher Geschäftsmann« bedeutete: »Er besitzt einen Tante-Emma-Laden«, »diskretes Vergnügen« bedeutete immer Ehebruch, unter »groß« musste man sich einen Riesen vorstellen, »spritzig« war jemand, der Antidepressiva nahm, die ein Pferd umgehauen hätten.

»Eines Tages wirst du deinem nächsten Traummann über den Weg laufen. Wenn du gar nicht damit rechnest, rennt er dir direkt in die Arme«, tröstete Dinah sie. »Du musst dir nur Zeit lassen, dann passiert es von allein.«

Annie bedachte sie mit einem mitfühlenden Blick. Ihre Schwester war in mancherlei Hinsicht so rührend lieb und naiv. Glaubte sie wirklich, man könnte etwas derart Wichtiges dem Zufall überlassen? Dem Schicksal? Sollte sie sich darauf verlassen, dass Mr. Perfecto eines Tages ins *The Store* geschlendert kam, sie sah und erklärte, sie wäre die einzig Richtige für ihn?

Nach Annies Erfahrung waren die Männer absolut nicht so gestrickt. Sogar wenn sie bis über beide Ohren verliebt waren, unternahmen sie höchst selten etwas. Sie mussten verführt, gelockt, bestätigt, kurz gesagt: erlegt werden.

Selbst Roddy zu angeln – Roddy, der nun wirklich kaum einer von den schüchternen, zurückhaltenden Typen war – hatte sich als harte Arbeit erwiesen. Annie, neunzehn Jahre alt, rettungslos verliebt und überzeugt, dass er der Mann war, den die Bestimmung ihr zugedacht hatte, musste über eine Freundin ständig sein Nachtleben verfolgen, um gewährleisten zu können, dass sie *zufällig* immer gerade am richtigen Ort auftauchte und so sensationell wie in den frühen Neunzigern eben möglich aussah – damals, als alles bei Gap gekauft wurde, schwarz, grau oder kariert war und Schuhwerk mit hohen Absätzen verpönt war. (Man muss nur die erste Staffel von *Friends* sehen, um Einzelheiten zu erfahren und sich vorstellen zu können, dass noch nicht einmal der Haarglätter erfunden war!) Doch die karierten Miniröcke hatten Wirkung gezeigt, und schließlich hatte sie den Fisch an der Angel. Und auf der ganzen Welt gibt es nichts, aber auch gar nichts Schöneres, als zu erleben, wie der, nach dem man sich gesehnt, von dem man geträumt, für den man gelitten hat, einem plötzlich seine strahlende Aufmerksamkeit zuwendet. Volles Rohr!

Das Deprimierende an den Blind Dates bestand darin, dass Annie nie jemanden kennengelernt hatte, der ihren Vorstellungen auch nur annähernd entsprach. Statt Annie ein neues sexy Leben voller toller, scharfer Männer und knisternder Affären zu bescheren, hatten die hoffnungslosen Versuche nur zur Folge, dass sie Roddy und jeden Moment des behaglichen, intimen Ehelebens noch mehr vermisste.

Aber egal. Neuer Plan. Sobald sich ihre Gedanken zu intensiv den glücklichen Jahren im Ehebett zuwandten, scheuchte sie sie mit Erinnerungen an Roddys ausgefranste karierte Pyjamahosen und Fürze unter der Bettdecke fort.

Wenn sie den nächsten Mr. Wunderbar kennenlernte, würde er ganz, ganz bestimmt nicht unter der Bettdecke furzen.

»Dinah, ich habe die Jagd nicht aufgegeben, Schätzchen, ich habe nur viel, viel bessere Jagdgründe entdeckt«, informierte Annie ihre Schwester. »Ich habe an den Grabbeltischen nach einem Mann gesucht, während ich doch nach einer wirklich guten Marke Ausschau halten sollte.« Mit einer großen Geste zückte Annie die Glanzbroschüre, die sie in Svetlanas abgelegter Handtasche gefunden hatte. »Eine der reichsten Gattinnen in London hat mir das hier gegeben«, erklärte sie, »also muss es schon eine sehr gute Idee sein.«

»*Discerning Diners?*«, las Dinah laut in ungläubigem Tonfall vor, was auf dem Cover der Broschüre stand. »*Londons exklusivstes Dinner-Date-Erlebnis* … Oh, Annie, ich weiß nicht …«

Doch Annie fegte die Vorbehalte ihrer Schwester beiseite und breitete voller Begeisterung die Profilseiten der »dynamischen, ledigen, handverlesenen Gäste« aus, die zum »Fünf-Gänge-, Fünf-Sterne-Menü-Erlebnis« in der nächsten Woche erwartet wurden. Schluss damit, beschissene Kerle in beschissenen Bars zu treffen! Annie machte sich auf die Suche nach jemandem aus den höchsten Rängen. Diese Agentur empfahl Svetlana persönlich. *(Dort ich treffe meinen zweiten Mann.)* Wenn Svetlana jetzt mit einem milliardenschweren Gasbaron verheiratet war, sollte es Annie doch wohl gelingen, dort einen gutgekleideten Mann mit sechsstelligem Einkommen zu finden.

»Wird das denn nicht furchtbar teuer?«, sorgte sich Dinah.

»Darum geht es doch gerade!«, rief Annie. »Ich könnte nicht nur den Mann meiner Träume dort treffen, sondern sogar den sehr reichen Mann meiner Träume.«

Dinah verdrehte die Augen. »Annie, ich fürchte, du hast in den entscheidenden Jahren deiner Kindheit einmal zu oft Disneys *Cinderella* gesehen. Wir leben im einundzwanzigsten Jahrhundert. Reiche Männer kommen nicht auf weißen Rössern dahergaloppiert und lösen deine emotionalen und finanziellen Probleme. Sie bringen ihre eigenen Probleme mit … und Eheverträge und … Um Gottes willen, Annie! Du willst damit also sagen, dass du jetzt auf der Suche nach einem reichen Mann bist.« Die Gereiztheit in ihrer Stimme war nicht zu überhören. »Verstehst du? Nicht nach einem netten Mann oder nach dem richtigen Mann oder nach einem, in den du dich verlieben könntest, nein, du bist auf der Suche nach Mr. Geldsack!«

»Nein, nein. Natürlich will ich mich wieder verlieben. Ich meine nur, ich sollte mich endlich nach dem richtigen, wirklich netten Mr. Geldsack umsehen«, lautete Annies Antwort, doch auf Dinahs skeptischen Blick hin fügte sie hinzu: »Kann es denn schaden, sich umzusehen? Die verfügbaren Männer auf der Welt sind schließlich nicht in ›nett‹ und ›reich‹ aufgeteilt, weißt du? Es gibt Überschneidungen, es gibt auch ein paar tolle Männer, die genug Kleingeld haben. Wäre das denn so schlecht?«

»Aber die Geldfrage wird dich in deiner Urteilsfähigkeit beeinflussen, Annie«, wandte Dinah ein. »Du entscheidest dich für ein Scheusal, nur weil er stinkreich ist und angeblich die Lösung für all deine Probleme hat.«

»Danke für deine moralische Unterstützung, Dinah«, brauste Annie auf. »Du bist wirklich sehr hilfreich!«

»Warum musst du dich überhaupt darauf einlassen?« Dinah hob die Broschüre auf, und es sah aus, als wollte sie sie quer durchs Zimmer schleudern. »Du wirst schon jemanden kennenlernen, wenn der richtige Zeitpunkt gekommen ist. Warum versuchst du, es auf diese Weise zu erzwingen?«

»Ich brauche jemanden. Du hast ja keine Ahnung! Ich wünsche mir jemanden, der für mich da ist, jemanden, der mir etwas von dem Druck abnimmt. Ich möchte in einer schönen Wohnung leben …«

»Du hast eine schöne Wohnung!«, fiel Dinah ihr ins Wort.

»Aber ich will in der Lage sein, bleiben zu können!« So.

Annie hatte nicht beabsichtigt, ihrer Schwester gegenüber so deutlich zu werden, denn jetzt würde Dinah sich um sie sorgen. Aber es war einfach so aus ihr herausgeplatzt.

»Oh, Annie!« Tatsächlich wurde Dinahs Miene sogleich sorgenvoll. »Es gibt auch andere Lösungen. Es gibt immer einen anderen Weg.«

»Ich wünsche mir jemanden …« Annies Stimme klang jetzt ruhiger; sie ließ sich auf dem Sofa ins Polster zurücksinken. Sie hätte es ihrer Schwester gern genau erklärt, doch das war schwierig, und außerdem gestand sie dieses Bedürfnis nicht gern ein. Sie wollte, dass alle – Dinah eingeschlossen – sie für kompetent und tüchtig hielten.

»Ich wünsche mir, dass ich bald jemanden finde«, fuhr Annie fort, »denn ich will endlich wirklich über Roddy hinwegkommen, und ich glaube, ein anderer Mann könnte mir dabei helfen. Es ist schließlich bald drei Jahre her. Aber vorher war ich so lange mit ihm zusammen, dass drei Jahre mir im Vergleich dazu wie ein Klacks erscheinen. Ich glaube, es dauert mindestens noch einmal fünf Jahre, bis es sich nicht mehr so anfühlt wie eine … frische Wunde. Und ich bin fünfunddreißig, ich kann doch nicht so viel Zeit damit vergeuden, mich nur in meinem Schmerz zu suhlen!«

Dinahs Gesichtsausdruck wurde weicher, bewies tiefstes Mitgefühl.

»Und ich bin so sauer, dass Roddy von uns gehen musste, als er gerade diese Seifenopern-Rolle an Land gezogen hatte!«, schimpfte Annie laut. »Gerade als sich für uns alles zum Guten wenden wollte. Noch ein Jahr mit dieser Rolle, und wir wären im Geld geschwommen! In Bergen von Geld, und all diese Probleme wären gar nicht vorhanden. Ich hätte diese Probleme nicht – nicht ein einziges. Ich brauchte nicht einmal zu arbeiten, nein, ich würde jeden Morgen zum Friseur und zum Tennisclub gehen. Begreifst du nicht, wie hintergangen ich mich fühle?«

»Ich weiß«, beschwichtigte Dinah, legte Annie eine Hand auf die Schulter und fragte sich, wie oft sie sich diese wütende Tirade ihrer Schwester noch würde anhören müssen. »Ich weiß. Es war nicht fair, absolut nicht fair. Natürlich hast du es verdient, einen neuen Mann zu finden – nur für dich allein. Aber ich mache mir Sorgen um dich. Ich möchte, dass du einen ganz tollen Mann findest, Annie, und dich nicht auf halbe Sachen einlässt. Wenn du zu diesem Dinner-Ding gehen und dich umsehen willst, bitte schön … Ja, vielleicht solltest du hingehen, und ich sollte einfach den Mund halten.«

»Ach, Schätzchen, ich weiß nicht, was ich ohne dich tun würde!« Annie straffte sich und wischte sich die Augen trocken.

»Nein, sei nicht albern. Was würde ich wohl ohne dich tun? Komm, sag schon, was hast du da? Einzelheiten zu den anderen Discerning-Diner-Gästen? Zeig her!«

»Wetten, dass ich gleich beim ersten Mal einen tollen Mann kennenlerne?«

»Wetten, dass nicht?«

4.

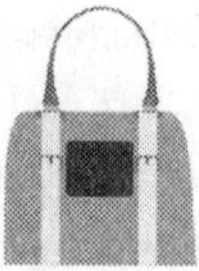

Discerning-Diner-Annie:

Rosa-pinkfarbenes Cocktailkleid mit schmalen Trägern (Ausverkauf bei Monsoon)
Paillettenbesetztes Abendtäschchen (Accessoire-Ausverkauf)
Violette Highheels von Manolo (Ausverkauf *The Store*)
Gelber Bolero (Valentino, von eBay, gebraucht, aber wie neu)
Geschätzte Gesamtkosten: 380 £

»ICH DACHTE, MAN SOLLTE SICH AUFDONNERN!«

Macht die Tür auf!«, rief Annie ihren Kindern aus ihrem Schlafzimmer am Kopf der Treppe her zu. »Das ist sicher Mr. Leon.«

Es war 18.45 Uhr, und in letzter Minute hatten sie noch Zweifel wegen ihrer Frisur befallen. Sie hatte beschlossen, ihre blonden Locken zu ihrem ersten Discerning-Diner-Treffen nicht wie üblich zu einem festen Pferdeschwanz zusammenzufassen, sondern sie offen zu tragen. Doch als ihr Haar jetzt nach der Bearbeitung mit dem Lockenstab in kunstvoll ungekünstelten Wellen ihr Gesicht rahmte, war sie nicht mehr sicher, ob es ihr gefiel.

Sie sah so anders aus. Hübsch … ja – vielleicht zu hübsch. Blonde Locken und ein pinkfarbenes Kleid. Trotz übermäßigen *Cinderella*-Konsums zog sie es vor, flott und modebewusst in dunkleren Tönen und mit straffer Frisur aufzutreten.

Doch hier ging es um Dating, um Designer-Dating auf hohem Niveau. Und trichterte sie ihren Kundinnen nicht immer und immer wieder ein, dass sie sich dem Anlass entsprechend kleiden müssten?

Sie presste die mit pinkfarbenem Lipgloss bearbeiteten Lippen aufeinander, warf sich den dottergelben Valentino-Bolero über die Schulter und griff nach ihrem Abendtäschchen. Ihre hohen Absätze klickten auf den glänzenden Eichenstufen der Treppe, als sie hinunterlief, um den Musiklehrer zu begrüßen.

Ed Leon füllte mit seinem schweren Wollmantel und dem leuchtend roten Gitarrenkoffer den gesamten Flur aus. Er sprach mit Lana und Owen.

»Ja, die Grundakkorde«, sagte er, »ganz einfach, sobald die Gitarre richtig gestimmt ist. Aber die Gitarre zu stimmen, sie richtig schön zu stimmen, das ist das Schwierigste dabei, erfordert echtes Können, nein, es ist eine Kunst, würde ich sagen … Lana, hast du Lust mitzumachen?«

Ha! Viel Glück dabei, dachte Annie unwillkürlich. Lana hatte gestöhnt und die Augen verdreht, seit Annie zur Tür hereingekommen war, weil »dieser Langweiler Mr. Leon« an diesem Abend kommen wollte.

»Weißt du, wie wir ihn in der Schule nennen?«, hatte Lana gefragt.

»Ob ich das wissen will?«, warnte Annie.

»Baracken-Ed«, mischte Owen sich ein, »weil er immer ein bisschen nach Draußen-Übernachten riecht.« Und als Annie in helles Gelächter ausbrach, fügte er hinzu: »Du musst doch zugeben, das ist schon komisch.«

»Wir üben heute ein paar Akkorde«, informierte Baracken-Ed Lana unten im Flur. »Vielleicht schaffen wir sogar ein bisschen Achtziger-Jahre-Retro-Stil … was meinst du, Owen? Wie wär's mit ein bisschen Michelle Shocked, Billy Bragg? Komm, Lana, hör's dir einfach mal an!«

»Wer?«, fragte Lana nach, doch zu Annies Verwunderung zeigte ihre Tochter eine Spur von Interesse.

Dann war Annie am Fuß der Treppe angelangt, wo sie Ed dabei ertappte, wie er sie von oben bis unten musterte und zwei Mal hingucken musste, was die Highheels, das Haar und das Kleid anging – auf jeden Fall aber das Kleid.

»Hallo, Mr. Leon, schön, dass Sie kommen konnten!« Sie lächelte zu ihrem Willkommensgruß. »Ich lasse Sie und die beiden in Ruhe und gehe zu einer Dinner-Party«, erklärte sie, während er darauf bestand, dass sie ihn Ed nannte.

»Okay, Ed«, antwortete Owen. Im gleichen Augenblick wurde er knallrot, doch er lächelte, offensichtlich stolz auf sich selbst, weil er schon zu einem so frühen Zeitpunkt der Gitarrenstunde etwas gesagt hatte.

»Owen!«, schimpfte Annie milde und mit einem ermutigenden Lächeln. »Ich glaube nicht, dass Mr. Leon meinte …«

»Ach, keine Angst, das ist schon in Ordnung«, fiel Ed ihr ins Wort und musste dann unverhofft und dramatisch niesen.

»Gesundheit!«, sagten Annie und Lana im Chor. Lana griff nach der Schachtel mit Papiertaschentüchern auf dem

Flurtischchen und reichte sie Ed. Nasenprobleme waren ihr ziemlich widerwärtig, und daran drohte Eds gute Überzeugungsarbeit im Hinblick auf ihre Teilnahme am Gitarrenunterricht nun doch noch zu scheitern.

»Sehr freundlich«, brummte Ed hinter einem hastig ergriffenen Taschentuch.

»Geht ins Wohnzimmer«, wies Annie ihre Kinder an. »Ed, kann ich Sie kurz sprechen?«

Sie stieg die letzten Stufen hinunter, bis sie neben ihm stand und leise sagte: »Wir haben noch nicht über die Bezahlung für diesen Unterricht gesprochen.«

»Nein, nein …« Er winkte ab.

»Seien Sie nicht albern«, drängte sie. »Sie sind hierhergekommen, Sie opfern Ihre Zeit. Dafür haben Sie Anspruch auf Bezahlung.«

»Ganz sicher nicht. Ich will es für Owen tun und … nun ja … Mir liegen auch die Interessen des Schulorchesters am Herzen.« Er hob einen kleinen braunen Geigenkasten an, der Annie vorher nicht aufgefallen war.

Sie sah Ed flüchtig an: Er hatte ein freundliches Gesicht, ein wenig zu freundlich sogar. Er war eindeutig einer von der verträumten, wohlmeinenden Sorte, die sich in die Situation brachten, dass der Musikunterricht sie Geld *kostete,* statt ihnen ein bisschen Taschengeld einzubringen.

»Hören Sie zu, Ed«, sagte sie ziemlich streng, »ich kann verstehen, wenn Sie sich nicht für die Stunden bezahlen lassen wollen, aber ich gebe Ihnen trotzdem etwas, okay? Versuchen Sie gar nicht erst, noch einmal abzulehnen!«, beharrte sie, als er den Kopf schüttelte. »Trinken Sie lieber Wein oder Bier?«, fragte sie und dachte, dass der alte Wollmantel auf Wein schließen ließ, die Gitarre jedoch eindeutig auf Bier.

»Hm …« Ed wirkte verunsichert und leicht verdutzt über diese Frage. »Na ja, beides eigentlich, aber Rotwein gebe ich wohl jederzeit den Vorzug.«

»Na, das ist dann ja einfach«, sagte sie. »Zwei Flaschen Rotwein pro Stunde. Sind wir uns einig?« Sie streckte ihm die Hand entgegen, und er reichte ihr seine, womit der Deal besiegelt war. Sein Gesicht verzog sich zu einem Lächeln. »Wenn Sie unbedingt wollen«, sagte er.

»Ja, ich will … Und freuen Sie sich nicht zu früh: Es werden nur billige Flaschen sein. Also, treten Sie ein«, sagte sie und öffnete die Wohnzimmertür. Ed folgte ihr in den Raum.

»Hübsches Zimmer«, war seine begeisterte Reaktion. »So geräumig, sehr hübsch!«, wiederholte er, und sie hatte den Verdacht, dass er sie jetzt für bedeutend wohlhabender als erwartet hielt. Und er bot ihren Kindern Gratis-Musikunterricht an. »Möchte wetten, Sie besitzen auch so eine schrecklich hochtechnisierte Küche.«

»O ja«, erwiderte sie, »sie bereitet das Essen, erledigt den Abwasch und massiert mich anschließend. Wozu braucht man dann noch einen Mann?«

»Ha, sehr gut!« Er nickte und machte sich daran, seinen Mantel abzulegen.

Annie nahm ihn ihm ab und bemerkte, dass er nicht seinen üblichen Schulanzug aus Tweed trug, sondern abgetragene Jeans und einen alten blauen Fischerpullover mit ausgefransten Bündchen. Ein verzweifelt ungebügeltes Hemd lugte am Kragen und am Saum hervor. Für Ed war das offenbar die bevorzugte Freizeitkleidung. Er sah aus wie ein Flüchtling aus einem Krieg.

»Sie gehen also aus?«, fragte er.

»Ja, ja, zu einer Party … einer Art Dinnerparty.« Sie wollte nicht in die Einzelheiten der Dating-Szene gehen, in die sie sich vorwagte.

Doch Lanas empfindliche Teenie-Antennen schalteten sich ein, und sie zögerte nicht, Ed zu informieren: »Mom geht mal wieder zu einem Blind Date.«

»Nein, ganz so ist es nicht … Lana!« Annie warnte ihre Tochter mit einem Blick, aber nein …

»Wie meinst du das: ›Ganz so ist es nicht‹?«, fragte Lana gereizt. »Vierzig ledige Fremde treffen sich heute Abend zum Dinner, und du bist eine von ihnen.«

»Tja! Was soll ich sagen?« Annie zwang ein Lächeln auf ihr Gesicht, biss die Zähne zusammen und verkniff sich die naheliegende Bemerkung: *Lana, Schätzchen, hast du deine Tage? Soll ich dir eine Wärmflasche holen?*

»Für alles gibt es ein erstes Mal«, brachte sie stattdessen hervor.

»Genau«, sagte Ed. Er wirkte verblüfft, wodurch Annie sich ein wenig lächerlich und gereizt fühlte. »Viel Glück!«, fügte er noch hinzu.

»Ich lasse Sie wissen, wie es war.« Sie gab sich Mühe, ihn nicht anzufauchen, und blickte Lana bedeutungsvoll an. »Wie auch immer, ein Freund von mir, Connor, kommt später her. Er ist der Babysitter, denn ich lasse die Kinder nachts nicht gern allein. Stimmt's, meine Schätzchen?«

Owen gab Würgegeräusche von sich, während Lana die Arme verschränkte und ihre Mutter finster ansah.

Annie stieg mit ungezügeltem Optimismus die mit dickem Teppich belegte Treppe des Hotels hinauf. Es war ein vornehmes Hotel, das keinerlei Geschmacklosigkeiten aufwies. Nun ja, gut, es war vielleicht keine allzu gute Idee des Organisators gewesen, den Anne-Boleyn-Saal anzumieten: »Meine zweite Frau? Ja, sie wurde geköpft, leider. Furchtbar traurig, aber so ist es nun mal … jetzt bin ich wieder ledig.«

Keine Dates mehr über die Einsame-Herzen-Spalten! Annie triumphierte. Kein hastig hinuntergegossenes Glas Wein mehr, während sie Ausflüchte für die armen bestürzten Seelen suchte, die sie immer wieder traf. Kein Internet-Dating mehr! Ihr Posteingang würde künftig frei sein von den völlig abwegigen Fantasien eines Mr. Perverso aus Tampa Bay, Florida, und seinesgleichen.

Ein Dinner-Date mit rotem Teppich – so musste es sein! Ja, es war teuer, und das zu einer Zeit in ihrem Leben, da sie es sich wirklich nicht leisten konnte. Doch sie betrachtete die Ausgabe als Investition. Nicht einfach nur den Richtigen, sondern den reichen Richtigen zu finden war das Geld wert. Außerdem handelte es sich hier um ein Probedinner. Sie brauchte nur zu bezahlen, was sie verzehrte. Der volle Preis wurde erst fällig, wenn sie nach dem heutigen Abend erneut buchte. Vielleicht hatte sie gleich beim ersten Mal Glück. Sie hatte das Gefühl, dass es so sein würde.

Wie Dinah die Augen verdreht hatte, als Annie ihr aus der Broschüre vorlas: »Ein Gourmet-Erlebnis mit vierzig handverlesenen Singles …«

»Sieh dir die Gästeliste an«, hatte Annie gedrängt und ihr die Profilseiten mit körnigen Fotoausdrucken in Passbildgröße gereicht.

»Da ist ein Immobilienmakler, ein tschechischer Geschäftsmann, ein Unternehmer aus der Computerbranche, ein interessanter Mann aus dem Westen des Landes …« hatte Annie sie aufmerksam gemacht.

Doch Dinah hatte jedes Foto auf ihre eigene Art eingestuft: »Ein Mann, der selbst Hand anlegt, ein osteuropäischer Gangster, ein Ehemann, der nicht verwinden kann, dass seine Frau sich per Internet mit Lesben trifft ... ein walisischer Werwolf mit buschigen Brauen ...«

»Hör auf!«, hatte Annie sie erneut zur Ordnung gerufen. »Und was ist mit dem hier?« Sie las ihr ein besonderes Profil vor: »Dominic ist als Gartendesign-Berater tätig. Er liebt französischen Wein und kubanische Musik ... Uh!« Interessiert zog sie die Brauen hoch. »Halbfranzose. Also, der ist doch wirklich *sehr* vielversprechend.«

»Zeig mal das Bild!« Dinah warf einen Blick auf die Seite und musste widerwillig zugeben, dass Dominic nicht schlecht war. Er war vielmehr sogar recht attraktiv: dunkles Haar, gute Kinnlinie und ein schönes Lächeln ...

»Was meinst du? Warum nimmt er eine Vermittlungsagentur in Anspruch?«, fragte sie.

»Vielleicht verlangt seine Beratertätigkeit ihm so viel ab, dass er keine Zeit findet, um jemanden kennenzulernen«, überlegte Annie. »Er sieht wirklich gut aus, nicht wahr?«

Annie strich ihr Kleid glatt, straffte die Schultern und setzte, als sie die Tür zum Anne-Boleyn-Saal öffnete und eintrat, ein hoffentlich leicht geheimnisvolles Lächeln auf.

An einem Empfangspult direkt vor ihr sprudelte ein übermäßig begeistertes Mädchen mit einem Stapel von Namensschildchen hervor: »Hallo und willkommen bei Discerning Diners!«

Namensschildchen? Etwas derart Pragmatisches und Konferenzartiges wie Namensschildchen hatte Annie nicht erwartet, aber viel, viel schlimmer noch war der Umstand, dass alle, die Annie im Barbereich sah, die übliche Bürokleidung trugen.

Die Männer in grauen und marineblauen Anzügen, die Frauen ebenfalls. Es war ein Meer von Sakkos, langärmeligen Blusen und feschen Hosen, aber nirgends war ein hübsches Kleid zu sehen, geschweige denn eines mit Spaghettiträgern. Unter all den hochkarätigen Karrieremädchen würde sie wirken wie eine geschiedene und verzweifelte Hausfrau.

»Nun, wie ist Ihr Name?«, wollte die strahlend lächelnde Superblondine hinter dem Empfangstisch wissen.

»Annie Valentine und … ich dachte, man sollte sich aufdonnern!«, fügte sie bestürzt hinzu.

»Wir bitten tatsächlich jeden Gast um festliche Kleidung, aber ich fürchte, zu viele Leute kommen direkt von der Arbeit und haben keine Zeit. Darf ich Ihnen die Jacke abnehmen?«

»Nein … hm … na ja …«

Es war warm im Anne-Boleyn-Saal, zu warm für auf Seide gefütterte gelbe Wollgabardine, insbesondere jetzt, da sie zusätzlich noch die Glut der Verlegenheit spürte.

Entweder hockte sie sich jetzt still an die Empfangsbar und schwitzte sich die Jacke voll und ihr Make-up weg, oder sie war frech und mutig und zog die Jacke aus.

»Ja, sicher«, gab sie nach, schlüpfte aus dem Valentino-Bolero und legte die schmalen Träger des Kleides frei, dazu bloße Arme und viel mehr Busen, als dem Anlass angemessen war.

»Ich gehe später noch auf eine andere Party.« Plötzlich war ihr die perfekte Ausrede, wenn nicht sogar Ausflucht, in den Sinn gekommen. Das würde sie jedem hier erzählen. Oh, und das bedeutete, sie konnte sich früher aus dem Staub machen, *falls* – was natürlich ausgeschlossen werden konnte – der Abend sich als grauenhaft erwies.

»Gut, Annie. Hi! Willkommen! Ich bringe Sie zu Hillary, die Sie mit allen Gästen bekannt machen wird.«

An Hillarys Seite fegte Annie durch ein Meer von verschwommenen lächelnden Gesichtern, von einem Vorstellungsakt zum nächsten. Sie erkannte ein paar Namen von ihrer Liste: Der Tscheche erwies sich als reichlich weichlich wirkender Geschäftsmann, und Idris war tatsächlich ein Waliser mit buschigen Brauen, wenn auch wohl kaum ein Werwolf. Am enttäuschendsten jedoch war der »sehr, sehr vielversprechende« Dominic, der Gartendesigner, der zwar gut aussah, aber höchstens eins sechzig groß war. Annie in ihren Highheels war also gut und gern zwanzig Zentimeter größer als er.

Als die Gäste zum Dinner geführt wurden, sah Annie mit sinkendem Mut, dass das Platzkärtchen neben dem ihren Dominics Namen trug.

Zu ihrer Linken saß ein ziemlich schüchterner, nichtssagender Mann namens Will einer blassen, unscheinbaren Frau namens Maisie gegenüber. Doch eine gewisse Erlösung schien in Gestalt von Lloyd zu nahen, dem angegrauten, aber trotzdem lässig-elegant aussehenden Mittfünfziger, der Annie gegenüber Platz nahm. Als er lächelte, sich vorstellte, über den Tisch hinweg ihre Hand schüttelte und Annie ein Kompliment zu ihrem »umwerfenden« Kleid machte, spürte sie, wie ihre Lebensgeister wieder erwachten.

Doch bei der Vorspeise – einer Spinat-Muskat-Suppe, die der stille Will nicht essen konnte, ohne zu kleckern und zu schlürfen – erkannte Annie, dass Lucinda, die Frau zu Lloyds Linken, ebenfalls sehr von ihm angetan war.

Binnen Minuten stellte sich heraus, dass Lucinda ein rechtes Plappermäulchen war und den Großteil der Unterhaltung am Tisch bestritt, in der Einbildung, dass sie allen anderen half, miteinander warm zu werden, indem sie herumging und all diese grauenhaft persönlichen Fragen stellte, die Annie nicht beantworten wollte: *»Sind Sie geschieden? Wie lange gehen Sie schon zu Dates? Was tun Sie beruflich?«*

Als die Befragerin näher an sie heranrückte, fasste Annie den sehr reifen Entschluss, sich auf die Toilette zu verdrücken.

Bei ihrer Rückkehr hatte sie das Gefühl, lieber von Lloyd ablassen und sich Dominic zuwenden zu sollen, um nicht unhöflich zu sein.

»Der Wein ist gut, nicht wahr?«, fragte sie ihn in Erinnerung an seine auf den Profilseiten aufgeführten Interessen.

»Weiß Gott, nicht schlecht!«, erwiderte er und drehte die Flasche, um das Etikett lesen zu können.

»Ich habe mich entschlossen, nie mehr irgendein gepanschtes Zeug zu trinken«, erklärte sie. »Dafür ist das Leben zu kurz.«

Er hob die Flasche an, sagte: »Ja, wirklich«, und schenkte ihr nach.

Hatte sie es sich nur eingebildet, oder hatte er wirklich leicht das Gesicht verzogen? Was hatte sie getan? Vielleicht lag es an dem Wort »kurz«. Augenscheinlich war er hypersensibel, und sie hatte ihn gekränkt. Unbewusst hatte sie die Aufmerksamkeit auf seine Größe gelenkt – oder vielmehr auf seinen Mangel an Größe. Sie nahm sich vor, das Wort »kurz« nicht mehr zu verwenden.

Sie befragte ihn nach seiner Anreise und erhielt als Antwort eine beinahe witzige Anekdote.

Dominic, der Halbfranzose mit der Vorliebe für kubanische Musik: Es lag auf der Hand, dass seine französischen Gene dominant waren. Er sah gut aus mit seinem dunklen Teint und grüblerischen Ausdruck, trug sein Hemd weit aufgeknöpft und hätte, eine Gitanes paffend, gut in ein Pariser Café gepasst.

An sich wäre er sehr gutes Dating-Material gewesen. Aber zwanzig Zentimeter ... zwanzig Zentimeter waren ein schwer zu bewältigender Größenunterschied. Selbst im Sitzen musste er das Gesicht heben, um ihr in die Augen zu sehen, was Annie in die Zeit zurückversetzte, als sie mit Jungen tanzte, die einen ganzen Kopf samt Hals kleiner waren als sie und ihr das Gefühl gaben, ein zu groß geratenes Unikum zu sein.

»Ihr Neffe besucht St. Vincent's!«, rief sie, denn gerade hatten sie diese Entdeckung gemacht. »Die Welt ist klein.«

Wieder verzog er kaum merklich das Gesicht. Ups.

Als der erste Gang serviert wurde, begannen sie ein Gespräch über ihre Lieblingsspeisen – genauer gesagt, über ihre Lieblingsgemüse.

»Auberginen in Tomatenragout«, sagte er.

»Zwergbohnen, in Butter gedünstet, einfach köstlich!«, schwärmte Annie.

Zwerg?? Hatte sie denn unbedingt Zwergbohnen anführen müssen? Hätte es nicht gereicht, »Bohnen« zu sagen?

Lloyd zwinkerte ihr zu. Wollte er nur freundlich sein, oder war ihm ihre unglückliche Wortwahl aufgefallen? Übrigens, was Lloyd anging: Bauträger, geschieden, keine Kinder, großes Haus in Wimbledon, Hobbys: Jazz und Windsurfen – Lucinda erwies sich als recht nützlich.

»Besuchen Sie diese Dinner-Dates schon lange?«, fragte Annie in der Absicht, von Zwergbohnen und dergleichen abzulenken.

»Seit ungefähr einem Jahr«, gab er zu.

»Und? Haben Sie interessante Leute kennengelernt?« Sie hätte gern gewusst, ob er mehr Glück hatte als sie.

»Jede Menge. Jede Menge interessante Leute – aber nichts Ernstes.«

Nach einem minutenlangen Versuch, mit dem schweigsamen Will zu plaudern, wandte Annie sich wieder Dominic zu, da es äußerst schwierig war, Lloyd für länger als einen Augenblick Lucindas konzentrierter Aufmerksamkeit zu entreißen.

»Ich liebe sie, sie ist anbetungswürdig …«, klärte Dominic Maisie über seine althergebrachte Bewunderung für die französische Schauspielerin Audrey Tatou auf.

»Oh, mir geht's genauso mit Billy Crystal«, mischte sich Annie ein, »obwohl er eindeutig zu klein ist.« Es war ihr entschlüpft, bevor sie noch nachdenken konnte.

Dominics Lächeln wirkte eindeutig verkrampft.

»Mögen Sie mir von Ihrer Gartengestaltungs-Tätigkeit erzählen?«, fragte sie, nachdem sie zu dem Schluss gekommen war, dass durch eine Entschuldigung alles nur noch schlimmer würde.

Die Frage erwies sich als Treffer. Dominic war von seinem Beruf begeistert und redete angeregt über den modernen Garten.

Annie und ein paar weitere Gäste hörten gespannt zu, warfen Fragen zu ihren eigenen kleinen Gärten ein und baten um ein paar Tipps. Das war einer der vielen traurigen Aspekte des Älterwerdens, wie Roddy zu scherzen pflegte: Plötzlich sind alle genauso interessiert an Gärten und der Frage, wo die besten Beetpflanzen herzubekommen sind, wie früher an Drogen. Wenn man von Vögeln sprach, meinte man nicht mehr die heißesten Tussis, sondern redete über Futterstellen und das Anlocken von Staren. »Von Bordsteinschwalben zu Meisen: Es geht nur noch bergab«, hatte Roddys Ansicht gelautet.

»Sie wächst nicht, sie sieht einfach so … stummelig aus.« Verdammt! Fiel ihr denn kein besseres Wort ein, um eine Hecke zu beschreiben, die nicht recht gedeihen wollte? »So absolut, na ja, Sie wissen schon, nicht … buschig«, stammelte sie.

»Kümmerlich?«, half Lloyd ihr aus und verbiss sich ein Grinsen.

Annie hatte den heimlichen Verdacht, dass der stille Will und das Mäuschen Maisie in Leidenschaft erglüht waren: Immer wieder versuchten sie, flüchtige Blicke voneinander zu erhaschen, und erröteten, wenn sie ertappt wurden. Wenn sie doch den Mut aufbrächten, ein bisschen mehr zu sagen als nur »Hallo«!

Doch gerade als sie überlegte, wie sie sie zusammen in das Gespräch einbeziehen könnte, hörte sie, wie Dominic Lucinda erzählte, dass er einen Minivan fuhr. Daraufhin drehte sie sich um, begegnete Lloyds Blick und hörte ihn schnauben vor Lachen, was er rasch mit einem Schluck Wein erstickte.

Sie lächelte ihn wissend an und freute sich, dass diese heimliche Kommunikation zwischen ihnen stattfand.

Zum Glück schien Dominic nichts zu bemerken … Doch dann trieb die Unterhaltung über freche Minifrüchtchen die Sache auf die Spitze.

Das Gespräch hatte sich den Lieblingssüßigkeiten aus der Kinderzeit zugewandt, und schon entfuhr es Annie: »Freche Minifrüchtchen.«

Es war nicht gelogen. Neben Caramac-Riegeln waren die Früchtchen ihre liebste Nostalgie-Nascherei.

»Minifrüchtchen?«, fragte Dominic leicht unterkühlt und mit unverhohlener Skepsis. »Freche *Mini*früchtchen? Nie gehört.«

»Das sind ganz winzige Weingummifrüchte in allen möglichen Farben«, preschte sie vor.

Er sah nicht sonderlich überzeugt aus. Plötzlich war sie sich auch nicht mehr so sicher. Vielleicht gab es so etwas gar nicht. Vielleicht hießen sie einfach »Freche Früchtchen«, und sie war so darauf bedacht, nicht in das Größen-Fettnäpfchen zu treten, dass der Zusatz »Mini« ihr ganz unbewusst in den Sinn gekommen war.

»Erinnert sich sonst noch jemand an die Minifrüchtchen?« Sie sah die anderen Gäste der Reihe nach an und hoffte, irgendjemand würde den Beweis liefern, dass sie nicht den Verstand verloren hatte.

Nein. Kein Mensch erinnerte sich an Minifrüchtchen und erlöste sie aus der Klemme. Dominic sah sie böse an und wollte wohl etwas sagen, aber glücklicherweise läutete eine kleine Glocke, was bedeutete, dass der erste Gang beendet war und alle Frauen aufstehen und drei Plätze nach rechts weiterrücken mussten.

Zu Annies Erleichterung landete sie so auf Lucindas Platz, direkt neben Lloyd. Leider konnte Dominic immer noch böse Blicke auf sie abschießen, doch sie versuchte, ihn zu ignorieren.

Lloyd war ein Schatz. Er fragte nach, wo sie wohnte, er lauschte ihrer Arbeitsplatzbeschreibung und ihren Plänen zur Ausweitung ihres Immobilienimperiums mit Interesse, er füllte ihr Weinglas auf. Er blickte ihr in die Augen und sagte mit leiser Stimme, dass er schon seit drei Monaten an diesen Dinner-Partys teilnahm, aber noch nie eine so schöne Frau wie sie getroffen hätte.

Sie fragte, woher er seine Sonnenbräune habe, und er äußerte bescheiden etwas über Geschäfte in Argentinien und dass ein Ausflug in die Karibik den Februar doch dermaßen erträglicher gestaltete.

Annie spürte, wie eine warme Woge des Glücks sie überrollte. Eine warme, von der Sonne geküsste karibische Woge des Glücks. Das Glück war so, so nah. Er war wunderbar. Perfekt. Es juckte ihr in den Fingern, nach ihrer Handtasche zu greifen, sich ihr Handy zu schnappen und seine Nummer mit Kurzwahl zu speichern.

»Sie haben also Kinder, wie?«, fragte er, hob sein Weinglas und trank einen Schluck.

»Eine wunderbare Tochter von fünfzehn Jahren, Lana, und Owen. Er ist neun.«

»Fünfzehn?« Lloyd gab sich alle Mühe, nicht zu prusten.

»Tja, sie ist mein Kind der Liebe«, erklärte Annie. Sie freute sich immer über die »Sie-sehen-viel-jünger-aus«-Wirkung, die die Erwähnung ihrer fünfzehnjährigen Tochter zeitigte. »Ich war zwanzig, als sie geboren wurde.«

»Sie sind fünfunddreißig?!!«, fragte Lloyd. »Aber Sie sehen so viel jünger aus!« Leider klang es beinahe verärgert, im Gegensatz zu den üblichen Komplimenten, die die Offenbarung ihres Alters ihr sonst einbrachte. (Annie vermutete, dass die Kombination aus strahlend blondem Haar, dem Einsatz einer erstklassigen Feuchtigkeitscreme – von Sisley, nach Ablauf des Haltbarkeitsdatums gekauft – und dem Umstand, dass sie Sonnenbaden langweilig fand, ihr das Gesicht einer Frau Ende der Zwanzig bescherte, solange sie nicht lachte. Auf Schnappschüssen, die sie beim Lachen erwischten, sah sie aus wie ungefähr hundert.)

»Na, vielen Dank auch!« Sie lächelte Lloyd an, doch er sah ziemlich unglücklich aus. »Was ist los?« Sie entschied, dass es am besten wäre, wenn sie es wüsste.

»Meine Obergrenze liegt bei dreiunddreißig«, antwortete er kalt.

»Wie – dreiunddreißig?«, fragte sie. Sie verstand nicht recht, was er meinte.

»Die Altersgrenze«, erwiderte er. »Meine Exfrau ist vierunddreißig, und ich will mich jünger orientieren – *bedeutend* jünger.«

»Oh!« Im ersten Moment war Annie zu verblüfft, um etwas sagen zu können. Dann schossen ihr zahlreiche kernige Erwiderungen durch den Kopf, wie zum Beispiel: »Du armer alter Bock«, »Wann lässt du dich endlich liften?« oder »Macht es denn so viel Spaß, mit einem Teenie auszugehen?«

Doch sie zügelte ihre Zunge und gab sich mit einer würdevollen Entgegnung zufrieden. »Tja, Lloyd, dann wissen Sie wohl nicht, was Sie versäumen. Frauen werden in den Dreißigern immer interessanter – ganz zu schweigen davon, dass sie *Expertinnen* sind.« Unglücklicherweise schickte sie dieser Bemerkung ein gefauchtes »Aber warum sind Sie dann hier? Es gibt doch genug zwielichtige Thai-Agenturen, die Ihnen helfen könnten!« hinterher.

Damit war alles verloren. Nachdem sie den Mann zu ihrer Linken und den Mann ihr gegenüber beleidigt hatte, blieb ihr nichts anderes übrig, als sich auf Will, den suppeschlürfenden Schweiger, zu konzentrieren.

»Ich glaube, Maisie kann Sie wirklich gut leiden«, sagte sie nach kurzem einleitendem Geplauder. »Sie sollten sich ihre Nummer geben lassen ... Kontakt mit ihr aufnehmen. Ich schätze, Sie beide würden sich bombig verstehen.«

Das hatte leider zur Folge, dass Will heftig errötete und gar nichts mehr sagte. Also hatte Annie jetzt niemanden mehr, mit dem sie reden konnte. Zeit, Plan A in die Tat umzusetzen und zu behaupten, dass sie früher gehen musste, weil sie noch zu ihrer »anderen Party« wollte.

Indem sie alle Leute in Hörweite flüchtig ansah, verkündete sie, dass sie jetzt gehen müsste, und es täte ihr so leid und so weiter und so fort.

Hoch erhobenen Hauptes und, wie sie hoffte, in würdiger Haltung verließ sie den Tisch und konnte sich nicht verkneifen, sich umzuschauen, um sich zu vergewissern, ob Lloyd aufgestanden war, um ihr zu folgen. Warum auch nicht? War er nicht ganz wild darauf, mehr über sie zu erfahren? Über die Zwergenquälerin? Selbst wenn sie fünfunddreißig war?

Nein! Er blickte ihr nicht einmal nach! Er hatte den Kopf gewandt und sich in ein Gespräch mit Lucinda vertieft, die – Unverschämtheit! – wieder ihren früheren Platz eingenommen hatte.

Aber natürlich lief Hillary, die Hostess, ihr nach und holte sie an der Tür ein.

»Wie war's? Übrigens, Sie sehen fantastisch aus!«, sprudelte sie hervor. »Wir rufen Sie morgen an und erkundigen uns, ob Sie zu jemandem, den sie heute Abend kennengelernt haben, in Kontakt treten möchten.«

»Danke«, brachte Annie hervor, obwohl sie die Frau am liebsten mit einem deftigen »Pah, nicht nötig. Was für ein Haufen Loser!« abgefertigt hätte.

Sie knöpfte ihre Jacke zu, flüchtete in den ersten Pub, den sie fand, und stürzte einen Bailey's hinunter, während sie auf ihr Taxi wartete. So gedemütigt hatte sie sich, soweit sie sich erinnern konnte, nicht einmal nach irgendeiner Schuldisko gefühlt!

5.

Connor als Babysitter:

Dunkelblauer dicker Kaschmir-Rollkragenpullover (Armani)
Weite indigoblaue Jeans (Nudie)
Weißes T-Shirt (Paul Smith)
Socken, pink und aqua (Paul Smith)
Enge Boxershorts (Aussie Bum)
Bowlingstiefel aus Wildleder (Camper)
Geschätzte Gesamtkosten: 520 £

»Warum will mich niemand?«

Miss Valentine, Sie hatten ein heißes Date?«, begrüßte der Taxifahrer sie grinsend. Es war derselbe Fahrer, der sie am letzten Freitag von Dinah nach Hause gefahren hatte, Mr. Abdul Nwocha mit seinem nicht gerade vertrauenswürdigen Nissan Bluebird. Schon letzte Woche hatte sie ein ominöses Klappern unter dem Wagen vernommen, ein Hinweis auf einen Auspuff kurz vor dem Aus. Es war noch da.

Doch er war, wie alle anderen Fahrer dieses Taxiunternehmens, die sie kannte, billig, aber höflich und freundlich und wartete vor dem Haus, bis man unbehelligt darin verschwunden war.

»Wie war's?«, fragte er Annie, als sie den Sicherheitsgurt angelegt hatte.

»Prima.« Sie lächelte ihn an. Nicht im Traum dachte sie daran, den Verlauf des Abends in seiner ganzen Pracht und Herrlichkeit zu schildern! Wieder einmal ein katastrophales Date-Unternehmen, ein weiterer Beweis dafür – als ob sie den noch brauchte! –, dass für sie keine Hoffnung bestand … dass keine guten Männer mehr übrig waren … und dass Ehemänner eben äußerst dünn gesät waren. Sie wehrte sich gegen die drohenden Frusttränen, ballte die Hände zu Fäusten und versuchte, sich auf Mr. Nwocha und sein Geplauder zu konzentrieren.

»Sehen Sie ihn wieder?«, fragte er, und sein dunkles Gesicht und die glänzende Lederjacke blitzten im Licht der entgegenkommenden Scheinwerfer auf. Das Duftbäumchen schaukelte wie verrückt und verströmte einen nachgemachten Tannenduft, der einem die Kehle zuschnürte, während der Wagen mit knarrender Federung über die Schikanen der Straße ruckelte. Jede einzelne Erhöhung drohte dem Auspuff mit dem Todesstoß.

»Nein, ich glaube irgendwie nicht.« Sie brachte ein Lächeln zustande. »Ich glaube, er gehört nicht unbedingt auf die Top-Ten-Liste meiner Traummänner … Viel zu tun heute Abend?«, fragte sie, um das Thema zu wechseln.

»Das kommt noch, meine Liebe.« Er lächelte und drehte die blecherne Musik im Radio lauter.

Verkehr, Fußball und Wetter füllten die verbleibenden

Minuten der Fahrt, und als Annie bezahlt und trotz seines Protests Trinkgeld gegeben hatte und aus dem Wagen stieg, neigte Mr. Nwocha sich ihr zu und tätschelte ermutigend ihren Arm. »Falls Sie für nächste Woche kein Date haben, rufen Sie mich einfach an.« Darauf folgte ein kehliges Lachen, begleitet von einem Augenzwinkern.

»Danke.« Sie lächelte. »Ein Date mit Ihnen wäre bestimmt sehr nett.« Sie zwinkerte ebenfalls. »Einen schönen Abend noch.«

»Ich kann prima kochen«, sagte er, als sie die Wagentür schloss.

»Dann bleiben Sie bestimmt nicht lange allein«, entgegnete sie.

Auf dem Weg zur Haustür meldete ihr Handy den Eingang einer SMS.

Habe ich die Wette gewonnen?, lautete sie.

Annie fragte sich, ob Mr. Nwochas Angebot auch zählte.

Als sie die Tür öffnete, hörte sie Connor McCabe – den eins neunzig großen, dunkelhaarigen, verheerend attraktiven Schauspieler, den jede Frau als besten Freund verdient hatte – aus dem Wohnzimmer nach ihr rufen. Dass er hier war, kam ihr jetzt sehr gelegen.

»Hallo, Sexbombe!«, begrüßte er sie, als sie ins Zimmer trat. »Wie war's?«

Connor lümmelte auf ihrem Sofa, wie immer von Natur aus gutaussehend: das Haar zu einer lässigen Elvis-Tolle frisiert – das war neu –, in verknitterten Jeans und einem kuscheligen Rollkragenpullover. Zwei leere Bierdosen und eine Familienpackung Käse-Zwiebel-Chips lagen neben ihm auf dem Tisch. In einer Hand hielt er die Fernbedienung; im Fernseher lief bei niedriger Lautstärke eine späte Talkshow.

»Komm knutschen!«, sagte er und streckte die Arme aus.

Annie beugte sich über ihn, küsste ihn auf den Mund und spürte, wie er sie fest in die Arme nahm. Er zog sie über sich aufs Sofa.

»Mit oder ohne Zunge?«, witzelte er und gab ihr noch einen Kuss auf den Mund.

»Lieber ohne … in Anbetracht von Käse und Zwiebeln. Trotzdem danke für das Angebot«, sagte Annie und rang nach Luft. »Schön, dich zu sehen.«

Sie lehnte den Kopf an seine Brust und roch über seinen würzigen Chips-Atem hinweg tröstlich männliche Düfte von Rasierschaum, Bier und einem lange getragenen Pullover.

»Also, wie war's?«, wollte er wissen. »Hast du Mr. Perfekt kennengelernt?«

»Ja, klar.« Sie wälzte sich von ihm herab und drängte Connor ein bisschen zur Seite, so dass sie sich gemütlich zwischen die Sofalehne und seinen warmen Körper zwängen konnte. Ah, wie angenehm war doch ein Schwuler! Seinen Körper konnte man jederzeit zum Kuscheln benutzen, ohne Missverständnisse fürchten zu müssen.

Dann erstattete sie Bericht über den Verlauf des Abends, Stück für Stück, und fügte so viele dumme Einzelheiten und alberne Momente wie möglich ein.

Als sie fertig war, legte Connor tröstend den Arm um ihre Schultern.

»Ich muss wirklich jemanden finden«, gestand sie. »Ich laufe Gefahr, zickig zu werden. Mir ist bewusst geworden, dass ich Männer dafür bezahle, mich zu berühren.«

»Was soll das heißen?!«

»Mein Friseur ist ein Mann, mein Chiropraktiker, mein Zahnarzt, mein Arzt … Als mir bewusst wurde, dass ich die

Brustuntersuchung im Grunde genoss, da kam mir der Verdacht, dass ich mich zu einer schmutzigen alten Frau entwickle.«

»Nicht lange fackeln, Baby, hol dir sofort einen Termin für diesen Abstrich«, lautete Connors Rat.

Sie stieß ihm den Ellenbogen in die Rippen.

»Du brauchst einen attraktiven männlichen Personal Trainer«, schlug Connor vor, »oder das altbewährte Mittel der Hausfrau aus den Vororten: einen Tennistrainer.«

»Ohhh, ich würde ja gern … aber nicht in meiner derzeitigen finanziellen Situation.«

»Aha.«

»Wie auch immer. Wie war's mit den Kindern?«

»Sie waren fabelhaft«, versicherte er. »Lana ist in ihrem Zimmer, vermutlich noch wach, und hört iPod, Owen spielt wahrscheinlich unter der Bettdecke Gitarre, um seinen Musik-Guru beeindrucken zu können.«

»Du hast Ed kennengelernt?«

»O ja, der appetitliche Ed hat mich fast genauso schwer beeindruckt wie deine Kinder.«

»Ha – der appetitliche Ed?« Sie fragte sich, wie jemand, der nicht gerade eine Staubmaus war, Ed auch nur annähernd appetitlich finden konnte.

»Komm schon«, beharrte Connor, »du musst doch zugeben, dass er einen gewissen altmodischen Charme ausstrahlt … Aber die Gitarre lässt darauf schließen, dass er nichts für uns Jungs ist.«

»Nein … In der Schule munkelt man, er hätte bei den Damen einen großen Stein im Brett, aber mir fällt es schwer, das zu glauben. Übrigens, wie steht's mit deinem Liebesleben?«

»Ach, wie immer, wie immer«, erklärte Connor. »Überhaupt nichts zu berichten. Warum will mich keiner?« Er zog ein tragisch-trauriges Gesicht, was ihm einen neuerlichen Rippenstoß einbrachte.

»Also bleibt der Polizist in *The Manor* nach wie vor der begehrteste Junggeselle im Showgeschäft?«, zog sie ihn auf. »Ich weiß nicht, Connor. Du siehst toll aus, trittst im Fernsehen auf, bist stinkreich – vielleicht haben die Leute Angst vor dem Fluch von *Hello!*. Vielleicht haben sie keine Lust, aufzuwachen und festzustellen, dass sie von der Zeitschrift *Grazia* interviewt werden?«

»Oh, sehr witzig!«

Sie betrachtete sein schön geformtes Kinn. Sie hatte Connor geerbt. Er war Roddys bester Freund gewesen, doch als Roddy von der Bühne abtrat, war er auf ihre Seite übergewechselt.

Connor und Roddy hatten sich auf einem Low-Budget-Filmset in Rumänien kennengelernt. Wochenlang hatten sie dort gedreht, obwohl sie nur kleine Rollen hatten, den ersten und zweiten Prinzen von rechts oder so. Sie hatten einen Plan ausgeheckt, ihre edlen, schlecht bezahlten Film- und Bühnenkarrieren aufzugeben, die nirgends hinführten, und sich auf Seifenopern zu spezialisieren: Roddy als sexy Gangster und Connor als der hübsche, attraktive Junge von nebenan.

Aus Annies intensivem Restyling ging Roddy stoppelhaarig, lederbejackt, leicht unrasiert und gefährlich hervor und stieg vom Schläger in *The Bill* zu einem üblen, frisch zurückgekehrten Bruder von irgendjemandem in *EastEnders* auf. Währenddessen ergatterte ein frisch gewaschener, rosenwangiger, in Trikot gekleideter Connor die Hauptrolle in der sonntäglichen nostalgischen Teezeit-Serie *The Manor*. Zusätzlich dazu wurde er mit Bühnenrollen im West End überhäuft.

»Was macht die Arbeit?«, fragte Annie.

»Ach, Liebling, es ist einfach wunderbar«, sagte Connor zunächst, um dann mürrisch hinzuzufügen: »Ich werde mich nie wieder zu einem Bühnenauftritt bereiterklären; das ist eine verdammte Plackerei!«

»Ha – eine verdammt gut bezahlte Plackerei!«, sagte sie und strich wissend über seinen Pullover. »Solch feiner Kaschmir ist nicht billig.«

»Ich ziehe jederzeit das Fernsehen vor. Wann kommst du übrigens mal, um mich zu sehen?«

»Oh, na ja ... ganz bald«, versicherte sie und dachte insgeheim, dass Musicals, selbst solche von Noel Coward, nicht unbedingt ihr Geschmack waren.

»Also ... Connor«, setzte sie an, da schon einmal Gefälligkeiten ausgetauscht wurden, »mein Schönster ...?« Sie verschränkte ihre Finger mit seinen.

»Oho«, erwiderte er, »das klingt, als käme jetzt etwas Gefährliches, Kostspieliges – oder womöglich beides.«

»Ich muss dich um einen Gefallen bitten. Nein, eigentlich um zwei Gefallen.«

»Da wirst du wohl betteln müssen – vorzugsweise auf den Knien.«

»Was hältst du von Camping? Mit Zelt und so?«, fügte sie rasch hinzu.

Connor schnitt eine Grimasse. »Ich weiß alles über Camping und nichts über Zelte.«

»Es gibt da diese Männerfreundschafts-Geschichte, Freundschaft zwischen Mann und Jungen, Orientierungserlebnisse – Männer mit ihren Söhnen oder ihren Neffen oder auch mit den Söhnen von Freunden.« Sie sah ihm in die Augen, um sich zu vergewissern, dass er begriff. »Und Owen hat mir so einen Prospekt gezeigt und sagt jetzt mindestens fünfzehn Mal pro Tag:

›Wäre das nicht unheimlich toll? Dort muss es ja herrlich sein‹, und so weiter. Du weißt ja, wie oft er mit Roddy zum Camping war … und mir fällt niemand sonst ein, der ihn begleiten könnte. Und es findet ungefähr zu seinem Geburtstag statt und …«

»Ich verstehe nichts von Camping, Annie«, stöhnte Connor. »Und du kannst nicht zelten, und selbst wenn du ein Mann wärst … Du musst dir etwas anderes einfallen lassen. Wie wär's mit einem Wellness-Wochenende? Da würde ich mitkommen.«

»Ich hoffe, das soll ein Witz sein. Owen wird zehn!«, erinnerte sie ihn.

»Man ist nie zu jung, um sich zu pflegen.«

Annie stieß einen Seufzer aus. »Okay, okay, ich erlasse dir das Zelten. Aber dafür musst du mir meine nächste Bitte erfüllen.«

»Spuck's aus.«

»Du weißt, dass meine Mum nächsten Monat ihren Ruhestand feiert?«

»Nein! Ich glaube, die Pensionierung deiner Mutter steht nicht in meinem Terminkalender … aber … gehe ich recht in der Annahme, dass du gleich die ach so schmeichelhaften Worte ›mit Begleitung‹ äußern wirst?«

»Connor!« Annie kuschelte sich an ihn. »Dafür könntest du mich um einen Gegendienst bitten.«

»Einen Gegendienst?«, überlegte er. »Du kannst mir keine sexuellen …«

»Einen materiellen Gegendienst«, schränkte sie ein. »Es wäre mir mindestens zwei, wenn nicht gar drei Extra-Discount-Käufe in der Annie-V-Handelsbörse wert.«

»Oh, herzlichen Dank!«, sagte er brummig, »ich will Designer-Unterhosen gratis, oder ich spiele nicht mit.«

»Das kriege ich vielleicht sogar hin«, überlegte sie, während sie sich an ein Angebot von Calvin Klein erinnerte: drei zum Preis von zwei bei TK Maxx. Hoffentlich waren nicht nur noch die Größen XXL und XXS übrig!

»Große Familienfeier zum Eintritt in den Ruhestand?«, wollte Connor wissen.

Annie nickte. »Ich mag nicht allein hingehen. Natürlich kommen Lana und Owen mit, aber ich brauche jemanden, der nur für mich da ist.«

Er strich über ihr Haar und ließ dann ein Lächeln auf seinem ausdrucksvollen Gesicht aufblühen. »Werden auch alternde Tantchen dort sein?«, fragte er.

»Mindestens drei, vielleicht sogar vier.«

»Uuuh, ich liebe beschwipste alternde Tanten, sie stellen den Kern meiner Fangemeinde dar, weißt du … Wilde besoffene Tanzerei?«

»Unbedingt! Wie's aussieht, mit einer Live-Band, denn es soll ein Abend im schottischen *ceilidh*-Stil sein. Überhaupt«, sie setzte sich aufrecht hin und grinste ihn an: Ihr war gerade die beste Idee des Tages gekommen. »Ich besorge dir einen Kilt.«

»Einen Kiltie?« Connor erwiderte ihr Grinsen und zeigte dabei perfekte – mit Laser behandelte – Zähne. »O ja, Annie, ja! Einen aus schwarzem Leder?«

»Was immer du willst, Liebling!«

»Einen schwarzen Lederkilt mit nichts drunter?« Während er Sean Connerys Schnurren nachahmte, fügte er hinzu: »Moneypenny, wie soll ich da widerstehen? Und was wird meine entzückende Partnerin an diesem Abend tragen?«

»Tja, das ist eine gute Frage«, antwortete Annie.

6.

Paula auf Parade:

Echte asiatische Haarverlängerung, geflochten
(Blaxx Salon)
Hautenges schwarzes Gucci-Kleid
(Ausverkauf im ***The Store***)
Fuchsiaroter Tanga
(Brick Lane Market, 3 Stück für 1 Pfund)
»Hollywood«-Enthaarung (Blaxx)
Orange und fuchsia gestreifte künstliche Nägel (Blaxx)
Orangefarbene Jimmy-Choo-Stilettos
(Freundschaftspreis in Annies Handelsbörse)
Geschätzte Gesamtkosten: 805 £

»Was gibt's bei Asda im Angebot?«

Delia, meine Liebe, du kommst früh, oder?« Als Annie die emsige, gut gepolsterte Etagen-Reinigungskraft entdeckte, blickte sie auf ihre Uhr und stellte fest, dass ihr bis Ladenschluss noch anderthalb Stunden bevorstanden.

»Ich will meinen Spind aufräumen«, erklärte Delia. Annie fiel es schwer, das zu verstehen, denn Delia besaß den ordentlichsten Spind in der gesamten westlichen Welt. Die Fransenmopps waren sorgfältig ausgespült, ausgewrungen und zum Trocknen aufgehängt, die Lappen hingen mit Wäscheklammern gesichert an Delias eigener kleinen Wäscheleine, und Flaschen mit Industriereiniger und Politur standen immer sauber abgewischt in Reih und Glied in den Regalen, die Etiketten nach außen ausgerichtet.

»Und dann habe ich Pläne für mein eigenes kleines Geschäft.« Delias glänzendes schwarzes Gesicht verzog sich zu einem Lachen, das ihre glänzende Kurzhaarperücke erschütterte. »Sinnlos, hier zu arbeiten, wenn ich mir nicht von Zeit zu Zeit einmal etwas gönnen kann.«

Sie trat dicht an Annie heran und fragte: »Ich denke mal, unsere kleine Vereinbarung gilt trotzdem noch?«

»Aber klar doch«, versicherte Annie und versuchte, nicht daran zu denken, was Donna davon halten würde.

Wenn Delia, was äußerst selten vorkam, einmal im *The Store* etwas kaufte, ließ Annie es unter ihrem Namen durch die Kasse gehen, weil sie Anspruch auf einen Mitarbeiterrabatt von zwanzig Prozent hatte, während Delia, die über einen Subunternehmer als Reinigungskraft angestellt war, leer ausging. Eine Ungerechtigkeit, die Annie mit Entzücken unterwanderte. Sie konnte sich nicht verkneifen, Delia zu fragen: »Was willst du kaufen?«

»Oh, ich will mich erst einmal eine Weile nur so zum Vergnügen umsehen, und dann komme ich mit meinen Extravaganzen zu dir.« Delia lachte leise und drückte Annies Arm mit ihrer pummeligen dunkelbraunen Hand, geschmückt mit fünf kurzen, aber wundervoll pflaumenblau lackierten Fingernägeln.

»Willst du irgendetwas anprobieren?«

»O nein, du kennst mich doch, Annie. Kleidung kaufe ich nur bei Harvey Nichols!« Delias Antwort wurde von einem listigen Zwinkern begleitet. »Außerdem passt mein dicker Hintern in nichts rein, was ihr verkauft.«

»O doch!«, widersprach Annie. »Sieh mal, Mädchen, gleich da drüben haben wir …«

Doch Delia fiel ihr ins Wort: »Hör sofort auf mit deiner Kundenüberzeugungs-Strategie, du Teufelsweib!«, sagte sie und drohte mit dem Finger. »Ich falle nicht darauf rein. Ich weiß genau, was ich kaufen will, und zuallererst schwinge ich meinen Arsch in Richtung Unterwäsche.«

»Uuuh!«, zog Annie sie auf. »Etwas ganz Besonderes?«

Daraufhin stieß Delia ein rasselndes, kehliges, befreiendes Lachen aus. Jetzt klimperten ihre goldenen Ohrringe. »O ja … ich werde einen Glückspilz von Mann damit erfreuen.« Sie schmunzelte. »Bis später!«

Annie blickte Delia nach, die in Richtung Wäscheabteilung weiterging, immer noch leise lachte und für Annie ihr beträchtliches Hinterteil schwang.

Delia hatte drei Jobs, vier Kinder und eine beengte Sozialwohnung am äußersten Rand von Isleworth. Sie musste drei Busse nehmen, um jeden Werktagmorgen pünktlich um 6 Uhr zur Stelle zu sein. Ihre Tränensäcke sahen aus wie zwei breite Kajalbalken, allerdings nicht abwaschbar. Delia würde einen ganzen Monat schlafen müssen, damit sie verschwanden.

Angesichts ihrer persönlichen Lebensumstände hätte sie das Recht gehabt, der übellaunigste, zickigste, reizbarste Mensch auf der Welt zu sein – wie viele andere Mitglieder des Reinigungsservice, ganz zu schweigen vom Verkaufspersonal –, doch Delia blieb immer stur glücklich und aufgeräumt. Vielleicht trug sie unauslöschlich den karibischen Sonnenschein in ihrer Seele, vielleicht lag es auch an ihrer frommen Religion der Zeugen Jehovas und an der Macht des Gebets.

Delia war immerzu Annies wegen beschäftigt: »Ich bete für dich und die deinen, Schätzchen. Versuch gar nicht erst, mir das auszureden!«

Aber Annie wusste beinahe genauso gut wie Delia, dass man, wenn das Leben einem schlechte Karten austeilte, entweder aufstehen, gute Miene machen, die Schultern straffen und das Beste daraus machen musste, oder man würde untergehen.

Das Telefon in ihrem Bereich begann zu klingeln, und Annie meldete sich.

»Annie? Hi, hier ist Dale. Hast du zu tun?«

»Im Moment ist keine Kundschaft hier«, erklärte sie.

»Dann schicke ich dir jemanden hinauf. Wirf rasch einen Blick in den Spiegel, Schatz.«

Klick.

Er hatte aufgelegt. Keine weiteren Informationen, sie vermutete jedoch, dass diese Ankündigung etwas mit ihrer Kaffeepausen-Plauderei zu tun hatte, bei der Annie gestanden hatte, dass sie auf der Suche nach einem *sehr* wohlhabenden Mann wäre. Sie hatte gefragt, ob die Jungs unten in der Herrenoberbekleidung ihr nicht vielleicht helfen könnten – natürlich nur, wenn sie nicht selbst vollauf damit beschäftigt waren, die Kunden zu beschwatzen.

Annie traute nicht einmal Dales Krawattengeschmack, geschweige denn seinem Geschmack, was potenzielle Ehemänner anging. Trotzdem band sie ihren Pferdeschwanz neu, legte frischen Lipgloss und einen Spritzer Parfüm auf und wartete. Paula hatte im Ladenbereich zu tun, daher hatte Annie den persönlichen Einkaufsbereich im Augenblick für sich allein.

Kaum hatte sie einen Blick auf Mr. Spencer Moore geworfen, wie er großartig von Dale vorgestellt wurde – beladen mit einer Auswahl von Anzügen, Jacketts und Krawatten –, da sah sie ihre Vermutungen, das Urteilsvermögen des Verkäufers in der Herrenabteilung betreffend, bestätigt.

Spencer war schwul – eindeutig. Warum hatte Dale das nicht bemerken können? War die Brille mit den runden rot gerahmten Gläsern mitten in seinem Gesicht denn nicht Hinweis genug?

»Mr. Moore, hallo, ich bin Annie«, sprudelte sie dem Neuankömmling entgegen. »Treten Sie ein, treten Sie ein! Ich bin für Sie da, also ... Nehmen Sie den hübschen großen Umkleideraum hier rechts. Wir hängen alles für Sie auf.« –

»Er ist schwul!«, zischelte sie Dale zu, sobald sich die Möglichkeit bot.

»Nei-ein.« Dale schüttelte den geschorenen Kopf und zog neckisch die Brauen hoch. »Er ist ein geschiedener Hetero, der sich schwul kleidet. Ich weiß. Es ist komisch, er ist eine städtische Abart ... eine Mutation, womöglich dank seiner ›Designer‹-Karriere. Ich dachte mir, er könnte ein weibliches Händchen gebrauchen, und du kämst zusätzlich vielleicht zu einem Date. Er ist stinkreich«, fügte er im Flüsterton hinzu und sagte dann: »Übrigens, wir teilen uns die Provision.«

»Schätzchen, wenn ich hier ein Date rausschlage, kannst du die gesamte Provision behalten«, sagte sie.

Dale, ein Einzelkind, das Mummys ganzes Geld für

Schauspielunterricht verschleudert hatte, rauschte zum Hauptausgang und blies ihr einen Abschiedskuss zu.

Wie sich herausstellte, nahm Spencer, Endvierziger, durchtrainiert und frisch geschieden, den Modeteil der Sonntagszeitungsbeilagen wohl viel zu ernst für einen Mann seines Alters und Stands. Das war der Grund für die verwirrenden Signale.

»Gehen Sie schon wieder mit Frauen aus, oder ist es noch zu früh?«, fragte Annie und nahm der plumpen Frage rasch den Zündstoff, indem sie anfügte: »Ich überlege nämlich, ob Sie vielleicht ein paar lässigere Outfits brauchen.«

»Oh, ich bin ganz sicher bereit, wieder auszugehen«, vertraute Spencer ihr an, während sie einen blassgrauen Nadelstreifenanzug mit einem pastellfarbenen Hemd kombinierte und ihn zur Anprobe drängte. Merkwürdigerweise wirkte kaum etwas so hetero wie die richtige Pinknuance.

»Dann sollten wir also einen Frauenmagneten aus Ihnen machen.« Annie lächelte.

»Hm, tja …«

Sie sollte sich ein wenig zurücknehmen, ermahnte sie sich. Er war offensichtlich ein ziemlich reservierter Typ.

»Wo wohnen Sie?«, fragte sie ihn auf der anderen Seite des geschlossenen Vorhangs, während er das Outfit anprobierte, das sie für ihn zusammengestellt hatte.

»Kensington«, antwortete er – und stellte, wie Annie registrierte, nicht die Gegenfrage. Manche Kunden gingen stets davon aus, dass das Verkaufspersonal wer weiß wie tief unter ihnen stünde. Es war an ihr selbst, sich in ein ganz anderes Licht zu rücken.

»Oh, wie schön!«, schwärmte sie. »Da bin ich zur Schule gegangen: Francis Holland.« So, das würde ihn eines Besseren belehren. Von Francis Holland, einer der schicksten Mädchenschulen in London, hatte jeder schon gehört.

»Tatsächlich?« Das klang ein bisschen zu überrascht.

»Ja. Es hat mir ausgezeichnet gefallen. Dort habe ich die Kunst entdeckt …« Ihr gefiel nicht, wie sich das anhörte; jetzt redete sie vornehmer als die Queen. »Ja, und danach habe ich die Kunsthochschule besucht: Theaterkostüme und Design. Eine Zeitlang habe ich bei Filmen mitgearbeitet, und jetzt bin ich hier als Beraterin.« Beraterin klang toll – als würde sie nicht ständig hier arbeiten; als verfügte sie woanders als im *The Store* noch über eine hochkarätige Karriere, was technisch gesehen ja auch zutraf. Schließlich gab es Annie V … das Immobiliengeschäft, das quasi in den Startlöchern stand … die Inneneinrichtungen.

Es schien zu klappen. Spencer fragte, welche Kunstschule sie besucht hatte, und erzählte ihr, wo er studiert hatte.

Dann öffnete er den Vorhang, trat aus dem Umkleideraum und fragte: »Was meinen Sie?« Jetzt nahm er sogar Blickkontakt auf und sah ein, dass er es mit einer hochgebildeten »Beraterin« zu tun hatte.

Er sah gut aus. Der Anzug war prima geschnitten, aber etwas weiter und wirkte daher ein bisschen mehr macho als der, den er bei seiner Ankunft trug. Das helle Pink schmeichelte seinem Teint. Allerdings kam Annie nicht über seine scheußliche Brille hinweg.

»Schön.« Sie strich das Revers glatt und forderte ihn dann auf, sich umzudrehen, damit sie mit den Händen über seine Schultern und den Rücken fahren konnte – angeblich, um den Anzug glatt zu streichen. »Sehr schön. Den hängen wir auf die Stange für ›eindeutig in Frage Kommendes‹, und dann möchte ich, dass Sie das hier probieren.«

Sie hielt ihm einen Nicole Farhi aus Kaschmir-Mischgarn entgegen – ein Super-Hetero-Anzug.

»Das ist wahre Qualität, Mr. Moore.« Sie streichelte das Jackett, um ihre Worte zu untermalen. »Ich vergeude mein Geld nicht für Zweitrangiges.«

Er nahm ihr den Anzug ab, sah ihr in die Augen und streifte dabei ihre Hand, was sie als großartiges Zeichen wertete. Sie schloss den Vorhang und lächelte.

»*Nichts kommt so teuer wie billiger Kram*, wie mein Vater zu sagen pflegte.« Als Spencer augenscheinlich nicht begriff, erklärte sie: »Weil billige Sachen sich so schnell abnutzen und ersetzt werden müssen.«

Doch dann rauschte Paula herein und fragte, da sie den besetzten Umkleideraum nicht bemerkte, mit lauter Stimme: »Hey, Annie, was gibt's diese Woche bei Asda im Angebot?«

Annie zog eine Grimasse und wies auf den Vorhang.

»Schon gut«, sagte Paula bedeutend leiser, »aber mir stehen Unmengen von Geburtstagen bevor, ich habe kein Geld und muss wissen, wo ich billige Geschenke finde.«

»Später!«, zischte Annie.

Zur übergroßen Freude aller stapfte nun auch noch ihre Chefin Donna in den Raum und sah aus, als hätte sie auf eine Wespe gebissen. »Paula! In Annies Büro, sofort!«, bellte sie und nahm Annie lediglich mit einem raschen Hochziehen einer Braue zur Kenntnis.

»Ja, das geht in Ordnung, Donna«, sagte Annie mit gespielter Höflichkeit. »Macht es euch in meinem Büro gemütlich.«

Es lag auf der Hand, dass jetzt eine gehörige Schimpfkanonade auf Paulas hübschen bezopften Kopf niederprasseln würde. Annie bedachte Paula mit einem mitfühlenden Blick und zwinkerte ihr verstohlen zu.

Spencer, völlig unberührt von den jüngsten Entwicklungen in der Geschäftspolitik, öffnete den Vorhang, um sein zweites Outfit begutachten zu lassen.

»Hmmm …« Wieder strich Annie das Jackett glatt, betrachtete es von hinten, ließ Spencer dann aber wissen, dass sie mit diesem nicht so glücklich wäre. Gemeinsam durchsuchten sie Dales Auswahl nach dem nächsten in Frage kommenden Ensemble.

Sobald Spencer sicher hinter dem Vorhang untergebracht war, entschied Annie, dass sie, obwohl sie Donna möglichst aus dem Weg gehen wollte, Paula nicht allein dieser Hexe ausliefern konnte.

Sie klopfte an die Tür zu ihrem Büro und öffnete sie, ohne eine Antwort abzuwarten.

»Ist hier alles in Ordnung?«, fragte sie.

Ein Blick in Paulas tränenüberströmtes Gesicht sagte ihr, dass dem nicht so war.

»Kann ich irgendwie behilflich sein, Donna?«, fuhr sie fort. »Soll ich irgendetwas erklären? Schließlich bin ich zu Paulas Betreuung abgestellt.«

Donna fauchte: »Die Verkaufszahlen für diesen Monat sind hereingekommen, und Paulas Zahlen sind im Vergleich zum Januar tief im Keller.«

»Aber der Februar fällt immer schlechter aus als der Januar«, erinnerte Annie sie, bemüht, ihre Empörung nicht durchklingen zu lassen.

»Mir ist das grobe Muster der jährlichen Verkaufszahlen durchaus bekannt, danke, Annie«, fuhr Donna sie an, »aber Paulas Zahlen sind bedeutend niedriger, als sie sein dürften. Im Ladenverkauf ist eine Stelle offen, und ich ziehe Paula hier ab. Zur persönlichen Einkaufsberatung kommen Leute, die ganz versessen darauf sind, neue Kleider zu kaufen. Wenn Paula denen nichts verkaufen kann, wem dann, zum Teufel?«

Trotz ihrer schriftlichen Abmahnung konnte Annie sich nicht verkneifen, zu Paulas Verteidigung die »schwierigen neuen Kollektionen« anzuführen. Dabei hätte sie liebend gern gesagt, dass die Kollektionen vielleicht nicht gar so *schwierig* gewesen wären, wenn Donna nicht ausgerechnet kurz nachdem ihre Freundin mit ihr Schluss gemacht hatte zu den Modenschauen gegangen wäre.

Jetzt rissen sich die Verkäuferinnen ein Bein aus, um »Tulpenröcke« (das heißt ganz allgemein wenig schmeichelhafte Säcke) in Nuancen von »Mushroom« und »Maulwurfsgrau« (auch als Sackleinen bekannt) zu verkaufen, ganz zu schweigen von Trapez-Tops aus Kaschmir in schrillen Orange- und Limonetönen.

»Wage es nicht, dich über meine Kollektionen zu beklagen!« Donna war mittlerweile, wie es aussah, im Begriff, jemandem die Augen auszukratzen. »*The Store* kann stolz darauf sein, die topaktuellste Mode in ganz London … in Europa … auf der ganzen Welt anzubieten!«

Annie hatte nicht übel Lust zu sagen: *Dem habe ich nichts mehr entgegenzusetzen.* Doch sie musste ihre eigenen wie auch Paulas Interessen im Auge behalten.

Sie hörte, wie Spencer den Vorhang des Umkleideraums öffnete, und wusste, dass sie zurückmusste. Doch bevor sie ging, gelang es Donna, noch eine weitere Drohung auszustoßen: »Und wage es nicht, deinen Personalrabatt zu missbrauchen, Annie Valentine! Ich behalte deine Transaktionen streng im Auge. Falls ich feststelle, dass jemand außer dir ihn benutzt hat …«

Nur weil sie nichts Gehässiges über Annies Verkaufszahlen vorbringen konnte, musste sie auf so etwas verfallen – das boshafte Miststück!

Spencer bewunderte sich glücklich im Spiegel. »Das ist ja fantastisch! Sie sind ein Genie!«, begeisterte er sich, was augenblicklich ihre Stimmung hob. »Auf Romeo Gigli wäre ich nie verfallen. Ich dachte, der sei nur etwas für Mädchen.«

»Er ist Italiener«, erklärte Annie. »Mit einem guten Italiener kann man nichts falsch machen. Mr. Moore …«, setzte sie dann an.

»Bitte, nennen Sie mich Spencer.« Er rückte die Krawatte aus schwerer Seide zurecht und bewunderte sich im Spiegel.

»Okay, Spencer … wir sollten über Ihre Brille reden.«

»Ach ja?«

»O ja!« Annie neigte sich zu ihm und erklärte ihm vorsichtig, als überbrächte sie ernsthaft schlechte Nachrichten: »Tut mir leid, es mag ein furchtbarer Schock für Sie sein, aber das hier ist eine Schwulenbrille.«

»*Ach?* Die Brille? Die Brille ist schwul?« Es klang völlig verblüfft.

»Ja, eindeutig«, versicherte sie. »Ihre Schuhe auch – zu spitz und mit Nähten auf dem Oberleder. Ich möchte sogar sagen, auch Ihr Gürtel. Frauen stechen solche Dinge ins Auge, und Sie versenden schwule Signale. Aber Sie sind nicht schwul, oder?«

»Aber nein!«

»Sie brauchen etwas Kleineres, vielleicht mit Silberfassung …« Sie hob die Hände, nahm ihm die Brille ab und betrachtete völlig unverhohlen sein Gesicht. *Nicht schlecht*, dachte sie. *Ein bisschen allgemeines Upgrade ist wohl nötig, aber er hat gute Gesichtszüge.*

»Mit Kontaktlinsen würden Sie sehr gut aussehen«, erklärte sie. »Wir benötigen unbedingt eine moosgrüne Krawatte für Sie. Dieser rote Rahmen lenkt so ab; mir war gar nicht aufgefallen, dass Ihre Augen grün sind. Wir müssen eine Krawatte in genau dem gleichen Farbton für Sie finden. Aber die dürfen Sie nicht zu dem pinkfarbenen Hemd tragen … natürlich nicht.«

Spencer war anständig genug, leicht zu erröten. Er war eigentlich ganz nett. Annie war mehr und mehr von ihm eingenommen und überlegte bereits, wie sie ein Treffen außerhalb des Geschäfts mit ihm arrangieren könnte … oder doch wenigstens einen zweiten Shopping-Termin.

»Probieren Sie den Paul Smith an«, forderte sie ihn auf. »Ich mache mich auf die Suche nach Krawatten.«

Als sie den Raum verließ, stieß sie mit Delia zusammen.

»Annie … ich bin zurück … voll bepackt!« Eine noch glücklichere Delia trug einen der pinkfarbenen Plastikeinkaufskörbe des *Store* und schwenkte eine glänzende goldbeschriftete Tragetasche aus der Kosmetikabteilung. »Oh, wie habe ich mich verwöhnen lassen!«, gestand sie. »Ich kann dir sagen!«

Sie hielt die Tasche offen, um Annie die Ansammlung von Minitiegeln, Tütchen und Pröbchen zu zeigen, die die Mädchen in der Kosmetikabteilung sich zweifellos von ihr hatten abschmeicheln lassen.

»Okay, und hier ist mein Korb.«

Annie führte sie zu einer Kasse in reichlicher Entfernung vom Shopping-Raum. Donna konnte jeden Moment wie von der Tarantel gestochen herausgestürmt kommen, und Annie wollte sich nicht bei etwas erwischen lassen, das Donna ihr ankreiden konnte. Aber Delia zu enttäuschen kam nicht in Frage.

Annie tippte ihre Codenummer in den Computer und gab Delias Schätze ein: vier Sloggi-Supercomfort-Tangas Größe sechsundvierzig, Chanel-No.-5-Badeseife und ein leuchtend orangefarbener Nagellack von Mac.

Alles erste Wahl. Jede Frau, ganz gleich, wie knapp bei Kasse, brauchte nagelneue bequeme Tangas in der Wäscheschublade, ein herrliches Stück Seife zum Verwöhnen und einen Hauch von Designerfarbe, und sei es nur auf den Fingernägeln.

Delia griff nach der Seife und sog den Duft tief ein. »Die finde ich wunderbar – absolut wunderbar! Und ich werde duften wie Nicole Kidman.« Sie lachte gackernd. »Eine große Tasche bitte, Annie.« Delia zwinkerte ihr zu. »Heute bin ich Kundin in *The Store*, nicht nur die Putze.«

Delia war gerade außer Sichtweite, als Donna herausstürzte und Ausschau nach ihrem nächsten Opfer hielt. *Man sollte Delia wirklich Valium ins Mineralwasser geben*, dachte Annie. *Das würde allen guttun.*

Donna entdeckte sie an der Kasse und starrte sie einen ausgedehnten, unheimlichen Moment lang an. Doch dann ging sie weiter.

Mit einer Auswahl an Krawatten kehrte Annie zurück in den Shopping-Raum und nahm sich einen Augenblick Zeit, um Paula aufzurichten, bevor sie sich wieder Spencer zuwandte.

»Komm schon, Mädchen!«, sagte sie und reichte Paula ein Papiertüchlein. »Lass dich von der Queen of Spleen nicht fertigmachen. Schieb eine Schicht im Ladenverkauf, dann schmuggle ich dich hier wieder ein – ehrlich! Du brauchst lediglich mehr Übung, mehr Erfahrung mit den Kunden. Donna vergisst, wie lange ich schon in dieser Branche arbeite.

Nun komm!« Annie machte sich Sorgen, weil Paulas Nägel ihren tränennassen Augen so gefährlich nahe waren. »Wir wollen heute Abend doch ausgehen, nicht wahr?«, erinnerte Annie sie. »Also, zieh dich um. Gute-Laune-Klamotten. Mach dich zurecht. Ich bin in« –, sie sah auf die Uhr – »etwa zwanzig Minuten bei dir.«

Spencer verlor die Lust, immer wieder neue Sachen anzuprobieren. Die Shopping-Toleranz von Männer liegt so bedauerlich niedrig, das war Annie schon öfter aufgefallen. Es war an der Zeit, handelseinig mit ihm zu werden … in jeder Hinsicht.

Zwei Anzüge, vier Hemden, zwei grüne Krawatten (offenbar hatte ihm das Kompliment im Hinblick auf seine Augen geschmeichelt), ein heller Wildleder-Blazer – gefährlich teuer. Doch er fuhr darauf ab, als sie ihm sagte (nicht *ganz* wahrheitsgemäß), wie sehr er darin Pierce Brosnan ähnelte. Des Weiteren zwei T-Shirts und sechs neue Boxershorts, weil: »Man kann ja nie wissen!« Und dazu hatte sie ihm frech zugezwinkert.

»Ich habe noch nie im Leben so viel auf einmal gekauft.« Besorgt betrachtete er die Kleiderstange, die sie vollgehängt hatten.

»Sie sehen in allem großartig aus«, versicherte sie ihm. »Sie werden es lieben lernen, diese Sachen zu tragen, sie sind ihr Geld wert und halten eine Ewigkeit. Sie sollten ab sofort wieder ausgehen – diese Woche noch! Gleich heute Abend!« Reichte der Wink mit dem Zaunpfahl?

Aber nichts folgte, und sie drängte: »Was erwarten Sie von einem gelungenen Ausgehabend?«

Er überlegte kurz, bevor er sagte: »Wissen Sie, was ich mag? Einen wirklich gut gemachten Gin-Tonic in einer tollen Bar; in einer Bar mit Atmosphäre, nicht zu laut, nicht zu leise. Etwas …«

»… mit Klasse«, vervollständigte sie seinen Satz.

»Cocktails und Mädchen-Drinks, Happy Hour und all das kann ich nicht ausstehen«, fügte er hinzu.

»Nein, nein. Ich auch nicht.« Sie nickte und schwindelte, dass sich die Balken bogen: »Cocktails? O nein …« Doch die Worte dienten nur dazu, Paula anzulocken, in hautengem schwarzen Kleid und neonfarbenen Highheels und mit ihrer lauten Stimme: »Annie, bist du noch nicht fertig?! Wir verpassen die Happy Hour im *Freddy's*, und wir müssen nach diesem Tag heute ein paar Margueritas trinken.«

Eine Bar mit Klasse. O ja!

»Theater? Ich wette, Sie lieben das Theater!« Annie unternahm einen letzten Versuch, irgendwie an Spencer heranzukommen, während sie seine Einkäufe in die Kasse tippte.

»O ja. Ich will mir das Noel-Coward-Stück ansehen, das gerade anläuft. Wie heißt es noch gleich?«

Ein Sonnenstrahl brach durch die Wolken.

»*Nach dem Ball?* Wann gehen Sie?« Annie konnte sich das Grinsen kaum verbeißen.

»Donnerstagabend, glaube ich.«

»*Nein!* Wirklich?«, platzte sie heraus. »Mein Freund spielt eine der Hauptrollen, und am Donnerstag hat er mich eingeladen. Er sagt, der Donnerstagabend sei der richtige Abend für Theaterkenner.« Das war frei erfunden – Wort für Wort. Nun ja, abgesehen von Connors Hauptrolle.

»Tatsächlich!« Spencer wirkte nicht ganz so erfreut, wie sie es sich erhofft hatte.

»Vielleicht sehe ich Sie dort, in Ihren tollen neuen Klamotten.«

»Hm, ja … das wäre nett …«

»Und mit Kontaktlinsen«, riet sie ihm. »Entweder eine kleine Brille mit Metallfassung oder Kontaktlinsen – unbedingt!«

»Ja … hm …«

Diesen wenigen Worten war schwer zu entnehmen, ob Spencer sich über die Entwicklung der Situation freute oder ob er Angst hatte, sich eine Stalkerin eingehandelt zu haben.

7.

Megans Outfit zur Hochzeit ihres Exmannes:

Missoni-Kleid (*The Store*)
Manolo-Stiefel (*The Store*)
Gucci-Handtasche (Gucci)
Philip-Treacy-Hut (*The Store*)
3,5-Karat-Verlobungsring (Exmann)
Cartier-Diamantuhr (Exmann)
Goldenes Armband mit Diamanten von Asprey (Exmann)
Geschätzte Gesamtkosten: 220.000 £

»ICH WILL NACH ALLEM AUSSEHEN, WAS SEINE BILLIGE KLEINE FREUNDIN NICHT IST!«

Neieiein!«, kreischte Taylor. Sie riss sich die seidige, rüschige Matthew-Williamson-Kreation zu einem vierstelligen Preis vom Leib und schleuderte sie zu Boden.

»Schluss mit Empire-Linie! Ich habe jetzt sechs Stück anprobiert, und in allen sehe ich scheißschwanger aus!«

»Taylor!«, warnte Megan reflexartig auf das Fluchen hin.

Annie war so erschöpft, dass sie sich Red Bull spritzen müssen würde, wenn diese Qual vorüber war. Sie hatte bereits anderthalb Stunden mit Taylor und Megan, ihrer furchterregenden Mutter, verbracht; sie hatten eine Doppelsitzung gebucht.

Die beiden einzukleiden kam einer Personal-Shopping-Olympiade gleich. Annie staunte jedes Mal, wenn sie wieder zu ihr kamen, denn sie war überzeugt, dass diese *Vogue-*, *Harper-* und Internet-Expertinnen, diese Weiber, die reich genug waren, um alles, was sie nur irgendwie brauchen konnten – sogar Lebensmittel –, im *The Store* einzukaufen, entschieden mehr über die Mode der letzten Nanosekunde wussten, als sie zu wissen jemals hoffen konnte.

Sie hatte den Verdacht, dass sie ähnlich der UN als Friedenstruppe eingeschaltet wurde, wenn diese verwöhnte Sechzehnjährige mit ihrer schönen Mama auf Kleiderjagd ging.

Taylor stellte, wie jedes andere Mädchen im Teenalter auch, eine besondere Herausforderung dar, wenn es ums Einkaufen ging.

Sie war außergewöhnlich hübsch mit langem glattem blondem Haar, einer schlanken, perfekt proportionierten Figur und taufrischem Teint – beides Resultat großartiger Gene und eines Riesenvermögens.

Taylor war aus frischer Luft, Skiurlauben, Sommern am Strand mit Sonnenschutzfaktor dreißig, gesunder Internatskost, einer leichten Essstörung und täglichem Training auf dem Hockeyplatz entstanden.

Sie waren gekommen, um Outfits für die zweite Heirat ihres Vaters auszusuchen, und es sah nicht so aus, als würden sie sich jemals einigen können: Megan wollte, dass Taylor etwas Süßes, Mädchenhaftes anzog, wogegen Taylor sich ein Kleid wünschte, das ein dreißigjähriger Vamp als gewagt betrachtet hätte.

Taylor hatte alles als »öööde« abgetan, einschließlich eines hinreißenden blass pinkfarbenen Miu Miu, das sie zu dem Spruch verlockt hatte: »Schaut mich an, ich bin Lady Penelope!« Und dann hatte sie eine wirklich ganz witzige Imitation der Thunderbird-Puppe hingelegt.

In blassblauem Samt und Spitze hatte Taylor, obwohl Megan und Annie über ihr göttliches Aussehen seufzten, eine Grimasse gezogen und gesagt: »Iiih! Wie schmalzig!«

All die süßen Empire-Schnitte waren angewidert ausgemustert worden, und allmählich begann Annie, sich zu fragen, was *The Store* sonst noch zu bieten hatte.

»Ich will das schwarze Wickelkleid – bittebittebitte!«, jammerte Taylor. Sie führte sich mehr und mehr auf wie die verzärtelte, verwöhnte Prinzessin, die sie nun einmal war.

Megan richtete sich zu ihrer vollen Größe auf, furchterregend von Kopf bis Fuß in Dior, seufzte und forderte mit einem Blick Rückendeckung von Annie ein, bevor sie erneut erklärte: »Taylor, du kannst zur Hochzeit deines Vaters nicht Schwarz tragen. Das ist ausgeschlossen! Sieh mal«, fügte sie stutenbissig hinzu, »ich bin ja auch der Meinung, dass er diese zweiundzwanzigjährige rumänische Turnerin nicht heiraten sollte, aber wir können nicht in Trauer erscheinen, und damit basta!«

Annie musste sich zwingen, an sehr traurige Dinge und einsame Momente zu denken, um daraufhin nicht vor Lachen loszuprusten.

Dagegen war die Suche nach Megans perfektem Outfit für die gesellschaftliche und emotionale Tortur, die die Teilnahme an der Hochzeit ihres Exmannes nun einmal darstellte, zufriedenstellend verlaufen.

Megan war bereits mit einer wunderbar klaren Vorstellung eingetroffen: »Ich möchte ein durch und durch elegantes Kleid. Nichts Weiches, nichts Fließendes, nichts Wallendes. Ich möchte, dass es perfekt sitzt und ich nach allem aussehe, was seine …« – dramatische Pause, um die Worte so vernichtend wie möglich rüberzubringen – »*billige kleine Freundin* nicht ist: mondän, kultiviert, kompliziert, intelligent, elegant und erwachsen.«

Annie – eine Vision von Pariser Chic im Kopf – hatte Megan in einen Umkleideraum geführt und war dann von Etage zu Etage gelaufen, um alles heranzuschleppen, worauf diese Beschreibung irgend zutraf.

Es hatte nicht lange gedauert, bis sie das richtige Kleid gefunden hatte: cremefarben, mit olivefarbenen Blättern bedruckt, mit engem Rock, enger Taille mit breitem gestreiftem Gürtel und figurbetont geschnittenem Oberteil mit hohem gerüschtem Ausschnitt.

»Das ist nicht weich«, hatte sie Megan versichert, »es ist ausgesprochen elegant.« Außerdem war es von Missoni und halsabschneiderisch teuer.

Weite dreiviertellange Ballonärmel vervollständigten das Kleid, so dass Megan ihr extravagantestes goldenes Armband, ihre diamantbesetzte Uhr und einen gewaltigen Smaragdring voll zur Geltung bringen konnte.

»Dazu möchte ich Stilettos aus Wildleder und natürlich einen Hut«, verlangte sie.

Hier genau das Richtige zu finden hatte ein bisschen länger gedauert, aber letztendlich gelang es doch, den Inbegriff der Exfrau-Perfektion zu kreieren.

»Genial.« Megan gestattete es sich, in den Spiegel zu lächeln.

Annie war zurückgetreten, um ihr Werk zu begutachten. Der winzige Hut mit langen spitzen Fasanenfedern wirkte atemberaubend als Krönung von Megans kantiger Silhouette. Wie sah Megan aus? Genau wie das, was sie war: eine ausgesprochen schöne, herbe Brünette, die von der Überwindung der größten Enttäuschung ihres Lebens noch endlos weit entfernt war. Ihre Ehe mit Mr. Stinkreicher Großkotz war zu Ende, und der Statusverlust machte ihr noch immer schwer zu schaffen.

Allerdings, dachte Annie unwillkürlich, müssten der Schmuck und die jährliche Apanage – so großzügig bemessen, dass sie kleinere afrikanische Staaten in Tränen ausbrechen ließ – doch einen gewissen Trost bieten? Sie fragte sich, ob Megan schon daran dachte, sich einen neuen Mann zu suchen ... Und würde sie, Annie, es wagen zu fragen, wo sie suchen würde?

»Das Beste an diesem Outfit«, hatte Megan triumphierend festgestellt, »ist die Tatsache, dass es *ihn* zusammen mit dem Schmuck fünf Mal mehr gekostet haben wird als das, was seine Braut trägt. Das arme kleine Mädchen, sie hat ja keine Ahnung, worauf sie sich einlässt. Eine rumänische Turnerin!«, schnaubte sie. »Wollen wir hoffen, dass sie Victor und seinen Penis sehr glücklich macht.«

»Ich glaube, wir benötigen eine kleine Pause«, schlug UN-Annie vor, als Taylor ein weiteres Kleid zu Boden schleuderte. »Gehen wir doch einmal hinunter in die Nostalgie-Boutique im Untergeschoss«, regte sie vorsichtig an.

Taylors Reaktion darauf war ganz vernünftig, doch Megan zog die zuckenden Brauen hoch.

»Keine Sorge!«, beschwichtigte Annie. »Es handelt sich hier um die *The-Store*-Version von Nostalgie: exklusive ein Mal getragene Roben und Sammlerstücke, die jetzt mehr wert sind als zu dem Zeitpunkt, als sie gekauft wurden.«

Im prächtigen Untergeschoss war eine Abteilung zu einem antiken Bekleidungsgeschäft umgestaltet worden, komplett mit pittoresken, abgenutzten Holzregalen, vollgestopft mit zierlichen Krokotäschchen, langen Lederhandschuhen, feder- und pelzgeschmückten Hüten. Seide, Spitze, Taft, Chiffon zierten die Kleiderstangen. Gewänder mit Geschichte. Geister von Partys, die seit den Zwanzigern und bis in die Fünfziger und Sechziger, sogar bis in die Achtziger, überall in der Stadt stattgefunden hatten.

Annie hatte seit je eine Vorliebe für Secondhand. Sie liebte es, in alten und gewöhnlich bedeutend besser verarbeiteten Kleidungsstücken zu wühlen. Das hier waren keine Kleider, die flüsterten: »Du wirst den Ball besuchen«, das hier waren Kleider, die den Ball besucht, bis zum Umfallen getanzt, Champagner geschlürft, den Mann ihrer Träume getroffen, heimlich ein, zwei Zigaretten geraucht, geküsst hatten und vielleicht mehr, und die zurückgekommen waren, um davon zu berichten.

Okay, manchmal kamen sie nicht allzu hübsch zurück – hier ein Riss, dort ein Schlammspritzer oder, noch schlimmer, ein schlimmer Schweißfleck, unmöglich aus pastellfarbener Seide zu entfernen.

Doch in dieser Abteilung waren alle Kleider im Topzustand. Sie waren genauso wie die neuen Kleider aufgehängt, mit genügend Platz rundum, mit Respekt und Größenangabe.

Die Wände waren ausgekleidet mit Kimonos aus reiner

Seide, Hochzeitskleidern aus Spitze mit unglaublich schmalen Taillen und Fotos von einigen dieser Kleider aus den lang vergangenen Tagen, als sie noch brandneu waren.

Es war, wie sie voller Erleichterung feststellte, kein Fehler, Megan und Taylor hierherzuführen.

Taylor stöberte bereits mit geschärftem Blick in den Größen vierunddreißig und sechsunddreißig, und Megan war völlig gefangen von der Schmuckvitrine, in der vielschnürige Perlenhalsbänder und blitzende Ohrgehänge mit aufwendig emaillierten Broschen um Beachtung wetteiferten.

»Sieh dir das an!« Megan zeigte auf ein Sträußchen aus emaillierten Glockenblumen. »Das ist die hübscheste Brosche, die ich je gesehen habe, und sie kostet nur dreißig Pfund!«, rief sie aus, als wäre ihr nicht bekannt gewesen, dass irgendetwas weniger als hundert Pfund kosten konnte. »Taylor, die musst du haben!«

Annie wusste wohl, dass sie in ihrem Kramladen um die Ecke noch viel schönere für weniger als zehn Pfund bekommen konnte. Doch derartige Informationen waren an Megan nur verschwendet. Sie begegnete preiswerten Dingen mit Misstrauen. Sie zahlte gern mehr, um sicherzugehen, dass sie das Allerbeste bekam.

Während Annie vor dem pinkfarbenen Samtvorhang zum Ankleideraum stand, probierte Taylor mit viel mehr Ernst als zuvor diverse Kleider an.

Alles, was sie anzog, passte ihr. Es war geradezu beunruhigend. Sie besaß die zierliche Taille, die nötig war, um sich in Kostüme aus den Fünfzigern und Ballkleider aus den Sechzigern zwängen zu können.

In einem weit ausgeschnitten schmalen Taftkleid, türkis mit großen silbernen Knöpfen, in dem sie aussah wie ein

Hollywood-Sternchen aus alter Zeit, schien sie im Begriff zu sein zu erklären: »Das ist das Richtige!«

»Oh, das ist hübsch«, lautete Megans Urteil, »mit silbernen Schuhen vielleicht …«

»Hmmm …« Taylor drehte und wendete sich vor dem Spiegel, schob die Hüfte heraus, musterte kritisch ihr kleines Hinterteil und war nicht hundertprozentig glücklich.

»Wir haben ja noch ein paar mehr.« Annie reichte ihr ein tiefblaues chinesisch inspiriertes Seidenkleid, das sie für sehr vielversprechend hielt.

»Oh!« Taylor hielt es mit ausgestreckten Armen vor sich. »Sehr schön. Aber es sieht ein bisschen groß aus.«

Niemand anders als Taylor konnte ein Kleid in Größe vierunddreißig ansehen und befürchten, es könnte zu groß sein.

»Es ist kein Stretchkleid«, erinnerte Annie sie. »Außerdem kann es jederzeit abgenäht werden.«

Taylor nahm es mit in die Umkleidekabine, und nachdem sie minutenlang mit Häkchen und Ösen gekämpft hatte, öffnete sie mit großer Geste den Vorhang.

»Wie finden Sie das?« Sie sah zuerst Annie, dann ihre Mum an. Annie vermutete, dass Taylor begeistert war, wollte aber beide zunächst einmal aushorchen.

Warum sollte sie nicht begeistert sein? Sie sah unglaublich aus.

Sie hatte ihr Haar zu einem Pferdeschwanz zusammengefasst, was sogar noch besser zu dem Kleid passte. Es hatte einen hohen Mandarinkragen. Taylor hatte es bis obenhin zugeknöpft, und eine Reihe winziger seidenbezogender Knöpfe führte hinab bis ans Knie, wo das Kleid endete. Es malte ihre Figur ab, von den kleinen Brüsten über die winzige Taille bis zu den schmalen Hüften. Die Ärmel reichten nicht bis zum Oberarm wie bei den meisten chinesischen Kleidern. Diese waren, ungewöhnlich modern, ellenbogenlang.

»Der Schnitt ähnelt dem von deinem Kleid, Mum, bis auf den Ausschnitt und die Rüsche.«

»Ja«, pflichtete Megan ihr bei. Auch Megan war wie hypnotisiert von der Wirkung. In Megans Augen sah das Kleid trotz allem mädchenhaft und bezaubernd aus. Für Taylor war es gefährlich mondän. Also war es perfekt für die Hochzeit und natürlich trotzdem umwerfend sexy.

»Können Sie darin sitzen?«, fragte Annie. Taylor strebte gemächlich dem Hocker in der Ecke des Umkleideraums zu.

»Ja, es geht prima«, versicherte sie.

»Wie finden Sie es?«, wollte Annie wissen.

Taylor erhob sich und betrachtete sich im Spiegel. Sie drehte und wendete sich, sie stemmte die Hände in die Hüften, sie betrachtete noch einmal blinzelnd ihr Hinterteil, sie erhob sich auf die Zehenspitzen, um die Wirkung von Highheels nachzuahmen. Schließlich verkündete sie: »Ich liebe es. Ist mir egal, wenn ich dieses Jahr keinen Penny Taschengeld mehr bekomme … Ich muss es haben … oh, und eine dazu passende Tasche und Schuhe, *versteht sich!*« Mit einem schmeichlerischen kleinen Lächeln spähte sie zu ihrer Mama auf.

Megan nickte. »Okay, gehen wir wieder hinauf und sehen uns nach Schuhen um.«

Annie erfand eine Ausrede, um sich für ein paar Minuten in den Schutz ihres Büros flüchten zu können, wo sie ihren gesamten Vorrat an Notfallschokolade verschlang. Und da hatte sie immer geglaubt, es wäre Schwerstarbeit, Lana einzukleiden!

»Ein *Matthew Williamson* hat sie abgelehnt?« Lana wollte sich offenbar vergewissern, dass sie richtig verstanden hatte.

»Hat es zusammengeknüllt und auf den Boden geworfen!«, führte Annie aus, während sie Owen Knoblauchbrotdrittel reichte, nachdem er längst alles andere auf seinem Teller heißhungrig verschlungen hatte.

»Nein!« Dieses Sakrileg schien Lana geradezu zu erschüttern. »Auf den Boden!«

»Miu Miu wurde abgewiesen, Marc Jacobs wollte sie nicht einmal anprobieren, Chloé war zu ›out‹ – Herrgott, sie war ein Alptraum! Stell dir vor, du könntest dir jedes nur erdenkliche Designerkleid leisten, plus passende Handtasche, Schuhe und echten Schmuck, und dich dann so anstellen! Eine Schande!« Annie spießte den letzten gummiartigen Mundvoll auf die Gabel und kaute … ziemlich lange. Sie war so spät nach Hause gekommen, dass keine Zeit mehr zum Einkaufen blieb – nicht einmal in dem *halsabschneiderischen* Laden an der Ecke –, und sie hatte sich darauf verlassen, noch etwas, *irgendetwas* im Kühlschrank zu finden. Doch das Innenleben ihres Smeg (unglaubliches Ausverkaufs-Schnäppchen, aber er war orangefarben und hatte tatsächlich eine Delle an der Seite) glich einer Szene aus dem Dating-Spiel: kalt und einsam.

Eine dicke Tomate, zu blass und zu stark gekühlt; eine Scheibe Speck in der fettigen Plastikverpackung; zwei Kartoffeln, ein Zwiebeldrittel, in Frischhaltefolie gewickelt; ein Miniziegenkäse, dessen Verfalldatum wahrscheinlich abgelaufen war; aber auch Knoblauch. Ein Knoblauchbrot und – ja! – die Rettung: ein Karton Eier.

»Abendessen, Mum?« Owen war in die Küche gekommen, um sich zu erkundigen. Er sah so dünn und schlaksig aus, dass sie ihm am liebsten auf der Stelle einen Marsriegel ausgehändigt hätte.

»Spanisches Omelett und Knoblauchbrot!«, verkündete sie begeistert. Doch sie wussten alle drei, dass ihre Omeletts nie so »schaumig« waren wie Dinahs, sie waren zäh. Woran lag das?

»Na, hast du dir schon einmal Gedanken darüber gemacht, was du zu Grandmas Ruhestandsparty anziehen willst?«, wandte Annie sich an Lana, da sie ohnehin gerade das Thema »Teenie-Einkleidungstrauma« behandelten.

Etwas an Lanas Antwortlächeln weckte Besorgnis in Annie: Es war ein zögerliches Lächeln, ein geheimnistuerisches Lächeln mit einem unterschwelligen Hauch von Triumph.

Oha!

Lana ging nicht mehr mit ihrer Mutter shoppen, was für Annie gleichzeitig ein Quell der Erleichterung und der Trauer war. Wenn sie in richtig wehmütige Stimmung kommen wollte, dachte sie an die Stunden, die sie einst mit der kleinen Lana bei H&M verbracht hatte, wo sie Kleider anprobierte, pinkfarbene Blusen aussuchte, gestreifte Strumpfhosen und Haarspangen, wobei Lana vor Glückseligkeit Pirouetten drehte. Den ganzen Tag lang staffierte Annie andere aus, während der einzige Mensch, den sie für ihr Leben gern eingekleidet hätte, es als »zu viel Druck« empfand, mit ihr shoppen zu gehen.

Seit Annies und Lanas letztem Umkleidekabinen-Aufstand wegen eines fünfzehn Zentimeter langen Minirocks für die Schule ging Lana nur noch mit anderen Mitgliedern der Sirup-Sechs shoppen. – Annie gefiel dieser Spitzname, er hatte sich ihr eingeprägt, seit Mr. Leon – nein, nicht vergessen, ihn Ed zu nennen! – ihr davon erzählt hatte.

»Hast du dir schon etwas gekauft?« Annie gab sich Mühe, erfreut zu wirken. »Los, komm, zeig's mir!«

Sie fühlte sich jedoch nicht ausreichend vorbereitet auf die durchsichtige, rückenfreie, fast bis zur Hüfte geschlitzte, rüschige schwarze Spitzenkreation, die an Lanas Kleiderschrank hing. Voller Stolz hatte sie das Primark-Preisschildchen noch drangelassen. Kratzige schwarze Nylonspitze ... nett ... Wenn Lana in dem Ding einer Kerze zu nahe kam, würde sie auf der Stelle in Flammen aufgehen.

Einen Moment lang versuchte Annie, sich vorzustellen, wie Megan auf dieses Kleid reagieren würde. Megan würde vermutlich in Ohnmacht fallen oder schreiend aus dem Zimmer laufen und reines Fracas-Parfüm versprühen, um sich zu dekontaminieren.

»Oh! Hm! Ja!«, setzte Annie an – bemüht, trotz der mütterlichen Sorge, die in ihrem Hirn pulsierte, möglichst ruhig zu bleiben.

Zwecklos, sie platzte ungewollt heraus: »Du bist vierzehn, Lana! Und trotzdem wechselst du von Samt und Schleifchen direkt über zu durchsichtiger Spitze. Kann es sein, dass du die Taftjahre einfach ausgelassen hast? Du weißt schon: süße knisternde Taftkleider, mit Tüll unterlegt, zu denen man helle Strümpfe und Ballerinas trägt?« Noch während sie sprach, wusste Annie, dass es sinnlos sein würde.

Doch sie hätte Lana so gern in leuchtendem Blau erstrahlen sehen: eine changierende Seide, die genauestens ihren erstaunlichen Augen entsprach.

Annie – die braune Augen hatte, die Roddy von dem Moment an, als er seine swimmingpoolblauen Augen auf sie richtete, geliebt hatte – war oft genug überwältigt von Lanas Augen. Manchmal konnte sie sich nicht von ihrem Anblick losreißen, war außerstande, sich zu wehren, wenn das Mädchen diesen blauen Laserstrahl auf sie abschoss. Manchmal musste sie vor diesen Augen bedingungslos kapitulieren.

Lana hatte diese Schwäche natürlich längst gespürt, und bei einem Streit tat sie, was sie konnte, um Blickkontakt mit ihrer Mutter aufzunehmen.

»Dieses Kleid will ich aber anziehen!«, sagte sie wild.

»Aber warum?«, fragte Annie.

»Weil es mir gefällt.«

»Warum?«, bohrte Annie weiter.

»Weil es cool ist … und weil ich finde, dass ich gut darin aussehe.«

»Lässt es dich sehr viel älter erscheinen?«

»Kann sein.«

»Willst du, dass die Jungs dich für älter halten?«

»Kann sein.« Sie verschränkte die Arme und schmollte.

Annie war versucht, alle möglichen nicht gerade hilfreichen, gebieterischen Mamawarnungen herauszuschreien: *»Hast du noch nie von Vergewaltigung gehört? In diesem Kleid siehst du nuttig aus! Es geht um die Party deiner Großmutter!«* Und so weiter, doch stattdessen setzte sie sich auf Lanas Bett und rang um Beherrschung.

»Ich weiß, du willst nicht hören, was ich jetzt sage, Lana«, begann sie, »aber es ist nicht nötig, dass du dich mit dem Erwachsenwerden so beeilst – ehrlich nicht. Lass dir Zeit. Vor dir liegen noch Jahre des Erwachsenwerdens. Versuche, sie zu genießen!«

Lana stieß lediglich einen gereizten Seufzer aus. Wieder biss Annie sich auf die Zunge. »Zieh das Kleid doch bitte einmal an«, bat sie, »damit ich sehe, wie du darin aussiehst.«

»Nein!«

»Ach, bitte … mach schon! Ich verspreche dir, nur konstruktive Kritik zu äußern – und mich ausgesprochen zurückzuhalten.«

Als Lana dann vor ihr stand, die Hände in die in Spitzen gehüllten Hüften gestemmt, trotzig und schmollend, da wusste Annie, dass sie ganz behutsam vorgehen musste – ganz, ganz behutsam, sonst würde sie nie im Leben noch einmal mit Lana shoppen gehen dürfen.

Das Kleid war … na ja … wenn sie absolut ehrlich war … es so objektiv wie möglich betrachtete …

»Dreh dich mal um, Schätzchen …«, wies sie Lana an. »Die Rückansicht gefällt mir. Dein Rücken sieht reizend aus. Du wirst so einen rückenfreien BH tragen müssen …«

»Ich habe mir schon einen gekauft«, entgegnete Lana mürrisch.

»Und was ist mit Schuhen?«

Lana schlüpfte in ihre burgunderroten Wildleder-Slingpumps. Sie sahen gut aus.

»Hmm.« Annie versuchte, alles mit professionellem Blick zu betrachten, nicht mit ihrem mütterlichen, der – wie früher am Tag auch Megans – es kaum schaffte, mehr zu sehen als den großen Ausschnitt und das Übermaß an sahnig glattem Teenie-Schenkel.

Lana hatte eine hübsche Figur, wie Annie voller Stolz feststellen musste, mit Roddys heller Haut und seinem glatten schwarzen Haar, das Lana bis weit über die Schultern reichte.

»Gab es das auch in anderen Farben?«, wollte Annie wissen.

»Muuum!«, warnte Lana, gab dann aber doch die Information preis: »In Marineblau und Violett.«

»Und könntest du dir nicht vielleicht überlegen …«

Lana funkelte sie nur an.

»Moment mal, ich habe etwas, das vielleicht …« Annie lief aus dem Zimmer, holte tief Luft und zählte bis zehn. Nach einigen Minuten kam sie mit einer großen halb verblühten künstlichen Rose zurück, fast im gleichen Farbton wie Lanas Schuhe.

»Können wir dir die am Ausschnitt anstecken?«, fragte Annie. »Nur weil … Ich weiß ja nicht, ob du willst, dass Grannys Freunde den ganzen Abend nur mit deinem Busen sprechen, hm?«

Daraufhin wollte sich beinahe ein Lächeln auf Lanas Gesicht schleichen.

Annie steckte ihr die Rose an.

»Eine kleine glitzernde burgunderfarbene Stola … darf ich dir etwas in der Art spendieren?«, fragte Annie, wenngleich: Wo sollte sie in der Frühlingskollektion etwas Burgunderrotes finden? Sie würde sich nach Secondhand-Ware umschauen müssen.

»Vielleicht.« Lana war nicht restlos überzeugt.

»Ein Täschchen?«, fügte Annie hinzu.

»Vielleicht.«

»Und vielleicht, nur vielleicht, vielleicht …«, schmeichelte sie, »könnten wir noch einmal in das Geschäft gehen« – als wäre es das Einfachste auf der Welt – »und das Marineblaue … anprobieren … nur anprobieren?«

»Vielleicht.« Doch die Antwort war begleitet von einem kaum merklichen Lächeln, das Annie die Hoffnung gab, einen Fuß in der Tür zu haben.

Den Vorschlag, den Schlitz auf etwas züchtigere Kniehöhe zuzunähen, würde sie ein andermal unterbreiten.

Am Abend vor dem Computer, wo sie die Abschlüsse ihrer letzten Tauschhandel beobachtete und mit Rotstift und Taschenrechner ausrechnete, wie viel Geld sie in dieser Woche verdient hatte und ob es genug war oder nicht, ließ Annie ihre Gedanken zu ihrem eigenen Outfit für die Ruhestandsparty abschweifen.

Natürlich hatte sie einiges in ihrem Kleiderschrank, aber sie war nicht sicher, ob sie etwas davon tragen wollte. Sie hatte vor dem mannshohen Spiegel in ihrem Schlafzimmer ein vier Jahre altes Partykleid anprobiert, doch es hatte ihr Tränen in die Augen getrieben.

Das Kleid aus himmelblauem schlüpfrigem Satin, über und über mit lebhaft roten Mohnblüten bedruckt, war Roddys Kleid.

Sie hatte es zu ihrem ersten echten Promi-Event gekauft. Roter Teppich, blitzende Kameras … natürlich nicht für sie. Damals spielte Roddy noch Nebenrollen. Aber was für ein fantastischer Abend!

Auf der Premierenfeier waren Roddy fast die Augen aus dem Kopf gefallen. Während der Film gedreht wurde, hatte er zweihundertfünfzig Pfund pro Woche bekommen, weil die Produktion von einer Katastrophe in die nächste taumelte: Schauspieler, Kameraleute, Produktion – alle hauten ab, weil sie es sich nicht länger leisten konnten, an diesem Film zu arbeiten.

Doch auf der Premierenfeier floss der Champagner in Strömen, Hummer stapelten sich zu großen trägen Haufen, die Hauptdarstellerin erschien in einem trägerlosen cremefarbenen Kleid aus reinem Kaschmir.

»Das PR-Budget ist größer als das Budget für die Produktion insgesamt«, hatte Roddy gewitzelt und hielt wieder einmal einem vorbeikommenden Kellner ihrer beider Gläser entgegen.

Seine Reaktion auf ihr Kleid war ein offenes, auf den Punkt gebrachtes Roddy-Special: »Umwerfend, verdammte Scheiße! Zieh es aus, auf der Stelle!«

Jetzt, allein vor ihrem Spiegel, öffnete Annie den Reißverschluss, ließ das Kleid zu Boden gleiten, stopfte es wütend zurück in die Plastikhülle und fragte sich, ob sie je wieder imstande sein würde, es zu tragen.

Lass nur, sagte sie zu sich selbst und putzte sich energisch die Nase, als der Tränenstrom versiegt war. Da war ja noch das rosé-pinkfarbene Samtkleid, das sie bei eBay entdeckt hatte. Sie kannte die Marke, kannte den Stil, kannte die Größe. Es würde ihr bestimmt passen. Es würde sogar perfekt für sie sein: feiner Seidensamt mit subtiler Raffung, figurbetonter Korsage, verdeckten Knöpfen, halblangen Ärmeln und interessanten Spitzenapplikationen auf dem Rock.

Es würde vermutlich viel zu teuer werden … Aber es konnte ja nicht schaden, einmal nachzusehen, oder – nur ganz kurz? Mit ein paar Mausklicks hatte sie es gefunden. In fünfunddreißig Minuten würde das Angebot auslaufen, und das letzte Gebot lag fünfzig Pfund unter der absolut höchsten Summe, die sie sich würde leisten können. Wenn sie einfach durchhielt und dreiunddreißig Minuten wartete, bevor sie fünf Pfund mehr bot … dann würde es ihr gehören. Obwohl ihre Schlafenszeit schon weit überschritten war, ging sie in die Küche, um sich Tee zu kochen.

8.

Dinah, aufgedonnert:

Goldenes Griechische-Göttin-Kleid (Selfridges)
Weißer Webpelzmantel (Krebsforschung)
Goldene Stepptanzschuhe (Tanzkleidungsgeschäft)
Goldene Rubinohrringe (Portobello Market)
Großzügige Mengen Fake-Bake-Selbstbräuner
Geschätzte Kosten: 95 £

**»Ich hab's übertrieben!
Ich bin der Fake-Bake-Scheich!«**

Er ist hier! Ich habe ihn gerade entdeckt, ganz vorn. Beste Plätze!« Annie konnte den Jubel in ihrer Stimme nicht unterdrücken, als sie Dinah informierte.

»Gott sei's gedankt!«, lautete Dinahs Antwort. Es war von Anfang an klar gewesen, dass Annies Ausflug zu *Nach dem Ball* nicht einzig ihrem Interesse am Theatervergnügen oder ihrer Verpflichtung Connor gegenüber entsprang. Sie hatte darauf bestanden, dass Dinah sich »du weißt schon, angemessen, lass uns einen großen Abend daraus machen« zurechtmachte. Dann hatte sie ihr anvertraut, dass es »jemanden« gäbe, den sie »zufällig« im Publikum zu treffen hoffte.

»Meinst du nicht, dass das ein bisschen nach einem verzweifelten Versuch aussieht?«, hatte Dinah gefragt, nachdem Annie ihr die Spencer-Situation erläutert hatte.

»Verzweifelt? Nein, natürlich nicht. Warte, bis du ihn siehst. Er ist wirklich hochinteressant!«

Annie sah so gut aus wie nie, als sie vor dem Theater aufkreuzte. Sie kam direkt von der Arbeit, was sie jedoch nicht daran gehindert hatte, im Umkleideraum fünfundzwanzig Minuten auf ihr Outfit, ihre Frisur und ihr Make-up zu verwenden. Sie wusste, was konservative Spencer-Typen an Frauen mochten: zunächst einmal nichts Kompliziertes. Sie begriffen die Grundfarben Schwarz, Rot, Weiß, Blau … Nuancen wie Maulswurfsgrau, Terrakotta oder Pistachio verwirrten sie nur. Sie mochten figurbetonte Kleider, die ein geschmackvolles Maß an Bein und Busen zeigten. Sie mochten kleine Schmuckstücke, Lippenstift und glänzendes langes Haar, besonders wenn es hochgesteckt war … und verlockend darauf wartete, gelöst zu werden.

»Uuuh, ausgesprochen mediterran«, hatte Annie ihre Schwester begrüßt.

»Halt die Klappe!«, befahl eine extrem sonnenbraune Dinah mit zusammengebissenen Zähnen. »Ich weiß, ich weiß. Ich hab's übertrieben. Ich bin der Fake-Bake-Scheich.«

Die erste Anwendung von Selbstbräuner in der Saison (es war gerade einmal März) war immer eine Initiation. Dinah hatte vergessen, welch verdammt gründliche Hautreinigung zuvor vonnöten war und wie wenig von dem Zeug man brauchte.

»Sehe ich verändert aus?«, hatte Annie ihre Schwester gefragt.

»Du siehst toll aus«, versicherte Dinah. »In diesem Kleid hast du mir schon immer besonders gefallen.« Wohlgefällig betrachtete sie das Diane-von-Fürstenberg-Wickelkleid aus schwarzem Crêpe.

»Ja, aber sieh mal genauer hin«, wies Annie sie an.

Dinah spähte in ihr Gesicht. »Hmmm … irgendwas ist ein bisschen … Annie! Du hast doch nichts unterspritzen lassen, oder?«

Annie klimperte mit den Wimpern: »Kleiner Tipp«, sagte sie.

Als Dinah sie nur anstarrte, als würde sie rein gar nichts begreifen, erklärte Annie: »Ich habe mir die Wimpern verlängern lassen. Sieht das nicht umwerfend aus?« Und sie ließ die Wimpern erneut klimpern.

»Wimpern verlängern!« So etwas kannte Dinah nicht einmal vom Hörensagen. »Du bist total verrückt. Was war denn vorher gegen deine Wimpern einzuwenden?«, rief sie aus, doch auf dem Fuße folgten sogleich die Fragen: »Was hat das gekostet?« – »Benutzt man dazu Klebstoff und spitze Pinzetten?« – »Wie lange hält so etwas überhaupt?« – »Musst du sie *trimmen*, wenn sie zu lang werden?«

»Ich habe Connor begleitet«, erklärte Annie und ließ beim Eintreten ihren scharfen Blick wie ein Raubvogel durchs Foyer schweifen.

»Connor?«

»Für Nahaufnahmen braucht er offenbar so eine Wimpernverlängerung. Und sämtliche Omis fallen in Ohnmacht, wenn McCabie mit Weichzeichner seine langen Wimpern flattern lässt.«

»Ha! Würdest du bitte aufhören, dich so auffällig umzuschauen?«, zischte Dinah. »Du führst dich auf, als sei die Mafia hinter dir her oder so.«

»Ich sehe ihn nirgends.« Annie wurde unruhig. Vielleicht kam Spencer gar nicht. Vielleicht hatte sie ihn vergrault.

Obwohl sie zu den Letzten gehörten, die ihre Plätze einnahmen, hatte Annie ihn nicht entdeckt, und auch in der Pause sah sie nicht die Spur von ihm. Das lenkte sie gewaltig von Connors kluger, komischer Vorstellung ab. Allerdings war sie seit jeher der Meinung, die Schauspielerei sei gewissermaßen nur Schwindel: Um ein Star zu sein, musste man eben nur Rollen spielen, in denen man eine völlig überzogene Version seiner selbst darstellte. Und jetzt stand Connor auf der Bühne und sah genauso verheerend gut aus und war so witzig wie vor ein paar Wochen in ihrem Wohnzimmer, und ein verzücktes Tausenderpublikum glaubte, er spiele Theater!

Doch als das Licht zum dritten Akt gedämpft wurde, fiel Annies Blick auf einen vielversprechenden Kopf mit stahlgrauem Haar, und sie sah, wie sich Spencer – ohne Brille – über die Schulter umsah.

»Bingo!«, sagte sie zu Dinah und fing an, das »zufällige« Treffen nach der Aufführung zu planen.

»Spencer, hi!«, rief sie und trat rücksichtslos auf diverse Zehen, so eilig hatte sie es, aus ihrer Reihe zu kommen und ihn zu begrüßen.

»Oh, hm … hallo«, brachte er hervor, als er sie schließlich im Blick hatte. Vielleicht kam er mit den Kontaktlinsen noch nicht zurecht.

»Hat die Vorstellung Ihnen gefallen? War Connor nicht toll?«

»Oh, Connor McCabe ist der Schauspieler, den Sie …?«

»Ja, ja …« *Und wer war diese Frau an seiner Seite, die so offensichtlich zu ihm gehörte? Wer war diese attraktive Mondäne mit rabenschwarzem Haar in hautenger ärmelloser Seide und mit einem eleganten grauen Pashmina über dem Arm drapiert?*

Die Frau stand erwartungsvoll da und fragte sich womöglich etwas Ähnliches.

»Das ist meine Schwester Dinah«, stellte Annie vor, als Dinah hinter ihr angelangt war. »Sie ist gerade aus dem Urlaub zurück.« Na ja, irgendeine Erklärung schien notwendig zu sein, wenngleich der Drang, *In ihrem Badezimmer* hinzuzufügen, gefährlich stark war.

»Ach, tatsächlich? Wo waren Sie denn?«, fragte Spencer höflich.

»In Dubai!«, antwortete Annie an Dinahs Stelle, womöglich inspiriert durch die Scheich-Bemerkung, aber auch, weil es das heißeste und ödeste Reiseziel war, das Annie einfiel und das – drück die Daumen! – Spencer bestimmt noch nie angeflogen hatte. Und welche weiteren Fragen könnte »Dubai« wohl noch nach sich ziehen? »Hat der Sand Ihnen gefallen?«

»Schön«, sagte Spencer – und beließ es dabei.

Die Elegante räusperte sich verhalten.

»Oh, Louisa, das ist Annie. Ich habe sie erst neulich kennengelernt, ein … hm … Freund hat uns bekannt gemacht.«

Ah! Spencer, nach außen trendy, innerlich der Spießbürger, war es offenbar peinlich, dass er Personal-Shopping-Hilfe in Anspruch genommen hatte. Ah! Es war also nicht etwa so, dass Louisa das Objekt seiner neu erwachten Zuneigung, die neue Liebe seines Lebens oder was auch immer war … Annie schöpfte neue Hoffnung.

»Das ist Louisa, mein Date.« Er wandte sich um und lächelte das Mädchen mit dem grauen Pashmina schüchtern an. »Es stört dich doch nicht, wenn ich das sage, oder?«

Louisa strahlte.

Die Hoffnung sank in sich zusammen.

»Kommen Sie doch backstage mit uns. Ich stelle Ihnen Connor vor«, war Annies neue rettende Idee. »Er wird sich freuen. Er ist so eingebildet, dass ich ihn in der Überzeugung wiegen muss, er hätte ein Heer von Fans, die jeden Abend von Sicherheitskräften zurückgehalten werden müssen.«

Spencer schien unsicher, doch zum Glück sah Louisa ihn an und sagte: »O ja, gern. Das hat etwas so Glamouröses! Komm schon, Spencer … Das heißt, wenn es wirklich keine Umstände macht.«

Connor stutzte ein wenig angesichts des verzückten »Schatz, du warst wunderbar!« und des Kusses voll auf den Mund, womit Annie ihn in der Garderobe beglückte. »Du warst brillant, ehrlich! Connor, das ist Spencer und das Louisa, sein Date.«

Bei diesen Worten verstand Connor die ihm zugedachte Rolle perfekt.

»Sehr erfreut, Sie kennenzulernen! Wie nett von Ihnen, mich backstage zu besuchen.« Er schüttelte ihnen die Hände, legte Annie beiläufig den Arm um die Taille und zog sie fest an sich.

»Es hat Ihnen wirklich gefallen, ja?«

»O ja!«, schwärmten beide.

»Ich finde, Noel Coward hat dem Publikum des einundzwanzigsten Jahrhunderts so viel zu sagen, und er sagt es immer so voller Witz …«, setzte Connor an.

Und so ging es eine Zeitlang weiter, wurde von Minute

zu Minute affektierter, bis Spencer einen Blick auf die Uhr warf und anmahnte, dass sie aufbrechen müssten, sonst wäre es zu spät für den Tisch, den er im *Ivy* fürs Dinner reserviert hatte.

Ha! Dinner im Ivy, wie? Annie konnte nicht gegen das Gefühl der Eifersucht an, das sich nun in ihr regte. »Wie nett«, sagte sie. Jetzt zu behaupten, dass sie und Connor einen Kuschelabend zu Hause verbringen wollten – »Nicht, wahr, mein Schatz?« wäre wohl doch zu weit gegangen.

»Was um alles in der Welt treibt ihr beide da für ein Spiel?«, wollte Dinah wissen, als Spencer mit seinem Date gegangen war.

»Ach, Dinah! Du bist einfach zu süß!«, frotzelte Annie. »Zum Glück hat Connor sofort begriffen. Mit Handtaschen ist es das Gleiche.«

»Was denn?«

»Eine Handtasche will man nur haben, wenn jemand anders sie hat oder wenn sie schwer zu kriegen ist, eine limitierte Ausgabe oder ein Sammlerstück, vorzugsweise mit Warteliste. Wenn wir fünfundzwanzig Handtaschen aufstapeln und groß verkünden, dass sie um siebzig Prozent heruntergesetzt sind, werden wir keine einzige los. Das schwöre ich dir.«

»Aha.«

»Ich rechne morgen früh fest mit einer Nachricht von Spencer auf dem Anrufbeantworter in der Personal-Shopper-Abteilung. Garantiert!«, beteuerte Annie.

»Hmmm.« Dinah wurde das Gefühl nicht los, dass Annie vielleicht doch ein bisschen zu optimistisch war.

9.

Ferns umwerfendes Ruhestands-Outfit:

Lachsrosa-weißes Spitzenjäckchen (John Lewis)
Weißes Seidenhemdchen (John Lewis)
Langer lachsrosa Taftrock (John Lewis)
Unsagbar scheußliche Riemchensandalen mit solidem Absatz (John Lewis)
Blassrosa Nagellack (Chanel)
Geschätzte Gesamtkosten: 290 £

»ICH HABE EINEN ÄUSSERST INTERESSANTEN GAST EINGELADEN, EXTRA FÜR DICH …«

Huuhuuu! Wir sind so heiß, wir rauchen geradezu! Jeder Einzelne von uns haut heute Abend alle um … besonders Owen«, lautete Connors Urteil, als die Vierergruppe aus dem Auto stieg und sich – Arm in Arm, worauf er bestanden hatte – über den dunklen Kiesplatz zu dem Hotel im Landhausstil begab, das Annies Mutter für ihre Ruhestandsparty ausgesucht hatte.

Annie lächelte ihre Kinder voller Stolz an. Lana, auf hohen Absätzen balancierend, mit Täschchen, Flauschbolero, viel zu viel violettem Lidschatten, in dem Spitzenkleid (in Marineblau), erwiderte das Lächeln ein bisschen nervös, doch Owen grinste. Er hatte sich für einen Minismoking mit Eckenkragen und roter Fliege aus dem Leihhaus entschieden. Connor hatte ihm geholfen, sein Haar mittels Gel zu einer lotrechten Irokesenfrisur zu stylen, die den Junior-Hollywood-Royals zur Ehre gereicht hätte, und Owen präsentierte stolz, was er vorzuweisen hatte.

Connor in schwarzem Lederkilt, Rüschenhemd und schwarzer Lederweste bot einen unvergesslichen Anblick: hundert Prozent Highland-Adonis. Zwar stammte er aus Lancashire, doch er war einem *ceilidh* entsprechend gekleidet.

»Und vergiss nicht, Owen: Der Umstand, dass du ein Mann von wenigen Worten bist, wird dir heute Abend zum Vorteil gereichen«, vertraute Connor seinem jüngsten Freund an. »Die Damen lieben das Geheimnisvolle. Von dir könnte ich wirklich noch etwas lernen. Ich rede immer viel zu viel, kann den Mund nicht halten, trete in alle möglichen Fettnäpfchen, und deswegen bin ich auch so schrecklich single.«

Darüber musste Owen kichern.

»Lana, du siehst einfach umwerfend aus!«, versicherte Connor ihr. »Wie es aussieht, muss ich heute Abend deinen Bodyguard spielen, um die Scharen von Freiern in Schach zu halten.«

»Oh, ha, ha«, antwortete sie, doch ein Lächeln zuckte in ihren Mundwinkeln und drohte sich auf ihrem Gesicht auszubreiten.

Die Süße, dachte Annie.

Annie, mit glamourös aufgetürmtem Haar, leuchtendem Lippenstift und ultrahohen Absätzen, spürte, wie der weiche pinkfarbene Samt ihres atemberaubenden Kleides sanft und tröstlich ihre Haut streichelte. Auf dieser Party würde sie vielen Menschen begegnen, die sie seit einigen Jahren nicht gesehen hatte, denen sie seit ihrer plötzlichen, niederschmetternden Transformation von der glücklich verheirateten zur alleinstehenden Frau nicht mehr begegnet war, und sie wollte ihnen zeigen, wie ausgeglichen sie jetzt war, wie glücklich, wie erfolgreich, und wie gut sie zurechtkam. Das Kleid war ihre goldglänzende Rüstung, wenngleich sie es weiterverkaufen würde … heute Nacht vielleicht noch.

Und überhaupt, während Annie auf Spencers Anruf wartete – zwei Wochen waren vergangen, und immer noch nichts! – und auf ihr nächstes *Discerning Diner*, konnte es doch kaum schaden, andere Partytalente zu checken? Nicht dass sie viel erwartete, trotz der besten Absichten ihrer Mutter.

»Ich habe einen äußerst interessanten Gast eingeladen, extra für dich«, hatte Fern ihr mitgeteilt, als sie sich vor drei Tagen zu einem Vorparty-Nervenberuhigungs-Nachmittag trafen. Fern hatte noch einmal ihr Outfit anziehen müssen, um ganz sicher zu sein, dass sie absolut glücklich damit war. Annie stand bereit, um sie zu beschwichtigen und ihr Make-up-Empfehlungen zu geben.

»Oho!«, war Annies Reaktion auf den »äußerst interessanten Gast«. »Ich habe dir doch gesagt, Mum, dass unsere Geschmäcker in Bezug auf Männer verschieden sind. Für mich: unter fünfzig, eigenes Haar, eigene Zähne und zahlungskräftig. Für dich: unter achtzig, Sinn für Humor, noch nicht inkontinent. Kommt dein Traumtyp auch?«, hatte sie gefragt, woraufhin ihre Mutter laut lachte.

»Nun?«, bohrte Annie. »Mr. Lubkin mit seiner Gehhilfe?«

»Spazierstock, Annie!«, berichtigte Fern. »Er hat sich beim Drachenfliegen das Bein gebrochen und geht jetzt am Stock. Und er ist nur ein *Freund.*«

»Uuuh, man stelle sich vor! Mum …«, fragte Annie als Nächstes, »stört es dich manchmal, dass du noch immer allein bist? Ich meine, als du jünger warst, muss es dich doch sehr belastet haben – aber jetzt auch noch?«

»Nein, nein«, versicherte Fern mit einem Lächeln. »An irgendeinem Punkt sind wir alle allein, Schätzchen.«

»Aber ich wollte nie allein sein«, vertraute Annie ihr an. »So hatte ich mir mein Leben nicht vorgestellt. Ich habe immer geglaubt, ich würde jemanden haben, mit dem ich alles teilen kann.«

»Männer enttäuschen einen immer … so oder so«, erwiderte Fern.

»Ach ja?«, konterte Annie.

Fern fixierte Annie und bestätigte: »Ja – selbst wenn sie es gar nicht wollen. Wie auch immer«, fuhr sie fort, »ich war viel zu beschäftigt, um einen Mann zu finden, als du groß wurdest, und dann war ich zu herrschsüchtig, und jetzt bin ich zu alt – aus diesem Alter raus.«

»Mit sechzig ist man noch nicht tot, Mum«, sagte Annie.

»Für die meisten Männer schon«, widersprach Fern.

Annie erwog, ihrer Mutter zu sagen: *Ich fürchte, du hast etwas verpasst. Die guten Seiten daran, ein Paar zu sein, hast du nie erfahren.* Sie war sogar versucht herauszuplatzen: *Mir geht es so nicht gut, mir geht es überhaupt nicht gut, und ich will auch nicht, dass es mir so gut geht. Manchmal habe ich das Gefühl, mir fehlt ein Arm … oder als wäre ich kaum am Leben!* Stattdessen hielt sie den Mund, doch Fern ahnte offenbar ihre Gefühle und tröstete sie:

»Du hast sehr schwere Zeiten hinter dir, Schätzchen. Es wird noch lange dauern, bis du dich wieder normal fühlst. Aber du wirst es. Ich weiß es.«

»Ich habe ein Geschenk für dich«, überraschte Annie sie und reichte Fern eine Schachtel in Geschenkpapier mit pinkfarbener Schleife. »Ich verwöhne dich … und du sollst wissen, dass ich den vollen Preis bezahlt habe, du alte Kuh, weil du es mir wert bist!« Und dann fügte sie in bedeutend ernsterem Tonfall hinzu: »Danke – du weißt schon, für alles. Du warst mir eine so große Hilfe …« Und sie mussten sich beide ganz fest umarmen und sich die Tränen verbeißen.

Die Reaktion ihrer Mutter auf die hell cappuccinofarbenen Wildleder-Highheels in der Schachtel erschien sehr positiv. Sie zog sie zu ihrem pinkfarbenen Rock an, sie musterte sich unter vielen Ooohs und Aaahs von allen Seiten, bedankte sich tausend Mal und gab Annie einen Kuss. Trotzdem war Annie nicht überzeugt, dass die Schuhe ihrer Mutter *wirklich* gefielen.

Fern war seit jeher ausgesprochen modebewusst. Seit sie in den Zwanzigern war, folgte sie Moderegeln, wie man sie gewöhnlich den Pariserinnen nachsagte: solide, leicht spießig, aber immer, immer höchst elegant.

Sie lebte in Wollhosen, Seidenblusen und kleinen Kaschmir-Strickjäckchen, zog gelegentlich auch einen wadenlangen Rock an. Ein fantastischer Mantel oder eine Jacke vervollständigten den klassischen Look. Oh, nicht zu vergessen die Tasche aus Kroko-Imitat, die Gucci-Uhr, Perlenkette und das schwere Goldarmband!

Nachdem nun die Zeit, in der sie Schulgeld zusammenkratzen musste, lange hinter ihr lag, hatte Fern, deren Mission im Leben sparsames Wirtschaften war, etwas mehr Geld für sich selbst zur Verfügung. Sie wohnte in einem bescheidenen Bungalow, kaufte sich jedoch Kleidung in Topqualität, fuhr einen klassischen Jaguar und ward nie, niemals mit Beinen gesehen, die einer Enthaarung bedurften, oder mit auch nur einem Millimeter grau nachwachsendem Haar in ihrer blonden Bobfrisur.

Selbst wenn sie im Garten arbeitete, trug sie gut geschnittene Jeans mit einem blütenweißen Joseph-T-Shirt und ihre blauen Hunter-Gummistiefel.

»Wenn ich keinen Lippenstift mehr trage, wisst ihr, dass ich tot bin«, hatte sie einmal zu ihren Töchtern gesagt. Ihre Arbeitsmoral war so streng, dass sie sich niemals auch nur einen Tag vom Gutaussehen freinahm. Bei dieser Frau waren Pyjama, Morgenrock, Hausschuhe und Kulturbeutel sorgfältig aufeinander abgestimmt.

Doch Ferns Kleidungsstil hatte einen fatalen Makel, den Annie ständig zu korrigieren versuchte. Da Fern Podologin war, rissige Fersen heilte, Ballenzehschmerzen linderte und Hühneraugen versorgte, hatte sie so oft mit von Fußbekleidung verursachtem Elend zu tun, dass sie nie im Leben hübsche Schuhe anziehen würde. Selbst ihre feinsten Outfits wurden mit Entenfüßen vervollständigt: solide Pumps mit niedrigem, plumpem Absatz oder – noch schlimmer – die bequemen weißen Schuhe mit Fersenriemen, extra weit geschnitten, die auch ihre Majestät die Queen so liebte, eine Frau, die Fern übrigens über alle Maßen bewunderte.

Annie, schockiert von den orthopädisch aussehenden Dingern in Beige, die ihre Mutter zu ihrem Party-Outfit zu tragen beabsichtigte, war zu dem Schluss gekommen, dass sie nur dann eines Besseren zu belehren war, wenn sie, Annie, ihr selbst andere Fußbekleidung besorgte.

Connor an einem und Owen, der Lana eingehakt hatte, am anderen Arm, schritt Annie durch das Foyer des schicken Hotels in einen geschmackvoll eingerichteten Salon, in dem es bereits von Gästen wimmelte.

Dinah entdeckte sie als Erste: »Hey, Annie und ihre Bande sind gekommen!«

»Oh, Billie, sieh doch nur!«, gurrte Annie.

Billie in pinkfarbenen Ballettschuhen und Tutu drehte pflichtschuldigst eine Pirouette, während Dinah die Augen verdrehte und erklärte: »Ja, du hast ein Partykleid, nicht wahr, Billie? Ein Kleid, das wir extra für Grannys Party gekauft haben, aber du hast es dir anders überlegt, nicht wahr? Mindestens zehn Mal!

Und was dich betrifft, Annie Valentine, du trägst ein sensationelles *neues* Kleid … du böses Mädchen!« Dinah meinte es nicht nur im Scherz, sondern auch missbilligend.

»Ja, aber ich verkaufe es heute Nacht. Also ist alles in Ordnung«, ließ Annie sie wissen.

»Nie im Leben!«

»Warte ab, und lerne daraus!«, sagte Annie mit einem Augenzwinkern. »Ist das da drüben Nic, unsere Anwältin? Sie sieht … nicht schlecht aus, wenn man bedenkt, dass sie sich das Kleid selbst ausgesucht hat.«

Nic war die mittlere Schwester, die Anwältin, die sie kaum jemals sahen, weil sie in Cornwall lebte und immer schwer beschäftigt war. Ach, und übrigens, hatte sie schon erwähnt, dass Nic Anwältin war?

»Komm, ich führe dich hin.« Dinah bot Annie einen bloßen Arm, nur ganz sanft geküsst von Selbstbräuner.

»Sie hat ihren neuen Mann mitgebracht, Rick«, flüsterte Dinah. »Und weißt du was? Er ist Anwalt.«

»Nein! Nic und Rick?! Das ist erstaunlich, denn weißt du was? Nic ist auch Anwältin!«

Kaum hatte Nic Annie entdeckt, kreischte sie ein lautes Hallo und streckte die Arme nach ihr aus.

Sie umarmten einander, begrüßten sich, fragten nach dem beiderseitigen Befinden, nach dem der Kinder ... und dann wurde Annie Nics neuem Mann offiziell vorgestellt und fragte sofort, wie sie sich kennengelernt hätten.

»Ach, durch die Arbeit«, lautete die Antwort.

»Aha ... vielleicht sollte ich umschulen. Was meinst du, ob ich eine gute Anwältin abgeben würde?«, scherzte Annie.

»Nein«, antwortete Nic. »Aber als persönliche Einkaufsberaterin bist du großartig. Sieh dir nur dein Kleid an. Ich finde es wunderbar. Wunderbar! Bedeutend schöner als diese Katastrophe ...« Sie wies auf ihr langärmliges, marineblau-silbernes matronenhaftes Kleid – eine bessere Beschreibung gab es nicht. Du liebe Zeit, wenn Annie Nic nicht bis direkt ins Geschäft begleitete und ihr sagte, was sie kaufen sollte, ging es jedes Mal schief!

»Fühl mal.« Annie streckte ihren Arm aus. »Fühl den Ärmel, mach schon! Seidensamt. Mmmm. Und ist diese Lachsrosa-Nuance nicht genau das Richtige für unseren Teint, Schätzchen?«

Nics Finger rieben das Material. »Das ist hinreißend. Woher ist es? Es sieht aus wie eine von unseren Lieblingsmarken.«

»Nein, nein, nein, lass es, Nicky. Sieh sie nur an!« Annie zwinkerte Nics wirklich sehr eindrucksvollem Rick zu. »Sie will mir das Kleid vom Leib reißen. So ist sie immer: klaut Sachen aus meinem Schrank!«

»Gar nicht wahr!«, wehrte sich Nic. »Aber dein Kleid gefällt mir wirklich. Es ist ein Dries, nicht wahr? Was meinst du, Rick? Würde ich gut darin aussehen oder nicht?«

Es war Rick augenscheinlich ein bisschen peinlich, eine Frau mustern zu müssen, die er gerade erst kennengelernt hatte, und sich ihr Kleid an seiner Gattin vorzustellen.

»Das hier ist unverkäuflich!«, beteuerte Annie.

»Niemals, Annie«, konterte Nic. »Alles, was du besitzt, ist verkäuflich. Das war schon immer so. Und wir haben genau die gleiche Größe …«

»Sprich mich später noch einmal darauf an«, flüsterte Annie. »Vielleicht kannst du mich überreden, wenn ich ein, zwei Drinks intus habe. –

Mum!« Annie betrachtete die Vision in Pink und Weiß, die ihre Mutter war und nun direkt auf sie zukam. »Belle du Jour!«, fügte sie hinzu und umarmte sie, doch dann fuhr sie zurück, blickte nach unten und sah nicht die Wildlederkreation, für deren Kauf sie zweihundertfünfzig Pfund ihres schwer verdienten Gelds geopfert hatte, sondern die verdammten orthopädischen Sandalen in Beige!

»Muuum!«, schimpfte sie.

»Ach, mit den hohen Absätzen kann ich den Jaguar nicht fahren, Schatz«, lautete die Erklärung ihrer Mutter.

»Den Jaguar fahren?!!«, rief Annie aus. »Ich dachte, wir wären übereingekommen, dass du ein Taxi nimmst.«

»Ich hasse Taxis. So eine Geldverschwendung!«, erwiderte ihre Mutter, doch bevor sie sich noch weiter ausschimpfen lassen musste, wurde sie von einer Woge neuer Gäste fortgerissen.

Owen und Lana hatten sich noch nicht weit von Annies Seite entfernt; Owen war sehr schüchtern in der Gegenwart von so vielen Freunden und Verwandten.

»Alles wird gut«, beruhigte Annie ihn. »Und die meisten Leute hier wissen, dass sie nicht erwarten können, dass du sofort mit ihnen redest, Owen … es sei denn, du möchtest es …«, setzte sie rasch hinzu. »Das wäre dann schon in Ordnung.«

»Annie Valentine!«

Vor Tantchen Hilda blieben sie stehen, der alten Schachtel, die in eine alte Mottenkugel-Kreation aus den Achtzigern eingehüllt war.

Sie war mittlerweile so schwerhörig, dass sie in scharfen, die Stille zerreißenden Sätzen sprach, sie mit einem lautstarken *Was war das?* durchsetzte – ihrer Antwort auf so ziemlich alles, was irgendjemand sagte.

Sie war Ferns Tante, Annies Großtante. Sie war spitzzüngig, unhöflich und reich – eher dank ihres verstorbenen Mannes als aufgrund eigener Verdienste –, und deshalb glaubte sie sich dazu berechtigt, voreingenommen und überkritisch zu sein. Aber sie gehörte auch zur Familie und wurde deswegen toleriert und eingeladen.

»Tantchen Hilda, wie geht's dir?« Annie beugte sich herab und streifte mit den Lippen eine gepuderte Wange.

»Du siehst nett aus, meine Liebe«, lautete Hildas Urteil nach einer ausgedehnten Musterung von Kopf bis Fuß, doch darauf folgte gleich die Einschränkung: »Ausnahmsweise mal!«

»Oh, und Owen hier« – mit einem fleischigen Arm zog sie ihn zu einer sadistisch heftigen Umarmung an sich – »du bist so groß und hübsch, aber immer noch taubstumm?«

»Nein! Er ist überhaupt nicht …«, setzte Annie an, doch Hilda beschloss, nicht zu hören, und fuhr fort: »Lana? Ah, ja …«

Annie spürte den Drang, abwehrend den Arm zu heben, ihre Tochter zu verteidigen und nachdrücklich zu befehlen: *Nein, lass es, du böse alte Schachtel, das hier ist ein empfindsames, in der Entwicklung begriffenes Teenie-Ego! Lass sie in Ruhe!*

»Hmmm … Federn?«, äußerte Hilda sich zu Lanas Bolero, und zwar auf eine Weise, die ihre tiefste Verachtung für jegliches Gefieder zum Ausdruck brachte.

Annie konnte nur hoffen, dass Lana nichts sagte, was sie würde bereuen müssen.

»Nun ja.« Hilda sah Annie mit ihren kalten blauen, alterstrüben Augen an. »Und wo ist Roddy, dein Mann? Du hast dich doch nicht etwa auch scheiden lassen wie deine Mutter und deine Schwester? Sag jetzt nicht, dass Dinah in dieser Familie die einzige verheiratete Frau ist! Ha, ha!«

Als wäre dies eine ganz besonders witzige Gesprächseröffnung.

Wo ist Roddy? Die Frage drehte sich in Annies Kopf. Sie und Tantchen Hilda hatten kein besonders enges Verhältnis. Hilda war in den Achtzigern, mochte sein, dass ihr Gedächtnis sie manchmal im Stich ließ, aber trotzdem …

Die dröhnende Stimme hatte Hildas unangebrachte Frage durch den ganzen Raum schallen lassen, und die Leute wurden leiser und warteten gespannt auf Annies Antwort. Aus den Augenwinkeln sah Annie – im ersten Moment zu bestürzt, um antworten zu können – Fern eilig durch den Raum auf sich zukommen. Die gepolsterten orthopädischen Innensohlen beschwingten ihren von Natur aus energischen Schritt noch, als sie zu Annies und ihrer Enkel Rettung kam. Plötzlich war Annie froh, dass ihre Mutter sich nicht für die Wildlederschuhe mit dem hohen Absatz entschieden hatte.

»Tantchen Hilda!« Fern täuschte jubelndes Entzücken

vor. »Wie *schön*, dich zu sehen!« Sie beugte sich vor, um die alte Fregatte in den Arm zu nehmen, während sie Annie über Hildas Schulter hinweg zuzwinkerte, dann zog sie eine fürchterliche Grimasse. »Und dir hat noch kein Mensch ein Glas Champagner geholt, Tantchen. Komm mit!«

10.

Der schreckliche Zungenjunge:

Enge schwarze Hosen (TopShop)
Gerüschtes weißes Hemd (Camden Market)
Auswahl an silbernen Piraten-Ohrringen (Camden Market)
Nasenpiercing (seine vorletzte Freundin)
Zungenpiercing (ein geringfügig professionellerer Mensch)
Geschätzte Gesamtkosten: 75 £

»Egal.«

Also, ich danke euch allen, dass ihr heute gekommen seid und den Abend bisher so fantastisch gestaltet habt. Es darf getanzt werden, die Bar ist bis zwei Uhr morgens geöffnet … Kommt also gar nicht erst auf die Idee, früh nach Hause zu gehen. Nicht einmal du, Frankie!« Fern schloss die kleine Rede, die sie vorbereitet hatte, und die Erleichterung auf ihrem Gesicht war nicht zu übersehen. »Bevor ich schließe, möchte ich mich nur noch bei meinen drei wunderbaren, fabelhaften Mädchen bedanken. Ich bin so …« – hier folgte das Brechen ihrer Stimme, das ihren Töchtern einen dicken Kloß im Hals bescherte – »… stolz auf euch alle«, brachte sie noch hervor, bevor sie sich abrupt hinsetzte.

Es wurde herzlich und ausgiebig applaudiert, und Annie hätte womöglich gar zugelassen, dass sich die eine oder andere Träne in ihren Augenwinkeln sammelte, doch Connor berührte sie am Ellenbogen, zog eine Braue hoch und wies sie an, den Blick auf ein Fenster in der Zimmerecke zu richten.

Hinter einem hohen grünen Chintzvorhang versteckt stand ein Pärchen und knutschte wild. Ein Teenie-Junge im weißen Hemd knetete energisch eine – pfui! – in marineblaue Spitze gehüllte Brust.

»Lana?«, fragte Annie laut.

Connor nickte und lächelte anzüglich.

Es dauerte einen Moment, bis Annie sich von ihrem Anblick losreißen konnte. *Wer war er?* Das hätte sie gern gewusst. An seinem Hinterkopf war er nicht zu erkennen. Bisher hatte er noch nicht einmal Luft holen müssen. War er ein Verwandter? Ein entfernter Cousin? War es legal, dass Lana mit ihm knutschte? *Knutschte?* Man musste nur ihre Kieferbewegungen beobachten: Es sah aus, als würde sie ihn bei lebendigem Leibe auffressen!

Lautlos, nur mit den Lippen geformt, schickte Annie das Wort »Hilfe« in Connors Richtung, doch er reagierte lediglich mit einem geflüsterten: »Hast du etwa nie …?«

Annie wandte sich zu Nic um und hoffte, dass die Fortführung der Unterhaltung über die Freuden Ricks beziehungsweise ihres Urlaubs in Rom helfen würde, sie von Lana abzulenken. Und übrigens: Wo war Owen? Sie hatte ihn eine Ewigkeit nicht gesehen.

»Wir wollen in diesem hinreißenden kleinen Hotel ganz in der Nähe der Spanischen Treppe wohnen ... Hast du irgendwelche Urlaubspläne, Annie?«

Annie dachte an das Schulgeld, ihren neuen Immobilienplan, die schlechte Woche an der Handelsbörse, und hätte beinahe geprustet vor Lachen bei dem Gedanken, Geld für einen Urlaub zu vergeuden.

»Hm, tja, wir werden sehen«, antwortete sie. Sie richtete ihre Aufmerksamkeit auf den Pudding, der vor ihr stand: Schoko-Profiterole. Und die enthielt alles, was sie sich während der wochenlangen Entgiftung versagt hatte, um in dem pinkfarbenen Kleid so gut wie möglich auszusehen: Weizenmehl, Milch, Zucker und Koffein. Plötzlich erschien ihr ein Schälchen voller Toxine so unwiderstehlich wie sonst nichts auf der Welt. Sie tauchte den Löffel ein und verschlang drei große Happen, beinahe ohne Luft zu holen.

Connors Blick fiel auf die Brandteig-Vernichtung, und er packte die Hand, die den Löffel hielt. »Die Pflicht ruft, Annie!«, sagte er. »Sie spielen unser Lied.«

»Seit wann ist der *Dashing White Sergeant* unser Lied?«, wollte Annie wissen und senkte den Kopf, um ein letztes Mal von der Schokosoße zu schlecken, bevor Connor sie auf die Tanzfläche führte, wo mehrere ältere Trios sich schon ordentlich aufgestellt hatten.

»Komm schon. Der Kiltie will tanzen. Der Kiltie will herumwirbeln. Ich bin heute mit dem Highlander in mir völlig im Einklang, und der will tanzen!«

»Für diesen Tanz brauchen wir eine dritte Person«, warnte Annie ihn.

»Ein flotter Dreier? Ausgezeichnet! Wen nehmen wir? Hast du schon ein paar gutaussehende ledige Männer entdeckt?«

Auf Partys hatte sie es immer geliebt, mit Roddy zu tanzen. Disco, versteht sich, aber richtig, mit allen Figuren. Oder Salsa. Die Roddy-und-Annie-Show war halbprofessionell und erfreute die Massen. Ein bisschen verhalten und ein bisschen cool, genau das richtige Maß an Show … im Grunde ganz wie Roddy.

Eng aneinandergeschmiegt glitten sie über die Tanzfläche, Roddys warme Hand auf ihrem bloßen Rücken … Plötzlich erinnerte sie sich an eine sehr heiße Tanzeinlage auf der Hochzeit eines Freundes, als Roddy sie an der Hand von der Tanzfläche fort von der Party und die Treppe zu ihrem Zimmer hinaufgewirbelt hatte.

Bei ausgeschaltetem Licht und dem Stimmengesumm und Gelächter draußen auf dem Flur hatte er den Reißverschluss des Mohnblumenkleids geöffnet und die raschelnde Seide zu Boden gleiten lassen.

»Wir müssen da weitermachen, wo wir aufgehört haben«, raunte er ihr ins Ohr. Und sie legte die Hände auf seine Gesäßbacken, die Lippen auf seinen Mund und ließ sich von ihm im Salsarhythmus bis zum Bett führen.

Heutzutage musste sie auf Partys im Pulk aller anderen alleinerziehenden Mütter ihr Glück versuchen. Manchmal war es das Beste, worauf man hoffen konnte, von einem nicht zu zwielichtigen oder arthritisgeplagten Mann auf die Tanzfläche gebeten zu werden, wo er sich nicht vollends zum Narren machte.

»Aha, genau der richtige Mann!« Connor hatte Lanas Zungenjungen mit einem Glas Wasser in der Hand vorbeischlendern sehen. »Hallo, du, wir brauchen dich!«, sagte er, packte den Jungen beim Handgelenk und zog ihn zu sich heran, wobei das Wasser in hohem Bogen aus dem Glas schwappte. »Für diesen Tanz brauchen wir einen Dritten. Das hier ist Annie Valentine, Lana Valentines Mutter. Wir haben gesehen, dass du Lana bereits kennst.«

»Oh, äh … Tag auch«, nuschelte der Zungenjunge. Er hatte schulterlanges braunblondes Haar und drei Ohrringe in einem Ohr, von seiner Nase ganz zu schweigen. Für einen Schuljungen war er entschieden zu cool; er sah erschreckend nach einem Siebzehn- oder Achtzehnjährigen aus.

»Zu diesem Zeug kann ich nicht tanzen«, sagte der Junge abschätzig. Und da bemerkte Annie den glitzernden Metallstecker in seiner Zunge und erschauderte.

»Hey, komm schon, gib uns eine Chance! Das wird ein Spaß! Wie heißt du überhaupt?«, bohrte Connor.

»Seth.«

»Uuuh, wie die Bösen in *Star Wars*«, mischte sich Annie in einem Versuch, sich aufgeschlossen zu geben, ein, wenngleich sie Lana viel lieber vor diesem schlimmen Jungen unter Verschluss gehalten hätte.

»Nein, das sind die Sith Lords«, kam seine kühle Antwort.

Konnte ein Mensch noch mürrischer sein?

»Nun, wie auch immer. Jetzt läuft der *Dashing White Sergeant*. Es wird dir Spaß machen. Es ist ganz einfach«, sagte sie und ergriff seine Hand.

Connor nahm ihm das Wasserglas ab und packte Seths andere Hand, dann zogen sie ihn mit sich.

Es war ein unvergesslicher Tanz für Annie. An ihrer einen Seite juchzte und wirbelte Connor so wild, dass erschreckend viel schwarzes Haar zu sehen war – ja, *unter* dem Kilt, er folgte der schottischen Tradition, auf Unterhosen zu verzichten –, während der Sith Lord auf ihrer anderen Seite kaum die Füße bewegte.

Annie entdeckte Lana am Rand der Tanzfläche: Arme verschränkt, Mund verkniffen, so sah sie mit bösem Blick zu, wie ihre Mutter mit ihrer jüngsten Eroberung tanzte. Lana war augenscheinlich überzeugt, dass ein Verhör im CIA-Stil bevorstand, bei dem Connor als Folterknecht assistierte.

Also, Seth, welche Noten hast du in deinen letzten Prüfungen bekommen? Hast du schon ernsthafte Berufsvorstellungen? Hast du in diesem Beruf schon Erfahrungen gesammelt? Teenie-Sex – deine allgemeinen ethischen Prinzipien, deine Einstellung, deine Moral und deine jüngsten Erfahrungen: Das hätten wir gern erörtert.

So gern Annie auch all diese Fragen gestellt hätte, gelang es ihr doch, sich auf ein höfliches »Woher kennst du denn meine Mum?« zu beschränken. Zur Antwort erhielt sie jedoch nur ein genuscheltes »Sie spielt Golf mit meinem Dad«, bevor Seth sich losriss und in die Richtung von Lanas wild begeistertem Lächeln davonstrebte.

»Das gibt Ärger!«, sagte Annie leise zu Connor.

»Ach, komm, sie knutschen doch nur«, beschwichtigte er sie. »Keine einzige Teenie-Beziehung würde die Riesenentfernung zwischen Nordlondon und Essex überleben.«

»Hmm.« Annie ging zurück an ihren Platz, um nachzusehen, ob irgendwo noch ein Puddingschälchen auszuschlecken war.

Nic, die noch am Tisch saß, empfing sie mit den Worten: »Okay, wie viel willst du dafür haben? Aber vorher muss ich mit dir zur Toilette gehen und es anprobieren.«

Es gab also zumindest einen Grund zur Freude. Durch

einen Verkauf an Nic würde sie keinen Profit erzielen, das wäre ein Verstoß gegen ihre Berufsehre. Doch plus/minus null würde herauskommen, und das war die Sache wert. Wenngleich ihr das Kleid sehr fehlen würde … Vielleicht konnte sie es in einem Jahr oder so von Nic zurückkaufen.

Als Annie sich erhob, sah sie »den netten Mr. Wilkinson« näherkommen.

Mr. Wilkinson war etwa fünfundvierzig Jahre alt, sah aber auf Grund von schwerem Asthma und seinem Hinken aus wie fünfundsiebzig, und einmal hatte ihre Mutter versucht, sie mit ihm zu verkuppeln. Das Dinner war kein großer Erfolg: Der nette Mr. Wilkinson war so nervös geworden, dass er seinen gesamten Vorrat an Asthma-Spray inhalierte, dann erlitt er einen Anfall von Atemnot und musste schließlich zum Notarzt gefahren werden.

Es war nie ein gutes Zeichen, wenn ein Date in der Notaufnahme endete.

Er kam schwer atmend und hinkend vom entgegengesetzten Ende des Raums auf sie zu. Trotz allem fürchtete sie, dass er zu tanzen beabsichtigte. O ja! Wäre das nicht nett? Sie könnten Wange an Wange Walzer tanzen und in Erinnerungen an die überaus nette Krankenschwester schwelgen, die seinerzeit seine Personalien aufgenommen hatte.

»Nettes Mädchen«, würde er ihr vermutlich immer wieder erzählen. »Und so weit weg von den Philippinen, weißt du?«

Ah, der Mann mit dem Kilt war in Sicht. Sie konnte sich einen Fluchtplan zurechtlegen. Er hatte ihr ja bereits versichert, dass er gekommen war, um ihr die ganze Nacht lang zu Diensten zu sein.

»Ich glaube, ich muss einmal an die frische Luft, jetzt, auf der Stelle«, flüsterte sie Connor und Nic zu.

»Hast du angefangen zu rauchen?«, wunderte er sich. »Oder musst du Pipi?«

»Katastrophaler Kavalier von Norden her im Anmarsch!«, erklärte sie.

Connor spähte über ihren Kopf hinweg. »Uuh, scheußlich, nimm meinen Arm, und weg sind wir!«

Draußen in der kühlen Dunkelheit spürte Annie, als sie durch die hohen Fenster das hell erleuchtete Vergnügen im Inneren betrachtete, einen unwillkommenen Augenblick der Melancholie nahen. Ihren Arm noch immer mit Connors verschränkt, vertraute sie ihm leise an: »Weißt du, es passiert noch immer so oft, dass ich Roddy ganz schrecklich vermisse.«

Connor lehnte sich gegen die Steinmauer des Hotels und blickte auf den dunklen Rasen hinaus. Er nickte bedächtig und wandte sich dann Annie zu. »Ich vermisse ihn auch immer noch«, sagte er.

»Der Mistkerl!«, fügte sie hinzu und zwang sich zu einem Lächeln.

»Das Schwein!«, pflichtete Connor ihr bei.

»Meinst du, er hat eine Ahnung, wie wütend ich auf ihn bin?«

»Immer noch?«, wunderte sich Connor.

»Ich werde immer wütender«, gestand sie. »Im Lauf der Zeit, während die Kinder größer werden, wächst meine Wut auf ihn. Ich koche vor Wut.«

Connor legte eine Pause ein, bevor er ansetzte: »Ich glaube, ich könnte im Grunde viel mehr für dich und die Kinder tun …«

»Nein, nein, du bist großartig – ehrlich!«, versicherte sie. »Ich weiß nicht, was wir ohne dich tun würden … Na ja, natürlich bleibt da noch die Frage nach Owens Campingtour«, erinnerte sie ihn, in der Hoffnung, einen leichteren Ton in die Unterhaltung zu bringen und gleichzeitig noch einmal an sein Gewissen zu appellieren.

»Du liebe Zeit, Weib, alles hat seine Grenzen!« Er ließ sein strahlendes weißes Lächeln aufblitzen. »Aber ich hatte da auch so eine Idee …«

»Ach, ja?«

»Was hältst du davon, wenn ich bei euch einziehe?«

»Wie bitte?« Annies Verwunderung hätte nicht größer sein können. Doch als sie den Ausdruck der Kränkung auf seinem Gesicht sah, legte sie die Hand auf seine Schulter und tätschelte ihn, ein bisschen so, wie sie einen Hund getätschelt hätte. »Connor, du bist sehr, sehr lieb«, sagte sie, »aber ich glaube, du bist ein bisschen bescheuert, Schätzchen.«

»Aber«, beharrte er, »denk doch mal darüber nach, Annie. Du wärst nicht so einsam. Ich wäre die ganze Zeit bei euch. Ich liebe Owen und Lana wirklich. Und ich wäre eine Vaterfigur für sie – der Mann im Haus.«

Spontan stellte Annie sich vor, wie Lana und sie über Garderobe diskutierten und Owen völlig desinteressiert außen vor blieb. Dann stellte sie sich die Szene mit Connor vor, eine ernsthafte Diskussion über Kleider mit ihm … und Owen wäre noch immer völlig desinteressiert.

»Herrgott, ich könnte dich sogar zu einer ehrbaren Frau machen, Liebling. Wir könnten heiraten!«, fügte er hinzu.

Der Kilt übte augenscheinlich eine höchst merkwürdige Wirkung auf ihn aus.

»Connor, hast du dabei nicht vielleicht etwas vergessen?« Sie konnte ein Lächeln nicht länger unterdrücken.

»Was denn?«

»Ich liebe dich, ehrlich, und ich bin sicher, du liebst uns auch … und ich weiß, du bist ein bisschen einsam … aber wir … du und ich, wir sind nicht verliebt, und deine Orientierung beinhaltet, dass wir es auch nie sein werden«, erinnerte sie ihn.

»Oh. Aber … weißt du … Wie wichtig ist all dieser andere Kram denn letztendlich?«

»Sag das nicht!« Sie gab ihm einen Klaps auf die Schulter. »Wenn wir zusammenziehen würden …« *Warum reden wir überhaupt darüber? Das ist doch lächerlich!* »Es würde andere abschrecken.«

»Abschrecken wovon?«, fragte er.

»Sich in uns zu verlieben.«

»O Gott, die Hoffnung habe ich längst aufgegeben!«

»Nun, das darfst du nicht. Gib niemals auf! Und – vielen Dank! – ich habe noch nicht aufgegeben.«

»Ah ja, dein Ritter in glänzender Rüstung.« Es klang leicht verächtlich. »Oder sollte ich lieber sagen: glanzvoll in Armani? Der Mann, der dich in seinem Bentley in ein Leben im Überfluss entführt und dir seine Kreditkarte überlässt.«

»Wir alle dürfen träumen«, erinnerte sie ihn scharf.

»Wie auch immer, wenn du mich fragst, wäre es nur ein geringfügiges Übel, wenn andere Lover abgeschreckt würden«, fügte er noch hinzu.

»Du hast doch wohl eine Vernunftehe im Sinn«, entgegnete sie.

Einen Augenblick lang ließ sie Gedanken an die Schlagzeilen der Boulevardpresse zu.

»Überleg mal, wie es in den Illustrierten verkündet würde«, riet sie ihm. »*McCabe aus* The Manor *findet endlich die Liebe* oder *Freunde finden sich in Liebe*.«

Er lachte leise.

»Komm schon!« Sie zerrte an Connors Arm. »Du bist mein bester, allerbester Freund, Connor«, versicherte sie. »Und das ist genug.«

»Störe ich? Ich hoffe doch sehr«, kam eine körperlose Stimme von der Tür her, und dann trat ein großer Mann hinaus in die Dunkelheit.

»Nein! Nein!«, antwortete Annie.

»Ich nehme an, hier befindet sich die Raucherecke?« Der Mann hob mit einer Hand eine breite rote Dunhill-Schachtel und mit der anderen ein massiv goldenes Feuerzeug – Cartier, wie Annie vermutete – hoch.

Connor wie auch Annie schüttelten den Kopf.

»Nein, danke«, sagte Annie, »ich rauche nicht. Aber ich nehme es Ihnen nicht übel.«

»Sehr freundlich. Ich rauche nur auf Partys, denn die machen mich nervös.«

Vielleicht war er auch einer von den Golfkumpels ihrer Mutter. Wer immer er auch war, er sah jedenfalls bedeutend besser aus als Spencer. Schlank und flott in seinem weichen, gut sitzenden Smoking mit gestärkten weißen Manschetten, in deren Knopflöchern goldene Manschettenknöpfe blitzten.

Er hielt sich sehr aufrecht und hatte ein schönes sonnengebräuntes Gesicht und die Art von zurückgekämmtem hellbraun-grauem Haar, die sein Alter irgendwo zwischen vierzig und sechzig vermuten ließ.

»Ich bin Gray Holden« – er streckte die Hand aus –, »und ich vermute, Sie sind Annie Valentine. Ich habe schon so viel von Ihnen gehört.«

»Ganz recht.« Sie ergriff seine Hand und spürte den warmen, festen Druck.

»Ihre Mutter hat mir geraten, die Augen nach Ihnen offen zu halten.«

»Ach ja, tatsächlich?« Annie lächelte, war aber sogleich wieder ein wenig auf der Hut: Der hier könnte ein weiterer »netter Mr. Wilkinson« in Verkleidung sein.

»Connor McCabe«, stellte Connor sich selbst vor.

»Ich weiß«, erwiderte Gray und schüttelte ihm die Hand. »Ich habe Sie im Fernsehen gesehen. Es ist mir eine Ehre, Ihre Bekanntschaft zu machen.«

Connor sah aus, als wollte er schnurren wie eine Katze, doch dann warf Annie ihm mit hochgezogener Braue diesen gewissen Blick zu, der ihn aufforderte, sich zu verabschieden. »Ich muss kurz noch einmal rein und nach meinem …« – er zwinkerte Annie verstohlen zu – »… Armani sehen.«

»Nach seinem was?«, wollte Gray wissen, als Connor sich zurückgezogen hatte.

»Ach, nichts weiter, das war nur ein dummer Spruch. Also … vermutlich kennen Sie meine Mutter durch den Golfclub?«, stürzte Annie sich ins Gespräch.

»Nein, nein. Bin viel zu beschäftigt, um Golf zu spielen.« Er lächelte sie an, ließ Zähne blitzen, die noch weißer und regelmäßiger waren als Connors. »Ich bin ihr neuer Zahnarzt. Ich habe die Praxis von Wilson und Anderson übernommen.«

»Ach so …« Er konnte nur der »interessante Gast« sein, den ihre Mutter an diesem Abend für sie eingeladen hatte. Ihr flotter Zahnarzt. Er war nicht übel, ganz und gar nicht übel, wenngleich die Vorstellung von der haarigen Nase des alten Mr. Anderson ihr beunruhigend durch den Kopf schoss.

»Ich habe Mr. Anderson sehr gut gekannt«, informierte sie Gray. »Er hat sich also zur Ruhe gesetzt?«

Gray nickte, dann bot er ihr zu ihrer Überraschung den Arm mit den Worten: »Darf ich Sie zurück ins Hotel führen, Ms Valentine, und Ihnen einen Drink besorgen?«

Sie hatte nicht erwartet, dass solche merkwürdig altmodischen Manieren so reizend sein konnten. Doch während sie halb damit rechnete, dass er sich als Nächstes vor ihr verbeugen oder die Hacken zusammenschlagen würde, legte sie die Hand in seine Armbeuge und ließ sich ins Hotel führen, mit dem flüchtigen Gefühl, sich in einem Remake von *Vom Winde verweht* zu befinden. Diese Höflichkeit aus guter alter Zeit passte perfekt zu ihrem Samtkleid.

Traurig nur, dass diese Wirkung durch den Anblick von Nic und Dinah verdorben wurde, die an einem Fenster standen und kichernd zusahen.

Und dann, als sie ein zweites Fenster passierten, entdeckte Annie Owen und einen anderen Jungen. Beide hielten eine Bierdose in der Hand, zeigten mit dem Finger auf Annie und Gray und lachten.

Nun ja, einerseits hatte Owen einen Freund gefunden, und das war gut. Er hatte mit einem Fremden gesprochen. Andererseits jedoch, lieber Gott, mit neun war er zu jung, um mit Bier herumzuexperimentieren. Sie musste sich um ihn kümmern.

11.

Tagesgarderobe einer kuwaitischen »Prinzessin«:

Bonbonrosa Kostüm mit kurzem Rock (Chanel)
Pink-grün-weiße Rüschenbluse (Chanel)
Highheels aus pinkfarbenem Wildleder (Jimmy Choo)
Ganzkörperschleier (eindeutig nicht aus *The Store*)
Geschätzte Gesamtkosten: 3000 £

»Haben Sie es in Weiss? Oh, und auch in Gelb?«

Annie hatte gerade eine ausgedehnte Shopping-Session mit ihren beiden Lieblingsprinzessinnen aus Kuwait beendet. Niemals vor ihrem Leben im *The Store* war ihr bewusst geworden, was sich manchmal unter einem züchtigen moslemischen Übergewand verbarg: YSL, Chanel, Pucci, kurze enge Röcke mit Strümpfen und mörderische Absätze.

Etwas Schönes von Chanel nahmen die Prinzessinnen gewöhnlich mit den Worten in Empfang: »Haben Sie es in Weiß? Oh, und auch in Gelb?«, in der Absicht, alle drei zu kaufen. Sie waren großartige Kundinnen.

Jetzt gönnte sie sich eine kurze Verschnaufpause in ihrem Büro, bevor sie sich ihrem nächsten Termin widmete. Annies Vorstellung von einer Verschnaufpause bestand darin, bei eBay auf fünfzehn verschiedene Dinge zu bieten und sich die Lippen nachzuziehen, während sie die Nachrichten auf ihrem Anrufbeantworter abhörte. Regelmäßig sammelte sie abgelegte Kleider, Schuhe und Taschen von zahlreichen ihrer Kundinnen ein, um sie weiterzuverkaufen – freilich für eine geringe Provision. Die Kundinnen freuten sich über das »Taschengeld«, mit dem sie gewöhnlich teilweise ihre Designer-Gewohnheiten finanzierten.

Heute Abend musste Annie mit ihrem Jeep eine Runde durch London fahren, um Waren abzuholen und Handelsbörsen-Artikel auszuliefern. Außerdem hatte sie eine Voicemail-Nachricht von einer Frau erhalten, die eine Beratung in ihrer Wohnung wünschte: Wann stand Annie zur Verfügung? Heute, wenn der Preis stimmt, lautete Annies Motto. Sie rief die Frau gleich an.

»Annie!« Ihre Bürotür wurde geöffnet, und Samantha, eine der Verkäuferinnen, stand mit besorgtem Blick da. Annie ahnte, was jetzt folgte.

»Wir glauben, dass wir eine Ladendiebin haben«, ließ Samantha sie wissen. »Zuerst war sie in der Handtaschenabteilung, dort fehlt ein Ausstellungsstück, und jetzt ist sie auf unserer Etage.«

Annie unterbrach ihren Anruf, klappte ihr Handy zu, stand auf und strich ihr flottes Tunikakleid glatt. Niemand auf der Etage war in der Gegenwart von Ladendieben so furchterregend wie Annie, und aus diesem Grund rief man sie gewöhnlich zur Hilfe.

»Weiß der Sicherheitsdienst Bescheid?«, fragte sie.

Das Mädchen nickte. »Sie haben die Personenbeschreibung; sie stehen am Ausgang.«

»Okay, gehen wir.«

Sie folgte Samantha auf die Etage, wo man sie verstohlen auf die Verdächtige hinwies.

»O ja, ich sehe sie – hellblauer Regenmantel, Taschen über der Schulter«, flüsterte Annie.

Ladendiebe mussten äußerst vorsichtig belauert werden. Die Männer vom Sicherheitsdienst konnten sie erst »festnehmen«, die Polizei sie erst verhaften, wenn sie mit unbezahlten Artikeln beim Verlassen des Geschäfts erwischt wurden. Die Ladendetektive durften Kunden nur zur Taschenkontrolle aufhalten, wenn jemand *gesehen* hatte, dass sie etwas eingesteckt hatten. Der Verdacht eines Diebstahls reichte nicht.

»Arbeitet sie mit jemandem zusammen, oder ist sie allein?«, wollte Annie wissen.

»Solo, glauben wir. In der Handtaschenabteilung zumindest war sie allein.«

»Was hat sie geklaut?«

»Eine Marc Jacobs; es ist schon die zweite in dieser Woche. Nita wird ihre Stelle verlieren.«

»Mist!«, sagte Annie leise, denn die Frau rückte näher heran.

Sie war flott gekleidet, schwarze Hose mit hochhackigen Stiefeln, taillierter blauer Regemantel und ein Arm voll Einkaufstaschen, in denen sich womöglich die gestohlene Handtasche verbarg.

Jetzt ging sie einen Kleiderständer durch, ganz lässig, wie eine ganz normale Kundin, griff sich gelegentlich ein Stück heraus, prüfte die Preisschildchen.

Vielleicht stahl sie auf Bestellung, überlegte Annie. Hin

und wieder fielen mehrere Diebe gleichzeitig über *The Store* her und klauten, so viel sie kriegen konnten, von bestimmten Marken. Der Weiterverkaufsmarkt, den sie kannte wie ihre Westentasche, funktionierte heutzutage so gut und einfach, dass der Diebstahl von Designerkleidung lohnender war denn je.

Doch jetzt war die Frau anscheinend des Suchens müde. Sie schickte sich an, zur Rolltreppe zu gehen ... Noch hatte niemand gesehen, dass sie etwas stahl, also plante sie vielleicht, alle vier Rolltreppen hinunterzufahren, sich durch den Hauptausgang aus dem Staub zu machen und ungeschoren mit der Sechshundertfünfzig-Pfund-Handtasche davonzukommen, was Nita so ganz nebenbei ihren Job kosten würde.

»Zum Teufel damit!«, war Annies Reaktion auf diesen Gedanken.

Selbstbewusst folgte sie der Frau. »Madam, heute ist Ihr Glückstag!«, erklärte sie freudestrahlend und hielt sie leicht am Arm zurück.

Die Frau fuhr abrupt herum und entzog Annie ihren Arm. »Wie bitte?« Sie blickte hochmütig auf Annie herab, und Annies Zuversicht geriet ins Wanken. Wenn die Frau nun doch keine Ladendiebein war? Wenn sie womöglich eine hochkarätige Anwältin mit dem Spezialgebiet Verleumdungsklagen war, die hier ihre Mittagspause verbrachte und Annie wegen dieser Beschuldigung um Haus und Hof klagen würde?

»Sie sind in diesem Monat die vierhundertste Kundin, und das berechtigt Sie zu einer Gratisberatung in der Personal-Shopping-Suite«, bot Annie kurzentschlossen an.

»Nein, danke«, sagte die Frau.

»Ach, kommen Sie schon!«, lockte Annie. »Es dauert nicht

lange, es macht großen Spaß, und Sie bekommen eine hinreißende Geschenktüte«, sagte sie und überlegte, was sie aus den hintersten Winkeln der Regale zusammenkratzen könnte, wenn sich herausstellte, dass diese Frau keine Diebin war.

Die Frau überlegte kurz, blickte auf ihre Uhr und gab schließlich nach, indem sie widerwillig sagte: »Na gut.«

Annie führte sie in die Suite und dann in einen der Umkleideräume. Sie sah zu, wie die Frau behutsam ihre Einkaufstaschen abstellte. Annie konnte nicht sehen oder erraten, was sie enthielten, doch dann erkannte sie ihre Chance.

Sie trat hinter die Frau, und als diese den Mantel von den Schultern streifte, griff Annie zu und sagte: »Lassen Sie mich das machen.«

Es war zu spät für die Frau, diese Hilfe abzulehnen, selbst wenn sie es gewollt hätte.

Der Regenmantel fühlte sich in Annies Händen zu schwer an, sie fasste neuen Mut und war jetzt sicher, es mit einer Ladendiebin zu tun zu haben, die sie stellen konnte.

Rasch drehte sie den Mantel um und schüttelte ihn, das Oberste nach unten, heftig aus.

»Was zum Teufel soll …«, begann die Frau wütend.

Doch eine Dolce-and-Gabbana-Sonnenbrille, noch mit dem Preisschildchen versehen, fiel zu Boden. Es folgten eine kleine Drahtschere, zwei große Flaschen Aveda-Shampoo und eine Anzahl klobiger Halsketten.

»Ich will nur das zurück, was Sie gestohlen haben und was uns gehört«, sagte Annie fest. »Ich habe kein Interesse daran, Sie verhaften zu lassen, stundenlang im Gerichtssaal herumzuhängen und zu warten, bis ich gegen Sie aussagen kann, oder mir die traurigen privaten Umstände anzuhören, die dazu führten, dass Sie in einem ›Augenblick des Wahnsinns‹ etwas für Sie ›völlig Untypisches‹ taten. Ich will nur die Dinge zurückhaben, die uns gehören. Und dann möchte ich, dass Sie *The Store* verlassen und nie wiederkommen – nie wieder. Ist das ein akzeptables Angebot?«

Die Frau sah sie wütend an, ihre Wangen röteten sich. Annie ließ sich nicht abschrecken, beugte sich herab und ergriff kühn die größte von den Einkaufstaschen auf dem Boden. Im nächsten Moment hielt sie die Marc-Jacobs-Tasche in der Hand, die exquisite Handfertigung der neuen Saison in hellstem Gelb.

»Hören Sie«, begann Annie, »in der Handtaschenabteilung arbeitet ein Mädchen namens Nita. Sie stammt aus Polen, sie arbeitet hier neun Stunden täglich an sechs Tagen pro Woche, weil sie ständig die Überstunden übernimmt. Allwöchentlich schickt sie einen dicken Scheck nach Hause an ihre Familie, weil ihre kleine Schwester krank ist. Hätte sie Ihnen diese Tasche verkauft, wäre ihr eine Provision von dreißig Pfund sicher gewesen. Weil Sie sie ihr aber gestohlen haben, wird sie ihren Job verlieren.«

»Dieser Laden kann so einen Verlust gut verkraften«, zischte die Frau. »Bei den unverschämten Preisen!«

»Sie bestehlen nicht nur den Laden«, erklärte Annie. »Sie bestehlen die Belegschaft. Wir alle arbeiten hier sehr hart. Wenn Sie die schöneren Dinge im Leben haben wollen, dann sollten Sie vielleicht auch einmal versuchen, hart dafür zu arbeiten. Sie werden so viel mehr Freude an ihnen haben, das schwöre ich Ihnen«, fügte sie triumphierend hinzu.

»Nita kommt nicht aus Polen!«, erklärte Samantha, als die Ladendiebin auf Annies Geheiß sämtliche Taschen und Beutel entleert hatte und aus dem Laden geschlichen war, während Annies Schimpftirade ihr noch in den Ohren klingelte. »Und sie hat auch keine kleine Schwester.«

»Ich weiß.« Annie zwinkerte ihr zu. »Vielleicht habe ich wirklich ein bisschen dick aufgetragen, aber ich *hasse* Ladendiebe.«

»Annie Valentine! Sie lassen mich warten, und Sie sollten es besser wissen. So bleibt mir keine Zeit, so viel Geld wie sonst bei Ihnen auszugeben!«, schallte eine vertraute Stimme aus der Suite.

»Nun los«, sagte Annie zu Samantha, »Mrs. B-P, eine meiner Lieblingskundinnen.«

»Das sagst du immer!«

Doch Mrs. Brosnan-Pilditch war nicht nur eine von Annies Lieblingskundinnen, sie war auch eine Lieblingskreation.

Mrs. B-P, wie Annie sie gern nannte, war an Annies drittem Arbeitstag in *The Store* in der Personal-Shopping-Suite aufgetaucht. Sie hatte keinen Termin; auf der Suche nach Hilfe kam sie einfach herein, weil es, wie sie Annie anvertraute, da draußen »furchterregend« zuging.

Damals war Mrs. B-P noch nicht einmal Mrs. B-P, sie war Tilly Cathcart, eine Kunstlektorin in den frühen Fünfzigern, nicht unbedingt schüchtern, aber reserviert, als müsste sie immer erst beobachten, zuhören, genau überlegen, bevor sie sich einbeziehen ließ.

Als sie an jenem Tag hereinkam, war sie von Kopf bis Fuß in selbstbewusstes Bohémien-Schwarz gekleidet: Retro-Astrachanmantel, großes Samtbarett, flache Stiefel und langer Rock.

»Ich habe ein Problem«, sagte sie, nachdem Annie sie mit einer Tasse Tee auf dem Sofa der Suite untergebracht hatte. »Ich werde in Kürze heiraten.«

»Oh, herzlichen Glückwunsch!«, sagte Annie. »Der Glückliche!«

»Ja, ein wunderbarer Mann, der leider …«, sie senkte die Stimme zu einem Flüstern, »… ziemlich reich ist.«

»O weh!« Annie zwinkerte ihr zu.

»Jeder hat irgendwo einen Fehler, wie?« Tilly Cathcart erwiderte das Zwinkern, und sie spürten beide, dass sie schnell miteinander warm wurden. »Ich gebe mir die größte Mühe, es zu übersehen.«

»Gut so!«, ermutigte Annie sie.

»Dieser wunderbare, ziemlich reiche Mann versteht weitgehend, warum es mir Sorgen macht, seine Frau zu werden, an seinem öffentlichen Leben teilzunehmen, Geschäftsessen, Opernbesuche, Unternehmenssachen«, sie seufzte, »und er denkt, ein ausgedehnter Shopping-Trip könnte hilfreich sein … indem ich mich meiner Rolle entsprechend teuer kleide.«

»Aber Sie sind sich nicht so sicher?«, vermutete Annie.

»Nein. Ich bin mir überhaupt nicht sicher. So lange war ich jetzt unabhängig – und ich möchte auch in der Ehe unabhängig bleiben. Wir haben diskutiert, bis wir schwarz wurden – was er bezahlen darf und was nicht. Ich möchte nicht plötzlich von Kopf bis Fuß in sein Geld gekleidet sein, in seine Statussymbol-Kleider. Ich kann nicht plötzlich zu einem Nancy-Reagan-Abklatsch mutieren«, sagte sie eindringlich. »Ich muss ich selbst bleiben. Und in diesem Punkt widerspricht er auch nicht. Genau das wünscht er sich ebenfalls.«

Wie Annie in ihrem Job immer wieder einmal erfuhr, war es selten einfach. Es war selten der Fall, dass eine reiche Frau den Laden betrat und mit Taschen und Tüten voll teurer Kleider wieder ging. Das Einkleiden war stets begleitet von allen möglichen Problemen, Bedeutungen und Haken.

Nachdem Annie sich Mrs. B-P-in-spes Sorgen angehört hatte, führte sie sie auf eine Besichtigungstour durch alle drei Etagen der Damenbekleidung und Accessoires.

»An welchem College lehren Sie?«, fragte Annie. Als sie die Antwort vernahm, nickte sie und brachte ihre eigene Zeit an der Kunsthochschule zur Sprache.

»Die Modeschule. Waren Sie einmal dort?«, fragte sie.

»O ja, ich habe die Modeschauen zu Semesterende besucht und die Kreationen bestaunt, wie alle anderen auch.«

»Wissen Sie, ich würde Ihnen gern einmal ein paar erstaunliche Hüte zeigen.« Annie führte sie in die entsprechende Richtung. »Wir sind ein Risiko eingegangen und haben sie einem Studenten abgekauft, der in diesem Sommer seinen Abschluss gemacht hat. Er hat auch ein paar sehr freche kleine Täschchen für uns kreiert …«

Und so begann Tilly Cathcarts Transformation, nicht in eine mit Statussymbolen überladene Trophäen-Ehefrau, sondern in eine großzügige Kunstmäzenin, eine Förderin kreativer Studenten.

Heute stand Mrs. B-P in einem flippigen grünrot karierten Vivienne-Westwood-Kostüm vor Annie, das sie gemeinsam ausgesucht hatten, mit einer prachtvollen künstlerisch bestickten Tasche, ihrem Markenzeichen, dem übergroßen Barett – aus olivgrünem Samt – und wunderschönen roten Schuhen in exakt dem gleichen Farbton wie ihr Lippenstift.

»Sie sind Kunstexpertin, Sie können es sich erlauben, sich malerisch zu kleiden«, hatte Annie sie ermutigt.

Auf gar keinen Fall Nancy Reagan. Nach wie vor die intelligente, kreative, nachdenkliche Kunstdozentin, in die Mr. B-P sich verliebt hatte, als er aus einer Laune heraus – sein Arzt hatte ihm zu einem stressabbauenden Hobby geraten –

einen Abendkursus in mittelalterlichen Maltechniken besucht hatte.

»Uns steht eine lange Sitzung bevor«, warnte Mrs. B-P Annie, als sie sich zusammensetzten und eine Liste ihrer Erfordernisse aufstellten. Nach drei Jahren Ehe war es Mrs. B-P nicht mehr gar so unangenehm, ihr Kleidergeld auszugeben.

»Ich nehme Abstand von den Kostümen«, lautete ihre erste Anweisung. »Ich möchte ganz weiche bequeme Kleidung: sensationelle Pyjamas, jede Menge Kaschmir, aber in hübschen Farben, Umhänge, Schultertücher, Ihre besten Slipper.«

»Wollen Sie Winterschlaf halten?«, wunderte sich Annie.

»Ja, genau das – einen Frühlings-Winterschlaf. Eine Wiedergeburt, eine Erneuerung.«

»Aha! Sie besuchen einen Badeort?«

»So ähnlich … Kommen Sie, führen Sie mich!« Mrs. B-P hakte Annie unter. »Zeigen Sie mir, was Sie haben!«

Ganz blassrosa Seidenpyjamas fanden Mrs. B-Ps Zustimmung. Hinzu kamen die bestickten Hausstiefelchen aus Schaffell, die sie nie wieder ausziehen wollte. Dunkeltürkisfarbene Jogginghosen aus Kaschmir erweiterten den Stapel der Möglichkeiten, dazu ein aquagrünes langärmliges Kaschmirtop, ein blassgelbes Kaschmirkleid. Immer wieder schmiegte sie die Wollsachen an ihre Wange und streichelte sie sanft mit geschlossenen Augen.

»Oh, köstlich, so kuschelig und weich!«

Während der Anprobierphase entging Annie nicht, dass Mrs. B-P abgenommen hatte. Die Schlankheit ihrer Figur grenzte jetzt ans Zierliche.

»Sie sind der einzige Mensch, der eine Kur machen muss, um zuzunehmen«, sagte Annie. »Ich hoffe, Sie haben sich für eine mit klebrigen Karamellpuddings auf dem Speisezettel entschieden, meine Liebe, damit Sie ein bisschen was auf die Rippen bekommen!«

Und Mrs. B-P kaufte auch nicht nur für sich selbst ein, sie brauchte zudem noch Geburtstagsgeschenke für ihre beiden Stieftöchter.

»Was tut sich denn so in Ihrem Leben?«, fragte sie Annie auf dem Weg in die Accessoire-Abteilung. »Gibt es Neues von der Liebesfront, oder leben Sie immer noch im Nie-Manns-Land?«, frotzelte sie.

»Komisch, dass Sie danach fragen«, antwortete Annie. »Ich habe nämlich tatsächlich einen sehr interessanten Mann kennengelernt.« Und sie versorgte eine gespannte Mrs. B-P mit einem kurzen Überblick über die Gray-Situation.

»Den Rest des Abends haben wir geredet und geredet. Er hat versprochen, mich anzurufen und zum Essen einzuladen ... Er ist charmant, sieht gut aus ... Ich setze große Hoffnungen in diesen Mann«, schwärmte Annie, »denn ich bin weiß Gott bereit, jemanden kennenzulernen ... mein Leben fortzusetzen ... jemanden zu haben, der für mich da ist.«

»Aber natürlich!« Mrs. B-P lächelte sie an. »Ihnen könnte meiner Meinung nach gar nichts Besseres passieren.«

Sie standen vor einer Auswahl höchst exquisiter Devoré-Samttücher, jedes einzelne handbemalt, handbestickt, mit akribisch in den Samt gebrannten Mustern und den entsprechend monströsen Preisschildchen.

»Die sind wunderschön ...« Mrs. B-P strich langsam mit den Fingern über den Stapel. »Genau das Richtige für Georgina und Ellie. Pink und Blassblau für meine blonde Ellie« – sie legte sich ein großes Kunstwerk von Tuch um den Hals – »Grün und Golden für Georgie. Ja! Das ist genau richtig, Annie, perfekt! Und dann kaufe ich ihnen noch etwas ... Solides von Cartier.«

Annie nahm die beiden Tücher an sich und legte sie sorgfältig zusammen. »Ist alles in Ordnung?«, fragte sie schließlich und legte Mrs. B-P eine Hand auf den Arm, in dem intuitiven Gefühl, dass irgendetwas nicht stimmte.

»Ja, ja, mir geht's gut. Ich muss nur für eine Weile ins Krankenhaus.« Mrs. B-P wandte sich ihr zu und sah ihr mit ihren scharfen blauen Augen direkt ins Gesicht. »Ach, es ist so öde, Annie, absolut langweilig ... Ich bekomme eine Mastektomie, Chemotherapie und lauter so *tristes* Zeug. Ich sag's Ihnen, ich werde eine Menge interessanter Hüte und Halstücher brauchen.«

Sie tat Annies schockierten Blick der Besorgnis ab, indem sie sagte: »Ich befinde mich noch in einem sehr, sehr frühen Stadium. Und ich werde gesund, meine Liebe. Total! Vollständig. Hundertprozentig. Gar keine Frage! Ich ziehe nicht einmal die Möglichkeit in Erwägung, dass ich nicht gesund werde. Glauben Sie, ich will mich jetzt verabschieden? Wo es doch gerade so schön ist? –

Ich weiß«, bestätigte sie Annies leicht tränenfeuchten Blick. »Es ist ein Hammer. Aber nun kommen Sie« – sie griff wieder nach Annies Arm –, »es gibt einen Zeitpunkt zum Weinen und Jammern und Klagen darüber, wie ungerecht das alles ist. Aber jetzt ist nicht die Zeit dazu. ›Kopf hoch und Brust raus‹, wie meine Mutter zu sagen pflegte. Jetzt ist es Zeit, eine wunderbare neue Handtasche zu kaufen. Sie suchen sie aus. Ich überlasse es völlig Ihnen. Wenn ich mich von zu Hause zum Krankenhaus und wieder zurück schleppe, möchte ich an einem Arm Archie haben und am anderen etwas genauso Wunderbares.«

12.

Tor in der Genesungsphase:

Weiße Bluse (M & S)
Tiefrote Strickjacke (M & S)
Jeans (keine Erinnerung)
Schwarze Stiefel (aus einem Winkel des Kleiderschranks)
Schwarzer Webpelz (dito)
Geschätzte Gesamtkosten: 60 £

»… AUF NEUE MÄNNER UND NEUE HALSTÜCHER.«

Tor, die St.-Vincent's-Mutter, die Annie gratis beriet, begrüßte Annie an der Tür des Hauses, aus dem sie herausgeworfen werden sollte, und lud sie auf einen Tee in die Küche ein.

»Nein, Rotwein wäre jetzt besser angebracht, Schätzchen«, verlangte Annie und zog eine Flasche aus ihrer Tasche.

»Aber ich habe mir zur Regel gemacht, niemals allein zu trinken«, sagte Tor und holte zwei Wassergläser aus dem Schrank, der schon weitgehend ausgeräumt war.

»Dann ist's ja gut, dass ich gekommen bin«, erwiderte Annie, um Tor dann zu versichern: »Ich glaube, im Augenblick ist es ganz in Ordnung, wenn du hin und wieder einmal allein trinkst – zumindest für ein paar Wochen –, bis du den Umzug hinter dir hast. Ich kann nur hoffen, dass du noch nichts von deiner Garderobe eingepackt hast. Wie soll ich sonst meiner Arbeit nachkommen?«

Annie stellte ihre hübsch klimpernde goldene Tasche auf einen Stuhl, legte ihre weiche kastanienbraune Lederjacke und den langen Schal ab, und darunter kam ein pink, orange und braun gemustertes Kleid zum Vorschein, elegant ergänzt durch hohe braune Stiefel.

»Nein, nein«, versicherte Tor und ließ Annies Outfit auf sich wirken: die Strumpfhose im Orangeton des Kleids zum Beispiel, das Halsband aus goldenen Blättern, die sich über dem Schlüsselbein auffächerten. Sie sah so komplett aus, so wohlüberlegt.

»Der Umzug findet ja erst in drei Wochen statt«, fuhr Tor fort. »Ich habe nur den Küchenkram eingepackt … Bücher … die Sachen, die eindeutig mir gehören.«

Nachdem sie ein bisschen über Tors neue Wohnung, ihre Tochter Angela und die Auswirkungen der Scheidung (gelinde gesagt: schlimm) auf sie beide geredet hatten, stellte Tor plötzlich ihr Glas auf den Tisch, fuhr sich erregt mit der Hand durchs Haar und platzte heraus: »Ich weiß nicht, warum du hier bist, Annie! Ich weiß nicht, warum ich überhaupt eingewilligt habe. Ich glaube, ich kann das einfach nicht. Ich habe keine Lust, über Kleidung nachzudenken. Sie ist mir egal! Ich habe kein Geld … Wenn du mir auch zeigst, wie man Halstücher clever einsetzen kann, ist doch nichts gerettet – überhaupt nichts!«

»Tor, beruhige dich«, bat Annie und tätschelte Tors Arm. »Was du jetzt durchmachen musst, tut mir so leid. Es tut mir wirklich von Herzen leid. Und ich verstehe, wie du dich fühlst, ehrlich! Ich habe es selbst erlebt.«

Tor hob den Blick und sah Annie in die Augen.

»Ja, natürlich«, sagte sie. »Tut mir leid. Ich versuche, nicht ständig nur an mich und meine Probleme zu denken … Aber es fällt mir schwer.«

»Ich bin keine Therapeutin«, fuhr Annie milde fort. »Ich bin keine Seelendoktorin, und es könnte sein, dass du jemanden von der Sorte aufsuchen solltest, der dir hilft, das Schlimmste zu überstehen. Gott weiß, ich hätte es vermutlich tun sollen … Aber es gibt doch etwas, das ich für dich tun kann, versprochen! Ich bin hier, um dich aufzumuntern, dir zu helfen, dass du dich wenigstens ein kleines bisschen wohler in deiner Haut fühlst. Was ist dagegen einzuwenden? Komm, trink aus«, verlangte sie, »dann füllen wir unsere Gläser noch einmal nach und begeben uns zu deinem Kleiderschrank.«

Im Schlafzimmer entnahm Annie ihrer Zubehörtasche zwei Müllsäcke, entrollte sie und schüttelte sie aus.

Tor beäugte die Säcke mit besorgtem Blick. »Ich hatte nicht vor, allzu viel wegzuwerfen«, sagte sie.

»Ich weiß.« Annies Tonfall klang entschlossen. »Kein Mensch will das, aber keine Angst, du wirst es tun. So ein Scheidungs-Kleiderschrank enthält eine Menge Ausschuss, glaub mir. Zunächst einmal entledigen wir uns aller unpassenden Geschenke, die *er* dir gemacht hat. Du weißt schon: teure Sachen, die nicht passen, nicht in deiner Farbe sind, die umzutauschen du aber nicht übers Herz gebracht hast. Du weißt schon, was ich meine. Öffne deine Wäscheschublade«, forderte Annie, »mach schon! Ich wollte, ich wüsste von einem guten Heim für all die teure Unterwäsche, die ich loswerden muss … Wohlfahrtsläden wollen sie nicht, niemand kauft sie bei eBay … Vielleicht sollte ich sie irgendwelchen Schulen als Material für den Kunst- und Werkunterricht stiften …« Annie lachte kurz auf. »Weißt du, das ist eigentlich eine gute Idee.«

Darüber drohte Tor beinahe zu lächeln; außerdem öffnete sie eine Schublade, vollgestopft mit den üblichen Verdächtigen: rote und pinkfarbene BHs und Strapse, ein winziges Korsett, zarte pfirsichfarbene fedrige Teile, Halbschalen für Brüste von Rosinengröße, aber nichts für Tors üppigen Busen.

»Woran hat er dabei wohl gedacht?«, fragte Tor, hob den winzigen BH hoch und musterte ihn bestürzt. »Jedenfalls nicht an mich …« Sie warf ihn in Annies Müllsack.

Die ausgeleerte Schublade löste offenbar genau das in Tor aus, worauf Annie gehofft hatte. Bald schon öffnete sie weit ihre Schranktüren und kramte im Inneren nach verdächtigen Sachen, mit denen ihr Ex in spe sie überschüttet hatte.

Eine hässliche schlüsselblumengelbe Kaschmirjacke: »Jawohl, weg damit in den Verkaufssack, ich setze sie für dich auf meine Website, und du kriegst fünfundachtzig Prozent vom Verkaufspreis. In Ordnung?«

»Klingt verdammt gut«, antwortete Tor.

Paisley-Tücher, zwielichtige Broschen, eine Tweedjacke und ein grausig schrilles pinkfarbenes Cocktailkleid mit passendem Bolero folgten rasch.

Tor wühlte tiefer in vergessenen Winkeln des Schranks. »O Gott!« Sie zog eine Pappschachtel heraus, öffnete sie und entnahm ihr eine perlenbestickte, pastellfarbene Art von Stola.

»eBay, eBay …«, wies Annie sie an. »Wir wollen hier nichts mehr haben, was dich an Richard erinnert und zum Weinen bringt. Natürlich mache ich eine Ausnahme, wenn es um sehr kostbaren Schmuck und um teure Handtaschen geht.«

»Hah!«, schnaubte Tor und nahm noch einen Schluck Wein. »Mein Verlobungsring war das einzige vernünftige Schmuckstück, das ich je von ihm bekommen habe!«

»Auch gut«, sagte Annie, »ich habe nicht einmal einen Verlobungsring gekriegt. Wir waren jung und konnten uns keinen leisten.«

»Was meinst du, soll ich ihn noch tragen?«, überlegte Tor und streckte zur Inspektion die Hand mit dem dreisteinigen Ring aus. »Vielleicht an der anderen Hand?«

»Wenn er dir gefällt, warum nicht? Er ist dein Ehrenabzeichen, eine Erinnerung an die besseren Zeiten. Oder aber du lässt den Stein neu fassen … oder du verkaufst den Ring und kaufst dir etwas nur für dich …«

»Hmm.« Tor wandte sich wieder dem Kleiderschrank zu und kniete sich vor die Fächer. »Alles hier drin ist absoluter Mist«, verkündete sie. Der Wein nahm ihr jegliche Hemmungen dieser Arbeit gegenüber. »Ich weiß nicht, ob ich es überhaupt fertigbringe, dir diese Sachen zu zeigen. Irgendwie wühle ich jeden Tag in diesen Sachen herum, hole etwas heraus und stopfe es gleich wieder zurück.«

Also, das war so herzzerreißend traurig, dass Annie am liebsten geweint hätte.

An diesem Tag trug Tor ausgewaschene Jeans, ein T-Shirt mit ausgeleiertem Ausschnitt und eine verfilzte graue Fleecejacke.

»Schätzchen, wenn ich diese Jacke Gisele Bündchen geben würde, hätte sie ihre liebe Not, darin gut auszusehen«, erklärte Annie sanft. »Du musst aufhören, jeden Morgen auf gut Glück hier hineinzutauchen. Lass uns ein paar Teile suchen, mit denen du leichter arbeiten kannst.«

»Ich gehe nicht einkaufen«, sagte Tor fest. »Ich ertrage es nicht, und ich kann es mir nicht leisten.«

»Ich weiß, ich weiß. Aber komm schon, werfen wir alles raus und sehen nach, was sich darunter verbirgt … Und übrigens, was ist mit dieser hübschen kleinen Kollektion da auf der Kleiderstange?« Sie sah rasch die flotten schwarzen Röcke und Jacken, die Glitzertops und seidigen Sommerkleider durch.

»Ach, du weißt schon, Arbeitskleidung – und Ausgehkleidung, die ich nie trage. Ich gehe nicht mehr aus.«

Annie schnalzte mit der Zunge und schüttelte den Kopf. Sie griff ein knielanges Kleid heraus und hielt es Tor an.

»Möchte wetten, du hast abgenommen … Der Stress?«, fragte sie.

Tor nickte.

»Dann stell dir einmal vor, wie fantastisch du jetzt in diesem Kleid aussiehst. Weißt du, Schätzchen, einmal pro Woche musst du dich in Schale werfen: Frisur, Make-up, Schuhe, das volle Programm, und ausgehen.«

Als Tor daraufhin nur verächtlich schnaubte, beharrte Annie: »Nicht zum Aufreißen – jedenfalls jetzt noch nicht. Nur nett angezogen zu einem besonderen Anlass. Und dann sorgst du für den Anlass. Du lädst deine Tochter zum Kaffee in ein nettes Hotel ein … gehst in der Stadt ins Kino … lädst deine Freundinnen zu einem Drink ein. Einmal pro Woche, Mädchen, musst du dich hübsch anziehen, dir etwas gönnen und dich daran erinnern, wie toll du aussehen kannst, wenn du nur willst. Du musst dich daran erinnern, dass da draußen noch immer das Leben tobt, dass du Spaß haben kannst. Sonst hängen all diese schönen Sachen traurig hier herum und kommen niemals raus. Sieh mal«, sie nahm eine türkisfarbene Seidenbluse vom Bügel. »Trag sie zu Jeans, wenn du zum Einkaufen in den Supermarkt gehst. Trag sie zur Arbeit, aber lass sie nicht ganz allein hier hängen!«

Bei dem Gedanken an diese Anstrengung schien Tor die Schultern hängen zu lassen.

»Okay, hilf mir bei der Arbeit«, forderte Annie sie auf. »Sortieren wir alles Untragbare aus. Dann sehen wir, was übrig bleibt, ja?«

Die nächsten etwa zehn Minuten verbrachten sie damit, Tors tägliche Auf-gut-Glück-Outfits zu inspizieren. Alles Abgetragene, Ausgeleierte, Verwaschene und Sackartige wanderte in den Müllsack, einschließlich der traurigen Slips und einzelnen Sneakersocken.

»Du brauchst mir nicht zu sagen, dass du neue Unterwäsche benötigst, Tor. Du kannst dir neue Slips leisten, okay? Neue Slips kann sich jeder leisten«, erklärte Annie. »Kauf sie im Internet oder im Supermarkt, wenn du nicht in ein Wäschegeschäft willst.«

Annie sah die übrig gebliebenen Kleidungsstücke sorgfältig durch und stellte fest, dass sie reichen würden … wenn auch knapp.

»Du brauchst eine Uniform, nicht wahr? Du hast noch keine Lust, jeden Morgen über Outfits nachzudenken, du hast ohnehin genug um die Ohren. Du bist noch nicht bereit, mit mir einkaufen zu gehen, um Swinger-Jacken und Tuniken anzuprobieren und dir zu überlegen, was die neue Saison dir zu bieten hat.«

Tor schüttelte nur den Kopf.

»Aber bald!«, versicherte Annie.

»Also brauchen wir in der Zwischenzeit eine ganz einfache Uniform …« Annie fing an, die übrig gebliebenen Kleidungsstücke auf dem Bett auszubreiten. »Ich sehe da deine hübschen weißen Blusen und diese kleine rote Strickweste und die zwei Wollpullis mit V-Ausschnitt und diese Jeans, die ganz passabel ist, und deine schicken schwarzen Hosen … Aber bitte, Tor, mindestens zwei Mal pro Woche ziehst du einen Rock an, und nicht nur zur Arbeit. Wie auch immer, ich glaube, hier haben wir die Anfänge einer schicken französischen Mama-Uniform. Weiße Blusen, *gebügelt*«, warnte sie, »bieten ausgezeichnete moralische Unterstützung. Los, komm, rein in dein erstes Outfit!«

Tor schien verblüfft über die Forderung, doch Annie bestand darauf. »Nun mach schon! Ich schau auch nicht hin – nicht, dass da irgendetwas wäre, was ich nicht längst gesehen hätte, glaub mir!« Also zog Tor sich hastig aus und schlüpfte in die weiße Bluse, die Jeans und die rote Strickweste.

»Genau!« Annie drehte sie zum Spiegel um. »Fühlst du dich schon ein bisschen besser?«

Als Tor nickte, rückte Annie näher an sie heran und öffnete einen weiteren Blusenknopf. »Du bist keine Lehrerin in der Sonntagsschule. Und jetzt zeigst du mir deinen Schmuckkasten.«

Tor wies in die Ecke des Schlafzimmers, und Annie fragte: »Darf ich?«, bevor sie anfing, in dem Köfferchen zu kramen. Dann kam sie mit einigen lange vergessenen Schätzen zurück zu Tor.

Sie legte Tor ein rotsilbernes Halsband um, wies sie an, Ohrringe zu tragen, und dann nahm Annie Tors Haarbürste vom Nachttisch und bürstete ihren strähnigen Bob aus, bevor sie ihn mit einer kunstvoll verzierten Silberspange fixierte, die sie im Schmuckköfferchen gefunden hatte. Schließlich griff sie in ihre Handtasche und zückte Rouge und rosigen Lipgloss.

Als beides aufgelegt war, musterten sie das Ergebnis im Spiegel.

»Besser?«, fragte Annie.

Tor betrachtete sich und nickte bedächtig. Aber sie schien noch nicht überzeugt zu sein.

»Ich begreife ja durchaus, warum du dir keine Gedanken um dein Aussehen machen willst, Schätzchen«, setzte Annie an. »Manchmal, wenn einfach alles Mist ist, wollen wir es auch nach außen hin zeigen. Es erscheint und zu frivol, in solchen Situationen an Frisur und Nägel und Farbabstimmung zu denken. Aber das Problem ist … Das große Problem dabei ist, dass das nicht gut für die Moral ist. Wenn du dich Tag für Tag in einer sackartigen grauen Fleecejacke versteckst, glaub mir, dann kommst du noch viel schwerer aus deinem Tief heraus. Leuten, die sich in grauem Fleece verstecken, passiert nichts Tolles … Sie bekommen keine aufregenden neuen Jobs, finden keine prima neuen Freunde, haben keine erstaunlichen Ideen und werden nicht spontan eingeladen. Das passiert einfach nicht. Sie werden nur immer grauer und fleeceartiger, das musst du mir glauben. Vielleicht ist das Beste, was ich dir raten kann, dich so zu kleiden, wie du dich fühlen *möchtest*, weil es dann einfach viel schneller eintritt.«

Annie drückte Tors Schultern, denn sie sah, dass ihr die Tränen in die Augen stiegen.

»Alles wird gut, Tor«, versicherte sie. »In einem Jahr hast du das Gefühl, dass dir gar nichts Besseres hätte passieren können. Und je besser du dich zusammennimmst, desto einfacher ist es auch für Angela. Lass nicht zu, dass sie in ihrem Dad den Mann sieht, der ihrer Mutter den Schwung genommen hat.«

Annie wartete, während Tor sich die Nase putzte, und richtete ihren Blick wieder auf den Kleiderschrank. »Und wieso versteckt sich dieser hübsche Mantel hier so?«, fragte sie und nahm einen kuscheligen schwarzen Webpelzmantel heraus, der fast nagelneu aussah. »Und diese Stiefel!« Sie griff nach den schwarzen Wildlederstiefeln mit halbhohem Absatz, ebenfalls fast neu.

»Na ja, die sind für besondere Anlässe …«, begann Tor.

Annie schüttelte energisch den Kopf. »Nein, nein, nein! Das sind sie jetzt nicht mehr. Du brauchst jetzt all deine besonderen Dinge in greifbarer Nähe – zur moralischen Unterstützung«, erklärte sie und reichte Tor Stiefel und Mantel.

Sie zog beides an. Und jetzt sah Annie, dass Tor im Begriff war, sich überzeugen zu lassen. Durch die Stiefel war sie ein paar Zentimeter größer und gezwungen, sich aufrecht zu halten. Sie vergrub die Hände in den Manteltaschen und drehte sich vor dem Spiegel sogar ein bisschen von einer Seite zur anderen, bewunderte sich geradezu, wenn auch nur ein wenig.

»O ja!«, begeisterte sich Annie. »Jetzt bist du ausgehfertig!«

Plötzlich blühte Tors Lächeln auf, sie kicherte unbeschwert, wodurch sie viel jünger wirkte als die etwa sechsundvierzig Jahre, die sie niederdrückten.

»Mehr Wein für die Dame!«, scherzte Annie.

»Nein, nein, ich muss mich konzentrieren, sonst vergesse ich alles, was du mir erklärt hast«, wehrte Tor ab.

Annie wies sie an, Notizbuch und Stift zu holen (»Nein,

in den Stiefeln! Zieh jetzt bloß nicht die Stiefel aus!«), und gemeinsam notierten sie sämtliche Outfits, die Annie für sie zusammengestellt hatte, und eine Menge von Annies wichtigsten Tipps, einschließlich: »Neue Hosen, um Himmels willen!« … »Lipgloss, getönte Feuchtigkeitscreme und Rouge, das ist doch nicht so kompliziert!« … »Lächle öfter – und lach auch mal!« … »Weiße Blusen, *gebügelt*, zur moralischen Unterstützung!« … »Und immer, *immer* etwas Schmuck, damit du glitzerst!«

»Haartönung, Tor, schon mal davon gehört?«, fragte Annie. »Die kannst du in der Drogerie für einen Fünfer kaufen. Du brauchst keinen Friseur, der ist nicht nötig, wenn nur ein Zentimeter grauer Haaransatz zu sehen ist.«

»Okay, okay!«, erwiderte Tor.

»Cleverer Einsatz von Halstüchern«, kritzelte Annie in das Notizbuch. »Lass dich von deinen klugen neuen Freunden in dieser Hinsicht beraten.«

»Oh, ha, ha«, war Tors Reaktion.

»Aber es stimmt doch«, insistierte Annie. »Es wird neue Männer geben – und stell dir nur vor, wie aufregend das wird! Aber du brauchst wirklich neue Halstücher, ehrlich, Schätzchen: weiche, samtige, Kaschmir in leuchtenden Farben. Du brauchst die Farbe und den Komfort, etwas zum Einkuscheln, eine Pufferzone zwischen dir und deinen Jacken, zwischen dir und deinen Mänteln, zwischen dir und der Welt … einen Farbtupfer, wenn du dich ganz und gar schwarz-weiß fühlst.«

»Also gut.« Tor sah sie an und lächelte strahlend, als hätte sie endlich Spaß an der Sache gefunden. »Auf neue Männer und neue Halstücher!« Sie hob ihr Weinglas.

»Darauf trinke ich«, sagte Annie und stieß mit ihr an.

Als die Sitzung mit Tor zu Ende war, zog Annie ihre Lederjacke wieder an und knöpfte sie zu. Sie fuhr sich mit einer Bürste durch die Locken, legte Lippenstift und einen Spritzer Parfüm auf und straffte die Schultern. Das bedeutete, dass sie, sobald sie zur Haustür hinaus war, bereit sein würde, sich ihrem Handy zu stellen.

Sie schaltete es ein und sah nach dem Voicemail-Symbol. Nichts. Für alle Fälle prüfte sie ihren Posteingang.

Nein. Neun Tage waren vergangen, und Gray hatte sie nicht angerufen. So ein Mist aber auch! Sie verstand es nicht. Er hatte so eifrig gewirkt. Er hatte es versprochen! Er hatte ihre Nummer sogar direkt in sein Handy eingegeben.

Sie wusste nicht recht, was sie jetzt tun sollte. Zurück zu Tor zu gehen und den grauen Fleece für sich selbst aus dem Müllsack zu retten war eine verlockende Idee.

13.

Annies Outfit für ihr »zufälliges« Date:

Pinkfarbene Strickjacke (Whistles-Ausverkauf)
Geblümter pink- und camelfarbener Rock (dito)
Camelfarbener Trenchcoat (die zuverlässige eBay-Valentino)
Pinkfarbener Pashmina (völlig aus der Mode, aber nach wie vor toll)
Blumenhalskette (TopShop)
Neue camelfarbene Highheels (Chanel, ups … aber mit Mitarbeiterrabatt … und nicht zu vergessen: der Wiederverkaufswert an der Handelsbörse!)
Ein Hauch von Chanel Cristalle
Geschätzte Gesamtkosten: 490 £

»GRAY! WIE KOMMST DU DENN HIERHER?«

Also, wann bist du mit Gray verabredet?« Dinah konnte ihre Aufregung kaum zügeln. Dinah hatte Gray nicht nur auf der Party gesehen, sie war ihm auch vorgestellt worden, hatte mit ihm geplaudert, hatte aufmerksam beobachtet, wie er auf Annie reagierte. Dann hatte sie Annie mit sich zur Toilette geschleppt, um ihr zu sagen, dass Gray »sehr vielversprechend« wäre und Annie allen ihr zur Verfügung stehenden Charme aufbieten und »die Gelegenheit beim Schopf packen« sollte.

»Na ja, er kommt diese Woche in die Stadt …«, schwindelte Annie, »und er hat gesagt, er würde etwas arrangieren.«

»Und? Was hat er arrangiert?«

Die darauf folgende Pause verriet Dinah alles, was sie wissen musste. »Er hat sich nicht gemeldet?«, fragte sie empört. »Oh, Annie! Hast du seine Nummer? Willst du ihn nicht anrufen? Es passt gar nicht zu dir, so zu …«

»Ich habe überlegt«, fiel Annie ihr ins Wort, »finde aber, es wäre nicht cool. Es ist doch wirklich nicht cool, wenn man anruft, um zu fragen« – ihre Stimme nahm einen weinerlichen Tonfall an –: »Warum hast du mich nicht angerufen?«

»Also triffst du dich nicht mit ihm?« Dinahs Enttäuschung um ihretwillen war unüberhörbar.

»Nein, das habe ich nicht gesagt. Ich habe einen Plan«, verriet Annie.

»Oho!« Dinah wirkte nicht sonderlich überzeugt. Doch genau darin bestand der entscheidende Unterschied zwischen Dinah und ihrer älteren Schwester: Dinah überließ alles gern dem Schicksal, dem Zufall, dem Instinkt oder dem Glück, während Annie gern plante und trickste. Annie hatte immer einen Plan … Sie hielt es stets für besser, selbst die Zügel in der Hand zu halten.

»Die Konferenz, an der er teilnimmt – ich habe herausgefunden, dass sie im *Claridge's* stattfindet«, erklärte Annie.

»*Claridge's?*« Der Name eines der luxuriösesten Hotels

in London schien Dinah zu überraschen. »Warum buchen Zahnärzte einen Konferenzsaal im *Claridge's?*«

»Machst du Witze?«, konterte Annie. »Warst du in letzter Zeit einmal beim Zahnarzt? Weißt du, was die für Honorare nehmen? Die Grenzen zwischen kosmetischer Zahnbehandlung und Schönheitschirurgie verwischen sich allmählich.«

»Möchte wetten, das weißt du von Gray!«, frotzelte Dinah.

»Wie auch immer …« Ja, sie wusste es tatsächlich von Gray. »Ich werde mir einen sehr guten, sehr glamourösen Grund für mein Erscheinen im *Claridge's* zum selben Zeitpunkt ausdenken. Also treffen wir uns ›zufällig‹ … Und ich werde fantastisch aussehen. Dann wird er es von Herzen bereuen, mich nicht angerufen zu haben, und der Rest ist ein Kinderspiel!«

»Hmm … es erscheint mir ein bisschen zu offensichtlich.«

»Nein, es wird überhaupt nicht offensichtlich sein. Du vergisst, dass ich eine brillante Schauspielerin bin. Hatte ich nicht die besten Lehrer: Roddy und Connor?«

»Annie!«, warnte Dinah und begann, alle Gründe aufzulisten, warum Annie sich nicht wunderschön in Schale werfen und in der Bar vom *Claridge's* herumhängen sollte, in der Hoffnung, »zufällig« Gray über den Weg zu laufen: es wirkte so verzweifelt, es wäre zu viel des Zufalls, und wenn er sich gar nicht freute, sie zu sehen? Und so weiter.

»Ich habe verstanden«, sagte Annie, als die Liste vollständig war.

»Und wirst das alles ignorieren.«

»Ja, aber ich halte dich auf dem Laufenden.«

»Du wirst dich selbst in Verlegenheit bringen.«

»Nein, nein, nein«, versicherte Annie. »Er wird entzückt sein, mich zu sehen. Ich bin ganz sicher! Wir haben uns auf der Party so glänzend verstanden. Er gehört eben zu den Männern, die nichts überstürzen wollen, er muss zu seinem Glück gezwungen werden. Ehrlich! Er muss auf den richtigen Weg gestoßen werden. Verlass dich in diesem Punkt ganz auf mich. Er braucht ein paar Überraschungen im Leben und ein bisschen Spaß. Er braucht *mich!*«

»Mannomann!«, seufzte Dinah.

Annie war nie zuvor über die Schwelle des *Claridge's* getreten. Obwohl sie ihren Arbeitsplatz frühzeitig in einem frischen, äußerst sorgfältig ausgewählten Outfit in Camel und Pink mit neuen (Chanel!)-Schuhen verlassen hatte, fühlte sie sich, kaum dass sie an dem Portier in Frack und Zylinder vorbei war und das Marmorfoyer mit seinen Kronleuchtern betrat, doch ein wenig fehl am Platz.

Das hier war die echte Prachtentfaltung des zwanzigsten Jahrhunderts. Das hier war ein Hotel, in dem die Damen eigentlich immer noch Cocktailhüte mit Schleiern und Schlangenleder-Pumps tragen sollten, ergänzt durch Krokotäschchen und silberne Zigarettenetuis.

Hier waren nur glatt glänzende schwarze Bobs, echte Diamanten und dicht aufgetragener scharlachroter Lippenstift angemessen.

Nachdem Annie sich, so beiläufig und mutig sie konnte, nach dem Weg erkundigt hatte, fand sie sich in einer der elegantesten Bars wieder, die sie je betreten hatte. Sie war dunkel und lauschig, doch die Mahagonitische, Messinglampen, glitzernden Spiegel und Gläser ließen den Raum in sehr kostbarer Pracht erstrahlen. Die Ledersitze waren niedrig und bequem, die Tische mit schweren Kristallaschenbechern und Blumen ausgestattet. Das sanfte Stimmengesumm einer Handvoll von auserlesenen, sich leise unterhaltenden Gäste hing im Raum.

Es war der perfekte Ort für ein Rendezvous von künftigen Liebespaaren. Mit einem kleinen schmerzlichen Stich wünschte Annie sich, Gray hätte angerufen und sie wären wirklich hier verabredet. Wie romantisch hätte das sein können!

Macht nichts … Sie schob den Gedanken von sich. Er war ein Mann, dem gesagt werden musste, was gut für ihn war, genau so, wie sie es Dinah erklärt hatte.

Sie trat auf den gutaussehenden dunkelhaarigen Barkeeper zu und lächelte gewinnend.

»Hallo, wie geht's? Ruhiger Nachmittag heute?«

Nachdem er höflich geantwortet hatte, bestellte sie einen Gin Tonic.

»Einen doppelten, Madam?«, wollte er wissen, denn in dieser Art von Bar konnte natürlich alles noch eine mögliche Steigerung erfahren.

»Nein, danke. Und kann ich bitte auch ein Mineralwasser bekommen?«

Nachdem zusätzlich geklärt war, welches der fünf verfügbaren Mineralwässer mit oder ohne Kohlensäure sie zu trinken wünschte, hatte Annie eine weitere Frage an den Barmann: »Ob ich Sie wohl um einen kleinen Gefallen bitten dürfte?«

»Kein Problem, Madam«, versicherte er, als sie erklärt hatte, was sie wünschte. »Bitte, nehmen Sie Platz, machen Sie es sich gemütlich, und ich bringe Ihnen Ihre Getränke.«

Er brachte zudem auch eine Rechnung, die bewies, dass

sie sich nicht nur in einer der schönsten, sondern auch in einer der teuersten Bars Europas befand.

Aber die Getränke waren wunderbar: Sie perlten und sprudelten in echten Kristallkelchen mit frischen Limonenscheiben und so vielen klotzigen Eiswürfeln, dass sie bis auf den Boden des Glases reichten, wie das Kunststoffeis, das in Filmen für Drinks verwendet wurde.

Doch Annie gab sich nicht so der Bewunderung ihrer Umgebung hin, dass ihr der dünne Strom von Leuten entgangen wäre, der sich in die Richtung bewegte, die sie im Auge zu behalten gedachte, weswegen sie sich wohlweislich und gut überlegt positioniert hatte.

Okay – sie nahm einen beruhigenden Schluck von ihrem Gin Tonic –, es war an der Zeit, sich cool zu geben.

Sie sah, wie Gray das Foyer betrat. Er sah gut aus: dunkelblauer Anzug, blütenweißes Hemd, marineblaue, dezent gepunktete Krawatte. Er war ein paar Zentimeter größer als die Leute, mit denen er sich unterhielt, und hielt sich stolz und aufrecht wie ein selbstbewusster Mann. Ein gutes Profil, bemerkte Annie erneut, schöne Nase, kräftiges Kinn.

Ja, er kam in Frage, er kam ganz eindeutig für sie in Frage!

Annie drehte leicht den Kopf zur Seite und versuchte, ihn mit Hilfe purer Willenskraft zum Hersehen zu zwingen. Für den Fall, dass das nicht gelang, hatte sie Plan B im Ärmel, doch alles würde so viel einfacher sein, wenn er sie entdeckte.

Mehrere lange Sekunden verstrichen. Sie nahm noch einen Schluck von ihrem Drink.

»Annie?«, ertönte endlich seine Stimme. »Annie? Sind Sie's wirklich?«

Sie drehte sich um und sah ihn zielstrebig in ihre Richtung schreiten, während die kleine Gruppe von Männern, mit denen er geredet hatte, zurückblieb.

»Gray! Wie kommen Sie denn hierher?!«

»Annie, und *Sie?*«, konterte er und fügte hastig hinzu: »Ich wollte sagen, das ist ja wunderbar …« Er wirkte beinahe aus dem Konzept gebracht. »Seit Tagen versuche ich, Sie anzurufen, aber ich muss Ihre Nummer wohl falsch eingetippt haben, und Ihre Mutter bekam ich auch noch nicht wieder zu fassen …«

»Sie hätten mich problemlos über *The Store* ausfindig machen können«, erinnerte sie ihn, nicht bereit, sich mit der alten »Ich-habe-versucht-anzurufen«-Kamelle zufriedenzugeben.

»*The Store!*« Er schlug sich mit der flachen Hand leicht gegen die Stirn. »Und ich habe bei *Selfridges* angerufen!«

Aha! Jetzt ward ihm verziehen.

Annie lächelte ihn strahlend an. »Das ist sehr lieb von Ihnen. Findet Ihre Konferenz etwa hier im Hotel statt?«, fragte sie, mit Erfolg darum bemüht, genau das richtige Maß an Überraschung zu heucheln.

Er nickte.

»Reichlich vornehm, wie?«, neckte sie.

»Warum sind Sie hier?«, fragte er, immer noch stehend, aber ihr zugeneigt und beide Hände auf die Stuhllehne ihr gegenüber aufgestützt, was bestimmt eine sehr positive Körpersprache war.

»Nun, wie es aussieht, lauere ich Ihnen auf«, sagte sie und zog eine Braue hoch.

Als er daraufhin nur lächelte, fügte sie rasch hinzu: »Nein! Bilden Sie sich nichts ein. Ich habe beruflich hier zu tun.« Sie senkte die Stimme und erklärte ausführlicher: »Eine amerikanische Schauspielerin, viel zu berühmt, um persönlich *The Store* zu besuchen, befindet sich oben in der Honeymoon-Suite und probiert massenweise Kleider von uns an, und ich kann jetzt jeden Moment nach oben beordert werden, um ihr und ihrer Stylistin bei der endgültigen Entscheidung zu assistieren. Deshalb brauchte ich rasch noch einen Drink, das können Sie mir glauben!« Sie zwinkerte ihm zu.

»Wer ist sie?«, fragte er mit brennender Neugier.

»Ich darf es Ihnen nicht sagen!«, scherzte sie. »Du liebe Zeit, wir kennen uns doch kaum. Ich kann Sie nicht in derartige Staatsgeheimnisse einweihen.«

»Aber wir sehen uns wieder, nicht wahr?«, fragte er und sah sich hastig nach dem Grüppchen von Zahnärzten um, die im Foyer immer noch auf ihn warteten. »Ich bin im Moment ein bisschen in Eile … Aber könnten wir uns später zum Dinner treffen? Zwar steht dann etwas auf dem Plan, aber ich kann absagen, und ich würde liebend gern mit Ihnen ausgehen. Übrigens, Sie sehen fantastisch aus!«

Nun? Sie hatte recht, er war entzückt, sie zu sehen. Dinner? Aber nein! Es war an der Zeit, cool zu sein. Er hatte nicht angerufen, also stand sie nicht zur Verfügung. Die Grundregeln des Datings.

»Oh! Ich gehe heute Abend aus … wie schade!« Sie gab keine weiteren Erklärungen ab. Sollte er doch glauben, sie hätte ein superheißes Date. Das würde ihm guttun.

In diesem Moment, wie auf ein Stichwort, erschien, wie zuvor abgesprochen, der Barkeeper an ihrem Tisch. »Madam, entschuldigen Sie die Störung …«

»Schon gut, kein Problem«, versicherte sie.

»Ein Anruf für Sie aus Suite Nummer eins. Sie möchten bitte hinaufkommen.«

»Danke«, sagte sie mit einem Lächeln. Für ein großzügiges Trinkgeld erhielt man hier tatsächlich fantastischen Service.

»Ich muss gehen«, sagte sie zu Gray. »Drücken Sie mir die Daumen!«

»Ich möchte aber wenigstens sicher sein, dass ich die richtige Telefonnummer habe, damit wir uns bald einmal verabreden können.« Er bettelte nahezu. Annies Plan schien aufzugehen.

»Hmmm … ein, zwei Wochen lang wird es abends ein bisschen eng für mich«, sagte sie, nur um ihn noch ein bisschen länger schmachten zu lassen. »Aber … wie wär's mit Sonntag? Hätten Sie Lust auf ein Treffen zum Mittagessen?«

»Aber gern!«, antwortete er.

»Gut, treffen wir uns um dreizehn Uhr an der Tower Bridge, am Sonntag also. Ich kenne ein nettes Lokal in dieser Gegend. Und hier« – sie griff in ihre Handtasche – »ist meine Karte. Sie können mich anrufen, falls Sie sich verspäten sollten.«

»Ich verspäte mich nicht!«, beteuerte er. Dann, als sie aufstand, um zu ihrem Phantomtermin in Suite Nummer eins aufzubrechen, beugte er sich vor und küsste sie auf beide Wangen, wobei er sie mit einem sexy Hauch von Zitrus-Aftershave und Kaffee-Atem bedachte.

»Ist das …? Hm, auf Ihrer Wange – was ist das?« Er strich über ihr Gesicht, und sie krümmte krampfhaft die Zehen in ihren engen Chanel-Schuhen.

Auf der Kuppe seines kleinen Fingers klebte ein ausgefranstes Stückchen Wimpernverlängerung, das er mit großem Interesse studierte. Sie hatte gespürt, dass dort in ihrem Augenwinkel etwas Merkwürdiges vor sich ging. Der Acrylabfall sah aus wie eine zerquetschte Spinne.

»Ah! Das ist mein neuer Mascara«, brachte sie heraus. »Ich fürchte, ich reagiere allergisch darauf oder so. Wie auch immer …«, sie schnippte das lästige Zeug von seiner Fingerspitze, »danke, dass Sie es mir gesagt haben. Nun… ich muss mich beeilen.«

Rückblickend hätte Annie ihr Davonrauschen durch das Foyer, vorbei an der Gruppe von Zahnärzten und auf die prachtvolle Treppe zu, so viel eleganter und eindrucksvoller gefunden, wenn ihre nagelneuen, schwindelerregend hohen Absatzschuhe ihr nicht einen gemeinen Schmerz im Knöchel verursacht hätten und wenn ihr Handy sich nicht mit der neuestens Crazy-Frog-Melodie gemeldet hätte. Vielen Dank auch, Owen!

»Dinah!«, zischte sie ins Handy, sobald sie am Ende der Treppe in Sicherheit, in den Flur abgebogen und aus dem Blickfeld verschwunden war. »Ich habe gesagt, ich rufe *dich* an!«

14.

Silberfuchs Grays Date-Ausstattung:

Leichter schwarzer Anzug aus Schurwolle (Armani)
Weißes T-Shirt (Paul Smith)
Derbes weißes Hemd (Paul Gant)
Schwarze Socken (Paul Smith)
Boxershorts (Paul Smith)
Schwarze knöchelhohe Schnürstiefel (Oliver Sweeney)
Pilotenbrille (Ray-Ban)

Geschätzte Gesamtkosten: 890 £

»UND WIE WÜRDEST DU MICH VERSCHÖNERN?«

Annie stützte sich auf das Metallgeländer der Tower Bridge und staunte das große schwellende »Gurken«-Gebäude an, das sich voller Stolz hoch über sämtliche Bürogebäude der Umgebung erhob. Die Gurke? Ach, wirklich? Warum nannte man es nicht einfach »den Pimmel« und fertig? Der Tower of London, einstmals so monumental und eindrucksvoll, lag heute geduckt unter einer Skyline, die von modernen Hochhäusern dominiert wurde.

Doch hierher kam man in London, wenn man in die Wolken gucken wollte. Heute ballten sich vom Westen her rasch graue Kumuluswolken zusammen und trieben Balken von Sonnenlicht über die dunkle Wasserfläche.

Annie drehte sich um, um die Aussicht auf der anderen Seite zu genießen, gerade noch rechtzeitig, um Gray zu entdecken, der schnellen Schritts den gegenüberliegenden Gehsteig entlangkam. Er war ebenfalls zu früh, hatte sie jedoch offenbar noch nicht bemerkt. Sein Gesicht und die goldgerahmte Pilotenbrille waren dem munteren Wind preisgegeben, der an seiner Jacke zerrte, und eine Hand lag auf seinem Kopf, als müsste er einen unsichtbaren Hut festhalten.

»Hey, Gray!«, rief sie ihm zu. Für einen Mann Ende vierzig wirkte er gut durchtrainiert. *Wahrscheinlich geht er ins Fitnesscenter*, dachte sie und sah zu, wie der Wind sein T-Shirt gegen seinen flachen Bauch presste – eindeutig.

»Gray!«, rief sie erneut, lauter diesmal, da er sie nicht gehört hatte und von Kopf bis Fuß in Schwarz gekleidet zielstrebig weitermarschierte.

Indem sie ihr eigenes Outfit eifrig und automatisch glatt strich, schickte Annie sich an, die Straße zu überqueren, um ihn einzuholen. Sie hatte zu diesem Anlass ein schwarz-weißes Kleid mit weitem Rock gewählt, schwarze hochhackige Stiefeletten und eines ihrer typischen Frühlings-Markenzeichen: eine weitärmlige kurze orangefarbene Jacke. Ein Lippenstift in einem Orangerotton, der exakt der Farbe der Jacke entsprach, war der einzige Extra-Einkauf für dieses Date, den sie sich gestattet hatte. Nun … hm … die Stiefeletten waren auch neu … aber … sie hatte ihnen nicht widerstehen können. Und Fußbekleidung ist bei Verabredungen von so entscheidender Bedeutung, hatte sie sich gesagt, als sie ihre Kreditkarte überreichte. Schuhe fielen Männern immer auf, selbst wenn sie es selbst nicht merkten. Stiefel und Schuhe schienen wie nichts sonst ihre Fantasie zu beflügeln. Wenn also die neuen Stiefeletten bewirkten, dass sie sich Gray angeln konnte ... war das dann nicht quasi eine Investition?

»Gray!«

Endlich drehte er sich um, und sein leicht verdutzter Gesichtsausdruck wich einem Lächeln.

»Annie! Ja, hallo!« Er schob sich die Brille ins Haar, kam auf direktem Weg zu ihr und gab ihr einen Kuss, nicht auf jede Wange, sondern auf den Mund, während er ihr einen Blumenstrauß in die Hand drückte.

Das Streicheln seiner Lippen, der Hauch von Pfefferminzatem und herbem Aftershave waren eine sehr angenehme Erfahrung, die Annie, wie sie meinte, jederzeit gern wiederholen würde.

»Blumen! Vielen Dank. Das wäre aber nicht nötig gewesen!«, sprudelte sie unter strahlendem Lächeln hervor, obwohl die wachsartigen weißen Lilien, die dicken weißen Rosen und das Ziergrün so krass und begräbnismäßig waren, dass sie den Strauß am liebsten von der Brücke geworfen hätte. Sie liebte bunte, fröhliche Blumen, nicht so etwas Gekünsteltes. Aber egal, Hinweise darauf konnte sie auch noch ein anderes Mal fallen lassen.

»Also«, begann sie, »wir treffen uns auf der Brücke – ich und der Meister der Brücken.«

»Oho! Sehr gut! Schau dir das Gebäude an ...« Er wies auf die »Gurke«, als wäre sie gerade erst ins Sichtfeld gerückt. »Fantastisch.«

»Na ja, mag sein«, pflichtete sie ihm widerwillig bei. »Wenn einem so etwas gefällt. Wie war die Fahrt?«, fragte sie.

»Fantastisch!«, antwortete er lächelnd. »Den ganzen Weg mit offenem Verdeck, der erste schöne Tag des Jahres dafür. Und du?«

Sie glaubte nicht, dass ihre vierzig Minuten in der U-Bahn einer so verzückten Antwort würdig waren.

»Und deine Kinder?«, folgte die nächste Frage. »Was treiben sie heute so?«

»Oh, sie sind beschäftigt«, erklärte sie. »Haben einen hektischen Tagesplan …«

Annie hatte es so arrangiert, dass Dinah mit ihnen zum Mittagessen ging, und Lana hatte sich bereit erklärt, danach Owen zu seinem Karateunterricht zu begleiten und auf ihn zu warten. Das bedeutete, dass ihre Wohnung leer war … Wenn also das Mittagessen positiv verlief, würde sie Gray zu sich nach Hause zu Kaffee und ein bisschen Knutscherei einladen.

Unter Smalltalk, bereitwilligem Lächeln, Musterungen und Augenkontakt nahm Annie den Arm, den er ihr bot, als sie die Tower Bridge überquerten und den Weg hinunter nach Butler's Wharf einschlugen, wo sie im *Chop House* einen Tisch für zwei reserviert hatte.

Gray hielt ein angenehm plätscherndes Gespräch in Gang, und trotz der aufgeregten Schmetterlinge in ihrem Bauch begann Annie, sich wohlzufühlen.

Als er sie fragte, ob sie schon viele Dates gehabt hätte, »seit dein Mann … ähm …«, fiel sie ihm rasch ins Wort: »Ach ja, Unmengen. Ich gehe abends gern aus, um mich zu beschäftigen. Es ist nicht schwer, ein Date zu bekommen, weißt du, Gray.«

»Für dich bestimmt nicht«, erwiderte er galant.

»Aber es ist nicht so einfach, ein *gutes* Date zu bekommen«, erklärte sie mit hochgezogenen Brauen.

Ihr Tisch bot den Ausblick über den Fluss, den sie sich ausgebeten hatte.

»Mir gefällt es ungemein hier unten am Fluss«, bemerkte Annie, nachdem sie die Speisekarte studiert und Menü und Getränke bestellt hatten. »Es fühlt sich nicht an wie London, eher wie Europa, aber das hier ist einer der ältesten Teile der Stadt, weißt du. Hier lebten die ersten Könige und Königinnen, hier hielten sie ihre Gefangenen und hängten die Piraten auf. Hier setzten die Schiffe die Segel, in der Hoffnung, mit Schätzen aus aller Welt zurückzukehren. Ich stelle mir gern vor, dass hier« – sie wies auf den Fluss hinaus – »das Einkaufen seine Anfänge genommen hat.«

Das brachte ihn zum Lachen.

Als der Wein eingeschenkt war, ließen sie die Gläser leise aneinanderklingen, und er bat sie, ihm mehr über ihre Arbeit zu erzählen. »Es hört sich sehr spannend an. Im Wesentlichen hilfst du Leuten beim Einkaufen?« Es klang ein wenig ungläubig – so, als könnte er sich nicht recht vorstellen, dass eine solche Tätigkeit als Beruf gewertet werden kann. Annie hatte dieser Reaktion schon oft genug standhalten müssen.

»Es ist ein amerikanisches Konzept«, klärte sie ihn auf. »Amerika ist schließlich die Heimat des guten Service … Betrachte mich als die höchste Steigerungsform einer Verkäuferin. Die Kunden buchen einen Termin mit mir, wir besprechen, welche Art von Kleidung sie im Auge haben, wie ihr Lebensstil, ihr Budget beschaffen ist. Dann führe ich sie durch die relevanten Abteilungen und unterbreite ihnen Vorschläge, bis wir alle gewünschten Outfits zusammengestellt haben. Kurzum: Ich bin dafür zuständig, meinen Kunden ein glückliches Shopping-Erlebnis zu bescheren. Ich helfe den Leuten, gut in ihre Garderobe zu investieren, statt kostspielige Fehler zu begehen.«

»Und du arbeitest auf Provision?«

»Zusätzlich zu meinem Gehalt, ja.«

»Und du arbeitest auch freiberuflich in dieser Sparte?«

»Du wirst es früher oder später feststellen, Gray«, neckte sie ihn, »dass ich meine Finger überall drin habe. Ich statte auch Hausbesuche ab, weil sie gut bezahlt sind und so viel Spaß machen. Wen würde es nicht begeistern, hin und wieder hemmungslos in den Kleiderschränken anderer Leute stöbern zu dürfen? Außerdem kaufe und verkaufe ich abgelegte Designermode und Accessoires im Internet, und ich bin ausgebildete Stylistin, ob du es glaubst oder nicht.«

»O ja! Als wir uns kennenlernten, hast du gesagt, dass du auch bei Filmen mitgearbeitet hast.«

»Ach ja … die Zeiten beim Film …« Sie lächelte und pulte behutsam eine große gedünstete Garnele aus der Schale. »In meinen Globetrotter-Zwanzigern. Roddy, ich und unser Überraschungskind Lana. Wir waren stets zufrieden damit, dahin zu reisen, wo es Arbeit gab: Frankreich, Rumänien, Polen, Marokko … wohin auch immer.«

»Hört sich unglaublich glanzvoll an«, bemerkte Gray.

»Das war es auch«, pflichtete sie ihm bei. »Ich habe es wohl als selbstverständlich hingenommen und geglaubt, das Leben würde immer so einfach und so lustig sein wie damals. Aber Babys wachsen heran, sie bekommen kleine Brüder, alle müssen in den Kindergarten und dann zur Schule, plötzlich braucht man ein größeres Haus und ein regelmäßiges Einkommen. Roddy zog eine ganze Reihe guter Theaterrollen in London an Land, und wir reisten nicht mehr so viel durch die Weltgeschichte. Schließlich bekam er seine feste Rolle in einer Seifenoper, ich hatte den guten Job in *The Store,* und wir wurden sesshaft – wie alle anderen, vermute ich …« Doch sie sagte es mit einem fröhlichen Lächeln. »Ich bereue es nicht«, erklärte sie wahrheitsgemäß, »ich bin genug durch die Welt zigeunert, und es ist schön, wieder zu Hause zu sein. Und eines sage ich dir: Es macht viel mehr Spaß, die nicht gar so Schönen zu verschönern, als immerzu nur mit Hauptdarstellerinnen beschäftigt zu sein. Alles, was du jemals über Schauspielerinnen gehört hast, entspricht der Wahrheit.« Sie übertrieb, allerdings nur geringfügig. »Einzig aus dem Grund, dass sie dem Teufel ihre Seelen verkauft haben, sind sie so talentiert und so übernatürlich schön.«

»Und wie würdest du *mich* verschönern?«, forderte er sie heraus, stützte das Kinn mit der Hand ab und bedachte Annie mit einem Blick, der den Verdacht in ihr weckte, diese intensiv grünen Augen, die aus seinem gebräunten Gesicht strahlten, könnten das Resultat von getönten Kontaktlinsen sein.

»Ich glaube nicht, dass *du* eine Stylistin brauchst«, erklärte sie und hörte selbst den leise schnurrenden Flirt-Tonfall in ihrer Stimme.

»Oh, nun … das ist sehr nett von dir, aber wir alle könnten uns verbessern, oder? Und Ratschläge von den Meistern der Zunft annehmen.«

»Du hast einen sehr guten Geschmack, Gray.«

»Hmmm.« Er nickte zustimmend. »Und nicht nur, was Kleidung betrifft.« Er heftete seinen Blick fest auf Annie, bis sie unwillkürlich lachen musste.

»Also«, er öffnete seine Hände, »du solltest etwas wagen,

dein eigenes großes Unternehmen starten. Wie wär's mit einer Boutique? Einer Verschönerungsboutique? Eine Kette von Läden mit persönlicher Einkaufsberatung, in denen die Kundinnen viel mehr für ihr Geld bekommen als die üblichen Leistungen von Verkäuferinnen? Oder wie wär's mit einer eigenen Modekollektion? Die perfekten schwarzen Hosen, schicken Jacken oder weißen Blusen? Annies Basisgarderobe?«

»Ein Laden?« Sie lachte. »Das gehört ins vergangene Jahrhundert. Du solltest dir bei Gelegenheit einmal meinen virtuellen Laden ansehen, *Annie V's Handelsbörse*. Wer will Personal, Grundsteuern und fixe Kosten berappen, wenn man sich doch seinen eigenen Cyberladen einrichten kann?«

»Du bist wirklich gut!«, erklärte er lächelnd. »Vielleicht sollte ich dich bitten, mein Unternehmen einmal zu prüfen und nachzusehen, ob dir Verbesserungsvorschläge einfallen.«

»Mit Vergnügen! Führst du neben Füllungen, Zähneziehen und Wurzelbehandlungen denn auch kosmetische Zahnbehandlungen aus?«

»O ja«, beteuerte er, während ein aufmerksamer Ober ihre Teller abräumte. »Zahnkorrekturen, Bleaching, Implantate, lauter hochwertige Dinge. Ich hoffe, sehr bald schon Botox in unser Angebot aufnehmen zu können.«

»Tatsächlich? Aber meine Damen sagen, Botox sei out, und alle gingen jetzt zu Restylane über«, informierte sie ihn.

»Ja, nun, mag sein. Ich werde mich kundig machen. In ein paar Wochen fliege ich nach L.A. und schaue mich um, was die Heimat der Schönheitschirurgie im Angebot hat. Aber du hast noch nie etwas machen lassen, oder?« Er musterte sie ein bisschen zu eingehend, und es war ihr unangenehm.

»Nein, aber ich will es nicht ausschließen. Wenn ich eines

Morgens aufwache und mit Make-up allein nicht mehr verhindern kann, dass ich wie eine schrumpelige alte Hexe aussehe, dann komme ich vielleicht zu dir und frage dich, was du dagegen unternehmen kannst.«

»Tja …«

Die Worte waren frech und als Flirtversuch gemeint, doch die Art, wie er ihr Gesicht jetzt begutachtete, erschien ihr denn doch zu professionell.

»Nicht alle Frauen sehen in den Dreißigern so fantastisch aus wie du.« Jetzt war er mit Schnurren an der Reihe, wie sie mit einem köstlichen kleinen Schaudern bemerkte. »Aber eine winzige Spritze, nur dort zwischen deinen Brauen« – er zeigte auf die Stelle – »würde Wunder wirken. Aber was ich wirklich gern verschönern würde, ist dein Mund.«

Nein, nein, nein! Das war nicht mehr sexy. Jetzt hätte sie am liebsten die Hände vors Gesicht geschlagen und nie wieder die Lippen geöffnet. Was genau war denn an ihren Zähnen auszusetzen? Sie waren nicht perfekt, aber bestimmt auch nicht schlecht.

»Die gedrängte Stellung im Unterkiefer könnte durch das Ziehen der Weisheitszähne und eine Klammer behoben werden. Und dann würde ich diese leicht gezackten Ränder abschleifen und alles um zwei, drei Nuancen aufhellen. Du würdest atemberaubend aussehen. Ich würde dir einen guten Preis machen«, bot er an.

»Hm, na ja … das ist sehr lieb von dir … Ich muss es mir durch den Kopf gehen lassen«, sagte sie zögernd. Trotz des verlockenden Angebots eines Preisnachlasses erschien es ihr nicht eben als beste Flirttaktik, sich in einen Zahnarztstuhl zu legen und ihre Mandeln und sämtliche Füllungen seinen Blicken preiszugeben.

Annie hätte gern gewusst, was er hatte machen lassen. Nun, seine Zähne waren sichtlich perlweiß und perfekt, doch sie vermutete, dass er alle anderen kleinen Verschönerungsmaßnahmen als Berufsgeheimnis hütete, und deshalb fragte sie nicht.

Als ihr Kaffee serviert wurde – beide hatten ein Dessert verschmäht –, ließ er das Thema Zähne fallen und fragte: »Dir gefällt es also hier unten am Fluss?«

Sie nickte.

»Ich spiele mit dem Gedanken, hier eine Wohnung zu kaufen und zu vermieten.«

Aha, der Immobilienmogul in spe. Sie spitzte interessiert die Ohren.

»Um drei Uhr heute Nachmittag habe ich einen Besichtigungstermin. Hast du Lust, mich zu begleiten? Du weißt, dass ich dein Urteil zu schätzen weiß.«

Die Wohnung war schick, aber ein bisschen kastenförmig; Ahornholzböden, indirekte Beleuchtung, zwei kleine Schlafzimmer, zwei Hightech-Bäder in dunkelgrünlichem Schiefer, eine Nasszelle mit Rainshower-Dusche. Der Wohnbereich verfügte über eine blitzende offene Küche und große deckenhohe Fenster mit Blick auf … nun ja, weitere Bebauung.

Es lag schon sehr bald auf der Hand, dass Gray nicht begeistert war.

»Das Schlafzimmer ist sehr klein«, sagte er zu dem Makler und fuhr dann fort: »Eine Aussicht kann man das nicht nennen, wie? Und die Küche ist Teil des Wohnbereichs; das hatte ich nicht erwartet.«

»Es ist eine sehr prestigeträchtige Adresse«, hielt der Makler dagegen. »Eine ausgezeichnete Gegend zum Einkaufen, Essengehen, Sie befinden sich in Citynähe … nur zehn Minuten Fußweg über die Brücke bis zur U-Bahn …«

Klar, dort, wo Gray wohnte, bekam er entschieden bessere Angebote als das hier. Doch er wohnte nicht in der Stadt. Er war ein Mann aus den Vororten, vermutlich stolzer Besitzer einer Zufahrt, eines Zierrasens vor dem Haus und von Fenstertüren zum Garten hinaus. Doch so lebte man in der Stadt – mehr Luxus, weniger Quadratmeter –, und das versetzte ihm eindeutig einen Schock.

»Was hältst du davon?«, holte er Annies Meinung ein, als sie die Wohnung verlassen und sich von dem Makler verabschiedet hatten.

»Die totale Abzocke«, informierte sie ihn. »Das solltest du nicht einmal mit der Feuerzange anfassen.«

»Und woher hast du diese Kenntnisse?«, fragte er und schlang beiläufig den Arm um ihre Schultern, wo er bequem, wenn auch in leichter Verlegenheit liegen blieb.

»Nun, Gray, wenn du mir anbietest, mich nach Hause zu fahren, erzähle ich dir vielleicht alles über meinen mühseligen Aufstieg auf der Londoner Wohnungsleiter«, sagte sie und stellte sich vor, wie sie beide auf ihrem großen weißen Sofa kuschelten.

»Abgemacht«, sagte er, »aber nur, wenn du mich in deine Wohnung einlädst.«

Gewonnen!

Als sie die Beifahrertür öffnete, um in sein schickes, tiefer gelegtes silbernes Mercedes-Cabrio zu steigen, betrachtete sie die schwarzen Ledersitze, das Hightech-Armaturenbrett, das GPS-Navigationssystem, ganz zu schweigen von dem charmanten Herrn auf dem Fahrersitz, und sie dachte: *Daran könnte ich mich gewöhnen!*

15.

Lana zu Hause:

Schwarzes Trägertop (Miss Selfridge)
Schwarze Jeans (Evisu per eBay)
Schwarzer Nagellack (TopShop)
Schwarzer Eyeliner (Chanel)
Schwarze Stimmung (ihre eigene)
Geschätzte Kosten: 75 £

»D'AHHH!«

Als Annie die Wohnungstür öffnete, war sie nicht gerade erfreut, aus Lanas Zimmer Fernsehgeräusche und aus der Küche den Kessel kochen zu hören.

»Lana?«, rief sie in den Flur. »Ich dachte, du wärst mit Owen zum Karate gegangen?«

Lana, von Kopf bis Fuß in hautenges Schwarz gekleidet, erschien in der Küchentür. »Er wollte nicht«, erklärte sie mürrisch. »Ich konnte ihn nicht zwingen.«

»Nicht? Nein … tja … gut.« Sie gab sich redliche Mühe,

ihren Ärger zu beherrschen. Sie liebte ihre Kinder von Herzen und war im Allgemeinen unheimlich stolz auf sie, aber das Zusammentreffen von Kindern mit voraussichtlichen Lovern war etwas, was sorgfältig vorbereitet sein wollte und sie wegen möglicher emotionaler Explosionen nicht aus heiterem Himmel treffen durfte.

»Tja, dann kannst du jetzt meinen Freund Gray begrüßen.« Mit diesen Worten ließ Annie Gray zur Tür herein, und Lana öffnete den Mund und vergaß, ihn wieder zu schließen.

»Hallo, Lana!« Gray streckte ihr die Hand entgegen. »Ich erinnere mich, dich auf der Party deiner Großmutter gesehen zu haben – aber da warst du ziemlich beschäftigt …«

Lana wurde rot, schüttelte Gray die Hand und brachte ein leises »Hallo« heraus.

»Komm mit ins Wohnzimmer«, forderte Annie Gray auf. »Ich hole eben schnell Owen aus seinem Zimmer, aber er ist ein bisschen schüchtern«, erinnerte sie Gray mit leiser Stimme.

Er nickte verständnisvoll.

Owen winkte Gray von der Tür her zu und flüchtete in sein Zimmer. Annie beließ es dabei. Sie bemühte sich, Grays zahlreiche Komplimente über ihrer Wohnung in sich aufzusaugen, statt sich allzu große Sorgen darüber zu machen, wie ihre Kinder auf ihn reagierten und umgekehrt.

»Wollen wir in die Küche gehen und Kaffee trinken?«, fragte sie.

»Ja, unbedingt …« Gray erhob sich von der Sofalehne, auf der er gehockt hatte. Annie erwog immer noch, ihn zurück in die Polster zu stoßen und ihn ordentlich zu zerzausen, doch aufgrund der Anwesenheit ihrer Kinder war das völlig ausgeschlossen.

Am Küchentisch knabberte Lana an ihrer Nagelhaut und tippte wie wild SMS in ihr Handy.

»Alles in Ordnung?«, fragte Annie.

»Ja, klar, alles klar«, antwortete sie, ohne den Blick vom Display zu lösen.

»Ist der Seth Lord noch angesagt?« Annie konnte es nicht lassen.

Doch sie hätte es lassen sollen, denn als Antwort erhielt sie einen finsteren Blick bei tief gefurchter Stirn. »Er färbt sich wenigstens nicht die Haare und benutzt auch keinen Selbstbräuner«, fuhr Lana sie an.

»Du würdest schon nicht ersticken, wenn du ein bisschen freundlich wärst«, flüsterte Annie ihr zu, bevor Gray in Hörweite kam.«

»D'ahhh!«, kam der tiefe grollende Seufzer. Annie beschloss, die Ruhe zu bewahren. Lana war eine durcheinandergeratene Vierzehnjährige, und die Vorstellung von einem echten, lebendigen Mann im Leben ihrer Mutter anstelle eines gesichtslosen Dates musste sie ja beunruhigen.

Als der Kessel mit Kaffeewasser aufgesetzt war, verspürte Annie den ungewöhnlichen Drang, die Hausgöttin zu spielen. Sie holte ein Tischtuch und scheuchte Lana mit ihren Gerätschaften aus dem Weg, um es über den Tisch zu breiten. Sie deckte ihn mit Tassen, Untertassen, Kuchentellern und schüttelte Mandelplätzchen aus einer Packung.

Die Milch kam in einen kleinen blauen Krug, brauner Zucker in ein dazu passendes Schälchen. Sie wärmte die selten benutzte Cafetière an, bevor sie den gemahlenen Kaffee hineinfüllte, den sie aus einem Winkel des Schranks gekramt hatte.

Dann brachte sie Owen und Lana unter Zuhilfenahme

der typischen elterlichen Drohungen und Bestechungen dazu, sich ordentlich an den Tisch zu setzen, um Gray kennenzulernen.

»Wie ich höre, geht ihr beide auf die St. Vincent's?«, versuchte Gray, das Eis zu brechen, als er seinen Platz eingenommen hatte. Aber die Frage kam nicht so gut an.

Lana furchte die Stirn, verdrehte die Augen und schimpfte: »Dort ist es grauenhaft, ich hasse die Schule wie sonst was!«

»Das stimmt ja gar nicht«, sagte Annie mit ihrem nettesten Lächeln. »Erzähl Gray von der Spendensammlungs-Website. Sie hoffen, bis zum Ende des Sommers zehntausend Pfund für wohltätige Zwecke zusammenzubekommen.«

Lana zog eine Grimasse, doch dann meldete ihr Handy eine Antwort-SMS, und sie ergriff die Gelegenheit beim Schopf und stürzte sich mit aufleuchtenden Augen auf das Gerät.

Gray und Annie sahen zu, wie Owen sich vier Plätzchen nahm und sie alle auf einmal in den Mund stopfte, was zur Folge hatte, dass er mit offenem Mund geräuschvoll kauen musste.

»Natürlich bleiben wir nicht mehr lange auf der St. Vincent's«, behauptete Lana zu Annies maßloser Überraschung. »Mum ist total pleite, und wir müssen entweder die Wohnung verkaufen oder von der Schule gehen.«

»Oder beides«, fügte Owen hinzu, um das Maß vollzumachen, und sprühte dabei Krümel übers Tischtuch. Trotz ihrer Beschämung gelang es Annie, einen Augenblick lang stolz zu sein, weil Owen in der Gegenwart eines Fremden tatsächlich zwei Worte gesprochen hatte. Noch vor wenigen Monaten wäre so etwas undenkbar gewesen.

»Hm … na ja.« Sie lächelte Gray an und drehte die Kaffeetasse in den Händen. Vielleicht war der Vorabend doch nicht der richtige Zeitpunkt für das ernste Gespräch mit ihren Kindern über das Loch in den Finanzen der Familie gewesen. »So schlimm ist es nun auch wieder nicht.«

»Aber du hast gesagt …«, setzte Lana an.

»Ich muss vielleicht ein bisschen Firmenkapital lockermachen«, behauptete sie und bemerkte etwas wie Sorge in Grays Miene, »aber St. Vincent's ist eine tolle Schule. Ihr beide werdet sie noch viele Jahre lang genießen können.«

Sie schoss einen Blick auf Lana ab, die theatralisch über ihrem Handy hing – über dem Handy, das Annie ihrer Tochter in diesem Moment von Herzen gern aus den Händen gerissen und aus dem Fenster geworfen hätte.

Dann klingelte der Festnetzapparat, und zu Annies Verwunderung stand Owen auf und eilte aus dem Zimmer, um den Anruf entgegenzunehmen.

Er hob den Hörer ab, sagte mit ganz ruhig klingender Stimme »Hallo« und nahm dann etwas auf, das Ähnlichkeit mit einer normalen Unterhaltung hatte.

Das war höchst ungewöhnlich.

»O ja … hi … aha … Ja, das ist echt cool«, hörte Annie.

Dann folgte: »Hm, am Mittwoch? Diesen Mittwoch? Muuum!«, brüllte er.

»Ja?«, antwortete sie.

»Haben wir am Mittwochabend schon etwas vor?«

Im Geiste blätterte Annie den Terminkalender der Familie durch: sonntags Karate, dienstags Babysitten bei Billie, donnerstags Schwimmunterricht. Mittwoch? War für den Mittwoch schon etwas geplant? Annie warf einen Blick in Grays Richtung, für den Fall, dass er einen Vorschlag machen wollte: Hubschrauber-Ausflug nach Paris zum Dinner auf einer Dachterrasse vielleicht? Nein. Er sagte nichts.

»Nein«, antwortete sie schließlich, »ich glaube nicht, dass wir etwas vorhaben. Warum? Wer ruft an?«, wollte sie wissen.

Owen antwortete nicht, er war bereits wieder am Telefon. »Mittwoch ist in Ordnung. Prima … So um 19 Uhr?«

Er war unübersehbar gesprächig, was Annie erschreckte.

»Okay, cool. Ja. Bis morgen, Sir. Okay.«

»Wer war das?«, fragte Annie, als Owen zurück in die Küche kam, wenngleich das »Sir« am Ende des Gesprächs schon ein deutlicher Hinweis war.

»Ed«, antwortete Owen.

»Mr. Leon?«

»Ja.« Eine Pause entstand, und Annie glaubte, Grays Anwesenheit würde Owen wieder zum Schweigen bringen, doch stattdessen sah sie, wie er zwei, drei Mal tief Luft holte, um sich zu beruhigen, wie er es gelernt hatte und oft genug vergaß, dann sprudelte er los, überschlug sich fast vor Eifer: »Da kommt dieser Sänger, Rufus Wainwright, und er gibt diese … diese akustische Vorstellung im National Theatre. Ed sagt, er will versuchen, Tickets für uns zu kriegen. Das wird vielleicht cool!«

»Für uns alle?«, wunderte sich Annie.

»Du, ich, Lana.«

»O nein!«, stöhnte Lana.

Der Name »Rufus Wainwright« sagte Annie nichts. Sie sah Lana an, wartete, ob sie bei ihr Zeichen des Erkennens bemerkte.

»Er ist schwul, hat früher einmal Crack genommen … eine Art Folklore-Gottheit«, lautete Lanas hilfreiche Biographie im Tonfall äußersten Desinteresses.

»Du hast keine Lust darauf?«, fragte Annie.

»Ach, doch … Na ja, Baracken-Ed ist nicht sonderlich cool, aber Rufus ist krass!«

Annie fragte sich wohl zum zehnten Mal an diesem Tag, ob ihre Kinder zu viele amerikanische Sendungen im Fernseher sahen.

Grays Beitrag zu diesem neuen Gesprächsthema bestand in der Frage, was Crack wäre, was ihm die Art von Stirnrunzeln und Schulterzucken einbrachte, die Lana gewöhnlich für *absolute Loser* reservierte, wie zum Beispiel für Moderatoren von Kindersendungen, Leute in Regenjacken, Mitglieder der Konservativen Partei oder der Royals.

Das wiederum veranlasste Gray, auf seine Uhr zu blicken (Tag Heuer, Stainless Steel) und seinen kurz bevorstehenden Aufbruch anzukündigen. Annie hatte den Verdacht, dass er die Bemerkung »Mum ist total pleite« noch nicht ganz verdaut hatte. Sie würde etwas unternehmen müssen, um die Situation zu retten, oder sie sah ihn nie wieder.

Als er sich erhob, führte sie ihn ins Wohnzimmer und erklärte, dass sie ihm etwas zeigen wollte.

»Sieh dir einmal das Gebäude da drüben an« – sie deutete vom Fenster aus auf das entsprechende Haus. »Also, das ist wirklich eine Investition wert.« Ihr Tonfall war jetzt entspannt und zuversichtlich. »Schönes Viertel, schöne Aussicht, gute Schulanbindung, ganz in U-Bahn-Nähe. Es ließe sich bestimmt wahnsinnig gut vermieten.

Zufällig weiß ich, dass der Bauherr im Begriff ist, den Bach runterzugehen. Er braucht dringend Geld, um das Projekt zu Ende zu bringen. Ich bin fest überzeugt, dass er eine Drei-Zimmer-Wohnung spottbillig verkaufen würde, sofern du bereit bist, eine hohe Anzahlung zu leisten, bevor das

Gebäude auch nur fertiggestellt ist. Ich würde auf der Stelle in das Haus investieren … Nur, dass ich, wie meine Kinder bereits so hilfreich erklärt haben« – sie versuchte, es beiläufig klingen zu lassen –, »im Moment nicht so liquide bin.«

»Prima Tipp!« Zu ihrer Erleichterung schnurrte Gray wieder. »Ich werde dem nachgehen«, fügte er hinzu. »Und, übrigens, was hast du am nächsten Wochenende vor?«

Ja!

»Hm, lass mich überlegen … Ich muss einkaufen gehen, um Knebel für Lana und Owen zu besorgen … aber ansonsten …«

16.

Eds Kleidung zu gegebenem Anlass:

Gelbes Polohemd (aus der Schublade)
Rotes Polohemd (aus der Schublade)
Grüne Tweedjacke (keine Erinnerung)
Ausgebeulte Khakihose (Armee- und Marine-Surplus)
Schwere Stiefel (dito)
Geschätzte Gesamtkosten: 45 £

»Von Musik bekomme ich immer Appetit!«

Da seid ihr ja!«, lautete Eds Begrüßung, als Annie, Lana und Owen nass und leicht schmuddelig vor den Türen des Konzertsaals eintrafen.

Sie hatten sich um zwanzig Minuten verspätet, und jetzt blieb kaum noch Zeit für eine Begrüßung, weil die Vorstellung im nächsten Moment beginnen würde.

»Tut mir leid, Ed«, setzte Annie an. »Wir haben eine Ewigkeit gebraucht … Da draußen haben wir uns hoffnungslos verlaufen.«

Das war nicht gelogen; es hatte wirklich Unstimmigkeiten wegen des Wegs gegeben, doch sie hatte beschlossen, sich eine Erklärung zu dem ungeheuerlichen Lana-Aufstand, dem eigentlichen Grund für die Verspätung, einfach zu sparen.

Es war ja nur der übliche Streit zwischen Mutter und Teenie-Tochter, nach dem Motto »So gehst du mir nicht raus!«, der dann natürlich zu schlimmen, verletzenden, alles umfassenden Kränkungen eskaliert war, die man sich gegenseitig willkürlich an den Kopf warf.

Lana: »Blöde Kuh, ich hasse dich!«

Annie: »Du bist nichts weiter als ein verwöhntes Gör, und ich kaufe dir nie, nie wieder irgendetwas! Diesmal meine ich es ernst!« Und so weiter.

Owen hatte still seine Schuhe und seinen Anorak angezogen, dann blieb er bei der Tür stehen, iPod ins Ohr gestöpselt und laut aufgedreht, und wartete, während er mit dem Fuß den Takt klopfte, bis das Gewitter sich ausgetobt hatte.

Sein Anblick nahm Annie den Wind aus den Segeln.

»Gut, Lana, das reicht, ich bin fertig«, verkündete sie im kühlsten Tonfall, dessen sie fähig war. »Zieh doch das busenfreie Glitzertop und die knallengen Jeans zu Plateausohlen an, wenn du unbedingt willst. Dazu sage ich kein Wort mehr. Vergiss aber nicht ...« Na? Schon sagte sie ein weiteres Wort dazu, aber sie konnte es nicht lassen. »Vergiss aber nicht, etwas Wasserdichtes überzuziehen, denn es wird mit Sicherheit regnen.«

So. Worte, die ihr eigener Vater vor zwanzig Jahren zu ihr gesagt haben könnte. Er war so selten zu Hause gewesen, dass sie sich kaum an irgendwelche vermeintlich weisen Worte aus seinem Mund erinnerte konnte, doch sie hatte eindeutig noch sein nölendes »Zieh etwas Warmes darüber an, sonst erfrierst du!« im Ohr.

Aber war das nicht auch das Allernervigste am Elterndasein? Kaum lernte man zu schätzen, wie fürsorglich und vernünftig so mancher elterliche Rat gewesen war, kam die eigene kleine Teenie-Brut und schleuderte einem genauso ins Gesicht, dass man nervte, wie man es selbst seinerzeit getan hatte.

Manchmal verstand Annie Lana viel zu gut, spürte ihren Schmerz, spürte ihr brennendes Verlangen nach Stiefeln und Jeans und tiefem Ausschnitt. Spürte ihre Empörung über die Ungerechtigkeit. Und manchmal konnte Annie sich nicht entscheiden, auf welcher Seite sie stand: auf der der Eltern oder der der Kinder.

Und deshalb war es eben so: Gewöhnlich schimpfte sie, gab dann aber nach. Letztendlich konnten ihre Kinder tun, was sie wollten, aber immerhin wussten sie dann, wie sie darüber dachte.

Sie war versucht gewesen, sich die Kamera zu schnappen und Lanas Outfit rasch zu fotografieren, um sie in etwa drei Monaten damit zu quälen, wenn dieser Look *so was von out* war!

»Wir treffen uns mit eurem *Lehrer!*«, erinnerte sie ihre Tochter. »Ich halte es für eher unwahrscheinlich, dass wir den göttlichen Seth treffen, oder?«

Im Konzertsaal mussten sie sich an etwa zwanzig Leuten vorbeiquetschen, um zu ihren Plätzen zu gelangen. Ed ging voran, dann folgten Lana, Owen und schließlich Annie.

Während der Vorstellung sah Annie immer wieder Eds Gesicht über Teenie-Busen in gepolsterten Push-ups unter hautengen Schlauchtops auftauchen. Sie hörten gerade einen Song über ein Teenie-Mädchen, das in ihren Kunstlehrer verliebt war. Zu jedem anderen Zeitpunkt hätte der Song Annie richtig gut gefallen, so verhalten und melodisch, mit dem stimmungsvollen Klavier im Hintergrund, aber heute spürte sie stattdessen, wie ihre Weltanschauung sich ein wenig unangenehm verschob.

War Lana verknallt in Ed? Schwärmte sie für ihn, trotz ihrer kalten Geringschätzung? Das wäre keine allzu große Überraschung; jeder Lehrer, der ein bisschen besser aussah als Frankenstein, konnte sich darauf verlassen, unter seinen Schülerinnen eine ganz anständige Fangemeinde zu finden.

Aber … Sie beobachtete die beiden noch einmal ganz genau. Fuhr Ed in irgendeiner Weise auf Lana ab?! Allein schon der Gedanke bewirkte, dass sich ihr vor Angst die Nackenhaare sträubten. Lana befand sich in diesem komplizierten Teenie-Alter: Sie sah älter aus, als sie war, und an diesem Abend war sie sehr hübsch, sexy sogar; Annie konnte nur hoffen, dass sie die bewundernden Blicke, die sie erntete, gar nicht bemerkte. Aber solche Blicke kamen doch nicht von Ed, oder?

Annie reckte den Hals und beobachtete die zwei, um zu sehen, ob es irgendetwas in der Art von … hm … was? Einem Blick? Einer Berührung? Irgendeiner Art von Kommunikation zwischen ihnen gab.

Ed beugte sich vor, er ging total in der Vorstellung auf. Lana kratzte leicht geistesabwesend ihren nackten Arm.

Da war nichts, was ins Auge stach. Sie würde sich ein paar Minuten Zeit lassen und es dann noch einmal versuchen.

Als sie das nächste Mal hinschaute, drehte Ed sich um und sah nicht etwa Lana und ihre übermäßig freigelegten Teenie-Titten an, sondern Annie.

Sie fühlte sich ertappt und lächelte automatisch, und er erwiderte ihr Lächeln auf bedeutend breitere und freundlichere Art. Er bewegte den Kopf in Richtung Musik und zog eine Braue hoch, als wollte er fragen: »Ist das in Ordnung? Gefällt es dir?« Und sie antwortete mit einem begeisterten Nicken.

»Ihr müsst unbedingt mit mir ins Café gehen«, verlangte er, als die Vorstellung vorüber war. »Das ist fantastisch! Ehrlich. Und ich möchte wetten, dass ihr noch gar nichts gegessen habt.«

Das stimmte.

Dann hatte er einen seiner spektakulären Niesanfälle und zückte ein großes Baumwolltaschentuch, um sich die Nase zu putzen.

»Immer noch erkältet?«, fragte Annie.

»Dein, eidentlich dicht«, ertönte es aus den Tiefen des Taschentuchs. »Ich glaube, ich habe eine Allergie gegen London«, fügte er hinzu, als er das Taschentuch verstaut hatte.

Es war ein Selbstbedienungscafé, also griff sich jeder ein Plastiktablett und stellte sich in der Schlange an. Trotz Eds überschwenglicher Beurteilung konnte keines der angebotenen Hauptgerichte Annie in Versuchung führen, und so entschied sie sich für Linsensuppe mit Brötchen. Sie sah, wie Lana die gleiche Wahl traf, während Owen sich für ein Sandwich mit Krabben, Salat und pinkfarbener, mit Cayennepfeffer bestreuter Mayonnaise entschied. Annie beschloss, nicht zu intervenieren, schickte nur ein stummes Stoßgebet zum Himmel, dass nichts Ekelhaftes in dem Gericht lauern möge.

Während Ed noch völlig in die Bestellung einer warmen Mahlzeit verstrickt war, bezahlte Annie für Essen und Trinken ihrer Familie und begab sich auf die Suche nach einem Vierertisch.

Als sie sich setzten, fragte sie sich, ob ihre Kinder wie

sie den leeren vierten Platz wahrnahmen. Den vierten Stuhl rückte sie gewöhnlich rasch an einen anderen Tisch, damit er sie nicht anstarrte, ihnen beim Essen nicht mit seiner Leere ins Auge stach. Aber an diesem Abend war eine vierte Person bei ihnen. Der vierte Stuhl würde besetzt sein.

Als Ed zu ihnen stieß, war sein Tablett voll beladen. Darauf standen ein Teller mit dampfender Steak-and-Kidney-Pie mit Kartoffelpüree, ein Teller mit Gemüse, ein Orangensaft, ein Glas Rotwein und ein Tellerchen mit Brot und Butter.

»Himmel! Ich liebe das Essen hier«, verkündete er und ließ sich auf seinem Platz nieder. »Ich komme um vor Hunger. Von Musik bekomme ich immer Appetit! Stimmt's, Owen?«

Owen, den Mund voller Krabbensandwich, nickte lächelnd zur Bestätigung.

Falls Ed bemerkte, dass außer ihm niemand eine so reichlich bemessene Mahlzeit vor sich stehen hatte, äußerte er sich nicht dazu, und es schien ihn auch durchaus nicht zu stören. Er langte mit nahezu erschreckender Begeisterung zu.

Annie zu seiner Linken spürte eine warme Berührung auf ihrer Hand und sah, dass es ein Spritzer von Eds Bratensoße war. »Immer mit der Ruhe!«, warnte sie ihn.

»Mmm … mm … mmmm …« Die vollgehäufte Gabel in der Hand, gab er Geräusche von sich wie ein hochzufriedener Mensch.

Als sein Teller etwas leerer war und er mehr Muße hatte, sich der Unterhaltungsverpflichtung zu widmen, konzentrierte er sich auf die Kinder und zeigte sich sehr interessiert daran, zu erfahren, was sie von der Musik hielten. Owen äußerte eine überschwengliche Kritik, und es gelang Ed sogar, Lana ein paar begeisterte Worte zu entlocken. Annie erkannte, dass er in seinem Beruf ein Naturtalent war.

»Ja, das war äußerst clever«, sagte er zu Lana, »und weißt du, ich glaube, es basierte auf nicht mehr als drei verschiedenen Klaviertönen. Das könntest du dir wahrscheinlich in zehn Minuten selbst beibringen.«

»Tatsächlich?« Lana wirkte beinahe beeindruckt.

»Aber ich weiß nicht recht, ob ich dir einen Song beibringen sollte, der von der Liebe eines Mädchens zu ihrem Lehrer handelt«, fügte er hinzu.

Als Lana aufstöhnte, lachten Ed und Owen, und Annie entspannte sich. Wenn er so offen Witze über dieses Thema machte, dann brauchte sie sich wohl keine Sorgen zu machen, oder? Sie konnte ganz beruhigt sein.

Wieder kaute er energisch, belud sich die Gabel und versuchte, obendrauf noch zwei grüne Bohnen zu balancieren.

»Besuchen Sie häufig Konzerte?«, fragte Annie und wünschte sogleich, sie hätte noch ein paar Minuten gewartet. Ed hatte den Mund voll, und er stieß die »Mmm … mmm«-Geräusche eines Menschen aus, der im Begriff war, zu antworten, sobald er genug heruntergeschluckt hatte, um zusammenhängend reden zu können.

Annie fragte sich, wo er so viel Nahrung unterbrachte. Er hatte einen kräftigen Körperbau mit breiten Schultern, langem Rumpf und stämmigen Beinen, wirkte aber keineswegs pummelig, wenngleich das angesichts der mächtig ausgebeulten Khakihose und der haarigen Tweedjacke, die er an diesem Abend trug, schwer zu erkennen war. Und warum hatte er den grünen Tweed mit einer Doppellage aus rotem und gelbem Polohemd kombiniert? Annie hätte es gern gewusst. Nahm er an einer Art Wettbewerb zur Ermittlung des schlechtestgekleideten Mannes in London teil? Sein Look war in keiner Weise durchgängig; eine Woche lang trug er enge Cordhosen, in der nächsten übergroße Baggys. Wahrscheinlich kaufte er bei Oxfam, allerdings nicht auf die geübte, wohlüberlegte Art wie Dinah.

»Zwei Mal die Woche, wenn ich es schaffe«, kam schließlich Eds Antwort. Er hatte einen Soßenspritzer am Kinn, und Annie wischte sich selbst übers Kinn, in der Hoffnung, dass er den Wink verstand und es ihr gleichtat.

»Ich habe keine Vorlieben, höre mir alles Mögliche an.« Er gestikulierte ausladend mit Messer und Gabel, und Annie sah, wie Lana sich leicht duckte, um keine Spritzer abzubekommen. »Die billigen Plätze in großen Opern, Folk- und klassische Musik hier und im *Barbican*, Jazz und schräge Auftritte in den Pubs. Ich liebe die Action, höre gern, was es so auf dem Musiksektor gibt. Und ihr? Welche Art Konzerte hört ihr am liebsten?«

Bevor Annie auch nur eine Antwort darauf erwägen konnte, schüttelte Owen den Kopf und sagte traurig: »So etwas wie heute machen wir nie. Heute bin ich seit einer Ewigkeit zum ersten Mal wieder rausgekommen.«

»Das ist nicht wahr, Owen!«, widersprach Annie hastig, musste aber unwillkürlich lächeln, weil sie Owen noch nie so unbefangen in der Anwesenheit einer Person erlebt hatte, die nicht zum unmittelbaren Familien- und Freundeskreis gehörte. Ihr Sohn war sieben gewesen, als sein Vater sie alle verließ, und gleich darauf hatte diese lähmende Schüchternheit eingesetzt. Trotz aller erdenklichen Ratschläge und Meinungen von Experten hatte sich kaum eine Besserung eingestellt, bis zu dem Zeitpunkt, als Ed sein Lehrer wurde. Jetzt schien Owen schnell erstaunlich große Fortschritte zu machen, geradezu aufzublühen.

»O doch!«, konterte Owen.

»Wir unternehmen durchaus einmal etwas!«, behauptete Annie steif und fest, doch je angestrengter sie nach einem Beispiel suchte, um Owen zu widerlegen, desto weniger gelang es ihr. Jede Menge unvergesslicher Familienausflüge mit Roddy schossen ihr durch den Kopf, doch sie und die Kinder … in einem Konzert … in einem Theaterstück oder so …

»Hilf mir, Lana!«, bat sie.

»Wir gehen oft ins Kino«, half Lana Owen auf die Sprünge. »Wir besuchen Dinah, Connor, Freunde und Verwandte … Also unternehmen wir doch etwas. Aber ins Konzert, ins Theater oder zu Kunstausstellungen gehen wir so gut wie nie.«

»Das solltet ihr aber!«, riet Ed ihnen. »Ihr müsst öfter mal raus.« Er sah sie alle der Reihe nach an, und Annie brauchte nicht das Gefühl zu haben, allein Objekt seiner Kritik zu sein. »Ihr müsst euch auf die Welt einlassen, sehen, was da so abgeht.«

Das trug ihm ein Lächeln von Lana und Owen ein, während sie sich immer schüttelten und die Augen verdrehten, wenn Annie etwas Ähnliches äußerte.

»Sie sind also mehr fürs Kino?«, wandte er sich jetzt an Annie, während er mit seinem dick gebutterten Brötchen die letzten Soßenreste von seinem Teller wischte.

»Kann schon sein«, erwiderte Annie.

»Und welche Art Filme mögen Sie am liebsten?«

»Oh … Filme mit Stil«, erklärte sie, »mit geschmackvollen Kleidern, schönen Menschen und schönen Landschaften, ein bisschen Romantik, und auf jeden Fall muss es immer etwas zu lachen geben, das ist für mich unabdingbar. Ich mag tolle Storys mit Happy End, aber, wissen Sie, gegen ein bisschen Arthausfilm und intellektuellen Kram habe ich auch nichts einzuwenden.«

Ed nickte begeistert.

»Nur keine Horrorfilme«, fuhr Annie fort. »Ich mag keine Horrorfilme. Und auf schwere, tragische Kost kann ich auch ganz gut verzichten.«

»Ich liebe Komödien«, gestand er. »Herrlich! Und ich mag gute Filmmusik … aber Musicalfilme, na ja – es sei denn, sie sind vor 1960 entstanden –, nein danke. Aber es gab einmal eine Tina-Turner-Filmbiographie. Die war gar nicht schlecht.«

»Oh, daran erinnere ich mich. Die war sogar sehr gut! – Völlig übertrieben!«, fügte Annie hinzu.

»Wie hieß noch dieser Song?« Ed runzelte vor Konzentration die Brauen, und die Hand mit dem Brötchen hielt auf halbem Weg zum Mund inne.

»Nutbush?«, fragte sie, überzeugt, dass er an genau diese Szene dachte: wie die Schauspielerin Angela Bassett in einem hautengen sehr kurzen Fransenkleid und mit toller Zottelperücke mit dem Hintern wackelte.

»Nutbush! Danke!«

Beide lachten.

»Das war ausgesprochen …« Er unterbrach sich, runzelte erneut die Brauen.

»Sexy?«, half sie ihm auf die Sprünge.

»Sexy«, bestätigte er. »Ein verdammt sexy Song. Pudding!« Er lächelte zuerst Owen, dann Lana an, und Annie hatte Mühe, den Zusammenhang zwischen »Nutbush« und Pudding zu begreifen.

»Der Pudding hier ist eine Sensation«, schwärmte Ed. »Und ich lade euch ein. Nein, wirklich« – er hob die Hand, um Annies Einwände sowohl gegen den Pudding als auch gegen Eds Einladung zu stoppen –, »ein Nein lasse ich nicht gelten!«

Er kam mit einem Tablett zurück an den Tisch, beladen

mit vier Schälchen. Etwas mit Streuseln und viel, viel Sahne, eine Kalorienkatastrophe.

»Ah!«, folgte Eds Segensspruch angesichts des Wohlgenusses, bevor er den Löffel eintauchte. »Schmeckt's?«, fragte er Owen, der bereits seinen dritten oder vierten Löffelvoll hinunterschlang.

»O ja!«, antwortete Owen mit vollem Mund. »Das ist der beste Pudding, den ich je gegessen habe. Was ist da drin?«

Der kleine Löffelvoll, den Annie gerade genommen hatte, stieß gerade auf ihre Geschmacksknospen. Also kam sie zu spät zu Owens Rettung.

»Rhabarber«, antwortete Ed.

Annie musste tatenlos zusehen und hoffen, dass nichts geschah. Hatte Owen nicht gerade gesagt, es wäre der beste Pudding, den er je gegessen hatte? Was, nun ja, ihrem Stolz einen kleinen Dämpfer versetzt hatte, wenngleich sie die Erste war, die eingestand, dass sie in puncto Kochen nicht gerade eine Leuchte war.

Owen hörte auf zu kauen und wechselte die Farbe. Zuerst Richtung Rosa, dann Rot und schließlich zu einem violett angehauchten Scharlachrot.

»Er ist doch nicht allergisch?«, fragte Ed besorgt und ließ den Löffel sinken.

Annie schüttelte den Kopf und erklärte: »Nur in seiner Einbildung. Owen, alles ist gut«, beruhigte sie ihn und tätschelte seine Hand. »Der Pudding ist köstlich; das hast du gerade selbst gesagt.«

Doch Lana konnte nicht widerstehen. »Finde ich nicht«, frotzelte sie. »Rhabarber, Owen, Rhabaaaarber!«

»Lana!«, zischte Annie.

Hochrot im Gesicht stieß Owen würgende Erstickungsgeräusche aus, bevor ein feuchter Klumpen des ekligen Puddings kurzerhand wieder in seinem Schälchen landete.

Jetzt war es Annie, die errötete, doch Ed schritt völlig gelassen zur Tat.

»Oje, oje!« Er näherte sich dem Schälchen, um die Reste zu begutachten. »Kein Grund zur Panik. Es tut mir so leid, Owen, ich hatte ja keine Ahnung von deiner Abscheu gegen dieses Obst … oder ist es eher ein Gemüse? Wie auch immer …« Rasch füllte er Owens Glas mit Wasser aus Annies Flasche. »Trink einen Schluck Wasser, inzwischen räume ich das da weg.« Er stand auf und schaffte das Schälchen mit dem ekligen Inhalt schnellstmöglich außer Sichtweite.

Als er an den Tisch zurückkam, war Ed entschlossen, dem beschämten Owen aus seiner Verlegenheit zu helfen. »Wusstest du, dass es eine riesenlange Liste von Nahrungsmitteln gibt, die bei der Queen die gleiche Wirkung hervorrufen?«, fragte er Owen. »O ja«, fuhr er fort, ohne eine Antwort abzuwarten, »wenn sie irgendwo außer Haus speist, vielmehr außerhalb eines ihrer zahlreichen Häuser, wird diese Liste vorab verschickt. Dann werden sämtliche Gerichte, bevor sie ihr serviert werden, von ihrem Diener geprüft, um ganz sicherzugehen, dass sie beim Staatsbankett nicht kotzt, wenn sie zwischen dem russischen Präsidenten und dem König von Swaziland oder so sitzt.«

Ein Lehrer, der von der kotzenden Queen spricht, reichte aus, um Owen trotz des leidigen Rhabarberzwischenfalls zum Grinsen zu bringen.

»Wenn du also eine Liste mit allen verhassten Lebensmitteln aufstellen und mir geben könntest, Owen, wäre ich dir sehr dankbar. Vielleicht könnte ich dann als dein persönlicher Vorkoster fungieren, weißt du, alle Speisen überprüfen, bevor sie dir vorgesetzt werden … mmm …« Ed griff nach seinem Löffel, bereit, sich wieder über den Pudding herzumachen, nachdem alle anderen den Appetit darauf verloren hatten. »Der Job eines persönlichen Vorkosters könnte mir Spaß machen. Zwei Mal Abendessen … drei, vier Mal …«

Als Owen zum Klo gegangen war, sagte Ed zu Annie: »Ich bin jetzt seit neun Jahren Lehrer. Wenn es um Erbrechen, Kotzen, Verlust der Kontrolle über die Blase oder andere Körperfunktionen in der Öffentlichkeit geht, sind Sie bei mir richtig.«

»Na, das beruhigt mich ungemein!«, antwortete Annie. »Vielen Dank dafür, dass Sie Owen so geholfen haben. Er macht sich so gut … und Sie haben diesen … Zwischenfall … gut überspielt – besser, als ich es gekonnt hätte.«

»Kein Problem, ehrlich …« Ed drohte zu erröten. »Und jetzt …«, er wechselte rasch das Thema, »soll ich mit euch reizenden Menschen die U-Bahn nach Highgate nehmen? Sie sicher bis zur Haustür geleiten?«

Und dann, gerade, als Annie anfing, sich ein wenig für Ed zu erwärmen, zupfte er eine leuchtend gelbe Regenjacke aus seinem Rucksack, zog sie sich über den Kopf, setzte – obwohl sie noch gar nicht draußen waren – die Kapuze auf und zurrte die Bändchen so fest, dass sein Gesicht von gekräuseltem gelbem Nylon gerahmt war.

Das brachte Annie an den Rand ihres ganz privaten Rhabarber-Desasters.

Hastig wandte sie den Blick ab. Owens Bewunderung für Ed hatte sie auf eine Idee gebracht. Sie würde den Lehrer ins Haus einladen und bei einer Tasse Kaffee einmal vorsichtig vorfühlen.

17.

Owens Wissenschaftler-Ausrüstung:

Graues T-Shirt (Asda)
Gigantische Jeans (Gap-Ausverkauf)
Gürtel (St. Vincent's Schuluniform)
Socken (Asda)
Sehr gut bestückter Chemiebaukasten (Owen)
Geschätzte Gesamtkosten: 60 £

**»Hm … ich fürchte,
es gibt hier ein kleines Problem.«**

Ed wohnte ebenfalls in Highgate (»Ich muss Ihnen meine schmuddelige kleine Bude einmal zeigen … Vielleicht das nächste Mal, wenn ich einen Termin mit einer professionellen Reinigungsfirma gekriegt habe«), und so bestand er darauf, sie zu Fuß nach Hause zu begleiten, und Annie wiederum bestand darauf, dass er noch auf einen Kaffee in die Wohnung kam.

Auch wenn sie nicht noch eine Frage an ihn gehabt hätte,

wäre es ihr unangenehm gewesen, ihn sofort ohne eine Art von Dankeschön zurück in seine schmuddelige kleine Bude zu schicken. Also führte sie ihn in die Küche, während ihre Kinder sich in ihre Zimmer verflüchtigten.

»Ich muss telefonieren«, erklärte Lana.

Ja, ich weiß, mein Schatz, du hast seit mindestens zwei Stunden nicht mehr mit Seth gesprochen. Natürlich möchtest du jetzt ganz gemütlich ausgiebig mit ihm plaudern und ihm alles erzählen, was passiert ist, hätte Annie gern gesagt, unterließ es jedoch.

»Ich möchte Ihnen etwas zeigen, einen Moment noch, bitte«, sagte Owen zu Ed.

Annie setzte den Kessel auf und sah am Küchentisch rasch nach ihrer E-Mail und ihren eBay-Geboten, während sie sich mit Ed unterhielt.

Als sie heißes Wasser auf den Instantkaffee in zwei großen Bechern goss, klingelte ihr Handy.

Zu Eds Verwunderung nahm sie offenbar einen Notruf in Sachen Garderobe entgegen. »Ruby, Schätzchen, natürlich kann ich morgen Abend kommen. Nein, heute nicht. Nein, es ist schon ein bisschen spät. Ja … wir gehen die Schränke durch und finden bestimmt etwas … Nein … natürlich nicht … Was ist denn mit dem Schwarz-Roten, das wir letzten Monat zusammen gekauft haben? Nein? Tja … ja … Wir sehen uns morgen, und keine Panik!«

Während sie redete, fuchtelte Annie mit einer kleinen Flasche Brandy herum und machte Einschenkbewegungen, um Ed zu fragen, ob er etwas in seinen Kaffee wollte.

Er hob den Daumen, und sie goss ein bisschen Brandy in beide Becher.

»Okay, Ruby, gut's Nächtle«, sagte sie und legte das Handy beiseite.

»Ich wusste nicht, dass Sie Bereitschaftsdienst haben«, scherzte Ed, als sie die Becher auf den Tisch stellte und sich einen Stuhl heranzog.

»O doch, an sieben Tagen pro Woche rund um die Uhr«, erklärte sie. »Ein Garderobennotfall kann zu jeder Tages- und Nachtzeit eintreten.« Sie legte die Hände um den Becher und trank einen Schluck Kaffee. »Aah!«

»Der Brandy neutralisiert das Koffein; danach können Sie besser schlafen«, erklärte sie.

»Schön.«

»Also, wie lange wohnen Sie schon hier?«, fragte Annie und konnte ihm jetzt, nachdem er die Regenjacke abgelegt hatte, wieder in die Augen sehen.

»Ach, seit Urzeiten«, erwiderte Ed, »aber nur hin und wieder. Meine Mum hat das Haus hier vor Jahren gekauft, und ich habe es als Anlaufstelle benutzt, wann immer es nötig war. Fest wohne ich hier erst seit anderthalb Jahren. Mum war krank. Ich habe die Stelle an der St. Vincent's angenommen und bin bei ihr eingezogen, um sie versorgen zu können.«

»Oh … und wie geht es ihr jetzt?«, erkundigte Annie sich.

Mit einem traurigen kleinen Lächeln sagte Ed: »Sie ist gestorben, leider – vor sechs Monaten.«

»Oh! Das tut mir sehr leid, Ed. Sehr leid«, wiederholte sie und versuchte einen Moment lang, sich ein Leben ohne Fern vorzustellen, musste den schrecklichen Gedanken aber rasch abschütteln. »Das wusste ich nicht.«

»Nein, lassen Sie nur, keine Sorge …« Ed brach ab und nahm einen Mund voll Kaffee.

»Und wie kommen Sie zurecht?«, fragte Annie, jetzt voller Sorge um ihn.

»Tja, ich ... wissen Sie ... das Leben geht einfach weiter.«

Er lehnte sich auf seinem Stuhl zurück und fuhr sich durchs Haar, bevor er fortfuhr: »Hannah, das ist meine Schwester, und ich ... am Ende mussten wir uns rund um die Uhr um meine Mutter kümmern, was schon in Ordnung war. Wir wollten es so, aber schwierig war es schon ... Meine Freundin aus Italien hat mich verlassen und ist in ihre Heimat zurückgekehrt ... Mein Schrottauto wurde gestohlen ... wie üblich: Aller guten Dinge sind drei.«

»Ach, du liebe Zeit!« Er tat Annie leid.

»Natürlich fehlt sie uns ... sehr sogar.«

Annie hörte, wie er bei diesen Worten ungewollt schlucken musste.

»Aber«, fuhr er fort, »ich versuche, daran zu denken, wie toll es ist, wieder hier zu sein. Wieder als Lehrer zu arbeiten, wieder auszugehen ... neue Leute kennenzulernen.« Er nickte, als wollte er auf sie hinweisen. »Es ist sehr schön, wieder am Leben teilzunehmen.«

»Wie alt war sie?«, fragte Annie.

Owens Kopf erschien an der Küchentür, und er fragte: »Kann Ed mal kurz in mein Zimmer kommen? Ich möchte ihm etwas zeigen.«

»Einen Augenblick noch, Owen«, sagte Annie. Der Kopf verschwand.

Sie wandte sich wieder Ed zu, und er antwortete: »Mum war neunundfünfzig, vier Wochen später wäre sie sechzig geworden. Es war schlimm. Das alles war sehr schlimm.« Er seufzte und blickte in seinen Kaffeebecher.

»Das alles tut mir wirklich leid«, sagte Annie noch einmal.

»Wie auch immer ...« Er sah sie an und lächelte, in der

Hoffnung, das Thema abzuschließen und eine neue Richtung einzuschlagen. »Ich möchte Sie gern um einen Gefallen bitten. Es ist allerdings ein bisschen bizarr.«

Jetzt war es an ihr zu lächeln. »Also, das ist wirklich komisch«, sagte sie, »denn ich möchte Sie ebenfalls um einen Gefallen bitten … und der ist nun wirklich bizarr.«

»Sie zuerst!«, forderte er sie auf.

»Nein, Sie – unbedingt!«

»Nun ja, ich habe mich gefragt, ob Sie vielleicht … das heißt, wenn es nicht zu viel verlangt ist …« Er errötete leicht. »Ich dachte nur, weil es ja schließlich …«

Wieder steckte Owen den Kopf durch den Türspalt. »Ed? Könnten Sie mal kommen und …«

»Augenblick noch!«, fiel Annie ihm ins Wort, und er verzog sich wieder in sein Zimmer.

»Ed«, ermutigte sie den Lehrer, »es ist schon in Ordnung, wir sind Freunde. Spucken Sie's einfach aus.«

Sie fragte sich, was um alles in der Welt jetzt kommen mochte.

»Boston, USA. Vorstellungsgespräch. Nein, nicht direkt wegen eines Jobs, nur ein bezahltes Forschungsseminar über Rhythm and Blues.«

Sie zog die Brauen zusammen: Wovon redete er da?

»Ich will es unbedingt wahrnehmen. Ich hätte schon letztes Jahr gehen sollen, aber wegen der armen alten Mum … nun … Also, verstehen Sie jetzt?«

Nein, sie verstand kein Wort. Boston? Seine Mutter? Was?!

»Ich brauche einen Anzug«, wurde er deutlicher, »einen richtigen, vernünftigen Anzug, der einem Vorstellungsgespräch mit amerikanischen Akademikern gerecht wird.«

Ah! Der Nebel lichtete sich.

»Ich brauche nicht nur den Anzug, ich brauche ein vollständiges Outfit, wissen Sie, alles, was dazugehört. Ich glaube, die Amerikaner nehmen solche Dinge ziemlich ernst, nicht wahr? Wie auch immer, ich habe nicht die geringste Ahnung. Aber Sie, Sie sind immer so wunderschön …« Er machte eine Geste in ihre Richtung, die die glückliche Zusammenstellung von rotem Lippenstift, roter TopShop-Jacke, schwarzen Stiefeletten und Dries-Van-Noten-Rock umfasste. »Wunderschön. Und Sie arbeiten in diesem gruseligen Laden. Also dachte ich mir, Sie kennen sich in solchen Dingen aus. Sie sind genau die Richtige, Sie können mir helfen. So«, er war wirklich sehr verlegen, »meine bizarre Bitte. Und Ihre?«

Wunderschön? Er war schon eine Marke, dieser Mann, zweifellos.

»Ich helfe Ihnen gern bei der Suche nach einem Anzug, Ed«, versicherte sie. »Das ist überhaupt kein Problem, sondern vielmehr ein Vergnügen. Sagen Sie mir, wann, und ich trage den Termin ein. Und jetzt …« Sie zögerte, spürte, wie die Verlegenheit nun auch über sie hereinbrach. »Ich weiß, dass Sie gern zelten … Haben Sie zufällig von der Orientierungswoche für Männer und Jungs gehört?«

»Ob ich davon gehört habe? Mein Freund Clyde ist der Veranstalter! Das ist eine prima Sache! Ich würde so gern mit meinem Neffen Sid teilnehmen, aber er ist erst sechs. Will Owen mitmachen?« Ed erriet ihr Anliegen auf Anhieb. »Suchen Sie jemanden, der ihn begleitet? Dann liegen Sie bei mir richtig – das heißt, wenn es Ihnen recht ist!«, nahm er sich hastig zurück. »Und natürlich nur, wenn es Owen recht ist …«

Sie tat seine Vorbehalte mit einer Handbewegung ab und

ließ ihn wissen, dass sie Owen natürlich zunächst fragen würde, ob er mit der Idee einverstanden wäre. Aber sie war sicher, dass er begeistert sein würde.

Ed zeigte derartige Begeisterung für das Projekt, dass sie zu dem Schluss kam, er wäre nicht nur eine Marke, sondern völlig durchgeknallt.

»Bis wie viel Grad minus hält sein Schlafsack warm?«, fragte Ed und brachte gleich noch ein paar unverständliche Fragen mehr an. »Wenn er einen dicken, warmen Schlafsack hat, könnten wir im Freien schlafen. Dann könnten wir ganz auf ein Zelt verzichten, die Nacht unterm Sternenhimmel verbringen – so richtig am Busen der Natur. Natürlich nur, wenn es trocken ist, obwohl ein moderner Schlafsack durchaus auch den einen oder anderen Schauer aushält.«

Annie hatte eher an einen Campingplatz gedacht, mit warmer Dusche, einem Restaurant, möglicherweise sogar mit Sternen ausgezeichnet. Jetzt wurde sie ein wenig nervös.

»Owen weiß über die Einzelheiten Bescheid. Er hat Karten, Pläne und Projektbeschreibungen. Er würde sich liebend gern mit jemandem darüber unterhalten, der weiß, wo bei einem Kompass oben und unten ist. Was treibt Owen überhaupt? Owen!«, rief Annie laut in den Flur.

»Wie geht's Ihrem Zahnarzt?«, fragte Ed unvermittelt zu ihrer Überraschung. Auf ihre hochgezogenen Augenbrauen hin erklärte er: »Owen hat mir von ihm erzählt.«

»Oh! Na ja, er ist nicht ›mein‹ Zahnarzt. Dazu ist es noch zu früh – viel zu früh. Ich hatte völlig vergessen, wie stressig solch ein Date, diese Sich-Kennenlernen ist … wenn man immer versucht, das Richtige zu sagen und zu tun. Herrgott, ist das anstrengend! Heute Abend dagegen, das war ein Spaß – so entspannt.«

Ed hob die Kaffeetasse an, als wollte er ihr zuprosten. »Auf entspannten Spaß!«, sagte er.

Lana kam in die Küche geschlendert, sank theatralisch auf einem Stuhl in sich zusammen und legte den Kopf auf den Tisch.

»Du erreichst nur seine Mailbox?«, vermutete Annie.

»Warum geht er nicht ans Telefon?«, klagte Lana. Anscheinend war ihre Erschütterung so groß, dass es ihr nicht einmal peinlich war, sich in Anwesenheit ihres Lehrers so zu äußern.

»Bestimmt hat er einen triftigen Grund«, beschwichtigte Annie. »Womöglich ist der Akku leer. Bitte, mach dir deswegen keine Sorgen!«

Allerdings hatte sie insgeheim schon den Verdacht, dass Seth sich nicht mehr so häufig meldete wie zu Anfang. Sie war nicht sicher, ob sie deswegen erleichtert oder besorgt sein sollte.

Gray dagegen rief mit schöner Regelmäßigkeit an und plante bereits eine ganze Reihe verheißungsvoller Treffen.

»Äh ... ich fürchte, es gibt hier ein kleines Problem«, hörten sie Owen sagen.

Erschrocken glaubte Annie, einen ängstlichen Unterton in seiner Stimme zu vernehmen. Als sie von ihrem Stuhl aufsprang, gab es einen Knall. Keinen lauten, donnernden Knall, mehr ein Brausen, das in einem überraschenden Plopp gipfelte.

Sie rannte zu Owens Zimmer, und Ed folgte ihr auf den Fersen.

Als sie die Tür öffnete, bemerkte sie den Geruch: rauchig, bitter wie verbrannter Toast. »Owen!«, rief sie. »Ist alles in Ordnung?«

»Tja, hm, ich hatte ein kleines Problem«, sagte er zittrig

und kam ihr zur Tür entgegen. »Jetzt ist alles in Ordnung … in Ordnung … nur … ein bisschen chaotisch.«

Annie trat ins Zimmer, wo sich ihr ein verblüffender Anblick bot. Owens Schreibtisch stand an der rückwärtigen Zimmerwand. Gewöhnlich stapelten sich darauf halbgelesene Bücher, bekritzelte und zerknüllte Seiten, stumpfe Bleistifte, leere CD-Hüllen, das Zubehör von Owens geschäftigem chaotischem Leben. Doch an diesem Abend sah es aus, als hätte er auf dem Schreibtisch ein Feuerwerk gezündet, und die Platte war übersät mit den Resten all dessen, was er dort abgebrannt hatte.

Noch erschreckender war der große rußschwarze Brandfleck, der sich an der weißen Wand bis zur Decke erstreckte, am unteren Ende einen Meter breit und nach oben hin spitz zulaufend.

»O mein Gott!«, war Annies erste Reaktion. »Was um alles in der Welt …?«

Doch dann entdeckte sie den umgekippten Chemiebaukasten, dessen Inhalt auf dem Zimmerboden verstreut lag.

»Owen! Du sollst die Finger davon lassen, wenn Connor nicht bei dir ist!«, fuhr sie ihn an.

»Ich weiß. Aber mir war ein bisschen langweilig … und ich wollte Ed zeigen …« Er brach ab, aber trotzdem war klar, dass er Ed mit seiner Ausrüstung irgendein Experiment hatte vorführen wollen.

»Was ist passiert?«, wollte Annie wissen. »Ich kann mir nicht vorstellen, dass das hier das angestrebte Ergebnis sein soll. Was hattest du vor? Wolltest du eine Indoor-Atombombe bauen?«

»Es lief nicht ganz nach Plan.« Owen zuckte mit den Achseln und machte ein provokativ unzerknirschtes Gesicht.

»Nicht ganz nach Plan? Völlig außerplanmäßig, würde ich sagen!«, entgegnete Annie aufgebracht. »Du kannst froh sein, dass du nicht ein Auge verloren hast, Owen, und dass das Haus nicht abgebrannt ist.«

»Das war schon gruselig, als das Ding losging.« Er kicherte nervös.

Mitten auf dem Fußboden stand ein großes randvoll mit Wasser gefülltes Glas. Mit fragendem Blick deutete Annie darauf.

»Ja, ich dachte, das stelle ich für den Notfall bereit. Aber dann hatte ich Angst, alles nur noch schlimmer zu machen.«

In dem Wissen, dass eine Erklärung der chemischen Zusammensetzung an seine Mutter verschwendet wäre, richtete er sie an Ed, der ebenfalls zur Tür gekommen war, wortlos zusah und überlegte, ob er eine Bemerkung anbringen sollte.

Für Annie waren Owens Erklärungen tatsächlich nur böhmische Dörfer, doch Ed pfiff durch die Zähne. »Da bist du ein großes Risiko eingegangen, Owen«, sagte er. »Das hätte böse enden können. Und dann das Wasser! Wasser hätte … nun, lassen wir das«, entschied er, als er Annies Gesichtsausdruck bemerkte.

»Wir werden später noch darüber reden müssen«, sagte sie zu Owen. »Außerdem solltest du längst im Bett sein.« Sie warf einen Blick auf ihre Uhr. »Es ist schon fast elf Uhr! Du solltest unbedingt im Bett sein!«

Sie machte auf dem Absatz kehrt und ging zurück in Richtung Küche.

Ed beschloss, ein paar Worte mit Owen zu riskieren, Worte von der lehrerhaft strengen tröstenden Art, dann folgte er Annie.

Sie kehrte ihm den Rücken zu, und Ed sah zu seiner Verwunderung, dass sie leicht zitterte. Ihm war gar nicht aufgefallen, wie sehr der Vorfall ihr an die Nieren gegangen war.

»Machen Sie sich keine Sorgen«, begann er und trat hinter sie. »So etwas macht er bestimmt nie wieder.«

»Oh!« Sie drehte sich um und wischte sich die Augen. »Das will ich hoffen, verdammt noch mal!«, sagte sie, und da bemerkte Ed, dass sie sich vor unterdrücktem Lachen schüttelte.

Sein Arm, bereits leicht angehoben, um sich tröstend um ihre Schulter zu legen, fiel schlaff herab, und er lachte ebenfalls. »Zum Glück hat er wenigstens nicht das Wasser hinzugefügt …«, sagte Ed. »Ich glaube, dann hätte Ihnen … nun ja …«, er wollte ihr keine Angst einjagen, »eine gründliche Renovierung bevorgestanden.«

18.

Die flippige Sanitäterin:

Grüner Overall, Oberteil abgestreift, die Ärmel um die Taille geschlungen (Gesundheitsbehörde)
Dünnes weißes Hemdchen (Primark)
Tiefe Sonnenbräune (Surfing in Fuerteventura)
Mit Muscheln verziertes Lederhalsband (Marktstand in Fuerteventura)
Wanderstiefel (Tiso)
Blondes Haar in Zöpfen
Geschätzte Gesamtkosten: 28 £

»Hier ist wohl ein romantischer Augenblick in die Hose gegangen.«

Nach dem Date an der Tower Bridge hatte Gray Annie noch einmal zum Mittagessen ausgeführt, und dann folgte ein großes, schickes Dinner: ein tolles, edles, intimes Restaurant mit zuvorkommenden Kellnern und wirklich exquisiter Speisekarte und ebensolchen Weinen.

An diesem Abend fand sie Gray auf ziemlich unwiderstehliche Weise attraktiv. Er bestellte den Wein, machte Menüvorschläge, beglich die Rechnung mit seiner Platinkarte – Lastschrift, nicht Kredit, wie sie bemerkte – und war der charmante, geistreiche erwachsene Mann, den sie wollte, dessen war sie absolut sicher.

Als sie hinterher in seinem Arm durch die Straßen von Knightsbridge schlenderten, fühlte sich Annie von einer Woge des Glücks überrollt. Das hier war Gemeinsamkeit, wirkliche Nähe. Endlich fing sie an, sich den Gedanken zu gestatten, dass sie einen Menschen gefunden hatte, mit dem sie wieder ihr Leben teilen konnte.

Sie betrachteten Schaufenster von Einrichtungshäusern, und er wollte zu allem ihre Meinung wissen: »Also, mir gefällt der weiße Sessel da, der große aus Leder … Aber was meinst du? Zu protzig für ein normales Zuhause?«

Jedes Mal, wenn sie in einer Sache einer Meinung waren, empfand sie innerlich ein großes »Ja!«, und in ihrer Vorstellung meldete sich wieder der häusliche Traum, Grays Gattin und Nur-Hausfrau zu sein.

La-la-la, sie würde immerzu Kleider tragen, weil sie ihren Beinen schmeichelten. (Und die wären natürlich immer frisch epiliert, weil sie dann so viel Zeit haben würde, sich selbst zu verwöhnen!) Sie würde kochen lernen, wunderbar, alles wäre Tag für Tag von Grund auf selbstgemacht, und sie wäre in der Lage, Gray und ihren Kindern ihre ungeteilte Aufmerksamkeit zu widmen.

Wenn ihre Familie außer Haus war, würde sie die perfekte Hausfrau sein: Laken mit Lavendelwasser bügeln, flauschige Handtücher zusammenlegen, Brot backen und eine Küche führen, in der Geschirrtücher, Tischdecken und Topfhandschuhe aufeinander abgestimmt, immer frisch und duftig waren und jeden Tag gewechselt wurden. La-la-la. Dann wäre Schluss mit dem ständigen Renovieren, Umziehen, Schluss mit Donna, der Oberhexe. Das Leben würde so schön und rosig sein … oder?

Nachdem Gray gerade mit ihr einer Meinung war, dass das Sofa im Fenster des Conran Shops alles andere, was sie in der Straße gesehen hatten, bei weitem übertraf, legte er beide Arme um sie und sagte: »Annie, ich glaube, ich muss dich jetzt küssen. Das ist doch hoffentlich okay?«

Die förmliche Anfrage forderte ihren Spottgeist heraus. »Tja … das hängt davon ab, wie du küsst. Wollen wir's versuchen?«

Er begann mit einem trockenen Streicheln von Lippen auf Lippen, bevor er, ihrer Aufforderung folgend, den Mund öffnete und zögerlich auf Forschungsreise ging. Sehr pfefferminzträchtiger Atem, feucht, doch sein Zungenschlag bedurfte noch eines gewissen Trainings – das war Annies erster Eindruck.

Der Kuss dauerte nicht lange, und Annie war sich der Behutsamkeit sehr bewusst. Beispielsweise wurde in der Hüftregion immer ein Abstand von mindestens zehn Zentimetern eingehalten.

Vielleicht wollte Gray, der vierzehn Jahre älter war als sie, in seiner Werbung um sie sehr förmlich und maßvoll vorgehen. Sich von seiner Leidenschaft mitreißen zu lassen war nicht vorgesehen. Dazu war er zu erwachsen. Sie beide prüften das Terrain und gingen die bevorstehenden Entscheidungen langsam an.

Überhaupt, sie liebte seinen altmodischen Charme. Gray war wie ein Kavalier aus einem Vierziger-Jahre-Film: Er war höflich, immer in Anzug und mit Manschettenknöpfen, immer glatt rasiert, umweht von genau der richtigen Nuance Zitrusduft. Er war der seriöse Mann, den sie sich wirklich wünschte, und sie fing an zu glauben, dass sie sich in ihn würde verlieben können.

»Und was hast du morgen vor?«, fragte er nach einem zweiten, etwas intimeren Kuss.

»Nichts, was ich nicht absagen könnte – sofern ein sehr guter Grund vorliegt«, antwortete sie.

»Magst du zum Mittagessen zu mir nach Hause kommen?«

»Gern«, sagte sie und überlegte bereits, mit welchem Bestechungsmittel sie Lana überreden konnte, auf Owen achtzugeben … und Dinah dazu, dass sie Lana überwachte.

Sie küssten sich noch einmal, und dieses Mal schlang Annie die Arme um Grays Taille und zog ihn eng an sich. Morgen würden sie endlich allein und ungestört ihre Privatsphäre genießen können! Sie hoffte, dass er bedeutend mehr als nur ein Mittagessen mit ihr plante, denn sie hatte weiß Gott mehr im Sinn.

Als sie sich aus dem Kuss lösten, betrachtete sie eingehend sein Gesicht. Es zeigte immer noch eine tolle Knochenstruktur, aber als er noch jünger war, musste er umwerfend ausgesehen haben. Vielleicht fiel es ihm schwer, ins mittlere Alter zu geraten und diese Macht über andere Menschen einzubüßen, die extrem gutaussehenden Menschen zu eigen ist.

Das war vielleicht eine Erklärung für die grünen Kontaktlinsen, die perfekten Zähne und das etwas merkwürdig aussehende Haar; es wirkte zu kupferfarben und glatt. Doch sie hatte schon mehrmals mit der Hand hindurchgestrichen und war überzeugt, dass Owen und Lana sich irrten. Den Spitznamen »Toupet-Opa« hatte er nicht verdient.

Am nächsten Tag, Sonntag, kurz vor Mittag stieg Annie, von Gray mit einer ausführlichen Wegbeschreibung ausgerüstet, in ihren Jeep und machte sich auf den Weg zu seinem Haus in einem schmucken Dörfchen in Essex.

Sie war von Kopf bis Fuß enthaart, gepeelt, mit Feuchtigkeitscreme behandelt und duftete. Sämtliche zwanzig Nägel waren manikürt, ihre Dessous waren von luxuriösem Chic, sie trug Strümpfe und hatte die Zähne mit Zahnseide behandelt. In einem Reißverschlussfach ihrer Handtasche hielt sie sogar Kondome bereit, und sie war auf Verführung eingestellt wie nie zuvor.

Sie drehte das Autoradio auf und sang mit. Die Fenster hatte sie ein wenig geöffnet, um die luftige Cabrio-Wirkung nachzustellen, an die sie sich allmählich gewöhnte.

Nach vierzigminütiger Fahrt machten die mickrigen Einkaufszentren, riesigen Wohnkomplexe und Autohäuser Platz für etwas, das eindeutig ländlich aussah. Der Himmel war wolkenlos, die Landschaft frühlingsfrisch, leuchtend grün, und Annies Laune hob sich um ein Beträchtliches.

Der Verkehr auf der M25 war überschaubar, und ihr Wagen flog auf der Überholspur dahin. Als sie sich Grays Dorf näherte, rief sie ihn mit Hilfe der Freisprechanlage auf dem Handy an.

»Hallo, sexy Vorstadtmann«, begrüßte sie ihn, »ich bin am Ortseingang deines Dorfes angelangt, und du musst mich jetzt anweisen, wo ich abbiegen soll.«

»Das ist keine Vorstadt!«, empörte er sich. »Upper Ploxley ist das teuerste Dorf in Essex!«

»Gray, ich durchfahre gerade eine Wohnsiedlung!«, konterte sie. »Wie auch immer, ich hoffe, du hast den Wein auf Eis gelegt.«

»Champagner, meine Liebe, Champagner.«

»Uuuh … das ist sogar noch besser!«

»Hast du deinen Badeanzug eingepackt?«, fragte er. Er hatte ihr nicht erklärt, wozu sie einen Badeanzug brauchen würde, hatte nur gesagt: »Warte ab, du wirst schon sehen!« Sie rechnete mit einem kleinen nieren-, vielleicht auch herzförmigen Pool im Garten. Aber der sollte besser verdammt gut beheizt sein, es war schließlich erst April – nicht gerade das ideale Wetter zum Nacktbaden.

»Das dürftest du sein, was da in diesem kleinen Panzer die Straße entlangkommt«, scherzte er. »Meines ist das weiße Haus, das dritte von links.«

Sie setzte den Blinker, bog links ab und lenkte den Jeep in eine kurze Zufahrt vor einem eindrucksvollen kastenartigen, weiß getünchten Siebziger-Jahre-Gebäude aus Glas und Beton.

Ihr erster Eindruck war: Es ist so ordentlich! Jedes Körnchen geharkter Kies lag an seinem Platz auf der Zufahrt, die von ebenmäßigem, grünem, kurzgeschorenem Rasen gesäumt wurde. Die blendend weißen Jalousien vor den Fenstern des Hauses waren halb geschlossen, und sogar die Pflanzen in den Fensterkästen und den zwei Kübeln zu beiden Seiten der Tür standen stramm vor ihrem Hintergrund aus makelloser brauner Blumenerde.

Gray stand bereits an der Haustür.

»Was für ein wunderschönes Haus!«, sagte Annie sogleich, als sie aus dem Jeep stieg. »Dein Garten ist so tadellos in Ordnung, als würdest du unablässig Unkraut jäten.«

»Ich habe einmal pro Woche einen Gärtnerservice engagiert«, tat er das Kompliment ab. »Der ist wirklich gut.«

Aber natürlich!

»Komm her!« Er winkte sie zu sich heran. »Ich freue mich so, dass du gekommen bist!«

Er wartete, bis sie ins Haus getreten war, bevor er ihr einen Kuss von seiner vorsichtigen Art gab. »Komm rein«, sagte er und löste sich von ihrem Mund. »Ich möchte dir das Hausinnere zeigen.«

So gern sie ihm auch das weiße Oberhemd aus der blauen Freizeithose gezupft und ihn ein bisschen gezaust hätte, drängte es sie doch, zunächst einmal das Haus zu sehen. Es drängte sie, so viele Erkenntnisse wie möglich in sich aufzusaugen, nicht nur über Gray, sondern – viel wichtiger noch – über seine ihm entfremdete Frau. Annie war sicher, dass der Geschmack, der dieses kostspielige Siebziger-Jahre-Haus prägte, im Grunde nicht Grays war, sondern – viel spannender – Marilyns.

Gray sprach nicht gern von Marilyn. Alles, was Annie bisher über sie hatte erfahren können, verdankte sie ihren eigenen, reichlich unverblümten Fragen.

Das anhängige Scheidungsverfahren verlief nicht eben glücklich.

»Zum Schluss hat sie mir das Leben wirklich zur Hölle gemacht«, hatte Gray Annie bei ihrem zweiten Treffen zum Mittagessen anvertraut. »Und jetzt streiten wir wegen jeder noch so winzigen Kleinigkeit. Manchmal wünsche ich mir, ich könnte ihr einfach alles überlassen, was sie haben will, und damit Schluss. Neu anfangen, ganz von vorn, ein ganz neues, Marilyn-freies Leben. Doch dann sage ich mir, dass sie nie etwas *getan* hat. Sie hatte nie einen Beruf, wir haben keine Kinder, das Einzige, was sie getan hat, war, mein Geld auszugeben, und jetzt beansprucht sie die Hälfte von allem, wofür sie mein Geld ausgegeben hat, und die Hälfte des Hauses, zu dem sie nicht einen Penny beigetragen hat.«

Das Nur-Hausfrau-Dasein, um mit blitzsauberen Ofenhandschuhen für Gray zu backen, erschien Annie auf einmal nicht mehr so sehr als rosige Aussicht.

»Mein Anwalt hat einen sauberen Schnitt mit einer mehr als großzügigen finanziellen Regelung für sie ausgearbeitet, und trotzdem lehnt sie ab«, hatte Gray wütend hinzugefügt. »Immerzu erhöht sie ihre Forderungen, will noch ein Stückchen hiervon, ein Häppchen davon … eine Beteiligung an meinem Unternehmen! Sie ist nicht in der Lage, mit Würde zu gehen.«

Sie waren fünf Jahre lang verheiratet gewesen. Marilyn – ursprünglich hieß sie Tracey, sie hatte ihren Namen geändert, wie er Annie ein bisschen zickig wissen ließ – hatte von ihrem vierunddreißigsten bis zu ihrem vierzigsten Lebensjahr an seiner Seite gelebt. Augenscheinlich war die neurotische Sorge, mit der sie ihren vierzigsten Geburtstag näher kommen sah, der Tropfen gewesen, der das Fass zum Überlaufen und ihre Ehe endgültig zum Scheitern brachte.

»Vierzig ist nur eine Zahl, weißt du? Reg dich nicht auf, habe ich ihr immer wieder gesagt. Aber sie führte sich auf, als müsste sie an diesem Tag sterben, nicht nur ins fünfte Jahrzehnt einsteigen. Du wirkst so viel entspannter«, hatte Gray zu Annie gesagt, »was das Leben insgesamt betrifft. Marilyn regte sich über alles furchtbar auf! Von der Farbe ihres Nagellacks bis zu der Frage, wie sie die Blumenkübel an der Tür aufstellen sollte. Es war entsetzlich anstrengend!«

»Ich bin noch nicht vierzig«, hatte Annie ihn gewarnt. »Es könnte sich noch einiges ändern!«

Zu Annies leiser Enttäuschung schien Grays Wohnung inzwischen keinen Hinweis mehr auf Marilyn zu enthalten. Es sei denn, sie hätte einen ausgesprochen maskulinen Geschmack gehabt, aber es sah vielmehr so aus, als hätte Gray nach ihrem Auszug von Grund auf renoviert und umgestaltet.

In dem ruhigen, aber hellen Wohnzimmer stand ein riesiges dunkelbraunes Ledersofa und in einen Marmorsockel eingelassen eine dieser Bogenlampen aus Chrom. Auf dem Boden lagen ein Teppich aus geflochtenem Leder und ein großer kuscheliger Sitzsack aus Schaffell. Aus deckenhohen Fenstern blickte man in den gepflegten Vorgarten, und ein breiter Durchgang in der Rückwand führte in eine blitzende Küche in Schiefer und Edelstahl, die durch ein weiteres riesiges Fenster vom rückwärtigen Garten getrennt war.

»Wow«, machte Annie wieder, »das ist ja ganz erstaunlich!«

Gray hatte eine ausgesprochene Vorliebe für elektrische Vorrichtungen: Er zeigte ihr, wie er per Fernbedienung die Jalousien schließen konnte, wie die Rückwand der Küche sich wie ein elektrisch gesteuertes Garagentor nach oben hin öffnete, so dass der Raum an warmen Tagen in eine Art überdachte Terrasse verwandelt werden konnte.

»So, jetzt zeige ich dir die Dachterrasse«, formulierte Gray seine Einladung ins Obergeschoss. Annie erhaschte im Vorbeigehen einen Blick durch die Tür auf sein beige-schokofarbenes Schlafzimmer, steril wie ein Hotelzimmer, doch Gray ging weiter zur Dachterrasse, dem Höhepunkt der Hausführung.

Draußen auf der Terrasse befand sich – umgeben von dunklem Bohlenboden, hohen Stauden in Kübeln und marmornen Zierkugeln – ein großzügiger, zwei Meter breiter Whirlpool.

»So etwas macht Spaß, nicht wahr?«, sagte Gray und schloss die Glastüren auf, damit sie hinausgehen konnten.

»Er ist natürlich beheizt … Ich hatte Angst, es könnte ein bisschen zu sehr an James Bond erinnern, doch inzwischen bin ich restlos angetan. Hier draußen zu sitzen und mit einem Glas Champagner in der Hand dort drüben den Sonnenuntergang zu verfolgen – glaub mir: Das verschlägt einem den Atem. Vielleicht können wir das später noch erleben«, fügte er sanft hinzu.

»Ach, scheiß auf später!«, verkündete sie, nur zum Teil, weil die Babysitter-Situation ihr Kopfschmerzen bereiten würde, wenn sie zu lange blieb. »Komm, wir steigen ins Wasser und holen uns Appetit fürs Mittagessen!«

Sie griff nach ihm, und während sie sich küssten, begann sie, sein Hemd aufzuknöpfen, doch zu ihrer Enttäuschung brach er den Kuss ab, trat einen Schritt zurück und sagte: »Da drinnen befinden sich ein Bademantel und Handtücher für dich.« Dann öffnete er die Tür zu seinem Gästezimmer und winkte sie herein. »Wir sehen uns in ein paar Minuten hier draußen.«

Nun ja, es kam also nicht zum gegenseitigen Ausziehen und Lachen und Kichern, um dann splitternackt ins Wasser zu springen, wie sie es sich vorgestellt hatte, aber das war nun einmal Grays altmodischer Charme, nicht wahr? Die Reserviertheit, die sie an ihm bemerkt und so liebenswert gefunden hatte.

In dem neutralen, hotelartigen Zimmer zog Annie sich aus. Auf dem makellosen Bett lag sogar ein Polster, passend zum Stoff der Vorhänge. So etwas hasste, *hasste* sie. So etwas sollte niemand tun. Sie wollte wetten, dass das auf das Konto der zu Marilyn gewordenen Tracey ging.

Sie holte ihren roten Badeanzug mit weißen Punkten aus dem Koffer und zwängte sich hinein. Er entsprach der glamourösen Fünfziger-Jahre-Mode und verfügte über satte vierzig Prozent Lycra. Weniger sollte kein Badeanzug je enthalten. Mit den ablenkenden Punkten und der lycrabedingten hautengen Passform erfüllte dieses Schätzchen fast die Aufgabe eines Korsetts und war jeden Penny wert, den sie dafür ausgegeben hatte.

Wenn sie nur auf die Idee gekommen wäre, den dazu passenden Joan-Collins-Sarong und den breitkrempigen Strohhut zu kaufen … aber andererseits: Da draußen herrschte April. Der flauschige Bademantel war wahrscheinlich unabdingbar.

Sicherheitshalber entnahm sie ihrer Handtasche noch zwei fleischfarbene Brustpolster aus Silikon und schob sie unter ihre Brüste in die Körbchen ihres Badeanzugs. O ja! Schon viel besser. Was für ein Dekolleté! Wie sollte Gray da widerstehen? Vielleicht würde sie sich eines Tages doch eine Brustkorrektur gönnen … und der Schwerkraft den gewissen Finger zeigen.

Sie betrachtete sich im Spiegel, rückte ihren Pferdeschwanz zurecht und legte roten Lippenstift auf, den sie wohlweislich im exakten Rotton des Badeanzugs gekauft hatte. Welch ein Sahnestückchen – auch wenn Eigenlob stinkt!

Als Annie in den Flur hinaustrat, sah sie, dass die Tür zur Dachterrasse offen stand, der Whirlpool wild sprudelte, Gray aber nicht zu sehen und seine Schlafzimmertür geschlossen war.

Was soll's? Sie würde schon einmal ins Wasser steigen. Sie trat hinaus auf den Bohlenboden und spürte das glatte Holz unter den Füßen. Ein Zehentest verriet ihr, dass das Wasser badewannenwarm war, also ließ sie den Bademantel zu Boden fallen und sich in den Pool gleiten.

Oh! Köstlich! Unter dem Wasserspiegel fand sie eine bequeme rundum laufende Bank vor, auf der sie sitzen und zum Himmel aufblicken konnte, während ihr Körper mit erstaunlich heftigen Wasserstößen traktiert wurde.

Sie legte den Kopf in den Nacken, streckte die Brust raus und wartete darauf, dass Gray kam und sie in dieser absolut unwiderstehlichen Pose vorfand. Doch lange Minuten verstrichen, und er ließ sich immer noch nicht blicken. Ihr Nacken wurde steif, und sie nahm eine etwas entspanntere Haltung ein, wobei ihr Blick auf die aufgestapelte Pyramide aus großen schwarzen Marmorkugeln zwischen den Kübelpalmen fiel.

Auch das war doch sicher Tracey-Marilyns Werk? Kein Mann ging in einen Laden und kam mit Marmorkugeln wieder heraus.

Jetzt erinnerte sie sich, wie sie einmal mit Roddy in einem Designerladen war und ihn nach seiner Meinung über die polierten Marmorkugeln gefragt hatte, die gerade der letzte Schrei waren.

»Wenn jemand Marmorkugeln kauft, bedeutet das, dass er entschieden zu viel Geld hat«, lautete sein prägnantes Urteil. »Andererseits«, fügte er dann hinzu, »könnte es auch ein Hinweis auf Eier aus Marmor sein.«

Wo blieb Gray denn nur? Sie saß jetzt schon mindestens zehn Minuten allein im Wasser. Vielleicht duschte er? Legte noch einmal Aftershave auf?

Und wie mochte er wohl nackt aussehen?, fragte sie sich unwillkürlich. Wahrscheinlich war er schlank, muskulös und sonnengebräunt, vermutete sie, aber da er fast die Fünfzigermarke erreicht hatte, wies er wohl auch die verräterischen Zeichen des Alters auf: leicht runzlige Gesäßbacken, kleine schwabbelige Falten an den Achseln, Ellenbogen und Knien, eine Haut, die nicht mehr gar so straff die Muskeln überzog … *Okay, kein Grund zur Panik!*

Aus einer Laune heraus streckte sie den Arm aus und griff nach einer der Marmorkugeln. Sie war bedeutend schwerer, als sie erwartet hatte. Die große schlüpfrige Steinkugel glitschte zwischen ihren feuchten Handflächen, sie spürte, wie sie leicht wegrutschte, und geriet in Panik, dass sie sie in den Pool fallen lassen und einen Riss im Boden und einen Schaden in Tausend-Pfund-Höhe verursachen könnte. Sie griff fester zu und drehte sich rasch um, um die Kugel wieder auf den Stapel zu legen.

Doch die Marmorzierstücke waren bedeutend geschickter gestapelt, als sie angenommen hatte, und die Kugel, die sie zurücklegte, blieb nur einen Augenblick still liegen, bevor sie ins Rollen geriet und fünf weitere Kugeln unter lautem Krachen mit sich riss.

Für massiven Marmor rollten sie erstaunlich schnell in drei verschiedene Richtungen davon – was nicht viel Gutes über die Kunst des Mannes aussagte, der die Bodenbohlen verlegt hatte.

Annie sprang aus dem Pool, um die Kugeln einzufangen.

Sie hatte drei Stück unter Kontrolle und beugte sich herab in dem Versuch, die Pyramide wieder zusammenzusetzen, als sie Gray fragen hörte: »Wie ist das Wasser?«

Sie blickte über ihre Schulter und sah ihn, in einen Bademantel gehüllt, an der Terrassentür stehen, ein kleines Tablett mit einer Flasche Champagner und zwei zierlichen Gläsern in den Händen.

Statt sie mit einem verlockenden Lächeln auf den Lippen und hinreißend aussehend im Pool vorzufinden, wurde er mit dem berückenden Anblick ihrs Hinterteils konfrontiert, während sie sich mit den schlüpfrigen Zierkugeln abplagte.

»Oje, was ist passiert?«, fragte er.

»Nichts, nichts … nichts passiert!«, beeilte sie sich zu versichern und drehte sich rasch um, damit ihr Gesäß aus dem Rampenlicht gerückt wurde. »Ich habe nur … na ja, die Marmorkugeln … sie sind ein bisschen durch die Gegend gerollt.« Sie entdeckte die vierte und hob sie auf.

»Warte, lass dir helfen!«, bot Gray an und stellte das Tablett auf dem Boden ab.

Er streckte die Hände aus, um Annie die Kugel abzunehmen, schätzte jedoch die Entfernung falsch ein und geriet an den polstergestützten Ausschnitt ihres Badeanzugs. Ruckartig zog er die Hände zurück, was ein Fehler war, denn Annie hatte die Kugel schon losgelassen, in der Annahme, Gray hätte sie ergriffen.

Sie fiel herab und landete auf Grays Fuß.

»Auutsch!«, schrie er auf, verständlicherweise, und zog instinktiv das Knie hoch, damit er hüpfenderweise die zerschmetterten Zehen fassen konnte. Ein weiterer Fehler, denn er rutschte auf dem inzwischen glitschigen Bohlenboden aus und verlor das Gleichgewicht.

Er schwankte zunächst ein bisschen und ruderte mit den Armen. Annie erkannte den Schock in seinen Augen, dann stürzte er mit einem lauten Krachen zu Boden, stürzte rücklings auf das Champagnertablett und verlor das Bewusstsein.

»Gray! Mist! Verdammter *Mist! Gray!*« Das war Annies coole, gefasste Reaktion.

Ihr Versuch, die Zierkugeln wieder richtig zu stapeln, war sein Tod: Ms Scarlett auf der Bohlenterrasse mit der Marmorkugel.

»Gray!!« Sie hockte sich neben ihn. Er war mit dem Kopf auf einem der Gläser aufgeschlagen, die Flasche war umgekippt und weggerollt, der Inhalt gluckerte in den Whirlpool. Annie hatte schon immer mal einen mit Champagner gefüllten Whirlpool ausprobieren wollen ... Aber das war jetzt wohl nicht der rechte Zeitpunkt.

Grays Lippen waren weiß, was ihr nicht eben als gutes Zeichen erschien, aber aus seiner Nase strömte eindeutig Atemluft, was ihre Panik ein wenig besänftigte.

Was sollte sie tun? Nichts, was sie jemals über Erste Hilfe gelernt hatte (indem sie *Casualty* im Fernseher anschaute), wollte ihr einfallen.

Vielleicht sollte sie ihm ein bisschen Wasser ins Gesicht spritzen? Sie beugte sich über den Pool, schöpfte etwas Wasser in die hohle Hand und ließ es auf seine Schläfe tröpfeln. Es rann über seine Stirn und versickerte in seinem Haar.

Unwillkürlich nahm sie sich eine Nanosekunde Zeit, um sein Haar zu begutachten, da sich die Gelegenheit nun einmal bot.

Sie neigte sich vor, sah sich seinen Schopf genau an und vergewisserte sich ein für alle Mal, dass Gray kein Toupet trug. Alles war natürlich, allerdings färbte er sein Haar: Bei näherem Hinsehen war ein winziger Millimeter grauen Ansatzes zu erkennen. Nichts dagegen einzuwenden; er wollte gern gut aussehen.

Aber wie auch immer ... sie musste etwas unternehmen, um ihm zu helfen. Sie beschloss, ihn vorsichtig auf die Seite zu drehen – stabile Seitenlage, nicht wahr? –, und dann wollte sie den Notarzt rufen.

Als sie ihn bewegte, bemerkte sie, dass er am Hinterkopf leicht blutete, wo Glasscherben eingedrungen waren. Es sah nicht allzu ernst aus, doch medizinische Hilfe war auf jeden Fall erforderlich.

Als sie ihn in die richtige Lage gebracht hatte, klaffte sein Bademantel auf und gab eine neue Überraschung preis.

War das eine …? Konnte das denn wirklich …?

Teils fasziniert, teils entsetzt senkte Annie den Kopf, um diese neue Entwicklung zu untersuchen.

Ein Irrtum war ausgeschlossen: Aus dem dicken weißen Frottee des Bademantels ragte eine steife, pinkfarbene Erektion.

Das war doch nicht in Ordnung, oder? Wenn jemand bewusstlos war, konnte er doch nicht einen derartigen Steifen haben, oder?

Sie wollte den Penis berühren, sich vergewissern, dass er Wirklichkeit war. Aber er sah echt genug aus, zeigte auf die Kübelpalmen, steif und fest wie ein Fahnenmast.

Ein natürliches Phänomen konnte das aber nicht sein, oder? Nein. Gray musste etwas eingenommen haben – eines dieser Produkte, die jedem, der eine E-Mail-Adresse besaß, allmorgendlich ins Auge sprangen: Viagra, Cialis, Kautabletten …

Gray stöhnte kaum hörbar, und Annie sprang auf. Unmöglich, sich erwischen zu lassen, wenn man den Penis eines Bewusstlosen in Augenschein nahm! Nein, das würde absolut keinen guten Eindruck machen.

Er hielt die Augen immer noch geschlossen, und sie ging los, um ihr Handy zu holen. Als sie es aus der Handtasche kramte, begann es zu klingeln.

»Ja?«

»Mum?«

»Lana, ich kann jetzt nicht …«

»Muuum, Owen benimmt sich einfach schrecklich …«

»Lana, ich muss Schluss machen, Gray hatte …«

»Herrgott!«, kreischte Lana. »Gray hier, Gray da. Wen interessiert dein bescheuerter Freund? Ich habe keine Lust mehr, den Babysitter für dich zu spielen! Ich gehe aus! Owen kann allein auf Dinah warten.«

»Lana! Ruf bitte Dinah an. Ich brauche mein Handy jetzt. Bitte, Lana, bitte! Lass Owen nicht allein zu Hause, womöglich spielt er wieder mit seinem Chemiekasten und jagt das ganze Haus in die Luft!«, flehte sie.

Ein gewaltiger, gequälter Teenieseufzer erreichte sie über die Leitung. Dann legte Lana auf.

Annie hatte jetzt keine Zeit für Sorgen um Lana und Owen. Sie musste den Notarzt rufen.

Sie war zurück auf der Dachterrasse und versuchte, Gray ihren zusammengelegten Bademantel unter den Kopf zu schieben, als er wieder zu sich kam. Allzu ruckartig hob er den Kopf und hätte beinahe gleich wieder das Bewusstsein verloren. Annie versuchte zu erklären, was passiert war, doch es dauerte, bis er einigermaßen begriff.

»Was soll das heißen, ich bin auf den Kopf gefallen?«, fragte er.

»Du bist gestürzt … Bitte, bleib still liegen, der Notarzt ist unterwegs.

»Der Notarzt!«

Der Steife ließ sich nicht ignorieren. Er war immer noch da, lang und rosig drängte er aus dem Bademantel. Sie rückte ein bisschen zur Seite, um ihm auszuweichen.

»Gray, du warst bewusstlos, in deiner Kopfhaut stecken Glasscherben, du musst ins Krankenhaus.«

Er lag ganz still und ließ die Information auf sich wirken.

»O Gott«, stöhnte er dann, »so war das nicht geplant.«

»Ich weiß, ich weiß«, tröstete Annie. »Mach dir keine Sorgen.«

Annie hatte gerade ihr Handtuch entdeckt und wollte es über seine Körpermitte decken, damit er die dortige äußerst peinliche Lage nicht erkannte, doch da folgte schon ein bedeutend tieferes Stöhnen; er zog die Knie an und richtete seinen Bademantel, als er es merkte.

»O Gott!«, rief er aus und rollte sich in Embryostellung um den erbarmungslosen, unübersehbaren Steifen zusammen.

»Hey, mach dir keine Gedanken deswegen … Ich fühle mich geschmeichelt«, scherzte Annie in dem Versuch, ihm aus der Verlegenheit zu helfen. »Möchtest du einen Schluck Wasser?«

Er schloss lediglich die Augen und stöhnte erneut.

»Hör mal, Gray, vielleicht fühlst du dich ein bisschen besser, wenn ich dir sage, dass ich Hühnerbrustfilets in meinem Badeanzug habe.«

Er schlug die Augen auf und sah sie bestürzt an.

Sie griff in den Ausschnitt des Badeanzugs, zog völlig ungerührt eines ihrer Silikon-Brustpolster heraus und ließ es vor seinem Gesicht wabbeln. »Viagra für Mädchen«, erklärte sie. »In unserem Alter«, fügte sie kumpelhaft hinzu, »brauchen wir alle Hilfe, die wir kriegen können.«

Er stöhnte nur noch einmal.

Die Sanitäter – drei an der Zahl – trafen ein, einschließlich Brenda, einer Augenweide aus Tasmanien. Tief gebräunt, schlank, knabenhaft und hinreißend schön, gelang es wenigstens ihr, Gray ein bisschen aufzubauen. »Hier ist wohl ein romantischer Augenblick in die Hose gegangen«, fasste sie die

Situation zusammen und warf einen Blick auf den sprudelnden Whirlpool, auf Annie in ihrem glamourösen Badeanzug und Gray mit der Fahnenstange, gefällt wie ein Baum.

Einer der Sanitäter sprach in sein Funkgerät: »Mann mittleren Alters: Kopfhautverletzungen von einem Sektglas, am linken Fuß Verletzung von einer Zierkugel aus Marmor, Verdacht auf Gehirnerschütterung und möglicherweise Reaktion auf Viagra. Ja, ich bin in Upper Ploxley. … Woher weißt du das?« Er gab sich immerhin Mühe, sich das Lachen zu verkneifen.

»Könnten Sie ein paar Sachen für Ihren Freund einpacken?«, fragte einer von ihnen Annie.

»Hm … Gray? Was soll ich für dich einpacken – und wo finde ich deine Sachen?«, musste sie ihn fragen, was bei den Sanitätern erneut ersticktes Lachen hervorrief.

Schließlich wurde Gray auf einer Trage abtransportiert; das Gewicht von drei Handtüchern über seiner Körpermitte sollte den Steifen in Schach halten.

Als alle fort waren, schaltete Annie den Whirlpool aus, fegte die Glasscherben zusammen, trank den Schluck Champagner aus, der noch in der Flasche verblieben war, verschloss die Terrassentür, zog sich um, verließ das Haus und zog die Haustür hinter sich fest ins Schloss.

In ihrem Jeep saß sie einen Augenblick auf dem Fahrersitz und ließ die Ereignisse des Nachmittags Revue passieren. Na ja, das war wirklich nicht ganz nach Plan gelaufen, wie? Sie überlegte, ob sie Gray hätte ins Krankenhaus begleiten sollen, doch er hatte gesagt, dass er es nicht wollte. Sie fragte sich, ob sie je wieder von ihm hören würde … Sie würde sich als Erste melden und sicherstellen, dass sie einen neuen Anfang versuchten.

Es war ein Unfall … So etwas kann passieren … *aber warum heute?!*, war ihr nächster Gedanke. Doch schließlich musste Annie nachgeben und sich genau das gestatten, was sie nicht hatte tun können, seit die Marmorkugel Gray aus der Hand gerutscht war: Sie hielt sich den Bauch vor Lachen.

»Das ist die beste Geschichte, die ich die ganze Woche über gehört habe«, lautete Connors Urteil, als sie ihn später anrief, um Bericht zu erstatten. »Der Mann mit den Marmorkugeln und dem Eisenschwanz.«

19.

Die neue, verbesserte Martha:

Orange-rot-weißes Kleid (Issa)
Weiche braune Stiefel (Miu Miu)
Karamellfarbene Tragetasche (Chloé)
Geschätzte Gesamtkosten: 1400 £

»Finden Sie nicht, dass ich jetzt Transvestitengrösse habe?«

Paula, inzwischen zurück im Verkauf, war diejenige, die Martha Cooper bei ihrem zweiten Besuch in die Personal-Shopping-Suite führte, und zwar mit den Worten: »Wow! Ich kann kaum glauben, dass Sie es wirklich sind!«

Annie, die versuchte, rasch ein paar Gebote auf dem Computer einzuschieben und ihre kalt gewordene Starbucks-Latte zu trinken – ganz zu schweigen davon, dass sie Gray Blumen ans Krankenhausbett schicken lassen wollte –, nahm die Füße vom Tisch und begann zu klatschen.

»Oh, ausgezeichnet!«, lobte sie Martha.

Die Mama, die in alten Jeans und Parka aufgekreuzt war, stand jetzt in der schicken Hose und Swingerjacke vor ihnen, die sie bei ihrem ersten Besuch erstanden hatte – nett heruntergetuned mit einem Paar grüner Turnschuhe. Doch die größte Veränderung bestand in dem gesunden, von Make-up unterstützten Glanz in Gesicht und Haaren. Der strähnige, zu lang gewachsene Mopp war nun einer zottig gefönten karamellfarbenen Mähne gewichen.

»Mmmmm«, schnurrte Annie, »wie Sie aussehen! Zum Anbeißen. Und Sie arbeiten auch wieder?«

Martha nickte.

»Deshalb sind Sie zurückgekommen, um jede Menge von Ihrem neuen Gehalt auszugeben?«

»O ja. Ich möchte einen Regenmantel … und ein Kleid … und vielleicht Stiefel … und, *wenn möglich*, eine Tasche.«

»Oh, dann sind Sie hier goldrichtig, Schätzchen! Und heute Nachmittag werde ich mich um Sie kümmern, wenn's recht ist. Gut … folgen Sie mir, wir schauen uns ein bisschen in den Abteilungen um und nehmen ein paar Sachen zum Anprobieren mit hierher.«

Nach einer raschen Inspektion der Kollektionen, die Annie passend für Martha fand, kehrten sie in die Suite zurück. Ein Kleid in leuchtendem Orange und Rot von Issa mit hochhackigen Stiefeln und eine hinreißende Tasche stellten die Auswahl dar, zu der Annie Martha sanft drängen wollte.

Das Kleid sah angezogen wunderbar aus. Zwar war es gemustert, aber nicht geblümt, denn – wie Martha Annie gewarnt hatte: »Ein großes Mädchen in Großgeblümt …«

»Ist ein Sofa«, hatte Annie ihr, ohne zu zögern, beigepflichtet.

Leider schienen die hochhackigen braunen weichen Stiefel, die so hervorragend zu dem Kleid passten, für Martha ein Problem darzustellen.

»Ich weiß, mit Highheels sieht alles besser aus«, gestand sie. »Aber finden Sie nicht, dass ich jetzt Transvestitengröße habe?«

»Nein«, versicherte Annie. Aber, nun ja … in diesen Stiefeln war sie etwa einsvierundachtzig groß, was durchaus ein bisschen gruselig war. Außerdem wirkte das Kleid dadurch noch kürzer.

»Sinnlos, mir zu erzählen, wie groß Cindy, Lindy, Elle und so weiter sind, ich will einfach nicht das größte Teil in einer Bar sein, abgesehen von der Säule, die die Decke trägt. Und …«, sie vollführte die leicht wirren Gesten, die Annie schon an vielen Kundinnen beobachtet hatte, »ich glaube, das …«

»Sind nicht Sie selbst?«, kam Annie ihr zu Hilfe. »Zu chic, zu aufgetakelt … zu viel, zu bald! Entschuldigen Sie, ich habe Sie gedrängt. Okay. Das Kleid mögen wir. Einverstanden? Also müssen wir es vielleicht ein bisschen neutralisieren. Und Sie womöglich auch, nicht wahr?«

Sie verschwand im Ladenbereich und kam mit diversen Accessoires zurück.

Das Kleid wurde noch einmal anprobiert, doch dieses Mal mit einem kleinen weißen Hemdchen darunter, einer braunen fußlosen Strumpfhose und flachen goldenen Pumps.

»O ja! Ja, das ist schon viel besser!«, lautete Marthas Urteil.

Dann reichte Annie ihr das Killer-Accessoire: die große Tasche, die sicherstellte, dass Martha – selbst wenn sie in ihrem unsäglichen Parka im Büro auftauchte – immer noch glaubwürdig wirkte; eine Chloé-Tragetasche – groß, astronomisch teuer, in Leder von einem Braun, das zu allem passte.

»Nein, nein!« Martha wollte die Tasche nicht einmal anfassen.

»Die gibt es in sechs verschiedenen Farben«, lockte Annie. »Probieren Sie sie aus, meine Liebe, hängen Sie sie sich über den Arm … Sie beißt nicht.«

Annie reichte ihr die Tasche und wartete so fasziniert darauf, wie Martha sich mit einer in die Armbeuge gehängten Tasche zu einem beinahe vierstelligen Preis finden würde, dass ihr entging, wie Donna in die Suite stapfte.

Martha hielt die Tasche, einmal so, einmal so, und betrachtete sich im Spiegel. »Ich habe eine gewisse Moral, was Handtaschen betrifft«, erklärte sie. »Meine Grenze liegt bei zweihundert Pfund. Es müsste doch möglich sein, für weniger als zweihundert Pfund eine fantastische Handtasche zu bekommen. Sobald ich Preisschilder sehe, die diese Grenze überschreiten, denke ich: Das ist Wahnsinn! Ich kann nicht mit einem Monatsgehalt über der Schulter herumlaufen und von nah und fern Raubmörder anlocken. In solch einer Tasche kann ich wohl kaum mein Frühstück oder Windeln oder Trinkbecher mit mir herumtragen.«

»Okay … Gut, aber dann wissen Sie, wo Sie einkaufen müssen?«

»Wo?«, wunderte sich Martha.

»Bei eBay! Dort könnten Sie diese Tasche wahrscheinlich für zweihundert Pfund bekommen, doch dann müssen Sie hinnehmen, dass sie eine Fälschung ist. Hoffentlich die Sorte wirklich guter Fälschung, die sogar Ms. Chloé persönlich Sand in die Augen streuen könnte. Das wäre eine Überlegung wert. Unten haben wir auch abwaschbare Orla-Kiely-Taschen aus PVC, überaus beliebt bei flotten Mamas. Aber an Ihnen gefällt mir diese Tasche ganz außerordentlich!«, fügte sie hinzu.

Annie sah auch nicht, dass Donna mit schwer zu deutender Miene die Suite wieder verließ: halb sauer, halb zufrieden.

»Die Tasche ist einfach umwerfend, meine Liebe!« Annie nahm sie Martha aus der Hand und hielt sie hoch. »Eine gute Investition … Aber ich will Sie nicht unter Druck setzen. Ich habe hier noch drei wunderschöne Regenmäntel für Sie zum Anprobieren, während Sie über die Tasche nachdenken. Orange? Toll zu dem Kleid. Oder klassisch in Hellbeige? Oder vielleicht beides?«

»Annie, stopp! Sie sind so gut, und das macht Sie sehr, sehr gefährlich. Ich gehe erst einmal einen starken, ernüchternden Kaffee trinken, bevor ich mich für oder gegen die Tasche entscheide. Vielleicht kaufe ich mir eine Fälschung, wie Sie mir geraten haben.«

»Aber es wäre einfach nicht das Gleiche, Schätzchen, denn *Sie* wissen es ja …«

»Ja, aber wenn ich die echte kaufe, wird mein Mann es wissen – und mich umbringen.«

»Aber Sie arbeiten doch wieder«, schmeichelte Annie. »Da muss man kompensieren …«

»Kaffee«, beharrte Martha. »Ich nehme das Kleid, die Strumpfhose, die Pumps, wahrscheinlich auch noch einen Regenmantel … aber um wegen der Tasche eine Entscheidung zu fällen, brauche ich Kaffee!«

»Okay, okay.« Annie lächelte sie an. »Sie wissen, wo Sie uns finden!« Sie hörte das Rasseln des Vorhangs aus Metallperlen am Eingang zur Suite, und dann stand mit verlegenem Gesicht Ed Leon da. »Entschuldigung, ich bin wohl ein bisschen … hm … zu früh?« Er machte Anstalten, wieder zu gehen.

»Nein, nein! Nehmen Sie Platz«, forderte Annie ihn auf. »Ich muss dieser netten Dame nur noch rasch einen Regenmantel verkaufen, dann stehe ich Ihnen zur Verfügung«, sagte sie.

Als Martha die Einkäufe, deretwegen sie sich sicher war, bezahlt hatte und gegangen war, um bei einem Kaffee über den Taschenkauf zu entscheiden, konnte Annie sich schließlich dem unbeholfenen Lehrer widmen, der ein bisschen nervös in engen Cordhosen auf dem Sofa in der Suite hockte.

»Also«, sagte sie und setzte sich neben ihn aufs Sofa, »erzählen Sie mir alles über Ihre Garderobenwünsche.«

»Eine Generalüberholung«, lautete Eds Einschätzung. Heute trug er eine abgewetzte marineblaue Jacke anstelle des für ihn typischen Tweeds, als wäre er in der Stimmung, sich schick zu kleiden, und hätte sich wirklich Mühe gegeben. Doch die Jacke sah billig aus und passte nicht richtig.

»Wo kaufen Sie gewöhnlich?«, wollte Annie wissen.

»Oh« – er zuckte die Achseln –, »mal hier, mal dort.« Mehr konnte er dazu nicht sagen.

»Wo genau?«, bohrte Annie nach.

»Nun ja, hm, Burtons … und, wie heißt das noch gleich? Mister Byrite. Hin und wieder auch beim Highgate-Krebsforschungszentrum, das ist ganz gut …« Als er sah, wie sie theatralisch die Augen verdrehte, verließ ihn der Mut fortzufahren. »Sie sind nicht sonderlich beeindruckt, wie?«

»Schon gut, jetzt sind Sie ja hier«, sagte sie in leicht scherzhaftem Ton. »Ich bin hier, um Sie von solchen Missgriffen zu heilen. Und ich fange damit an, Sie von den Vorteilen zu überzeugen, die zweifellos existieren, wenn Sie in Ihre Garderobe investieren. Ich kann Ihnen einen Vortrag darüber halten, falls Sie möchten.«

Ed lehnte sich in die Polster zurück, legte den einen Fuß über das andere Knie – was in den engen Cordhosen wohl nicht unproblematisch war – und sagte: »Einen Vortrag, gleich welchen Inhalts, von Ihnen höre ich auf jeden Fall sehr gern.«

In der kühlen stillen Herrenabteilung stellte Annie Anzüge, Hemden und Krawatten für Ed zusammen, während er – entkleidet bis auf die Unterwäsche – im Umkleideraum ein Geiseldasein fristete.

Immer wieder erschien er in leicht abschreckenden zerknitterten violetten Boxershorts und kurzen roten Socken an der Kabinentür, um zu fragen, wie es nun weiterginge.

Ohne es zu wollen, erhaschte Annie einen Blick auf seinen unerwartet muskulösen Bauch und den Streifen weiße Haut über den Hüftknochen, wo die Boxershorts unter die Bräunungsgrenze gerutscht waren.

»Machen Sie Fitnesstraining?« Sie gab sich Mühe, ihre Überraschtheit nicht in ihrer Stimme mitschwingen zu lassen.

»Nein!« Er reagierte genauso ungläubig.

»Sie sehen … fit aus«, erklärte sie ihre Frage.

»Ich bin Rugby-Trainer … das hält den Bauch in Schach«, erwiderte er.

In jeder einzelnen Kombination aus Anzug, Hemd und Krawatte trat Ed aus der Kabine, und Annie gab geschäftsmäßig ihr Urteil ab: zu breite oder zu enge Schultern, zu langes Jackett … zu enge Hosen. Wie sich herausstellte, war es schwierig, für seine Figur das Passende zu finden.

Endlich erfüllte ein tief marineblauer Anzug mit blassrosa Hemd und blauer Krawatte alle Ansprüche auf Annies Checkliste.

»Du liebe Zeit!«, bemerkte Ed, während er ein wenig im Raum umherging und sich dann im mannshohen Spiegel begutachtete. »Sieh sich das einer an! Der alte Ketteringham-Smith wird mich nicht wiedererkennen. Ich erkenne mich ja selbst kaum! Wenn ich dann noch beim Friseur war, sind alle Spuren des alten Ed Leon verwischt. Womöglich muss ich ein Foto bei *Friends United* einreichen.«

Annie betrachtete ihn eingehend, professionell. Es ließ sich nicht leugnen, dass die Schultern perfekt saßen, dass die gerade geschnittene Hose seinen Beinen bessere Proportionen verlieh, dass Rosé und Blau eine vorteilhafte Farbkombination für ihn war. Er hatte strahlend blaue Augen, blau wie ein Sommerhimmel, und es war ihr erst so richtig aufgefallen, als sie ihm Hemden unters Kinn gehalten hatte, um die Farbwirkung zu prüfen.

Außerdem hatte er rosige Wangen und sehr hellrote Lippen. Diese Einzelheiten waren vorher nicht so deutlich zutage getreten. Nein. Vor dem Zusammenwirken von blauem Anzug und rosa Hemd hatte sie nur Eds wolliges Haar, seine buschigen Brauen und seine Tweedjacke wahrgenommen.

»Friseur?«, fragte sie, und es klang nicht sehr überzeugt.

»Ja, hinten und an den Seiten kurz. Ich nehme diese Sache sehr ernst. Haben Sie eine Ahnung, wie liebend gern ich nach Boston möchte?«

Sie versuchte, sich vorzustellen, wie sein Haar kurz geschnitten wirken würde. Mit Sicherheit ging er zu einem Fünf-Pfund-Friseur, der seinen Schopf massakrieren würde, und deshalb sagte sie streng: »Nein. Auf gar keinen Fall die Haare schneiden – und wissen Sie was?« Was folgte, war nun wirklich nicht geschäftstüchtig, aber sie hatte das Gefühl, es sagen zu müssen: »Ich finde, Sie sollten diesen Anzug nicht kaufen, Ed, er entspricht nicht Ihrer Persönlichkeit. Er entspricht Ihnen so wenig, dass ich mich wirklich fragen muss, was ich mir dabei überhaupt gedacht habe.«

Genauso wie Martha in den hochhackigen Stiefeln gut ausgesehen hatte, sah Ed in dem Anzug gut aus. Wirklich, sie hatte nicht schlecht gestaunt, wie gut er aussehen konnte. Aber es war, als hätte sie alles ausgelöscht, was den wahren Ed ausmachte. Alles, was an Ed geistreich und schrullig war, war nun, da sie ihn in diesen herkömmlichen dunkelblauen Anzug mit dem obligatorischen rosa Hemd und der schlichten Krawatte gesteckt hatte, begraben.

Wie sollte jemand auch nur das Geringste über ihn erfahren, wenn er ihn in diesem Outfit sah? Woher sollte man wissen, dass er zehn verschiedene Saiteninstrumente spielen konnte? Oder dass er eine Folk- und Blues-LP-Sammlung besaß, die der jedes DJs in New Orleans Konkurrenz machte?

Am schlimmsten war, dass er aussah, als fühlte er sich nicht wohl. Er zupfte ständig an den Manschetten und strich über die Aufschläge. Die steifen schwarzen Lederschuhe an seinen Füßen machten es auch nicht besser. Sie schienen ihn zu beschweren; vorher hatte sein Gang etwas lustig Hüpfendes, eine Beschwingtheit, die zu seinem verrückten Haar passte.

Annie sah auf die Uhr: zehn nach fünf. Sie könnte früher Schluss machen; es gab ja noch andere Läden …

»Ich glaube, wir sollten uns woanders umsehen. Kommen Sie!« Mit knappen Worten wies sie ihn an: »Ziehen Sie sich wieder an, dann gehen wir.«

Fragend zog er die Brauen hoch. In seinem ganzen Leben hatte er nie so viele Outfits an- und wieder ausgezogen, nie zuvor hatte er ein so eifriges Streben nach Perfektion erlebt, und außerdem gefiel ihm dieser blaue Anzug ganz gut. Seiner

Meinung nach sah er aus wie … na ja, wie jemand mit einem Schreibtischjob, wie jemand mit Geld … wie jemand, der sich mit einer so herrlich eleganten Frau wie Annie sehen lassen konnte.

Doch sie furchte die Stirn, und dieses Stirnrunzeln, das ein entzückendes V zwischen ihren Brauen hervorrief, galt nicht ihm. Nein, sie hatte den Anzug im Visier, und sie war damit nicht glücklich. Also zog er den plüschigen Samtvorhang der Kabine zu und begann, sich wieder einmal aus- und anzuziehen.

Durch einen der Seitenausgänge von *The Store*, zufällig gut einsehbar von Donnas Büro aus, machten sie sich in Richtung Jermyn Street auf den Weg zu einem riesigen, einzig und allein der Herrenausstattung gewidmeten Eckgebäude.

»Wir schauen uns nur ein wenig um«, wies Annie Ed an. »Sagen Sie mir, wenn Ihnen irgendetwas ins Auge sticht.«

Sie liebte dieses Geschäft. Es war der lebende, atmende Beweis dafür, wie verschieden Männer und Frauen an Garderobefragen herangingen. Während Frauen wissen wollten, was neu und was in war, und sich nicht darum scherten, aus welchem Material es bestand, wie es verarbeitet war, ob es zu eng oder sonst schlecht saß, wollten Männer das Traditionelle, Vertraute, Solide, Haltbare, Bequeme und Praktische.

Dieser Unterschied fiel Annie am stärksten bei offiziellen Veranstaltungen mit Krawattenzwang ins Auge, auf denen Männer schöne Anzüge trugen, die sie Jahr für Jahr immer wieder anziehen konnten, in denen sie fantastisch aussahen, die jedoch warm hielten und gestatteten, dass sie uneingeschränkt den Tafelfreuden zusprechen konnten. Frauen dagegen flatterten wie Schmetterlinge in wunderschönen Kreationen umher, in denen sie froren und nicht sitzen, geschweige denn essen konnten und die, wie Aschenbrödels Ballkleid, nur bis Schlag Mitternacht Bestand haben sollten.

In diesem Geschäft gab es Socken aus Baumwoll-, Woll- oder Kaschmir-Gemisch in drei Beinlängen, acht verschiedenen Größen und zwanzig verschiedenen Farben. Kleiderstangen hingen voll mit der Sorte von Anzügen und Mänteln, die fünfzehn Jahre und länger halten würden.

Die Krawatten wurden nicht nur in allen Regenbogenfarben angeboten, sondern auch in verschiedenen Breiten, verschiedenen Arten von Seide, verschiedenen Webarten.

Es gab Schals, Handschuhe und Hüte, Westen, Oberhemden mit Eckenkragen, mit Stehkragen, Kragen mit abgerundeten Ecken, Windsorkragen. Einzig die sachlichen, leise sprechenden Verkäufer konnten die ganze Palette der verfügbaren Kragenformen kennen.

»Falls der Herr Hilfe benötigt, zögern Sie bitte nicht zu fragen«, machte sich einer der tadellos gekleideten Verkäufer bemerkbar.

»Ja, hm … danke«, antwortete Ed ein bisschen verkrampft.

Annie spürte, dass die Situation ihn überforderte, kam ihm zu Hilfe und führte ihn zu den langen Kleiderstangen voller Tweedjacken.

»Sehen Sie sich die einmal an …« Sie strich mit einer Hand über die rauhen Stoffe. »Achten Sie darauf, ob Ihnen irgendeine ins Auge springt.«

Annie selbst schoss sich auf eine Jacke mit kleinem beigebraunem Karomuster mit einem Unterton von Weinrot ein und zog sie vom Bügel.

»Vielleicht gefällt Ihnen diese hier?«, fragte sie.

»Hübsch«, stimmte er ihr zu, »sehr hübsch.« Dann nahm er etwas viel zu Gelbes, aufdringlich Schwarzkariertes zur Hand.

»Ich weiß nicht«, warnte sie. »Rupert der Bär?«

»Da könnten Sie recht haben.«

Gemeinsam suchten sie Jacken, farblich abgestimmte karierte Hemden und Moleskin-Hosen aus. Sie ließ ihn in Krawatten kramen, verwickelte den Verkäufer in eine tiefgründige Diskussion über Krawatten und stellte Vergleiche an.

Lange Minuten verstrichen, während sie über Knoten und die Überlegenheit des traditionellen englischen Kammgarns sprachen.

Ed ging in der Umkleidekabine aus und ein, und Annie überprüfte alles auf Sitz, Farbe und Proportionen.

Vor den Schaufenstern gingen die Schutzgitter nieder, die Kassen wurden geschlossen, die Einnahmen zur Nacht gezählt, doch ihr Verkäufer versicherte: »Kein Problem, Sir, lassen Sie sich Zeit. Die richtige Kleidung ist sehr wichtig. Nehmen Sie die Gelegenheit wahr.«

Irgendwann waren Ed und seine Stylistin schließlich fertig. Die Arbeit war getan, die Kreation komplett.

Selbst der Verkäufer, George, wie sie ihn inzwischen ansprachen, bewunderte die Wirkung: »Ein bisschen exzentrisch, aber äußerst gefällig, Sir.«

Ed stand schick und angemessen gekleidet da und war doch noch ganz und gar Ed.

»Brillant!« Annie gestattete sich angesichts des Outfits ein Lächeln; Schluss mit dem Stirnrunzeln und den Furchen zwischen den Brauen!

Ed trug die beige-braun-weinrote Tweedjacke – die allererste, die Annie herausgesucht hatte – und darunter ein weißes Hemd im Landhausstil mit hellbraunem Karomuster. Eine sehr schmale goldene Krawatte aus feinster gesponnener Seide mit verkehrt herum fliegenden Enten war unter seinem Kinn zu dem für ihn typischen festen Knoten gebunden. Am auffälligsten aber waren die eng geschnittenen leuchtend weinroten Moleskin-Hosen. *Ganz der Rock-'n'-Roll-Star im Ruhestand auf seinem Landsitz*, dachte Annie.

Die langen Hosenbeine stießen leicht geschoppt auf weiche karamellfarbene Wildlederhalbschuhe mit gestanztem Muster. Und über alldem trug Ed einen weiten kurzen Trench in Beige mit leuchtend grünem Steppfutter und einen Schal: nüchterne Wolle in Beige auf der einen, verrücktes Paisleymuster in Weinrot, Gold und Orange auf der anderen Seite und an den Enden lange seidige orangefarbene Fransen.

Das Ensemble verstieß gegen sämtliche Regeln Annies. Nur weniges war aufeinander abgestimmt – na ja, gut, das Weinrot und das Beige passten gerade gut genug zusammen, um das Ganze zusammenzuhalten –, aber es sah fantastisch aus.

Ed sollte auf Annies Rat noch zwei weitere karierte Hemden, eine weinrote Krawatte und eine Moleskin-Hose in Beige kaufen, um sicherzugehen, dass sich jede Menge Kombinationsmöglichkeiten für die Jacke boten.

Außerdem legte sie ihm nahe, sich eine neue Brille zuzulegen – mit schmalem Goldrahmen – und eine »echt ausgeflippte Tasche«.

Indem er sich umdrehte und im Spiegel betrachtete, sagte er: »Wissen Sie, Sie beherrschen Ihren Job. Haben Sie schon einmal daran gedacht, Ihren Lebensunterhalt damit zu verdienen? Ich sehe aus wie ich selbst … aber viel besser!«

Es würde ihnen die Sprache verschlagen, er würde den Posten ganz sicher bekommen, das wusste sie.

»Ed«, sie suchte Blickkontakt im Spiegel, »Sie sind scharf, Baby!«

Ed errötete zunächst leicht und konnte dann offenbar nicht wieder aufhören. Er wurde tief burgunderrot im Gesicht.

»Nun mal langsam!«, riet sie ihm. »George! Ich glaube, Sie müssen seine Krawatte lockern!«

Annies Handy begann zu klingeln.

Als sie sich meldete, vernahm sie Grays Stimme in der Leitung. »Annie, was für wunderschöne Blumen!«, schnurrte er leise. »Das wäre nicht nötig gewesen. Wirklich nicht … Und wie soll ich das *Fiasko* von neulich wiedergutmachen?«

»Oh, Gray, hallo. Da fällt dir bestimmt das eine oder andere ein.«

Der Einkaufsmarathon hatte Ed offenbar erschöpft. Während sie ein Rendezvous mit Gray besprach, ging er zurück in die Umkleidekabine und zog die Vorhänge zu.

20.

Connors Freund Henrik:

Leuchtend pinkfarbenes Polohemd (Ralph Lauren)
Jeans (Paul Smith)
Slipper mit Obernaht (Büro)
Geschätzte Gesamtkosten: 220 £

»Hey, Connor, mein Guter, du hast mir den Tag gerettet!«

So, jetzt wissen wir alles über deinen ersten Versuch und die Fahrt zur Notaufnahme mit der Fahnenstange …« Connor beugte sich über den Tisch und sprach leise, während Annie und Dinah sich ihrerseits ihm zuneigten, um ihn verstehen zu können. »Aber die Millionen-Dollar-Frage, das, was Dinah und ich brennend wissen wollen, ist doch: dein dreckiger Dentist und du, habt ihr die Tat bereits vollbracht? Wir wissen, dass du letztes Wochenende wieder bei ihm zu Hause warst, Annie, also bitte … beichte! Wie war er? Hat er ein imposantes Instrument?«

Annie lächelte nur, während Dinah Connor zurechtwies: »Hey! Hier geht's um eine altmodische Romanze. Sie entwickelt sich hübsch langsam, damenhaft und nach Art des perfekten Kavaliers. Halte deinen hyperaktiven Sextrieb da raus.«

Connor schnaubte lediglich.

Der erste Gang wurde gebracht, serviert von einem Ober mit prachtvollem Gesäß und einem echt paristypischen Maß an Unhöflichkeit.

»Die Suppe?«, fauchte er und stellte die Tasse so heftig vor Connor ab, dass sie über den Rand schwappte.

Annie war nicht restlos von diesem Restaurant überzeugt. Es war erst in dieser Woche von Freunden Connors eröffnet worden, die von der neuartigen Idee besessen waren, einen Friseursalon mit einem Restaurant zu kombinieren. Wenn man hineinkam, standen Stühle und hübsch weiß eingedeckte Tische für Speisegäste bereit, aber dahinter, auf einer erhöhten Plattform, befanden sich Friseursessel, Waschbecken und die gesamte für einen Frisiersalon erforderliche Ausrüstung. Diese Kombination erschien Annie nicht sehr glücklich gewählt.

Sie konnte sich nicht vorstellen, von Leuten, die beim Mittagessen saßen, mit einem Kopf voller Alufolie zum Strähnchenfärben entdeckt zu werden.

»Soll ich mich beim Kellner beschweren, weil ich ein Haar in der Suppe gefunden habe?«, flüsterte Connor.

Doch diesen Plan vereitelte das Erscheinen eines der Besitzer an ihrem Tisch. »Hey, Connor, mein Guter, du hast mir den Tag gerettet!«, grüßte der große sehr blonde Mann im engen pinkfarbenen T-Shirt, der sich jetzt über ihren Tisch neigte.

»Henrik!« Connor begrüßte ihn wie einen lang entbehrten

Freund, stand auf und schloss ihn innig in die Arme. »Dieses Lokal ist spitze!«, schwärmte er.

Henrik wollte wissen, wie Connor und seine Gäste das Essen fanden, das Dekor, das Ambiente, einfach alles.

Alle drei äußerten so viele Komplimente und Schmeicheleien wie nur möglich, bis er sich schließlich trollte, nicht ohne zu versprechen, dass der Koch sich ihnen später noch vorstellen würde.

Connor gab sich redlich Mühe, daraufhin möglichst begeistert auszusehen.

»Los jetzt!«, drängte Connor Annie. »Spuck's aus! Es ist Sonntagnachmittag, du kommst zum Mittagessen bei Gray an und …? Erzähl weiter!«

»Okay, okay … Gray sah gut aus«, begann sie. »Er hatte sich augenscheinlich voll und ganz erholt von … dem Whirlpool-Vorfall.«

»Was hatte er an?«, fragte Dinah und verbiss sich ein hinterhältiges Grinsen.

»Er trug Schwarz«, antwortete Annie. »Schwarze Jeans, schwarzes Hemd, schwarze Leder-Flip-Flops und wirklich schöne Füße.«

»Mmmm.« Letzteres beeindruckte Connor. »Und was ist mit seinem Haar? Ist es echt oder ein Toupet?«

»Es ist nur gefärbt«, erklärte Annie leicht unterkühlt. »Das hatte ich bereits gesagt.«

»Schon gut, wie auch immer: Annie ist heiß auf Mr. Grecian 2000. Ausgezeichnet!«, stellte Connor fest. »Und seid ihr dann gleich zur Sache gekommen, oder war vorher Alkohol im Spiel?«

»Du musst es ihm nicht sagen!«, versicherte Dinah.

»O doch!«, beharrte Connor. »Wir sind eine Familie. Denk

nur einmal an alles, was wir für dich getan haben! Wir haben ein Recht, von Annies erster Nummer zu erfahren seit … ihm, dessen Name nicht genannt werden darf.«

»Wir haben zu Mittag gegessen«, fuhr Annie fort und überging Connors Bemerkungen, so gut sie konnte. »Gray hat ein Meeresfrüchte-Risotto mit Champagner aufgetischt. Er nahm den Taittinger zum *Kochen!*«

Connor war beeindruckt.

»Dann haben wir gegessen und geredet und den Rest getrunken, der noch in der Flasche war.«

»Aha …« Connor löffelte den letzten Mund voll Suppe aus seiner Tasse und drängte: »Und dann? Dann warst du in Stimmung für eine Zahnbehandlung? Eine eingehende Untersuchung des Mundraums?«

Dinah stieß ihm heftig den Ellenbogen in die Rippen.

»Wir sind zum Sofa gegangen … langsam!« Annie deckte die Hand über ihr Weinglas, so dass Connor nicht noch einmal nachschenken konnte. »Und es wurde … ganz hübsch heiß«, erklärte sie.

Sie mochte Grays Küsse. Sein Mund war sehr sauber und sondierend. Doch das schwarze Ledersofa war zu rutschig gewesen. Immer wieder musste sie sich mit einer Hand auf dem Boden abstützen, damit sie beide nicht herunterfielen, und das hatte sie abgelenkt.

Seine behutsamen Fragen – »Darf ich das hier öffnen, bist du damit einverstanden?« – hatte sie als reizend und gleichzeitig als nervtötend empfunden.

Doch die Aussicht darauf, sein perfekt gebügeltes schwarzes Hugo-Boss-Hemd aufzuknöpfen und mit der Zunge über die duftende, frisch geduschte braune Haut darunter zu fahren, weckte eine angenehme drängende Glut in ihr.

Indem sie einen Knopf nach dem anderen öffnete, entdeckte sie, dass seine Brustwarzen klein waren. Die Haut seines Oberkörpers war glatt und haarlos.

»Und habt ihr?«, fragte Connor.

»Gewissermaßen.«

»O nein, das Viagra hat ihn doch nicht wieder im Stich gelassen, oder?«, brachte Connor die Sache auf den Punkt.

»Nein!«, beteuerte Annie. Mit gesenkter Stimme fügte sie hinzu: »Im Krankenhaus haben sie eine neue Dosierung für ihn errechnet, die keinen Schwindel verursachte … und glaub mir, es ist schon recht eindrucksvoll.«

»O ja!«, ermutigte Connor sie.

»Wie ein Ladestock«, fügte Annie hinzu.

»Du Glückliche! Vielleicht solltest du uns bekannt machen«, konnte Connor sich nicht verkneifen zu sagen.

Eine Pause entstand, und sogar Dinah musste sich eingestehen, dass sie sehr interessiert daran war, jetzt auch den Rest zu erfahren.

»Nun … brachte er dann den Ladestock zum Einsatz?«, fragte Connor mit einem anzüglichen Grinsen. »Mund auf, Annie, ich bin Zahnarzt. Mund auf … kapiert?«

»Oh, ha, ha«, machte Dinah.

«Hm … nein. Es war ein bisschen zu viel, zu schnell. Ich habe gekniffen«, gestand Annie.

Sollte Connor vom Kern der Sache wissen – dass sie unter Zuhilfenahme des rutschigen Sofas Grays hitzigen Küssen in Richtung seines Nabels entschlüpft war?

»Du hast es dem Zahnarzt oral gemacht, ja?«, kam auch schon Connors erbarmungslose Frage.

»Darauf antworte ich nicht«, entgegnete sie.

»Hat er dich aufgefordert, den Mund weit aufzumachen –

und nicht zu schlucken?«, zog er sie auf, ohne den Ober zu beachten, der ihnen jetzt den Hauptgang vor die Nase setzte. »Nein, lass mich raten! Er hat dich gebeten, zu spülen und auszuspucken?« Connor lachte über seinen eigenen Witz.

»Darauf antworte ich *nicht!*«, wiederholte sie.

»Hör auf, Connor!«, warnte Dinah. Sie wusste nicht recht, ob Annie Spaß an diesem Geplänkel hatte oder nicht.

»Es war ein bisschen konfus«, vertraute Annie ihnen an. »Da lag ich nun, war überzeugt, dass ich mit dem Typen schlafen wollte … war wild entschlossen, Sex zu haben, und basta … Und als es zur Sache ging … tja … da war es ein zu großer Schritt für mich.«

»Wie hat er reagiert?«, fragte Dinah.

»Prima. Entzückend … sehr dankbar«, berichtete Annie.

»Ich wette, dass er das war!«, sagte Connor, und Annies freches Lächeln blühte wieder auf.

»Und hinterher?«, drängte Connor.

»Das war sehr gemütlich. Wir haben auf dem Sofa gekuschelt und konnten über alles Mögliche reden. Weißt du, er ist wirklich nett. Ich wollte, ihr zwei würdet ihn in Ruhe lassen. Er hat gesagt, dass ihm ganz schrecklich eine Ehefrau fehlt.«

»Seine Frau?«, wollte Dinah wissen.

»Nein. Ganz allgemein eine Ehefrau.«

Annie hatte Gray die gleiche Frage gestellt. »Nein, meine Frau fehlt mir weiß Gott nicht«, hatte er geantwortet. »Es war … nicht einfach, mit ihr zu leben. Aber jemand, zu dem ich nach Hause kommen, mit dem ich auch die kleinsten Dinge teilen kann – das fehlt mir.«

Er hatte nach ihrer Hand getastet und sie fest gedrückt.

»Das fehlt mir auch«, gestand sie ihm. »Natürlich habe ich

die Kinder, und die sind fantastisch … Ich weiß nicht, was ich ohne sie tun würde, aber die eine Hälfte eines Paars zu sein, das Leben mit jemandem zu teilen … das ist etwas ganz Besonderes«, sagte sie, ein bisschen nervös, dass sie zu viel von sich preisgeben, eine Grenze überschreiten könnte.

Doch Gray hatte nur genickt und wieder ihre Hand gedrückt.

»Dann sind wir in den Whirlpool auf der Dachterrasse gestiegen«, erzählte sie Connor und Dinah.

»Schön. Sehr schön«, sagte Dinah. »Hast du diese Zierkugeln dieses Mal in Ruhe gelassen?«

»Nackt oder im Badeanzug?«, fragte Connor.

»Im Badeanzug. Ich sagte doch schon, dass er ein echter Kavalier und sehr anständig ist. –

Dann fuhr er mich nach Hause, aber vorher machten wir noch einen kleinen Umweg zum Einkaufszentrum.«

»Mmm, das klingt gut«, bemerkte Connor.

»Ah – es *war* gut«, pflichtete Annie ihm bei. »Er kaufte mir ein sehr schönes Paar Schuhe.«

»Zeigen!«, verlangte Dinah. Das war einfach. Annie hob einen Fuß. Seit Sonntag hatte sie jede wache Minute in diesen anbetungswürdigen spitzen Pumps aus ganz hellem biskuitgoldenem Leder mit einem Hauch von Glitzer verbracht.

»Hübsch. Marc Jacobs?«, versuchte Dinah zu raten.

»Miu Miu.« Annie betrachtete liebevoll ihre Schuhe. Sie waren so schön: mädchenhaft, partybereit, beschwingt, und Gray hatte sich beim Schuhkauf als sehr geeigneter Begleiter erwiesen. Er schien zu verstehen, warum Schuhe so gut als Stimmungsaufheller wirkten: weil man für Schuhe nie zu dick war … Es konnte nicht passieren, dass man unbemerkt plötzlich eine Größe zugelegt hatte. Sie waren das perfekte

Geschenk für einen selbst, man erhielt sie in einer Schachtel, in Seidenpapier gehüllt, jungfräulich und unberührt.

»Sieh sie dir an, und erblasse vor Neid, Dinah«, sagte Connor und streichelte den Schuh. »Von diesem Mann könnte Bryan noch viel lernen.«

»Inwiefern?«, fragte Dinah ein bisschen spitz.

»Er hätte so viel mehr Sex, wenn er dich hinterher zum Shoppen einladen würde, oder? Für Miu Miu würdest du bestimmt sogar etwas ganz Versautes tun.«

»Bryan braucht mir nichts zu kaufen«, schmollte Dinah, schickte jedoch rasch hinterher: »Aber wenn Gray Annie etwas schenken will, ist das doch nett. – Und jetzt fragen wir dich nach deinem Sexleben aus«, fuhr Dinah fort, da Connor seit drei langen Wochen (rekordverdächtig?) einen Lover hatte, der wahnsinnige Begeisterung in ihm weckte. »Und wir werden dich nicht schonen«, fügte Dinah hinzu.

Connor sah sie auf ernsthaft ungewöhnliche, glückselige Art und Weise an und schob sein weißes T-Shirt hoch. Über seinen Waschbrettbauch zog sich vom Hüftknochen bis zur Achsel eine feine rote Linie – wie gestrichelt, als rührte sie von einer schmalen Kette her, nicht von einer Fessel. Zu beiden Seiten seiner rosigen Brustwarzen waren außerdem Bissspuren zu sehen, und ein nagelneuer Metallstecker zierte seinen wund aussehenden Nabel.

»Es ist Liebe, ganz eindeutig«, sagte Connor. »Wo soll ich anfangen?«

Dinah stieß einen kleinen Schrei aus und sagte: »Schon gut, das reicht – wirklich!«

Connor griff nach seinem Weinglas und hob es an; Dinah und dann auch Annie folgten seinem Beispiel.

»Auf die Liebe!«, sagte Connor.

Annie saß, die Füße hochgezogen, mit einer großen Schüssel Popcorn auf dem großen Sofa. Owen kuschelte sich an ihre eine, Lana an ihre andere Seite. Vor ihnen lagen zwei Pizzaschachteln vom Lieferservice, und alle drei waren im Pyjama, denn es war Dienstagabend: DVD-Abend. Wann immer es an einem Dienstag möglich war, machten die drei es sich bei einer Pizza gemütlich und kicherten sich durch einen Abend möglichst komischer Blockbuster.

Als das Telefon klingelte, beugte Annie sich vor, doch Lana empfahl: »Überlass es dem Anrufbeantworter. Jetzt kommt eine echt gute Stelle, ich will nicht auf Pause schalten.«

»Musst du ja auch nicht«, sagte Annie, »aber ich glaube, ich sollte lieber …«

»Muuum!«, beklagte sich Lana. »Nicht! Ich müsste die Füße bewegen, und die Gemütlichkeit wäre dahin!«

»Lana!« Annie schob Lanas Füße von ihrem Schoß und stand auf. »Es dauert nicht lange.«

Lana gab keine Antwort, Owen löste den Blick nicht eine Sekunde lang vom Bildschirm, und Annie eilte aus dem Zimmer, um den Anruf in ihrem Schlafzimmer entgegenzunehmen, bevor es zu spät war.

»Hallo, du, schön, deine Stimme zu hören …«

Als Annie diese Worte hörte, fand sie voller Entzücken bestätigt, was sie vermutet hatte: Gray rief sie an.

Sie legte sich zu einem vergnüglichen Plausch aufs Bett zurück und hörte sich voller Interesse an, was sich an diesem Tag in der Holdenschen Dentalwelt ereignet hatte.

Nachdem sie ihre Neuigkeiten mitgeteilt hatten, machten sie Pläne für ihr nächstes Treffen.

»Ich möchte dich viel öfter sehen«, schnurrte Gray, »viel, viel öfter!«

Annie wurde durch Lanas Eintritt ins Zimmer abgelenkt.

»Bist du allein?«, fragte Gray.

»Nein, jetzt nicht mehr.«

»Wie schade«, erwiderte er. »Ich wollte so gern ganz privat mit dir plaudern … ganz privat.«

Der anzügliche Unterton war nicht zu überhören. Diese Art von Telefongespräch …

»Klingt interessant«, sagte sie. »Ich rufe dich auf jeden Fall später noch einmal an.«

»Ich freue mich darauf.«

»Bis später dann.«

»Bis später.«

»Wie läuft deine Auktions-Website denn so?«, wandte Annie sich an Lana, die immer noch an der Tür lungerte. Neutrale Fragen waren die beste Medizin, wenn Lana schmollte.

»Prima, du solltest sie dir einmal ansehen. Da gibt es Sachen, die sogar du vielleicht ersteigern würdest«, kam auch prompt die Antwort. »Das war der Zahnarzt, stimmt's?«, fragte Lana dann und warf sich auf den freien Platz auf dem mit fliederfarbener Seide bezogenen Bett ihrer Mutter.

»Es war *Gray*, ja, Lana«, sagte Annie mit Nachdruck und strich mit der Hand über den Kopf, der sich jetzt auf der Höhe ihres Ellenbogens gebettet hatte.

Lana stieß einen tiefen Seufzer aus und sagte: »Ich kann deinen Freund nicht leiden. Aber ich versuche, ihm vorurteilsfrei zu begegnen.«

»Hm, das ist sehr nett von dir. Ich versuche, mich deinem Freund gegenüber genauso zu verhalten.« Annie hätte es gern dabei belassen, verspürte jedoch wenig später schon den nervigen Drang zu fragen: »Was gefällt dir nicht an Gray?«

»Zunächst einmal der Name«, erklärte Lana. »Du weißt doch, dass er in Wirklichkeit Gary heißt, oder?«

»Oh.« Nein! So stark auch ihr Verdacht war, dass Gray für einen richtigen Vornamen dann doch etwas zu exotisch, zu aalglatt war, hatte sie doch nicht mit einer so banalen Wirklichkeit gerechnet. Gary??!

»Woher weißt du das?«, wollte Annie wissen, während sie den leisen Verdacht hegte, Lana könnte es erfunden haben, um Gray eins auszuwischen.

»Gran hat's mir gesagt.«

»Wann?«

»Als ich sie danach gefragt habe.«

Hmmm. Annie würde zunächst einmal Fern vernehmen, ihre Quelle ausfindig machen. Vielleicht hatte Fern nur geraten.

»Gary gibt ganz schön an, findest du nicht?«, fuhr Lana fort und kratzte ihren bloßen Fuß mit den schwarz lackierten Zehennägeln des anderen.

»Er ist ein erfolgreicher Mann. Er ist stolz auf sich und verfügt über ein gewisses Selbstbewusstsein«, erklärte Annie. »Bezeichne ihn nicht als Angeber, denn das klingt fies – und ehrlich, ich finde ihn ziemlich nett.«

Lanas mürrische Entgegnung ließ nicht auf sich warten. »Er ist aber nicht so wie Dad, nicht wahr?«

»Nein«, antwortete Annie sanft. »Aber dein Dad ist ja nicht mehr bei uns, oder? Also solltest du jemand anders, jemandem wie Gray, wenigstens eine Chance geben. Bitte!«

Daraufhin hätte Lana beinahe gelächelt.

»Ich glaube, wir alle könnten glücklich sein mit jemandem, der nett und fürsorglich ist, der sich um uns alle kümmern würde. Mit jemandem, der mir einen Großteil meiner Sorgen abnehmen könnte …«

»Mit jemandem, der reich ist«, lautete Lanas Interpretation.

Annie wandte sich ihrer Tochter zu, um ihr während des Gesprächs in die Augen sehen zu können. »Weißt du, so etwas zu sagen ist auch ziemlich fies, Lana. Glaubst du wirklich, Geld wäre das Einzige, was mich an Gray interessiert?«

»Ich wüsste nicht, was er sonst zu bieten hätte.« Lana war unübersehbar verstimmt; sie hatte die Arme so fest über ihrem schwarzen Top verschränkt, dass sich ihre zahlreichen silbernen Armkettchen und -spangen in ihre Haut graben mussten.

»Er sieht gut aus, ist rücksichtsvoll, interessant. Ich unterhalte mich gern mit ihm. Er hat einen guten Geschmack. Wir haben sehr viel gemeinsam.« Nicht eines von diesen Argumenten überzeugte Lana, die jetzt über ihre verschränkten Arme hinweg stur geradeaus starrte.

»Ich weiß nicht … Er gibt mir das Gefühl, ebenfalls interessant zu sein … geschätzt zu werden …«, brachte Annie einigermaßen gereizt vor. »Im Gegensatz zu einigen Leuten, die ich jetzt nicht beim Namen nennen will«, folgte der kleine Seitenhieb.

»Er ist so *alt!*«, war Lanas verächtliche Antwort. »Und das alles hört sich wahrhaftig nicht nach wilder leidenschaftlicher Liebe an.«

»Nein, das ist es auch nicht!« Annie gab sich Mühe, nicht laut zu werden. »Das erwarte ich gar nicht. Ich wäre schon mit etwas Behaglicherem, Kameradschaftlicherem glücklich.«

»Trotzdem wirst du mit ihm schlafen müssen«, wandte Lana ein. »Möchte wissen, ob er dann seine Perücke abnimmt. Hattest du schon Sex mit ihm?«

Daraufhin empfand Annie ein erstaunlich machtvolles

Aufwallen von Zorn, und sie fauchte: »Er trägt keine Perücke! Und wie würdest du es finden, wenn ich mich auf diese Weise nach deinem Sexleben erkundigen würde?«

Sie bereute es auf der Stelle. So hatte sie das eng vertrauliche Mutter-Tochter-Gespräch nicht eingeübt, auf das sie sich im Geiste vorbereitet hatte, seit Seth seinen Auftritt gehabt hatte.

Lanas Reaktion war ein verächtlich-finsterer Blick.

»Hör zu«, setzte Annie an und versuchte, wieder zu dem in dieser Situation angemessenen nüchtern-freundlichen Tonfall zurückzufinden. »Ich habe noch nicht mit Gray geschlafen. Aber wenn ich es tue, dann aus den richtigen Gründen.«

»Dito«, sagte Lana.

»Vierzehn ist zu jung für Sex, Lana.« Annie bemühte sich immer noch um einen freundlichen, ermutigenden Ton. Sie konnte es nicht fassen, tatsächlich über die sehr realistische Möglichkeit zu sprechen, dass ihr kleines Mädchen … Na ja, sie hatten auch in der Vergangenheit schon oft über Sex gesprochen, aber das war so viel abstrakter gewesen, viel einfacher zu ertragen. Annie rang mit dem instinktiven Drang zu schreien: »*Nein!* Tu's nicht! Es ist zu früh – für dich und für mich!«

»Habe ich dich um Rat gefragt?«

Das blasse kleine Gesicht neben ihr war spitz, wandte sich ab und verschloss sich in diesem Augenblick vor ihr.

»Ich wäre so glücklich, wenn du mich um Rat fragen würdest, Lana. Und ich will auch versuchen, so aufgeschlossen zu sein wie nur möglich«, versprach Annie, so ruhig sie konnte. Sie hatte das Gefühl, gerade um fünf Jahre gealtert zu sein.

Nach einer lastenden Stille beschloss Lana, noch einen

anderen wunden Punkt zur Sprache zu bringen: »Warum müssen wir diese Wohnung verkaufen, Mum? Ich will nicht schon wieder umziehen. Ich will nicht schon wieder in so einem grottigen Loch mit vergammeltem Teppichboden, einer ekligen Toilette und einem scheußlichen Schlafzimmer leben. Ich will das nicht! Und das hier ist schließlich nicht irgendeine olle Wohnung! Das hier war unser Zuhause mit Dad zusammen!«, brach es aus ihr heraus. »Bedeutet dir das denn gar nichts? Kannst du dir nicht vorstellen, dass Owen und ich gern in unserem Elternhaus bleiben möchten? Immer denkst du nur an dich und wie du noch mehr Geld für dich selbst kriegen kannst!«

»Ich glaube nicht, dass das jetzt sehr fair war, Lana«, warnte Annie. »Ich muss für euch beide und für mich sorgen, und das ist ziemlich teuer.«

»Ja, gut, aber du bist auch ziemlich teuer.« Damit stand Lana auf, riss die Türen zu Annies eingebautem weißem Kleiderschrank auf und schob alle Kleidungsstücke auf der Stange auf eine Seite.

»Lana!« Annies Warnung, keinen Schritt weiter zu gehen, war deutlich, doch Lana nahm sich jeden Bügel einzeln vor.

»Gucci«, las sie auf dem Etikett des ersten Tops, »Valentino, Nicole Farhi, Paul Smith, Westwood, Diane von Fürstenberg, McQueen, Farhi, Smith, Smith, Westwood, Whistles, Karen Millen – in dieser Woche hast du geschlampt – und zurück zu Gucci. Mein Gott, hier ist ein Chanel! Muss ich weitermachen, oder hast du's kapiert?«

»Lana!« Angesichts dieser kleinen Gardinenpredigt konnte Annie ihre Wut kaum noch zügeln. »Du weißt, wie schwer ich arbeite, und du weißt auch, wo ich arbeite. Du weißt ganz genau, dass ich alles an Kleidung, was ich kaufe, stark verbilligt bekomme und dass ich mich zur Arbeit in *The Store* wirklich schick anziehen muss. Ja, vielleicht müssen wir die Wohnung verkaufen, einfach aus praktischen Gründen, einfach nur, um sicherzugehen, dass wir genug Geld auf der Bank haben, um uns die tolle Schule leisten zu können, auf die ich euch schicke und die du immerzu mit solcher Entschlossenheit angreifst und niedermachst und unterminierst. Weißt du was? Vielleicht solltest du eines Tages auch einmal versuchen, hart zu arbeiten. Niemand gibt dir tolle Zeugnisnoten, weil du so cool bist, Lana! Niemand gibt dir einen tollen Job, weil du in der Schule zu den Rebellen gehört hast! Du erntest, was du säst, Lana, und vielleicht ist es höchste Zeit, dass du das begreifst!«

Lanas Antwort war ein wütendes: »Hah! Und du willst vermutlich all deine Probleme lösen, indem du deinen reichen Zahnarzt heiratest, wie?«

»Halt den Mund, Lana!«, schoss Annie zurück. »Ich habe mich ein paarmal mit Gray getroffen, und ich mag ihn. Wer hat gesagt, dass er reich ist? Ich nämlich habe ihn nicht nach seinen Kontoauszügen gefragt ... Und wer spricht von Heirat? Meinst du nicht, dass du dich ziemlich im Ton vergreifst?«

»Ich ziehe hier nicht aus!«, schrie Lana sie an. »Du kannst mich nicht zwingen. Ich gehe nicht raus aus dieser Wohnung, und damit basta. Lieber gehe ich von der Schule ab!«

»Ach ja? Gut, in Ordnung, morgen früh gehe ich mit dir zur ...« Annie nannte den Namen der übelsten Gesamtschule in der Gegend, die ihr einfiel, und beobachtete die Reaktion ihrer Tochter.

»Ja, einverstanden. Suzies Freund ist dort, und er sagt, es ist cool.«

»*Cool*, es reicht mir!« Annie kreischte nahezu. »Was cool ist, interessiert keinen Menschen. Niemand kümmert sich einen … einen …« Es gelang ihr, das Wort, das ihr auf der Zunge lag, zu »Dreck« abzuschwächen.

Doch jetzt stürmte Lana zur Tür hinaus, knallte sie hinter sich zu und schrie: »Ich muss hier raus!«

Mit klopfendem Herzen blieb Annie auf ihrem Bett liegen.

Etwa zwanzig Minuten später beschloss sie, nachdem sie sich durch energisches Nägelfeilen ein wenig beruhigt hatte, das Schlafzimmer zu verlassen und nach dem Rechten zu sehen.

Im Wohnzimmer hatte Owen den Fernseher ausgeschaltet, Pizza- und Popcornreste weggeräumt und saß jetzt lesend auf dem Sofa.

»Hey, Owen.« Sie fuhr ihm mit den Fingern durchs Haar. »Du hast aufgeräumt, danke, du bist ein Schatz. Das alles tut mir wirklich leid. Entschuldige! Wir haben uns den Film verdorben, den Abend verdorben … und wir hätten uns nicht so anschreien dürfen.«

»Ich weiß«, sagte Owen. Er hob den Blick nicht von seinem Buch.

»Mum?«

»Ja?«

»Wusstest du, dass es schon seit fünfhundertdreißig Millionen Jahren Quallen auf unserem Planeten gibt?«

»Tja, Schätzchen, mag sein, denn man kann sie nicht essen, nicht verbrennen, nicht zu Kleidung und ganz bestimmt nicht zu Schuhen verarbeiten. Ist Lana in ihrem Zimmer?«

»Nein. Sie ist ausgegangen«, antwortete er.

»Was?! Sie hat die Wohnung verlassen?«

»Ja.«

»Wann?«

»Kurz nach dem Streit.«

»Hat sie gesagt, wohin sie geht?«

»Sie hat überhaupt nichts gesagt.«

»Warum hast du mich nicht gerufen?«

»Ich hatte Angst, du warst so laut«, erwiderte Owen darauf, und jetzt fühlte Annie sich wie die schlimmste Rabenmutter der Welt.

Sie rannte zum Telefon, wählte Lanas Handynummer und wurde sogleich mit der Mailbox verbunden: »Lana, sei nicht albern, ruf mich an und sag mir, wo du bist!« Päng! Sie legte den Hörer auf und fing dann an, reihum sämtliche Eltern von Lanas Freundinnen anzurufen.

Eine Stunde später war Annie den Tränen nahe. Trotz der tröstlichen Worte der sechs Elternteile, mit denen sie gesprochen hatte, war sie in panischer Angst um ihre Tochter.

»Ihr wird schon nichts zugestoßen sein«, hatte Gretas Mutter ihr versichert. »Greta hat vor ein paar Wochen genau das Gleiche getan, ist einfach weggelaufen zu irgendeiner Freundin und stundenlang fortgeblieben, nur, um mir Angst einzujagen. Ihr habt doch kein größeres Problem, oder?«

»Nein«, versicherte Annie, »ich glaube nicht. Wir hatten nur eine der üblichen dummen Diskussionen.«

»Könnte es sein, dass sie sich zu ihrem Freund geflüchtet hat?«, fragte Gretas Mutter.

»Er lebt in Essex. Sie hätte zum Bahnhof gehen, einen Zug finden müssen … Ich weiß nicht«, gab Annie zu, »ich habe seine Telefonnummer nicht, auch nicht seine Handynummer … Ich kenne nicht einmal seinen Nachnamen!«

»Ich versuche einmal, etwas in Erfahrung zu bringen. Und wenn Greta etwas von ihr hört, rufe ich dich an, okay? Mach dir bitte nicht so große Sorgen!«

Doch als Annie, nachdem sie noch eine Nachricht auf Lanas Mailbox hinterlassen hatte, den Hörer auflegte, war ihr bewusst, dass sie Angst hatte und an ihren Schuldgefühlen erstickte.

Es war 23.40 Uhr, als das Telefon klingelte.

Annie riss den Hörer ans Ohr und meldete sich mit einem hoffnungsvollen »Hallo?«.

»Jetzt bist du allein, nicht wahr?«, antwortete eine heisere Stimme. »Ich bin auch allein und muss immerzu an dich denken und an all die Dinge, die ich gern mit dir machen würde …«

»Gray, jetzt nicht«, sagte sie knapp. »Tut mir leid. Lana ist gegangen … ohne Erlaubnis, und ich warte auf ihren Anruf, um zu hören, dass ihr nichts passiert ist.«

»Oh!«

Eine Pause folgte.

»Tut mir leid«, wiederholte Annie. »Kann ich dich morgen anrufen?«

»Ja, kein Problem.« Abrupt legte er auf.

Falls Gray sich nie wieder meldete, wäre es Lanas Schuld … Und wie Lana sich darüber freuen würde! Annie spürte Wut aufsteigen. War sie in Bezug auf Seth auch so destruktiv gewesen? Aber das war etwas völlig anderes! Seth war siebzehn! Viel zu alt für eine Vierzehnjährige. Lana konnte nur bei Seth sein, oder?

Es war schon fast 0.30 Uhr, als das Telefon wieder klingelte, und Annie, die hellwach im Bett saß und nervös an ihrem Nagellack knibbelte, griff hastig nach dem Hörer.

»Lana! Um Himmels willen …«, setzte sie an.

»Ähm«, ertönte eine Männerstimme.

»Gray! Jetzt nicht!«, fauchte sie.

»Mein Name ist Matthew Lawrence«, wurde sie informiert. »Entschuldigen Sie, dass ich so spät noch anrufe. Es geht um Lana.«

»Oh!« Annie empfand nichts als blinde Angst – all das Furchtbare, das Lana zugestoßen sein könnte, schoss ihr blitzartig durch den Kopf.

»Ich bin Seths Vater, und Lana ist hier bei uns«, fuhr Matthew ruhig fort.

»Oh, dem Himmel sei Dank!« Der erstickende Druck auf Annies Herzen ließ ein bisschen nach.

»Hm, tut mir leid, dass ich mich so spät melde. Ich wusste nicht, dass sie hier ist, denn ich war außer Haus. Sie war oben bei Seth, und sie sind eingeschlafen ... vor dem Fernseher«, fügte er hinzu, wenngleich Annies Sorge wegen Sex mit Minderjährigen dadurch kein bisschen gedämpft wurde.

»Ich habe sie geweckt und ihr geraten, Sie anzurufen, aber ... hm ... sie will nicht.« Bei diesen Worten war die Verlegenheit in seiner Stimme nicht zu überhören. »Sie hatten wohl Krach.«

»Oh.« Annie musste plötzlich vehement gegen die Tränen kämpfen.

»Wie auch immer, ich habe ihr gesagt, dass ich Sie anrufe, damit Sie wissen, dass sie in Sicherheit ist. Sie kann bei uns übernachten, sofern Sie damit einverstanden sind ... Sie kann im Zimmer meiner Tochter Libby schlafen«, fügte er rasch hinzu.

»Das alles tut mir so leid«, begann Annie.

»Nein, ehrlich, Mrs. Valentine. Seth ist unser drittes Kind, und wir haben das alles schon erlebt.«

Annies lautes Schniefen konnte am anderen Ende der Leitung nicht verborgen bleiben.

»Das geht vorbei«, beschwichtigte Seths Vater sie. »Ich

kann sie morgen früh nach London rein fahren; sie dürfte noch pünktlich zur Schule kommen.«

»Geht das wirklich? Ich will Ihnen keine Umstände machen …«

»Nein, das geht schon klar«, erwiderte er.

»Sie ist erst vierzehn«, hörte Annie sich herausplatzen. »Ich bin nicht einmal sicher, ob Seth das weiß.«

»Tja, ich werde dafür sorgen, dass er es erfährt, und keine Angst, wir geben schon auf sie acht!«

Annie blieb nichts anderes mehr zu tun, als dieser freundlichen Stimme am anderen Ende der Leitung zu vertrauen und Seths Vater eine gute Nacht zu wünschen.

Als sie den Hörer aufgelegt hatte, grub sie ihr Gesicht ins Kissen und überließ sich dem heftigen stoßartigen Schluchzen, das ihr schon den ganzen Abend in der Kehle gesteckt hatte.

Wie schafften andere Leute es, ihre Kinder allein großzuziehen? Wie konnte man das überhaupt schaffen?

21.

Annie auf der Yacht:

Weiße abgeschnittene Jeans (Tesco)
Rotes Top mit U-Boot-Ausschnitt (Joseph)
Rot-weiße Turnschuhe (La Redoute)
In den Pferdeschwanz geflochtenes schwarz-weiß-rotes Tuch (Tie Rack)
Leichter schwarzer Regenmantel (Miss Selfridge)
Geschätzte Gesamtkosten: 110 £

»Hat jemand eine Plastiktüte? Schnell!«

Gray holte die drei mit dem Auto ab: mit seinem wunderschönen neuen Fünfundvierzigtausend-Pfund-und-mehr-Mercedes in Rot mit Faltdach, leuchtend roten Polstern und pechschwarzem Armaturenbrett voller Digitalanzeigen. Annie hatte keine Ahnung, was an dem silbernen auszusetzen gewesen war, den er dagegen eingetauscht hatte, aber offenbar hatte er im letzten Jahrzehnt seinen Wagen alljährlich durch das nächstbessere Modell ersetzt. Das war wohl ein nicht zu unterdrückender männlicher Zwang … vergleichbar dem Verlangen nach einer neuen Handtasche, nur eben viel, viel kostspieliger.

Nachdem Lana ausgebüchst war, hatten Annie und Gray beschlossen, dass er sich bemühen sollte, ihre Kinder besser kennenzulernen. Und da die Einladungen zu gemütlichem Essen und Ausflügen in die Stadt sich nicht so bewährt hatten – Owen schwieg und Lana schmollte –, hatte Gray mit dem kühnen neuen Plan einer ganztägigen Unternehmung aufgewartet.

»Ein Freund von mir besitzt eine Yacht«, verkündete er. »Er hat mir angeboten, uns alle für einen Tag mit hinaus zu nehmen, sobald wir gutes Wetter haben. Warst du schon einmal segeln, Annie?«, wollte er wissen und fuhr gleich fort: »Es ist fantastisch! Es macht den Kopf frei … Vielleicht kaufe ich mir eines Tages selbst so ein Bötchen.«

Obwohl ihr Vater Seemann gewesen war, konnte Annie sich nicht erinnern, je den Fuß auf ein Schiff gesetzt zu haben, abgesehen von einem Trip mit dem Ruderboot auf der Serpentine im Hyde Park oder wüsten Überfahrten auf der Fähre von London nach Calais und zurück. Es klang nach Sonnenglitzern auf dem Wasser, sprudelndem Gin Tonic an Deck und persilweißer Ralph-Lauren-Kleidung.

Im Laufe des Aprils hatte sich das Wetter gebessert, und damit rückte auch Grays Segelausflug näher.

Eines frühen Morgens glitt sein Wagen in ihre Straße in Highgate, und Gray stand mit Blumen für Annie und Lana und einer übergroßen Tafel Schokolade für Owen vor der Wohnungstür.

»Du sollst nicht glauben, dass du uns ständig Geschenke mitbringen musst«, schalt Annie ihn.

»Schschsch!«, machte er. »Es mag ja viele Gründe zum Schimpfen für dich geben, aber das hier ist keiner.«

»Owen!«, warnte sie. »Komm nicht auf die Idee, von der Schokolade zu essen, bevor wir ins Auto steigen! Bring sie in dein Zimmer!«

Es brauchte Zeit, den Mercedes zu beladen. Annie hatte drei große Kühltaschen mit Proviant fürs Picknick gepackt sowie eine Tasche mit Kleidung und Schuhen zum Wechseln, wie Gray sie angewiesen hatte: »An Bord einer Yacht kann es ganz schön nass werden.«

»Ach, wirklich?«, erwiderte sie so frech wie möglich, denn seit der Ledersofa-Episode war es kaum noch zu Turteleien mit Gray gekommen, und sie hatte beschlossen, die Sache selbst in die Hand zu nehmen und ihre Verführungskünste einzusetzen. »Nach dem Segelausflug könnte ich uns bei mir zu Hause ein Abendessen machen … und du bleibst über Nacht?«

»Hm …« Seine Brauen zuckten.

Nachdem also alles in den Wagen geladen war, schnallte Annie sich auf dem Beifahrersitz an, und Lana und Owen machten es sich im Fond gemütlich.

In einem erstaunlichen Anfall von Kinderfreundlichkeit hatte Gray beschlossen, den im Fond eingebauten DVD-Player samt Bildschirm zu nutzen. Also mussten die Kinder sich nur noch auf einen Film einigen (Annies UN-Verhandlungsgeschick musste bemüht werden), die Kopfhörer einstöpseln und genießen. Allerdings hatte Gray darauf bestanden, dass die beiden ihre Schuhe auszogen, damit die Bodenmatten und die Rückseiten der Vordersitze nicht beschmutzt wurden, was Annie ein bisschen übertrieben fand. Offenbar hatte es ihn geschmerzt, die Plastik-Schutzbezüge von den

Sitzen zu entfernen und gewöhnlich Sterblichen darauf einen Platz einzuräumen.

»Hm … Lana?«, meldete er sich jetzt leicht verlegen. »Ich möchte nicht, dass im Wagen gegessen wir. Ist das okay?«

»Das ist doch nur ein Kaugummi!«, fauchte Lana.

»Tja, tut mir leid. Ich hoffe, es macht dir nichts aus, aber würdest du ihn bitte entsorgen? Er könnte ja sonst durch einen dummen Zufall versehentlich auf dem Teppich landen.« Er fragte sehr nett, doch der darauf folgende Seufzer verriet, wie sauer Lana war.

Im ersten Moment konnte Annie sich nicht entscheiden, wen sie auffordern sollte nachzugeben … doch die Vorstellung, dass Gray einen DVD-Player *extra für ihre Kinder* eingebaut hatte, gab den Ausschlag.

»Lana!«, knurrte sie.

Als der anstoßerregende Kaugummi endlich entsorgt war, konnten sie starten.

»Schade, dass es nieselt«, sagte Gray, als sie aus der Stadt hinaus in Richtung Autobahn fuhren. »Sonst könnten wir das Verdeck öffnen und uns frischen Wind um die Ohren wehen lassen.«

»Weiß nicht, ob Nordlondon viel frischen Wind zu bieten hat, mein Junge«, erinnerte sie ihn.

»Du solltest dir überlegen, ob du nicht aufs Land ziehen willst«, entgegnete er. »Frische Luft, viel Grün, viel mehr Platz …«

Eine unbeschwerte Debatte über die Pros und Kontras entwickelte sich zwischen ihnen. Annie spürte ein unterschwelliges aufgeregtes Kribbeln, weil sie sich fragte, ob er sie aushorchen wollte – ob er womöglich anregen wollte, dass sie zu ihm nach Essex aufs Land zog … irgendwann einmal.

Was würde sie tun, wenn er sie fragte? Während sie spielerisch Einwände wegen der langen Anfahrt zur Arbeit (sogar mit einem so atemberaubenden Wagen wie diesem) vorbrachte, versuchte sie, über die Antwort nachzudenken.

Auf der M25 herrschte dichter Verkehr, obwohl es noch früh am Sonntagmorgen war, und sie kamen nur langsam und stoßweise voran, doch schließlich hatten sie die M11 erreicht, und Gray konnte ordentlich raufschalten und seine rote Schönheit auf die Überholspur lenken, wo sie hingehörte.

»Mum, mir ist ein bisschen schwindlig«, kam die erste Warnung von Owen.

»Oje.« Annie drehte sich nach ihm um. Er sah ganz gesund aus. Vielleicht war der DVD-Player im Auto doch nicht so eine gute Idee. Früher schon hatte Owen manchmal unter Reisekrankheit gelitten, doch das hatte sich mittlerweile eigentlich gelegt. »Vielleicht solltest du den Bildschirm ausschalten und dich ein Weilchen einfach bequem zurücklehnen«, schlug sie vor.

»Fehlt ihm etwas?«, fragte Gray.

»Es sieht nicht so aus«, versicherte sie.

Zehn Minuten später, als Owen bekanntgab, dass er sich *wirklich* nicht gut fühlte, spornte sein Anblick Annie zu raschem Handeln an. Sein Gesicht war weiß mit einem unverkennbaren Hauch Grün, und auf seiner Oberlippe hatte sich ein Bärtchen aus Schweißperlen gebildet. Er musste sich übergeben, kein Zweifel.

Unvermittelt straffte sie den Rücken und wies Gray an, auf den Seitenstreifen zu fahren, »so schnell wie möglich!«, doch sie befanden sich auf einer dreispurigen Autobahn auf der Überholspur. Sie verstand, dass es dauern würde.

»Hat jemand eine Plastiktüte? Schnell! Lana – irgendetwas in der Art?«

Sie war dermaßen in Panik wegen Grays neuer Autositze, dass ihr sogar der Gedanke kam, ihre Handtasche zu entleeren und sie Owen zu überlassen. Aber es war eine erlesene Mulberry mit kariertem Futter. Sie wäre doch bestimmt entschieden schwieriger zu reinigen als die Autopolster?

Annie und natürlich auch Roddy hatten gelernt, wie man während eines Anfalls von Reisekrankheit am besten fuhr: so ruhig wie möglich, ohne plötzliche Schwenker oder unnötiges Bremsen. Doch Gray lenkte den Wagen ruckartig auf die mittlere Spur, woraufhin Owen sein T-Shirt vollkotzte, dann stieß Gray in Panik auf die langsame Spur, woraufhin Owen sich noch heftiger übergab, und zwar auf seine Knie.

Der durch ABS verursachte abrupte Stopp auf dem Seitenstreifen … na ja, Owen versuchte tapfer, mit den Händen vor dem Mund das Desaster aufzuhalten, doch es quoll über und platschte neben ihn auf den knackig neuen roten Sitz.

Völlig erledigt ließ Owen die Hände sinken, und zwei Lachen von Erbrochenem tropften auf den Sitz und dann an seinem Hosenbein herab auf die schwarze Bodenmatte.

»O Sch-Schande!« Annie konnte sich gerade noch beherrschen.

Grays Gesicht verzerrte sich vor Anspannung. Annie konnte nicht sagen, ob es ein Lächeln oder eine Grimasse war. Vielleicht war es eine Grimasse als Ergebnis seines Versuchs zu lächeln.

»Keine Angst!«, sagte sie, sowohl an Owen als auch an Gray gewandt. »Ich nehme das in die Hand, und alles wird gut. Wir machen gleich hier so gut wie möglich sauber, und dann halten wir am besten an der nächsten Tankstelle.«

Gray nickte nur. »Ja … okay«, sagte er dann, und es klang, als hätte er Schmerzen.

Annie bedachte Lana mit einem bitterbösen Blick, als diese unterdrückt zu kichern begann.

Autos und Lkw schossen so schnell an ihnen vorbei, dass der Wagen erbebte. Annie öffnete auf Owens Seite die Tür und besah sich den Schaden.

Owen hatte sich augenscheinlich doch an der Schokolade gütlich getan. Das Erbrochene war nicht nur schokofarben, sondern roch auch süß und klebrig.

»Owen!« Beim Anblick seines bleichen, schweißfeuchten Gesichts fiel es ihr schwer, böse auf ihn zu sein. Doch da ihre Handtasche nur ein kleines Päckchen Papiertaschentücher enthielt, wusste sie keinen Rat, wie sie diesem gewaltigen Ausbruch entgegentreten sollte.

Sie zog Owen aus dem Wagen und fort von der Fahrbahn, sie half ihm in seine Wechselkleidung, obwohl das zeitweilig zur Folge hatte, dass er in Unterhose an der Autobahn stand. Hoffnungslos tupfte und wischte sie mit den Taschentüchern an den riesigen braunen Flecken auf dem Rücksitz herum. Kotzflecken waren schlimm genug … aber Kotzflecken mit Schokogeschmack? Mannomann, einmal hatte sie eine cremefarbene Hose von Whistles besessen … sie hatte sie auf der Stelle in die Intensivstation von Londons Topreinigung verfrachtet, aber trotzdem …

Während der nächsten vierzig Fahrminuten war die Stimmung leicht angespannt. Statt neu zu riechen, stank der Wagen nach Erbrochenem. Owen war immer noch übel, er saß zusammengekrümmt auf seinem Sitz und ächzte in eine der sechs Plastiktüten, die sie an der Tankstelle für ihn besorgt hatten. Lanas Bemühungen in puncto Kichern-Verbeißen misslangen immer wieder einmal und endeten in einem prustenden Ausbruch.

»Tut mir leid, dass ich ein bisschen verstimmt bin«, versuchte Gray, seine kaum gezügelte Wut zu rechtfertigen. »Ich hatte mich so darauf gefreut, John den Wagen vorzuführen.« Ah, der Mann mit der zehn Meter langen, vom Designer eingerichteten Yacht … ah. Jetzt verstand Annie. Ein bisschen Größenvergleich unter Männern war geplant gewesen.

Der Nieselregen hatte aufgehört, das Meer glitzerte, die Yacht schaukelte erwartungsvoll auf dem Wasser, John tauchte auf, von Kopf bis Fuß in Weiß gekleidet, mit Kapitänsmütze und sonnenverbranntem Gesicht – doch Owen war immer noch schrecklich übel.

»Ich glaube, Owen und ich müssen auf die Tour verzichten«, eröffnete Annie, der beinahe selbst schlecht war – allerdings vor Enttäuschung –, einem verdutzten Gray und ebensolcher Lana.

Gray und Lana sahen sich in unverhohlener Bestürzung an. Niemand traute sich zu sagen: »Mit dir will ich nicht segeln – nicht ohne sie!«

Es gelang Annie, Gray dazu zu überreden, dass er ihr den Wagenschlüssel aushändigte, damit sie, sobald Owen sich einigermaßen erholt hatte, in der kleinen Stadt einen Reinigungsdienst ausfindig machte.

Rückblickend verlief der Tag dann doch ausgesprochen gut: Annie und Owen gingen stundenlang am Strand spazieren, unterhielten sich, warfen Steine, suchten Muscheln, genossen das Beisammensein und schleckten dann, auf einer Mauer sitzend, ein Eis. *(»Das gibt wenigstens keine Klumpen, wenn du auf dem Rückweg kotzen musst!«)*

Lana und Gray kamen strahlend vor Begeisterung und

endlich in gutem Einvernehmen von dem Segeltörn zurück. Jim vom Reinigungsservice war vor den Flecken auf dem Rücksitz des Mercedes nicht zurückgeschreckt – nein, er hatte behauptet, es wäre ihm eine Ehre, an einem so nigelnagelneuen Wagen arbeiten zu dürfen. Es war ihm gelungen, die dunkelbraunen Flecken zu etwas eher Biskuitfarbenem aufzuhellen, und mit Hilfe eines feinen Sprühnebel-Reinigers war er dem scharfen säuerlichen Gestank zu Leibe gerückt.

An diesem Abend ging Owen, erschöpft von seinen anstrengenden Bemühungen, auf dem Rückweg das Kotzen zu unterdrücken, früh zu Bett. Lana verabschiedete sich bei bester Segelfreudelaune vor dem Abendessen zu einer vorab besprochenen Übernachtungsparty bei ihrer Freundin Suzie.

Also speisten Annie und Gray allein: ein Gourmet-Curry-Menü für zwei, extra zu diesem Anlass bei M&S gekauft.

In Annies Schlafzimmer brannte eine Duftkerze, und die Lichterkette aus extrem schmeichelhaften pinkfarbenen Blüten über dem Bett war bereits eingeschaltet. Annie hatte ebenfalls eine Übernachtungsparty geplant.

Küsse in der Küche führten zu Küssen im Schlafzimmer.

Grays Wangen waren warm und trocken, immer noch leicht salzig von der Meeresbrise. Als sie seinen Hals leckte und anfing, sein Hemd aufzuknöpfen, entschuldigte er sich, und Annie zog sich eilig aus und schlüpfte in die nagelneuen fliederfarbenen French Knickers plus BH, die sie für diese kleine Szene ausgewählt hatte, und warf sich in den dazu passenden Seidenkimono.

Beine und Schritt waren frisch epiliert, im Zimmer hing ein köstlicher Duft, aus der Stereoanlage klang stimmungsvoller Jazz. Sie legte Lipgloss auf, drapierte sich malerisch auf ihrem Bett und wartete auf die Wonnen, die ihrer Überzeugung nach kommen würden.

Und wartete …

Und wartete …

Als eine gestrichene Viertelstunde vergangen war, erhob sie sich und ging hinaus in den Flur. Sie hatte gedacht, Gray wäre, wie so oft, wieder einmal unter die Dusche gehüpft, doch sie hörte kein Geräusch aus dem Bad.

»Gray?«, rief sie und klopfte zart an die Tür. »Ist alles in Ordnung?«

»Ja, hm …«, kam zögernd, leicht angespannt, die Antwort. »Eigentlich nicht.«

»Fehlt dir etwas? Kannst du rauskommen?«, wollte sie wissen und hoffte von Herzen, dass es sich nicht um Verdauungsprobleme handelte. Für so etwas war ihre Beziehung noch entschieden zu jung. Also wirklich!

Wenn Roddy sie mit den Worten »Liebling, ich habe Riesenlust zu vögeln, aber zuerst einmal muss ich einen ordentlichen Haufen abseilen« ins Schlafzimmer lockte, hatte sie nichts dagegen einzuwenden gehabt, aber man musste schon mindestens zehn Jahre Ehe hinter sich haben, bevor man so etwas durchgehen lassen konnte.

Es ertönte ein schwerer Seufzer, dann hörte sie Grays Schritte näher kommen. Er schloss die Tür auf und steckte den Kopf durch den Spalt, sah sie jedoch einen Moment lang nur an, als wüsste er nicht, was er sagen sollte.

»Schon gut«, beruhigte sie ihn. »Wenn du nicht darüber reden willst …« – *die schmerzhaften Hämorrhoiden … Verstopfung … was auch immer …* – »schon gut.«

»Oh … tja … Ich habe meine Medizin vergessen, weißt du, die Liebesdroge.« Er sprudelte die Worte hervor, versuchte es auf die scherzhafte Art, sah aber trotzdem angespannt aus.

O Gott, er sprach von seinem Viagra! Augenscheinlich hatte er sich im Bad eingeschlossen, um seine Übernachtungstasche zehn Mal zu durchsuchen und die Sache vielleicht auch noch eigenhändig auf natürliche Weise in Gang zu bringen.

Erst kürzlich hatten sie sich ein bisschen über Viagra unterhalten, und er hatte ihr versichert, es wäre eher zur moralischen Unterstützung gedacht, keine körperliche Notwendigkeit.

»Alles ist gut«, sagte sie und griff nach seiner Hand. »Komm einfach mit mir ins Schlafzimmer, dann können wir … spielen.«

Es kam der seltsame Augenblick, als Annie auf dem Rücken lag, mit über die Bettkante hängendem Kopf und ausgesprochen willig und versessen darauf, dass Gray sich über sie hermachte. Doch andere Gedanken drängten sich auf, um ihre ungeteilte Aufmerksamkeit abzulenken: Sie erinnerte sich, mit Roddy genau hier gelegen zu haben, einen Eiswürfel zwischen die Brüste gepresst … Und dann … der nächste Gedanke: wie sie in einer Zeitschrift gelesen hatte, dass Frauen beim Orgasmus den Kopf vom Bett herabhängen lassen sollten, weil sie ihn dann bedeutend intensiver erlebten.

Sie überlegte noch, ob es daran lag, dass die Blutzufuhr erhöht oder gesenkt wurde. Aber wie auch immer … zurück zu dem Mann, der ihr *jetzt* zur Verfügung stand. Er sah sehr selbstzufrieden aus und war eindeutig gewillt, den nicht medizinisch bewirkten Steifen zu nutzen.

Aber … aber … als sie zu ihrer eigenen, sehr vertrauten

Zimmerdecke, dem Kopfteil und den pinkfarbenen Lichtern aufblickte, wusste sie, dass sie es auf gar keinen Fall hier tun wollte, hier in ihrem Ehebett.

Nein, ausgeschlossen!

Aber Gray war eifrig bei der Sache. Tja, woher sollte er wissen, was sie dachte? Sie hatte ein Lächeln aufgesetzt und hauchte ihm »Uuuuh ja, ja« ins Ohr.

Doch in Wirklichkeit überlegte sie, wie sie vom Bett herunterkam, bevor es zu weit gegangen war.

Sie fing an, ihn behutsam in Richtung Boden zu ziehen. Auf ihrem Bett lag eine seidene Tagesdecke, und als Annie einmal ins Rutschen geriet, ging es wie von selbst weiter. Schon berührte ihr Kopf den Teppich, Nacken und Schultern folgten.

»Oha … wo willst du hin?«, fragte Gray, der sie immer noch festhielt und mit ihr rutschte.

Sie stützte sich mit den Ellenbogen ab, und während sie ihn leise gurrend anlachte, folgten Hüften und Beine ein bisschen zu schnell, und sie wie auch ihr Lover landeten mit einem dumpfen Schlag auf dem Boden.

Grays Bodenlandung erfolgte in bedeutend spitzerem Winkel als ihre, und da seine Hände auf ihrem Rücken lagen, konnte er sich nicht abstützen, um sich aufzufangen. Er schlug auf dem Teppich auf und stieß einen Schmerzensschrei aus.

»Upps, entschuldige!« Sie lachte immer noch.

Doch Gray lag bäuchlings auf dem Boden und stöhnte leise.

»Ist alles in Ordnung?«, fragte sie, nun doch etwas besorgt. Sollten denn all ihre romantischen Erlebnisse mit Gray mit einem Anruf in der Notrufzentrale enden?

Er hob eine Hand und legte sie sich behutsam ins Kreuz. »Mein Iliosakralgelenk!«, keuchte er. »Es ist schon einmal herausgesprungen … Du wirst mich umdrehen müssen.«

Das tat sie, allerdings zu Grays leicht besorgniserregenden Schmerzenslauten, die den stimmungsvollen Jazz übertönten.

Als er schließlich auf dem Rücken lag, hob er langsam und unter Schmerzen das rechte Knie an, bis es ihm endlich gelang, es in Richtung Brust zu ziehen, wo er es festhielt, um sich dann von einer Seite zur anderen zu schaukeln. Sollte Annie nur annähernd in heißer Glut zu ihm entbrannt gewesen sein, war dieser Anblick dazu angetan, sie ein wenig abkühlen zu lassen.

Wieder gab er dieses »Auuutsch!« von sich. Dann endlich trat ein Ausdruck der Erlösung auf sein Gesicht. Er erhob sich und schritt mit behutsamen Bewegungen, ganz zu schweigen von seinem nackten Hintern, einen Halbkreis ab. Er hinkte leicht, erklärte jedoch: »Keine Angst, das gibt sich wieder.«

Annie warf ihren Kimono über und machte sich auf die Suche nach Wein, in dem Glauben, dass es jetzt an der Zeit war für ein zivilisiertes Glas von Tescos Bestem unter der Bettdecke. Sie wollte nicht riskieren, Gray mit einem neuerlichen Vögelversuch umzubringen.

Unter die Decke gekuschelt, entspannt vom Wein, fing Annie an, ihn wieder zu berühren. Sie begann mit einem sanften Streicheln seiner Brust, die fest und leicht muskulös war, denn er hielt sich fit und pflegte sich. Sie spielte mit seinen Brustwarzen und arbeitete sich dann langsam nach unten vor, wobei sie sein wechselndes Mienenspiel beobachtete. Es machte ihr Spaß, ihn zu reizen, sein widerwilliges bestes Stück zu neuem Leben zu erwecken.

Plötzlich stellte sie fest, dass sie selbst mehr als nur interessiert war, sie wünschte sich, dass er die gleichen Spielchen mit ihr trieb, sie in das gleiche erregte, atemlose Stadium versetzte, in dem er sich jetzt befand.

Und dann liebten sie sich, wie es sich gehörte … und es war in Ordnung, sagte sie sich. Es war wirklich okay – nicht gerade atemberaubend, aber auch nicht katastrophal. Es erinnerte sie an »Sex: die ersten Versuche«, denn plötzlich hatte sie das optimistische Gefühl, dass es von nun an viel besser werden würde.

Später, als beide kurz vor dem Einschlafen waren, erschreckte Gray sie mit den Worten: »Im Grunde mag ich das nicht sonderlich.«

»Was? Sex?«, fragte sie und war gespannt, welche großartige Selbstentblößung jetzt folgen würde.

»Nein, nein … machst du Witze? Das war doch toll!«

Für ein Lob war sie immer zu haben.

»Nein«, fuhr er fort, »ich meine: hierher zu kommen, über Nacht zu bleiben … dass du mich hin und wieder zu Hause besuchst. Das alles ist so stressig und unbequem. Deine Kinder müssen sich doch fragen, was hier los ist …«

»Oh, ich schätze, das wissen sie«, erwiderte Annie. Und in ihr regte sich ein fieser Verdacht: *Wollte er ihr sagen, dass es aus war? Das konnte doch nicht sein?*

»Annie, ich springe ins kalte Wasser. Ich weiß ja, dass wir uns erst seit sechs Wochen oder so kennen, aber wir sind schließlich erwachsen … Ich glaube, wir wissen beide, was wir wollen.« Er legte eine Pause ein, dann kam er zur Sache und fragte: »Warum vermietest du nicht für eine Weile deine Wohnung und ziehst zu mir? Räume mir eine Probezeit ein, wie es sich gehört. Wer nicht wagt, der nicht gewinnt.«

Sie war froh, dass er an ihren Rücken geschmiegt lag, an ihrem Nacken sprach und den Ausdruck der Verwunderung nicht sah, den sein Vorschlag auf ihr Gesicht zauberte.

»Ich habe ein schönes großes Haus«, fuhr er fort. »Darin geistere ich allein herum. Zieht doch bei mir ein – alle drei! Bitte sag, dass du wenigstens darüber nachdenken willst!«

Hier entstand eine lange, lange Pause, während der Annie alle möglichen Einwände, Gedanken und Gefühle in den Sinn kamen.

Schließlich, nach mehrmaligem Schlucken, während sie hörte, wie Gray nervös und flach atmend auf ihre Antwort wartete, sagte sie: »Das ist ein sehr liebes, sehr großzügiges Angebot, Gray. Wirklich! Aber du wirst mir etwas Zeit lassen müssen, um darüber nachzudenken.«

22.

Fußballerfrau im Frühling:

Enges schwarzes Top (D&G)
Boyfriend-Stiefeljeans (Sass and Bide)
Schwarze Riemchenschuhe mit Keilabsatz (Gucci)
Schwarzer Regenmantel (Burberry Prorsum)
Goldene Handtasche (Balenciaga)
Riesige schwarze Sonnenbrille (Chanel)
Geschätzte Gesamtkosten: 2700 £

»SCHWARZ MACHT SO SCHÖN SCHLANK, NICHT WAHR?«

Hören Sie, Schätzchen, es ist Frühling, und ich weiß, dass es in London nicht einfach ist, den Frühling richtig hinzukriegen. Aber wir haben die Pflicht, es zu versuchen«, forderte Annie Dannii auf, als sie mit einem weiteren Arm voll Kleidung an der Tür zum Umkleideraum erschien.

Dannii (jawohl, mit Doppel-i) war zwanzig, die knackige (selbstverständlich), blonde (wie nicht anders zu erwarten) Freundin eines Mittelfeldspielers beim FC Chelsea mit –

laut WAG-Bibel *Feuer* – viertausend Pfund »Taschengeld« pro Woche für sich allein.

Allerdings waren viertausend Pfund pro Woche angesichts des Tempos, mit dem Dannii ihr Geld zum Fenster hinauswarf, wohl nicht genug, und bald würde sie ihren Lover, den sie seit zwei Jahren an ihrer Seite sah, um eine Erhöhung bitten: »Solange ich ihn sehr glücklich mache, zahlt er und macht mich glücklich«, hatte sie Annie munter anvertraut.

Dannii war noch nicht bewusst geworden, dass der Besitz von zehn Louis-Vuitton-Taschen einen nicht zehn Mal glücklicher macht als der Besitz von einer.

Dies war die dritte Woche in Folge, dass sie zu einer Einkaufsberatung kam, und obwohl sie Berge von Geld ausgab, war Annies Begeisterung für sie im Schwinden begriffen. Ein Großteil des Problems bestand darin, dass die Zeitschriften, in denen Dannii so gern ihr Bild sah, allmählich anfingen, sich über sie lustig zu machen. Bissige Schlagzeilen erschienen, dazu hässlich unschmeichelhafte Fotos: *Dannii führt ein weiteres Dreitausend-Pfund-Oufit vor, aber, Mädchen, kein Grund zum Neid: An ihr sieht es trotzdem billig aus!*

Obwohl Dannii Annie flehentlich nahegelegt hatte, dass sie »ein bisschen nach Klasse, Sie verstehen?« aussehen wollte, hatte sie Annies Vorschläge bisher sämtlich abgelehnt und fühlte sich wie eine Motte angezogen von Goldenem, Glitzerndem, Übertriebenem, mit Pailletten und Strass Besetztem. Und mit ihren chirurgisch aufgewerteten E-Cups … na ja … selbst in Diane von Fürstenberg sah sie aus wie ein Mädchen vom Gewerbe.

Dannii hatte sich neuerdings angewöhnt, ihre üppigen Formen in hautenges Schwarz zu zwängen, in dem Versuch, die Vorwürfe von wegen »billig« zu entkräften, und weil nach ihren Worten »Schwarz so schön schlank macht, nicht wahr?«. Doch Annies größte Abscheu galt Kundinnen, die sich einfarbig kleideten. Das verwässerte den Teint so sehr (Dannii war längst um einige Nuancen blonder und brauner geworden, um es zu kompensieren), und wie Annie gerade zu erklären versuchte … es war Frühling!

»Ja, aber so richtig warm ist es da draußen nicht«, wandte Dannii ein und verzog die vollen rosa Lippen zu einem Schmollmund. »Ich meine, wenn wir dieses Jahr nach Mailand umziehen, denn Jackey verhandelt mit irgendjemand über einen Transfer, das wäre etwas anderes. Aber in London …«

Annie überlegte kurz, ob sie irgendein Boulevardblättchen über den Jackey-Transfer informieren sollte … Doch Diskretion gehörte zu ihrem Job, auch wenn die Kundinnen sie vermissen ließen.

»Ich weiß, der Frühling hier ist unberechenbar«, erwiderte Annie. »Einmal ist es brüllend heiß, und alle schwitzen sich tot in ihren Wollhosen, Stiefeln und Mänteln. Und im nächsten Moment, wenn man gerade Kleidchen und Flip-Flops angezogen hat, gießt es wie aus Kübeln, und sibirische Winde wehen einem um die Knöchel. Doch Ihre Frühling-/Sommer-Garderobe darf nicht schwarz sein. Auf gar keinen Fall!«, beharrte sie.

»Sie müssen blühen, Dannii. Sie müssen im Einklang mit den Jahreszeiten sein. Ich habe Ihnen einen wunderschönen blassgrünen Regenmantel mitgebracht und ein paar herrliche neue Handtaschen in Limone und in Pink. Sehen Sie, hier haben wir weiße Jeans, hellblaue Jeans, pinkfarbene Jeans, veilchenblaue Jeans. Ich habe richtig süße schlichte Blüschen – Missoni, Paul & Joe –, die sind sexy, aber nicht so … aufdringlich.

Ich habe Prada-Cocktailkleider mit Dreiviertelarm, denn, glauben Sie mir, weniger Haut ist manchmal so viel mehr … Und ich finde, für Sie, Schätzchen, sollten es Trotteurs mit Keilabsatz sein, zumindest für den Tag.

Unentwegt seine Pediküre zur Schau zu stellen ist einfach nicht elegant. Ich weiß, Sie haben einen Chauffeur, der Sie überallhin bringt, liebste Dannii, aber Sie werden trotzdem immer mit bloßen Titten und Zehen fotografiert.«

»Na gut, geben Sie mir den Mantel!«, gab Dannii nach. Mit ihren zentimeterlangen pinkfarbenen Nägeln versuchte sie, den Gürtel in der Taille zu binden.

»Uuh, der ist aber sehr hell!«, lautete ihr Urteil. »Gott! Sehen Sie nur meine Bräune an! Ich sehe aus wie eine verdammte *Äfiopierin!* Wenn ich nur auch genauso dünn wäre!«

Annie verzog leicht das Gesicht. Eine Spendenaktion für Oxfam war wohl eindeutig etwas, das Dannii nie in den Sinn kommen würde.

»Schätzchen, mit sämtlichen Kundinnen habe ich kein Problem, ihnen zum Herbst und zum Winter Kleidung nach Zwiebelprinzip und in dunklen Farben zu empfehlen«, erklärte Annie. »Aber kein Mensch will sich im Frühling auf Helles, Luftiges einlassen, weil wir immer glauben, er würde doch nie kommen.

Und dann sind die ersten heißen Tage eine Modekatastrophe: Glitzersandalen und Regenmäntel, Wollhosen mit Hemdchen, Sommerröcke mit schwarzen Stiefeln … es ist grauenhaft!«

Während Annie ihren Vortrag zu Ende führte, überlegte sie, ob sie eigentlich nur über Kleidung redete. Plötzlich hatten die Worte eine andere Bedeutung für sie. Allmählich ging ihr auf, dass sie mit dem emotionalen Äquivalent zu dicken

Jeans und schwarzen Pullovern in Grays Sonnenschein bei über zwanzig Grad Wärme geraten könnte. War sie bereit, mit Gray zur nächsten Stufe vorzuschreiten? Sollte sie bereit sein? Hielt sie sich zurück? Sie war jetzt fast drei Jahre allein … Niemand konnte ihr vorwerfen, sich nicht genug Zeit gelassen zu haben. Sie war noch nicht lange mit Gray zusammen, aber wie er schon sagte: Sie waren erwachsen … Sie wussten, was sie wollten, sie brauchten keine Spielchen zu treiben, vielleicht sollten sie wirklich einfach ins nächste Stadium übergehen.

Sie musste ihren konzertierten Bemühungen eine weitere Stunde opfern, doch letztendlich strebte Dannii mit zwei geschmackvollen Kleidern, zwei Blusen, drei verschiedenfarbigen Jeans, neuen Schuhen, einer neuen Tasche und dem Regenmantel der Kasse zu: mindestens das Taschengeld von vierzehn Tagen. Annie hoffte, dass sie jetzt möglichst genauso lange nicht mehr zu ihr kam, und fragte sich, ob sie es riskieren sollte, dieser lukrativen neuen Kundin einen Friseurwechsel und die Halbierung ihrer täglichen Dosis St.-Tropez-Bräunungsgel zu empfehlen.

»Entschuldigen Sie bitte, geben Sie mir fünf Minuten Zeit?«, bat Annie ihre nächste Kundin, die bereits auf dem Sofa wartete. »Schauen Sie sich doch ein wenig in den Verkaufsräumen um, ich stoße dann zu Ihnen … Oder kann ich Ihnen zum Tee noch etwas bringen lassen? Kaffee? Mineralwasser?«

Die Frau beschloss, die Verkaufsräume aufzusuchen, und Annie begab sich schnellstens in ihr Büro und zog die Tür hinter sich zu.

Vor dem Computer prüfte sie rasch ihre E-Mail und ihre Website. In ihrer Handelsbörse fand sie drei tolle Gebote.

Das beschwingte sie so, dass sie noch rasch Lanas Benefiz-Website anklickte, um zu sehen, was die Spendenaktions-Gang in dieser Woche herbeigeschafft hatte.

Wie Ed vermutet hatte, waren Lana und ihre Freundinnen von ihrer Auktions-Website begeistert und hatten sich alle möglichen Schätze erbettelt, erschmeichelt und ergaunert, um sie zu verticken.

Inzwischen klappte Annie ihr Handy auf und tippte Grays Kurzwahlnummer ein.

»Hallo, meine Liebe!«, meldete er sich. »Hast du einen Moment frei und denkst an mich?«

»Ja … ja, tatsächlich … ich habe an dich gedacht. Wo bist du? Hast du eine Minute Zeit, oder gräbst du gerade einen Wurzelkanal aus?«

»Für dich habe ich immer, wirklich immer eine Minute Zeit«, versicherte er. »Ich bin im Auto – Freisprechanlage, Hände frei.«

»Aber ich bin eine verflixte Handvoll, Schätzchen, lass dich warnen …« Sie holte tief Luft, dann begann sie: »Ich habe über deinen Vorschlag nachgedacht … du weißt schon … die *große* Frage.« Sie hielt inne, Gray ebenfalls.

»Hast du mit Owen und Lana darüber gesprochen?«, wollte er wissen. Es war genau die richtige Frage. Annie verspürte eine Woge der Zuneigung, weil er zuerst nach der Meinung ihrer Kinder fragte, bevor er ihre hören wollte.

»Ehrlich gesagt, ich hatte keine großartige Diskussion mit ihnen«, erklärte sie. »Ich habe zunächst einmal versucht, mir über meine eigenen Gedanken klarzuwerden. Aber ich habe es erwähnt, quasi als Möglichkeit. Sie sind … na ja … ›neugierig‹ wäre wohl das richtige Wort. Sie haben nicht ja gesagt, aber auch nicht nein. Ich schätze, wir werden sie überzeugen müssen, dass wir es für eine gute Idee halten – falls wir es denn tatsächlich für eine gute Idee halten«, fügte sie hastig hinzu. »Sie haben dann einen weiten Weg zur Schule … Aber vielleicht sind sie bereit, den Versuch zu wagen.«

»Mein Angebot steht, Annie«, antwortete Gray darauf. »Du bist mit deinen Kindern höchst willkommen bei mir, und sei es zunächst nur versuchsweise, Annie. Ich glaube, wir alle würden uns gut verstehen.«

Annie hielt das Handy so fest ans Ohr gepresst, dass es heiß wurde. Sie holte noch einmal tief Luft und sagte: »Okay, Gray, ich muss mit Lana und Owen sprechen, aber ich bin der Meinung, wir sollten es wagen.«

Als der Anruf beendet war, legte Annie das Handy zurück auf den Schreibtisch, dann übernahm ihr professionelles Auge die Führung und zog ihre Aufmerksamkeit auf den Artikel auf dem Bildschirm vor ihr. Ja, es war tatsächlich die nagelneue, mit Preisschild versehene Marc-Jacobs-Handtasche dieser Saison mit einer Seriennummer für den Verkauf auf Lanas Benefiz-Website. Das höchste Gebot belief sich auf einhundertzwanzig Pfund, und die Zeit lief am Abend ab.

Annie tippte Lanas Kurzwahlnummer und hinterließ eine Nachricht auf ihrem Handy. »Schätzchen, ich habe gerade zweihundert Pfund für deine Handtasche geboten, aber sag mir Bescheid, falls ich mehr bieten muss, um sie zu bekommen. Dann verkaufe ich sie für dich auf meiner Website und gebe deiner Spendenaktion das zusätzliche Geld. Du solltest mindestens vierhundertfünfzig Pfund für diese Tasche bekommen, falls sie echt ist. Ruf mich an!«

Dann klingelte ihr Telefon, und sie sah, dass es Owen war, der ein eigenes Handy besaß, es allerdings nur im Notfall einsetzen sollte.

»Ist alles in Ordnung, Owen?«, fragte sie, noch bevor er sich gemeldet hatte.

»*Ja!* Ich wollte dir nur sagen ...« Er war völlig außer Atem.

»Mein Gott! Was ist passiert? Fehlt dir etwas?«

»*Nein!* Es ist nur ... sie haben mich gewählt ... ich habe vorgespielt ... es war so gruselig ... Aber sie haben mich für die Schulaufführung gewählt ...«

»Was sollst du machen?« Annie war sich nur nebenbei bewusst, dass sie ihre Kundin inzwischen ganze zehn Minuten warten ließ, und so etwas erlaubte sie sich sonst nie, aber dieses Mal würde die Kundin eben noch ein bisschen länger warten müssen.

»Ein Gitarrensolo ... und einen Song!«

Mehr brauchte er nicht zu sagen: Das Glück, das aus diesen Worten tönte, war so strahlend, dass sie die Wärme durch die Leitung hindurch spürte.

»Das ist einfach fantastisch!«, sagte sie. »Ein Solo! Ich kann es nicht fassen!« So weit war er gekommen, ihr kleiner Junge, der Junge, der einmal während eines kompletten Schuljahrs nicht mehr als sechs Worte herausgebracht hatte. »Ich bin ja so stolz auf dich, es haut mich um! Ich war schon immer stolz auf dich, Owen«, fügte sie hinzu. »Ich finde dich ganz fabelhaft!«

Als Annie kurz nach 19.30 Uhr zu Hause ankam, fand sie einen Notizzettel vor, der sie informierte, dass der Lift außer Betrieb war. Also stieg sie unter Aufbietung der letzten Energiereserven des Tages die Treppen zum dritten Stock hinauf.

Sie ging rasch, nahm die Stufen in gleichmäßigem Tempo. Gerade als sie am Kopf der letzten Treppe angelangt war, wurde die Tür zum Treppenhaus aufgestoßen, und Ed Leon stand vor ihr.

»Ed, hallo. Ich hatte gehofft, Sie noch anzutreffen!«, begrüßte sie ihn.

»Oh, Mrs. … ähm … Annie. Stimmt es, dass der Lift nicht funktioniert?«

»Ja, aber ich bemühe mich sowieso, wenigstens ein Mal am Tag die Treppen zu nehmen.« Ihre Stimme klang inzwischen ein wenig atemlos, denn sie hatte wirklich ein flottes Tempo vorgelegt. »Das hält den Hintern straff.«

»Ja, hm …« Dazu schien ihm nichts einzufallen, und er verschränkte die Hände fest vor der Brust.

»Owen!«, riefen sie dann wie aus einem Mund.

»Tolle Neuigkeiten von Owen«, sagte Ed. »Ich habe auf Sic gewartet, um mit Ihnen darüber zu reden, aber ich dachte« – er blickte auf seine Uhr – »ich dachte, Sie wären vielleicht aufgehalten worden.«

»Ich weiß, ich komme später als gewöhnlich. Wie auch immer, er hat mich angerufen und es mir erzählt. Er singt zur Gitarre, solo?«, vergewisserte sie sich, ob sie alles richtig verstanden hatte.

»Ja. Nicht das ganze Stück; er singt die erste Strophe, dann stimmt die Gruppe ein, aber trotzdem …« Ed lächelte sie an, bevor er hinzufügte: »Ich hatte Angst, es könnte zu früh und zu viel für ihn sein, aber er reagiert so positiv, dass ich glaube, er wird es schaffen. Und das Vorspielen hat er brillant gemeistert, er meldete sich aus eigenem Antrieb dazu. Ich hatte nichts damit zu tun.«

»Danke, Ed!« Annie war jetzt auf dem Treppenabsatz bei ihm angelangt. »Vielen, vielen Dank. Aber seien Sie nicht so bescheiden: Das alles ist ihnen zu verdanken, keine Frage. Sie sind das Beste, was Owen seit langer Zeit passiert ist, und ich freue mich so für ihn!«

Sie schenkte Ed ein strahlendes Lächeln und fragte sich, wie sie ihm ihre Dankbarkeit beweisen könnte. Dieser absonderliche, aber überaus freundliche Mann hatte ihren schüchternen, verunsicherten Sohn unter seine Fittiche genommen, einzig und allein, weil er ihn offenbar wirklich mochte und ihm helfen wollte.

Völlig spontan öffnete Annie die Arme, drückte Ed herzlich an sich und gab ihm einen Kuss auf die Wange.

Das hatte einen unerwarteten Effekt auf Ed.

Er erwiderte den Kuss, zuerst auf die Wange, doch dann wandte er leicht den Kopf und suchte ihren Mund.

Er sah ihr in die Augen, und sie bemerkte flüchtig, wie dunkelblau die seinen im Dämmerlicht des Flurs erschienen. Sie glaubte, etwas Fragendes in ihnen zu erkennen, doch bevor sie es richtig definieren konnte, trafen sich ihre Lippen, und sie *schienen* sich zu küssen.

Ihre Lippen schmiegten sich auf seine, er hatte die Arme fest um ihren Rücken gelegt, ihr Mund tastete nach mehr, und ja, sie schienen sich eindeutig zu küssen.

Sie spürte das Kratzen von Bartstoppeln an ihrem Mundwinkel … Ihre Hände glitten in seinen warmen Nacken, dann unter seine Jacke, unter seinen Armen hindurch auf seinen Rücken. Wie aus eigenem Antrieb drängte sich ihre Zunge zwischen seinen Zähnen hindurch. Dort fand sie eine beruhigende Wärme mit Kaffeegeschmack.

Seine Zunge reagierte, und Annie fand sie leicht rauh, nur mäßig feucht, auf interessante Weise beweglich, und sie ließ sich sehr, sehr zufriedenstellend küssen. Ja, es war ganz eindeutig ein Kuss.

Die Hand von Owens Klassenlehrer lag auf ihrem Hintern. Zwar waren da noch Regenmantel, Rock, Strumpfhose und Slip, aber Ed hatte unübersehbar die Hand auf ihr Hinterteil gelegt.

Annie hätte gern einen Moment innegehalten, um die Situation einzuschätzen. Wie Ed sie küsste. Sie hätte gern das Für und Wider erwogen – alles genau durchdacht. Sie wusste nicht recht, ob es ihr gefiel, in dieser Situation zu stecken, ob sie Zeit genug hatte, sie sorgfältig zu durchdenken. Wahrscheinlich würde sie sich sagen, dass diese Situation keine gute war, dass diese Situation höchst problembeladen war – völlig daneben. Sie könnte sogar etwas damit zu tun haben, dass sie Gray am Nachmittag die Zusage gegeben hatte, bei ihm einzuziehen. Das hier war doch sicher eine Reaktion darauf? Eine sonderbare und unerwartete Reaktion … aber dennoch eindeutig eine Reaktion.

Doch sie hatte keine Chance, auch nur einen Moment zum Nachdenken innezuhalten, weil sie den Kuss viel zu sehr genoss. Sie krümmte die Zehen in den Stiefeln, in ihrer Magengrube erwachte ein hungriges Kribbeln, wurde immer wärmer, hungriger, kribbeliger und breitete sich aus.

Ihre Hände hatten sein Hemd aus dem Hosenbund gezogen und lagen nun auf der sehr weichen, warmen Haut an seinen Seiten. Wie war das passiert? Sie war im Begriff, den armen Mann im Treppenhaus zu entkleiden!

Ed knetete ihr Gesäß auf besonders prickelnde und höchst faszinierende Weise. Sie wollte nicht, dass er aufhörte. Aber eigentlich sollte er aufhören …

Endlich unterbrach sie die eingehende Erforschung seines Mundes und lehnte kurz den Kopf an seine Schulter.

Doch sie hatte das Empfinden, dass sie sich schon wieder

nach seinem Mund sehnte, nach der Wärme, nach der Art, wie seine Zunge, wenn sie mit ihrer spielte, das Kribbeln in ihrem Körper vertiefte. Also küssten sie sich noch einmal – gierig.

Ihre Finger woben sich in sein zerzaustes Haar. Seine Hände in ihrem Rücken zogen sie enger an seinen Körper.

Als sie bemerkte, dass ihre Hand das glatte Leder seines Gürtels berührte und sich absichtsvoll und wie aus eigenem Willen der Schnalle näherte, schlug sie die Augen auf.

Sie löste sich aus dem Kuss und trat einen kleinen Schritt zurück. Seine Augen waren jetzt sehr dunkelblau, seine Lippen nicht nur voll und rosig, sondern auch feucht. Seine Wangen waren gerötet, doch es war keine wilde Verlegenheitsröte, nein, ein Lächeln umspielte seinen Mund, und er sah entschieden besser aus, als sie zuvor bemerkt hatte. Jetzt bekam sie eine Ahnung davon, was es mit der Begeisterung der St.-Vincent's-Mütter für Ed auf sich hatte. Er war echt süß … wenn er sich nicht gerade eine gelbe Regenkapuze ums Gesicht festgezurrt hatte, versteht sich.

»Ed«, sagte sie – bemüht, so ruhig wie möglich zu sprechen, während sie die Baskenmütze auf ihrem Kopf leicht zurechtrückte (ja, schuld war die rote Baskenmütze), »ich glaube, wir haben jetzt die Regeln der Eltern-Lehrer-Beziehungen verletzt.«

»Und wie!«, lautete seine Antwort. Sein Blick ruhte immer noch auf ihr, er lächelte leicht.

»Tut mir leid, ich muss los«, sagte sie abrupt und wollte plötzlich überhaupt nicht mehr in dieser Situation stecken. Um Himmels willen, sie hatte sich gerade einverstanden erklärt, zu Gray zu ziehen! Was für ein Spielchen trieb sie da? Wollte sie das neue Glück sabotieren, das doch ihrer Meinung nach in nächster Nähe auf sie wartete?

So schnell sie konnte, drängte sie sich, ohne zurückzublicken, ohne ihm einen Grund zu der Annahme zu geben, sie könnte wünschen, dass er ihr folgte oder überhaupt noch irgendetwas unternahm, an ihm vorbei durch die Treppenhaustür und zog sie fest hinter sich zu. Denn – wirklich! – alles andere wäre viel zu kompliziert gewesen.

Mit äußerster Vorsicht und Aufmerksamkeit lenkte Gray seinen roten, immer noch leicht stinkenden Mercedes rückwärts in die etwas zu kleine Parklücke vor Annies Wohnblock. Er benötigte drei Versuche, bis das Manöver gelang, und da spürte er das Prickeln von Schweiß in seinen Achselhöhlen. Besuche in diesem engen Londoner Viertel würde er nicht eine Sekunde lang vermissen. Gott sei Dank, dass Annie bereit war umzuziehen!

Neben ihm auf dem Beifahrersitz lag der gewaltige Blumenstrauß, den er gleich nach der telefonischen Übermittlung ihrer Entscheidung bestellt hatte. Er hatte erwogen, ihn bei ihr zu Hause anliefern zu lassen, kam dann jedoch zu dem Schluss, dass es viel, viel romantischer wäre, wenn er ihr die Blumen persönlich überreichte.

Mit der Fernbedienung schloss er den Wagen ab und schritt dann – die Blumen in der einen, die Champagnerflasche in der anderen Hand – den Gehsteig entlang zu ihrer Tür. Vor ihm ging ein Typ ebenfalls auf diesen Wohnblock zu – ein schäbig wirkender Kerl: ausgewaschene Jeans, Schlabberhemd und eine grauenhafte grüne Cordjacke, und außerdem musste er zum Friseur. Auch dieser Mann trug einen Blumenstrauß, aber es war der armseligste, mickrigste Strauß, den Gray je gesehen hatte: welkes Unkraut aus dem hintersten Winkel des Gartens im Vergleich zu den prallen

Lilien, frischen pinkfarbenen Rosen und duftenden Blüten in seinem Bouquet.

»Sie wollen zu den Valentines?«, fragte Gray, als er sah, dass der Finger des Mannes sich Annies Klingelknopf näherte.

»Ja. Sie auch?« Der Mann wandte sich ihm zum ersten Mal richtig zu und nahm den Finger vom Knopf, ohne ihn gedrückt zu haben.

»Oh! Sind Sie der Musiklehrer ... Baracken-Ed? So nennt man Sie doch, oder?« Gray versuchte, sich zu erinnern, was Annie ihm über diesen Kerl berichtet hatte: Wie es aussah, war er einer von diesen leicht verrückten Professortypen.

»Ich bin Owens Lehrer ... ja«, erwiderte Ed. »Ed Leon. Den anderen Namen habe ich nie gehört«, fügte er leicht gereizt hinzu.

»Geben Sie jetzt Unterricht?«, fragte Gray.

»Nein. Nein. Der Unterricht hat schon stattgefunden. Ich wollte nur ... äähm ...« Er hob den Blumenstrauß leicht an.

»Die sind doch für Lana, Mann?« Leise Besorgnis färbte Grays Stimme. »Annie hat einen ausgeprägten Beschützerinstinkt, was Lana betrifft, und Sie wollen doch wohl bei beiden nicht den falschen Eindruck erwecken.«

Es klang sehr kühl, als Ed mit Nachdruck sagte: »Sie sind nicht für Lana.« *Wer war dieser arrogante Scheißkerl, der eben aus dem protzigen Mercedes gestiegen war?*

Da Ed keine weiteren Erklärungen lieferte, fühlte Gray sich bemüßigt, verdutzt zu fragen: »Sind sie für Owen?«

»Nein!« Im Grunde hatte Ed keine Lust, sich noch weiter zu äußern, sah sich jedoch gezwungen zuzugeben: »Sie sind für Annie.«

Es gelang Gray, das Lachen zu unterdrücken, das ihm daraufhin beinahe entwichen wäre, und indem er seinen eigenen extravaganten Strauß und die Champagnerflasche in die Höhe hob, sagte er: »Das hier ist auch für Annie; sie hat sich einverstanden erklärt, zu mir zu ziehen – sie und die Kinder. Deshalb wollen wir heute feiern.«

Eine Pause entstand, während deren Ed augenscheinlich überlegte, was er darauf entgegnen konnte. Er hob die Hand an den Kopf und kratzte sich.

»Ich sag Ihnen was.« Gray neigte sich ihm kumpelhaft zu. »Soll ich Ihren Strauß mitnehmen? Das erspart Ihnen den Weg.«

Ed blickte zu ihm auf. Der Kerl war groß, sein Aftershave war teuer, aber ein bisschen zu aufdringlich. »Nein, nein«, winkte er ab. Sein Griff hatte sich gelockert, die Blumen ließen inzwischen die Köpfe hängen. »Es ist nur ein Strauß aus dem Garten. Ich pflücke ihr ein anderes Mal frische. Macht nichts. Ich war nur gerade in der Gegend. Wenn Sie beide feiern wollen … Ich lasse Sie in Ruhe, wirklich.«

»Sind Sie sicher?«, fragte Gray entschieden freundlicher.

»Klar. Meinen Glückwunsch! Sie ist eine …« Wieder rang er nach Worten. »Sie sind eine wunderbare Familie.«

»Danke.«

Wäre Gray Ed um die Ecke gefolgt, hätte er gesehen, wie Ed die Blumen grimmig und kraftvoll über die Hecke in einen der benachbarten Gärten pfefferte.

23.

Donna auf dem Kriegspfad:

Rotweiße Tunika (Anna Sui)
Leinenhose (Whistles)
Weiße Highheels (Gucci)
Goldenes Klunkerhalsband (Erickson Beamon)
Geschätzte Gesamtkosten: 730 £

**»Du führst dich auf,
als wärst du die Besitzerin!«**

Fern war zu einer Hochzeit eingeladen. Annies Mutter war ständig zu Hochzeiten eingeladen. Kaum nahte der Sommer, brauchte sie ein neues Hochzeitsoutfit oder zumindest neue Accessoires, um ältere Hochzeitsoutfits aufzufrischen.

Annie nahm überhaupt nicht mehr an Hochzeiten teil. Ihre Freunde waren entweder seit Jahren verheiratet oder hatten nicht die Absicht, jemals zu heiraten. Annie besuchte eher Scheidungstrauerfeiern als Hochzeitsfeste.

Ferns Terminkalender dagegen war voll von Wiederverheiratungen oder den Hochzeiten der Freunde ihrer Kinder, mindestens drei, manchmal sogar fünf oder sechs pro Jahr.

Fern war die Sorte Frau eines gewissen Alters, die – mit einem wunderschönen Hut ausstaffiert – jeder Hochzeit Glanz verlieh, die zuverlässig ein kostbares Geschenk von der Wunschliste besorgte – nichts Radikales oder Alternatives –, die in der Kirche gut aussah wie auch auf den Fotos, ohne der Braut, den Brautjungfern oder – was wahrscheinlicher gewesen wäre – den Eltern von Braut und Bräutigam die Schau zu stehlen.

Sie war ein Gast, der moralische Unterstützung bot, der seine Rolle als Teil des glamourösen Hintergrunds verstand. Sie war der klassische dritte Gast von links und genoss jede Hochzeit, die sie erlebte.

»Ich kaufe nicht in deinem Laden ein«, hatte sie Annie am Telefon wissen lassen. »Die Preise sind selbst mit deinem Rabatt noch unerhört. Bei *Jaeger*, Annie, dort kaufen wir ein. Ich möchte etwas in Beige …« Bevor Annie aufstöhnen konnte, fügte Fern hinzu: »Ich habe diesen sensationellen Hut: Stroh, kakaofarben, mit einer wunderschönen cremefarbenen Gardenie; man möchte daran schnuppern, so echt sieht sie aus. Eine Jacke in Beige wäre genau das Richtige dazu.«

Aber *Jaeger* war eine Katastrophe. »Nur Bürokleidung«, hatte Fern angesichts der Auswahl geschnieft. »Schwarz und Weiß, Weiß und Schwarz, schwarze Streifen, schwarze Punkte, geometrische Muster. Das macht doch keinen Spaß! Und es ist so brutal für den Teint.«

Annies Mutter war eine gealterte Brünette. Früher hatte sie einen sahneweißen Teint gehabt, kastanienbraunes Haar und schwelgerische braune Augen. Daher hatte sie Schwarz nie gemocht. Sie hatte sich immer in Pflaume, Fuchsia, Rot, Beige, Weiß und gedeckte Grüntöne gekleidet.

Als sie ergraute, fing sie an, sich karamellblonde Strähnchen färben zu lassen. Die Farbveränderung hatte neue Farben für Lippenstift und Garderobe verlangt.

Pflaume wurde durch Burgunderrot und Rost ersetzt, Fuchsia durch Rosétöne, Rot durch Hellorange und Dottergelb.

Fern hatte ein beneidenswert sicheres Gefühl dafür, welche Farben ihr gut standen. Die meisten Leute, die Annie einkleidete, lernten es nie, mit den Farben zurechtzukommen, und fragten sich ständig, warum sie verwaschen oder so ausgebleicht aussahen …

Als Annie mit ihrer Mutter einkaufte, freute sie sich an einer weiteren bewundernswerten Eigenart: Ihre Mutter äußerte niemals Worte wie »Ich sehe so« – hier abwertendes Wort einfügen – »schlecht«, »fett«, »breithüftig«, »klein«, »stämmig«, »schlampig« – oder was auch immer; Annie kannte das – »darin aus«.

Nein. Bei Fern war es umgekehrt: Die Schuld hatte das jeweilige Kleidungsstück.

»Annie! Sieh nur, wie schlecht das Rückenteil geschnitten ist«, oder »Oh, diese Abnäher sitzen aber gar nicht gut«, »Die Schultern sind eine Katastrophe«, »Diese Farbe ist nichts für mich.«

Das war auch eine der Botschaften, die Annie ihren eher ängstlichen, unsicheren Kundinnen mit auf den Weg zu geben versuchte.

»Geben Sie den Kleidern die Schuld, aber nicht sich selbst! Wir wollen das Richtige finden, den Schnitt und die Farbe, die Ihnen gerecht werden. Und wenn es dann immer noch nicht stimmt, wissen Sie, was wir dann tun? Wir lassen es ändern!«

Ihre Mutter zog den Vorhang zurück und trat in einem wunderschönen creme-beigefarbenen Kostüm in den Verkaufsraum. Ein ganz einfacher Schnitt: taillierte Jacke, keine Aufschläge, ein Faltenrock bis knapp unters Knie.

Dazu würde sie ihren Hut tragen, die unvermeidlichen hässlichen Sandalen, eine Korsage in Rosé und eine Bluse mit Rüschen am Ausschnitt darunter.

»Vielleicht auch in Rosé?«, überlegte sie laut. »Oder in Kakao … Damit es nicht so Ton in Ton wirkt? Was meinst du?«

»Kakao … oder Creme, um die Gardenie hervorzuheben? Oder Beige, um nicht zu viele Farben hineinzubringen?«

»Hmm.« Fern betrachtete sich ausgiebig von allen Seiten im Spiegel.

»Handtasche?«, wollte Annie wissen.

»Oh, die kleine braune Kroko, du weißt schon, die aus dem Secondhand-Shop, die du mir geschenkt hast. Die ist ein Schatz. Sie passt zu allem.«

Annie wurde warm ums Herz durch die Freude, das richtige Geschenk gefunden zu haben.

»Ach, ich habe die Frau des Zahnarzts getroffen, weißt du? Marilyn«, sagte Fern plötzlich.

»Ja, ach so …« Annie gab sich so lässig wie möglich, wenngleich es nichts gab, was sie brennender hätte interessieren können. Bisher hatte sie immer noch nicht einmal ein Foto von Marilyn gesehen, doch sie stellte sie sich als den unglaublich schlanken, strahlenden, zerbrechlichen Jackie-O-Typ vor, so schwach vor Hunger und beladen mit psychischer Qual, dass sie kaum die Energie aufbrachte, sich für etwas anderes als eine Shopping-Tour vom Sofa zu erheben.

»Denn du bist doch schon ein paarmal mit Gray ausgegangen, nicht wahr?« Immer noch drehte Fern sich bedächtig vor dem Spiegel.

»Aha … ja.« Annie hatte ihre Mutter nicht sonderlich auf dem Laufenden gehalten, was die rasante Entwicklung an der Gray-Front betraf. Warum nicht? Vielleicht, weil sie einfach keine zweite Meinung dazu hören wollte. Ihre eigene Unschlüssigkeit und Dinahs schrille Ansichten *(Was hast du vor?! Du ziehst wegen ihm nach Essex?! Hast du den VERSTAND verloren?!!!!)* gaben ihr schon genug zu knabbern.

»Tja, Marilyn hat kein gutes Haar an ihm gelassen«, fuhr Fern fort. »Und du musst doch zugeben, Annie: Er mag ja charmant sein, aber er ist ein pingeliger Korinthenkacker. Für einen Zahnarzt mögen das ja gute Eigenschaften sein, aber nicht unbedingt für einen Mann. Ich weiß, ich habe ihn damals extra für dich zu dieser Party eingeladen … aber mit einem Hintergedanken. Wie auch immer, Marilyn war furchtbar sauer. Sie war immer davon ausgegangen, dass Gray das Haus verkaufen und die Summe mit ihr teilen würde. Sie hat sogar Ronald auf den Fall angesetzt – deshalb kannst du sicher sein, dass sie so viel wie eben möglich herausschlagen wird.«

Ronald war ein weiterer Freund der Familie. Fern hatte erst im vergangenen Jahr sogar am Hochzeitsfest seiner jüngsten Tochter teilgenommen.

»Und Gray hat sich entschlossen, doch nicht zu verkaufen?«, drang Annie in sie.

»Laut Marilyn hat Gray Ronald erklärt, er hätte eine neue Partnerin, es wäre ernst, er würde sie heiraten, sobald die Scheidung durch ist, und er wolle diese Person so schnell wie möglich in sein Haus holen. Also behauptet er, er brauche das Haus, diese neue Frau hat Kinder … Es ist sein Vermögenswert, er hat es bezahlt, er behält es.«

»Tja, da hat er nicht unrecht.« Annie beschloss, eine Lanze für Gray zu brechen. »Marilyn hat keine Kinder, und sie hat auch nie gearbeitet.«

»Hmmm.« Ihre Mutter rümpfte leicht die Nase, als wäre das absolut keine Entschuldigung dafür, dass ein Ehemann seine Frau aus dem Haus warf.

»Er will sie ja nicht mittellos dastehen lassen … denke ich«, fügte sie schnell hinzu, damit es nicht so aussah, als verfügte sie über allzu viele Insiderinformationen zu dem Fall.

»Nein. Sie kommen bestimmt zu einer befriedigenden Regelung. Gray ist ein sehr vermögender Mann. Du hast ja keine Ahnung, wie viel Geld man als Zahnarzt machen kann. Weißt du, es geht ja nicht nur um Füllungen: Kronen, Implantate, Bleaching. Die Leute eifern in ihrem Zahnpflegewahn den Amerikanern nach.«

Eine Pause folgte, und Annie war gerade im Begriff, tief durchzuatmen und ihrer Mutter zu gestehen, dass sie Grays neue Frau war, dass sie allen Ernstes erwog, in Grays Haus mit dem Whirlpool auf der Dachterrasse in seinem Winkel von Essex zu ziehen, als ihre Mutter fortfuhr: »Natürlich hat Ronald, den ich vor ein paar Wochenenden beim Dinner getroffen habe, bei Eloise, du weißt schon, bei den Clarks, hervorragende Köchin … wirklich exzellentes Essen. Zwar ist Kürbisrisotto als Vorspeise nicht mein Geschmack, ein bisschen herbstlich, es liegt schwer im Magen …«

»Ronald?«, erinnerte Annie sie, da sie die Gefahr vorausahnte, sich Eloises gesamten Speiseplan für jenen Abend anhören zu müssen.

»Ja, Ronald ist überzeugt, dass es nur ein Trick von Gray ist. Er holt sich irgendeine arme Frau ins Haus, kann es behalten und wirft sie wieder hinaus.«

»Aber du hast doch gesagt, er sei ein reizender Mann!« Annie konnte ihre Empörung kaum beherrschen.

»Tja, aber wenn es um Geld geht, werden die Menschen komisch, nicht wahr? Streitereien ums Geld bringen immer die schlechtesten Charakterzüge, die in einem schlummern, zum Vorschein.«

»Was meinst denn du dazu?«, fragte Annie. »Du kennst ihn doch ganz gut, oder?«

»Ach, von wegen! Ich habe ihn seit Monaten nicht gesehen. Dabei ist eine Kontrolluntersuchung dringend fällig. Vielleicht lasse ich mir einen Termin geben und versuche, es aus erster Hand zu erfahren.«

Er holt sich irgendeine arme Frau ins Haus … kann es behalten … und wirft sie wieder hinaus … Allein die Vorstellung … allein der Gedanke, dass die Leute womöglich glaubten, es würde so kommen. Es ärgerte sie maßlos.

»Mum. Ich bin das«, platzte Annie heraus. »Wir! Wir ziehen bei Gray ein.«

»Wie bitte?!«, entfuhr es Fern. Diese Neuigkeit warf sie um. »Mein Gott, warum hast du mir nichts davon gesagt? Das Letzte, was ich gehört habe, war, dass du zu einem Dinner-Date gehen wolltest, und dann … weißt du … dann hast du nicht mehr von ihm gesprochen, und ich wollte nicht fragen. Du liebe Zeit, Annie, geht das nicht ein bisschen schnell? Du musst doch auch an die Kinder denken.« Sie setzte sich hastig auf den Hocker der Umkleidekabine.

»Natürlich denke ich an die Kinder. Ich tue es ja hauptsächlich für sie. Aber weißt du, wir haben eine Probezeit vereinbart. Ich vermiete unsere Wohnung sechs Monate lang und warte ab, wie es läuft.«

Ihre Mutter zeigte sich nicht beeindruckt.

»Aber meint er es ernst, Liebling? Glaubst du nicht, es geht ihm ums Geld?«, fragte sie.

»Nein! Natürlich nicht. Vielleicht sehnt er sich verzweifelt nach Gesellschaft. Vielleicht macht er es aus diesem Grund so dringend, aber weißt du … Wir verstehen uns sehr gut«, antwortete Annie.

Was Annie nicht sagte, war, dass sie sich ebenfalls nach Gesellschaft sehnte.

Sie hätte jemanden, mit dem sie zusammensitzen und eine Flasche Wein öffnen könnte, jemanden, mit dem sie reden könnte. Sie würde nicht mehr Tag für Tag ackern und kämpfen und vorgeben müssen, dass alles toll war und sie prima zurechtkam. Wenn sie zu Gray zog, wäre immer jemand bei ihr, der ihr beistehen konnte. Sie hätte Rückendeckung, ein Sicherheitsnetz. Ihre Kinder müssten sich nicht mehr einzig und allein auf sie verlassen. Im Augenblick waren diese Gründe ihr wichtiger als alles andere.

Zurück im *The Store* nach dem Einkauf mit ihrer Mutter, hörte Annie bei ihrer Ankunft in der Einkaufsberatungssuite zu ihrem Missbehagen, dass Donna sie sprechen wollte. Sie stieg die Rolltreppe hinauf und versuchte, sich keine allzu großen Sorgen darüber zu machen, was Donna ihr heute zu sagen hatte. Ob es ihr passte oder nicht, sie war immer noch Donnas beste Verkäuferin, und das musste doch auch etwas wert sein.

Sie klopfte an Donnas Bürotür und wurde hineingebeten.

Ein Blick in Donnas Gesicht, das aussah, als hätte sie in eine saure Zitrone gebissen, ließ ihren Mut sinken. Ihr stand nicht viel Gutes bevor, das ahnte sie sogleich.

»Du besuchst andere Geschäfte mit den Kunden von *The Store*«, begann Donna.

Bevor Annie dazu auch nur eine Frage einwerfen konnte, fuhr Donna fort: »Versuch gar nicht erst, es abzustreiten! Augenscheinlich hast du heute Morgen eine Beratung bei Jaeger vorgenommen, und zwar während deiner Arbeitszeit in *The Store*.«

»Ich hatte heute Morgen ein paar Stunden freigenommen, um mich mit meiner Mum zu treffen«, verteidigte Annie sich. »Sie kauft bei Jaeger, seit ich klein war, und ich werde es ihr jetzt nicht verbieten.«

Unbeirrt fuhr Donna fort: »Ich habe gesehen, wie du unser Geschäft mit Kunden verlassen hast, um mit ihnen irgendwo anders hinzugehen. Ich habe dich gesehen, Annie! Ich habe gesehen, wie du mit einem männlichen Kunden, der in unserer Herrenabteilung nichts gekauft hatte, in Richtung Jermyn Street gegangen bist.«

Im ersten Moment begriff Annie nicht. Dann dämmerte ihr, dass Annie sie an jenem Tag mit Ed gesehen haben musste.

»Aber das war …«, setzte sie an, wusste jedoch nicht, was sie dazu sagen sollte. *Ein besonderer Fall? Ein Exzentriker, der hier nichts Passendes gefunden hat?* Als Rechtfertigung war das ein wenig idiotisch, das sah sie selbst ein.

Doch Donna war nicht gewillt zuzuhören. »Obwohl du eine schriftliche Abmahnung von mir erhalten hast, rätst du den Leuten unentwegt, woanders einzukaufen. Ich habe gehört, wie du einer Frau nahegelegt hast, ihre Kleider im TopShop und ihre Chloé-Tasche bei eBay zu kaufen!«

Als ob das das schlimmste Verbrechen auf der Welt wäre! Als ob Donna nie im Leben hier und da mal ein kleines Schnäppchen machte, als ob sie alles, was sie benötigte, einschließlich Klopapier, in *The Store* kaufte!

»Für nichts davon kannst du mich *feuern*«, sagte Annie,

immer noch stehend. Ihr schwoll der Kamm, sie war bereit zu kämpfen.

»Nein«, sagte Donna, beugte sich jetzt in ihrem Sessel vor und sah Annie in die Augen. »Aber wegen Diebstahls kann ich dich feuern.«

»Diebstahl?« Annie hätte beinahe laut gelacht. »Versuch's mal, das möchte ich sehen! Ich habe in meinem ganzen Leben noch nie etwas gestohlen. Nicht einmal eine Weintraube beim Obsthändler!«

»Ach, wirklich nicht?«

Das klang so bedrohlich spitz, dass Annie annehmen musste, Donna hätte etwas gegen sie in der Hand. Aber was? Sie war aufrichtigen Herzens überzeugt, nie im Leben etwas gestohlen zu haben … jedenfalls nicht wissentlich.

Donna nahm cin Blatt Papier von ihrem Schreibtisch. Annie überkam eine böse Vorahnung, als Donna es ihr reichte.

»Erkennst du sie?«, fragte Donna.

Es war der Ausdruck einer Computerseite. Die Abbildung war verschwommen, doch Annie erkannte trotzdem das Digitalfoto einer Handtasche, einer Marc-Jacobs-Handtasche, nagelneu mit Preisschild und Seriennummer. Es war die Handtasche, die sie letzte Woche auf Lanas Website ersteigert und in der Handelsbörse für vierhundertneunzig Pfund verkauft hatte.

Annie wurde flau im Magen.

»Dank der Seriennummer, die du hier so gut sichtbar zur Schau gestellt hast …«, Donnas triumphierender Tonfall war unerträglich, »… kann ich dir mitteilen, dass diese Tasche am 18. Februar aus unserer Accessoire-Abteilung gestohlen wurde. Vielleicht möchtest du mir erklären, wie es dazu kam, dass du sie schließlich verkauft hast?«

»Ich habe sie nicht gestohlen, Donna.«

So viel konnte Annie sagen, doch ihre Gedanken rasten auf der Suche nach einer Erklärung. Die Tasche hatten Lana und ihre Freundinnen, die Sirup-Sechs, in die Auktion gegeben, und die hatten in der Schule schon reichlich Probleme. Die Benefiz-Website war ihre letzte Chance zur Wiedergutmachung. Was, wenn sich herausstellte, dass sie gestohlene Ware in die Auktion einschleusten – oder sie tatsächlich selbst gestohlen hatten? Hatte ein Mitglied der Sirup-Sechs es gewagt, das *The Store* zu betreten und mit einer Spitzen-Designer-Handtasche wieder zu verlassen? Das würde bedeuten, dass die Polizei eingreifen musste und die Betreffenden auf der Stelle von der Schule gewiesen wurden. Zwar war Annie überzeugt, dass Lana die Tasche nicht gestohlen hatte, aber vielleicht flog sie trotzdem, weil sie beim Weiterverkauf eine Rolle gespielt hatte.

Was Annie am ärgsten in Wut versetzte, war die Tatsache, dass sie gewöhnlich alles, was sie verkaufte, genauestens überprüfte. Die Zahl der Fälschungen, die sie versehentlich verkauft hatte, konnte sie an einer Hand abzählen. Aber diese Tasche … Natürlich hatte sie auf Anhieb erkannt, dass sie echt war, und sie hatte angenommen (verdammt – du sollst nichts annehmen!), dass irgendeiner unglaublich reichen Schülerin oder ihrer unglaublich reichen Mutter beim Shoppen ein Fehler unterlaufen war, woraufhin sie beschlossen hatte, die Tasche großzügig für die Wohltätigkeits-Website zur Verfügung zu stellen.

Ihr war nicht eine Sekunde lang in den Sinn gekommen (und dabei war sie gewöhnlich so vorsichtig!), dass die Tasche gestohlen sein könnte … noch dazu aus ihrem eigenen Geschäft. Herrgott! Sie konnte sich Donna gegenüber in keiner

Weise äußern, ohne Lana und ihren Freundinnen gewaltige Schwierigkeiten zu bereiten. Und selbst wenn sie sich äußerte, konnte Donna dann nicht verlauten lassen, sie hätte die Mädchen irgendwie dazu angestiftet? Außerdem dachte sie an die Gerüchte, die daraufhin an der St.-Vincent's-Schule hochkochen würden. *Lanas Mutter hat an ihrem Arbeitsplatz eine teure Handtasche gestohlen und sie auf der Benefiz-Website zum Kauf angeboten* … Das alles war so grauenhaft!

»Ich hatte keine Ahnung, dass die Tasche gestohlen war. Ich verkaufe nie, niemals Artikel, von denen ich weiß, dass sie gestohlen sind«, versicherte Annie Donna. »Ich kann dir nicht erklären, wie ich zu der Tasche gekommen bin, weil jemand, der mit Sicherheit nichts von ihrer Herkunft weiß, dadurch Probleme bekommen würde«, fuhr sie fort. »Ich habe sie nicht gestohlen, Donna. Lass mich wenigstens wissen, dass du mir das glaubst!«

Donna blickte Annie nur ungerührt ins Gesicht.

Da gab es doch so ein römisches Sprichwort, oder? Sich ins eigene Schwert stürzen. Annie erkannte, dass der Moment, da sie sich ins eigene Schwert stürzen musste, gekommen war – aus heiterem Himmel. Sie musste gehen – auf der Stelle, ohne viel Aufhebens. Musste Donna gegenüber klein beigeben. Auch wenn Donnas Verkaufszahlen in den nächsten paar Monaten am Boden sein würden, war es ihr gleichgültig, weil sie immerhin die einzige Person losgeworden war, die ihr immerzu Kontra gab.

Annie musste ihre Suite mit den weißen Wänden und dem pinkfarbenen Sofa verlassen, auf ihre Tagesdosis engen Kontakts mit Yves-St.-Laurent-Qualitätsarbeit, Paul-Smith-Schneiderkunst und Missoni-Farbenpracht verzichten. Schlimmer noch: Sie musste die Angestellten von *The*

Store verlassen: Avril, Delia, Paula, Janie aus der Buchhaltung. Schluss mit den wöchentlichen Happy-Hour-Treffen, kein Mitarbeiterrabatt mehr, keine Schnäppchen, keine Tupperdosen voller Essen aus der Kantine!

»Ich hole meine Sachen.« Annies Stimme war so heiser, dass sie selbst sie kaum erkannte.

Donna nickte lediglich.

Erst allmählich wurde Annie sich bewusst, dass sie, wenn sie unehrenhaft entlassen wurde, keine Abfindung, kein Trennungsgeld erhalten würde. Vielleicht enthielt man ihr sogar das Gehalt für den Rest des Monats vor.

»Du musst mir ein Zeugnis ausstellen!«, rief Annie in plötzlicher Panik. »Du kannst mir nicht mit einem Eintrag wegen Diebstahls kündigen. Ich bekomme nie wieder eine Stelle, und du weißt doch, Donna, du *weißt*, dass ich so etwas nie, nie im Leben getan habe! Alles, was ich von *The Store* besitze, ist bezahlt, ehrlich bezahlt. Weiß HR von dieser Sache?«

Es sah beinahe so aus, als spielte ein Lächeln um Donnas Lippen. Annie hätte ihr liebend gern auf der Stelle eine reingehauen.

»Vielleicht könnte ich HR gegenüber angeben, du seist aus persönlichen Gründen ausgeschieden … vielleicht wegen grundsätzlicher Unverträglichkeiten?«

»Tja, das wäre nicht einmal gelogen, nicht wahr?«, erwiderte Annie. Doch dann, als ihr die Ungeheuerlichkeit ihres Jobverlusts als einzige Versorgerin ihrer Kinder dämmerte, verlegte sie sich plötzlich aufs Bitten. »Das kannst du nicht tun, Donna. Willst du mich wirklich feuern? Ich bin deine beste Verkäuferin. Könntest du mir nicht wenigstens Zeit lassen, bis ich etwas Neues gefunden habe? Ich muss für meine Kinder …«

»…Schulgeld bezahlen … O ja, ja, Annie, es bricht mir das Herz!«, fauchte Donna. »Nein. Mir reicht's! Du führst dich auf, als wärst du die Besitzerin, als wäre *The Store* dir den Unterhalt schuldig, als müssten dir alle ständig irgendwelche Gefallen tun, dir Rabatt einräumen, dir alle beschädigten Artikel überlassen, die du dann vor unserer Nase weiterverkaufst, weil wir ja alle so großes Mitleid mit dir haben müssten … nur weil dein Mann …« Sie brach abrupt ab, und die restlichen Worte hingen unausgesprochen in der Luft.

»Donna«, sagte Annie, richtete sich straff auf und spürte, wie Kampfgeist und Feuer zurückkehrten, »du kannst mir vieles nachsagen, und ich mag ja viele Fehler haben, aber ich bin wenigstens nicht eine so herzlose, skrupellose Zicke wie du!«

Natürlich hätte sie zuerst Gray anrufen sollen, doch stattdessen meldete sie sich bei dem Mann, der seit einigen Jahren ihre wichtigste Anlaufstelle in Zeiten der Not war.

»Du bist *was???!*«, fragte Connor verblüfft. »Okay, Süße, du weißt, was du zu tun hast. Wenn man dich beschissen hat, musst du dich betrinken. Nenne mir die Bar deiner Wahl, und ich bin spätestens in einer Stunde dort.«

24.

Gray zu Hause:

Pinkfarbener Golfpullover mit V-Ausschnitt (Pringle)
Beigefarbene Freizeithose (Gant)
Weißes T-Shirt (Gap)
Samtslipper mit Ziernaht (Jermyn Street)
Geschätzte Gesamtkosten: 270 £

»Aber sie sind bequem!«

Grays makellos sauberes Haus sah neuerdings nicht mehr ganz so gut aus. Sein steril aufgeräumtes Schlafzimmer war vollgepfropft mit Kleiderständern und Kleiderstapeln, Accessoires und Gegenständen, die Annie in der neuen, verbesserten Annie-V-Handelsbörse zum Verkauf anbot. Sein vormals superordentlicher begehbarer Kleiderschrank bot keinen Platz mehr, da Annies überaus zahlreiche Habseligkeiten mit den seinen um Stangen- und Regalraum wetteiferten.

Die Gästezimmer boten jetzt Owen mit all seinen Utensilien – größtenteils noch in Pappkartons verpackt – und Lana mit ihren zahllosen Kleidern, Make-up, CDs, DVDs und derzeitig grausigen Teenielaunen Unterschlupf.

Für Lana waren mehrere Dinge gleichzeitig schiefgegangen: Seth hatte ihre knospende Romanze schließlich doch brutal gekappt, außerdem war ihr Taschengeld schmerzlich gekürzt worden, als Strafe für ihre Rolle bei der Handtaschenhehlerei, die Annie ihren Job in *The Store* gekostet hatte. »*Suzies Freund? Die Tasche stammt von Suzies zwielichtigem Freund??*«, hatte Annie gekreischt. »*Warum hast du mir nichts davon gesagt? Warum ist dir nicht in den Sinn gekommen, dass irgendetwas daran faul sein musste? Freunde schleppen nicht so einfach 600-Pfund-Handtaschen an. Ich dachte, sie sei eine Spende von irgendeiner stinkreichen St.-Vincent's-Mama!*«

Lanas langem Gesicht und noch längerem Rückzug in den Schmollwinkel war deutlich zu entnehmen, dass sie Heimweh nach Highgate hatte, dass ihr besonders die regelmäßigen Treffen mit ihren Freundinnen nach der Schule fehlten. Besuche von Freundinnen waren jetzt auf Wochenenden beschränkt, und zwar mit Übernachtung.

»Gib der Sache doch eine Chance!«, drängte ihre Mutter. »Du wirst hier Leute kennenlernen. Vielleicht solltest du in den Tennis-Club eintreten? Du spielst doch so gern Tennis.«

Doch derartige Vorschläge führten zu Türenknallen und Vorwürfen wie: »Für dich mag ja alles in Ordnung sein, aber was ist mit uns?«

Wenigstens Owen schien sich wohlzufühlen, doch er war ja schon immer im Schoße der Familie am glücklichsten gewesen. Er spielte häufig Gitarre, hörte Musik und war gelegentlich auch ganz oben im Wipfel des Apfelbaums in Grays Garten anzutreffen.

Gray empfand das Familienleben als nicht zu unterschätzende Veränderung. Lärm oder Unordnung hatte er in diesem Ausmaß nie erlebt. Wegen der Schulferien waren die Kinder immer zugegen, liefen ihm vor den Füßen herum, wenn er von der Arbeit heimkam. Er stolperte in seinem Haus umher, fiel über neue Stapel von Krimskrams an unerwarteten Stellen. Er fand sein Sofa bereits besetzt vor, aus seinem Plasmafernseher plärrten endlose Wiederholungen von *Friends*, in seinem Whirlpool vergnügten sich drei peinlich mannbare Teeniemädchen, in seiner Küche war absolut nichts Essbares zu finden, obwohl sie mittlerweile vollgestopft war mit Annies Schnäppchen: Dreihundert-Meter-Packungen Frischhalte- und Alufolie, achtzig Rollen Küchenpapier, tausend Mülltüten. Seine neue Hausgeliebte war erstaunlich selten verfügbar: entweder hing sie am Handy, vor dem Computer, oder sie war wieder einmal aushäusig zu einer Runde von Hausbesuchen, Beratungen, Auslieferungen oder Abholservices.

Seit sie aus dem *The Store* ausgeschieden war, erwartete Annie allmorgendlich ein Tag voller Hetze. Binnen vier Tagen hatte sie alles Persönliche aus ihrer Wohnung geräumt, unter energischer Anwendung von Dulux neu gestrichen, und sie und die Kinder waren bei Gray eingezogen, während gut zahlende Mieter ihre Wohnung übernahmen.

Nachdem die Hypothekenzahlungen geleistet waren, konzentrierte Annie sich darauf, genug Geld einzunehmen, um weiterhin das Schuldgeld für St. Vincent's und ihren eigenen gewohnten monatlichen Unterhalt aufbringen zu können. Das verlangte eine rasche Erweiterung der Handelsbörse und die Einrichtung ihres eigenen *Dress-to-Express*-Verschönerungs- und Einkaufsberatungsservice.

Es sah nicht allzu schlecht aus; sie erfuhr, dass Grays

Winkel von Essex vor gut betuchten Frauen strotzte, die keine Ahnung hatten, wie man Accessoires richtig einsetzte, und sich nicht scheuten, Annies Service an sämtliche Freundinnen weiterzuempfehlen. Der einzige Nachteil an diesen Geschäften war, dass sie Gray nicht sonderlich behagten.

»Weißt du, Annie, ich will eigentlich nicht, dass du so hart arbeitest«, erklärte er ihr wieder einmal, als sie eines Abends bei Rotwein auf dem Dachgarten Zuflucht vor den lärmenden Umtrieben im Wohnzimmer suchten.

Vor ein paar Tagen hatte er ihr den Vorschlag unterbreitet, seine Privatsekretärin zu werden; jetzt brachte er das Thema erneut aufs Tapet.

»Du könntest mir beim Bürokram helfen, Buch führen über meine Konferenzen, Patiententermine …«, sagte er. »Du hättest nicht so viel zu tun wie jetzt und könntest viel häufiger für mich und die Kinder da sein. Natürlich werde ich meine Sekretärin in der Praxis behalten … und dir ein Gehalt zahlen.«

Natürlich war die Vorstellung, nicht so hart arbeiten zu müssen, sehr verlockend, aber hatte sie Lust, als Grays Angestellte zu arbeiten? Wäre das ein guter Plan? Es zeigten sich auch so schon genug Ansätze für Probleme, ohne dass Annie sich auch noch in Grays Arbeitsleben vorwagte und Schelte einsteckte, weil sie auch dort nicht alles so machte, wie er es wollte. So gab es zum Beispiel Streitigkeiten über Mahlzeiten auf dem Sofa (gestern Abend) und über Löffel in der Marmelade (heute Morgen).

»Ich muss darüber nachdenken«, sagte sie. »Wie viel würdest du mir überhaupt bezahlen?«

Er nannte eine Summe, und sie reagierte mit unverhohlener Bestürzung. »Was?! Und du erwartest, dass ich und die Meinen damit überleben können?«

»Tja.« Gray war verwirrt, verblüfft über ihre Reaktion. »Jetzt, da ihr bei mir wohnt, brauchst du doch für so vieles nicht mehr zu bezahlen. Ich verlange nicht, dass du irgendetwas zu den laufenden Kosten des Hauses beiträgst, ich bezahle auch gern die Rechnungen, die Lebensmittel. Das Geld stünde ausschließlich dir zur Verfügung.«

»Mein Nadelgeld?«, fragte sie mit unüberhörbarem Sarkasmus.

»Hm, das klingt ein bisschen altmodisch«, erwiderte er. »Ich meine nur … Marilyn war meine Privatsekretärin, sie verbrauchte ihr Gehalt nur für ihre eigenen Bedürfnisse, und für alles andere habe ich bezahlt.«

»Gray …«, fiel Annie ihm ins Wort, »missversteh mich nicht, es ist ja wunderbar, dass du so gut situiert bist und dass du uns helfen willst, aber Marilyn hatte keine zwei Kinder, für die sie Schulgeld und so weiter bezahlen musste. Ich bin immer, *immer* selbst für meine Kinder und mich aufgekommen, und oft genug auch für Roddy, wenn er nur wenige Rollen in großen Abständen bekam und seine beschissenen Arbeitgeber sich Monate mit den Honorarzahlungen Zeit ließen. Dass ich mich in Abhängigkeit begebe, indem du für uns bezahlst und mir ein kleines, von der Steuer absetzbares Taschengeld gibst, kommt nicht in Frage.« Sie leerte ihr Glas, stellte es zwischen sich und ihm auf den Tisch und bedachte ihn mit einem strengen Blick, der, wie er inzwischen gelernt hatte, alle weiteren Einwände verbot.

Ein leises Bedürfnis nach einem Themenwechsel trieb ihn zu der Frage: »Hast du morgen viel zu tun?«

»Morgens steht ein Hausbesuch an, doch danach nur noch das Übliche, mein Tagesjob, An- und Verkauf.« Mit einem Lächeln fügte sie hinzu: »Ich bin eine Maklerin gebrauchter

Gebrauchsgüter. Gefällt dir meine Arbeitsplatzbeschreibung? Wie auch immer: Warum fragst du? Hast du für morgen etwas geplant?«

»Ich habe meine Eltern zu uns eingeladen. Das heißt, ich habe ihnen gesagt, dass ich das zuerst mit dir besprechen möchte, versteht sich …«

»Auf einen Drink?«

»Hm, nein. Ich glaube, könnte sein, dass ich sie zum Dinner eingeladen habe …«

Annie hatte Grays Eltern bisher noch nicht kennengelernt, allerdings schon jede Menge von ihnen gehört. Sie waren Anfang achtzig, doch das hatte ihre festgefügten Meinungen, ihre scharfe Kritik und den unendlichen Strom von Ratschlägen an ihren heißgeliebten Einzigen offenbar noch längst nicht gemindert.

»Sie mochten Marilyn sehr«, hatte Gray sie bereits früher einmal gewarnt. »Ich fürchte, sie sind verstimmt, weil ihr drei bei mir eingezogen seid. Es wird Wochen dauern, sie wieder zu versöhnen.«

Jetzt waren sie offenbar versöhnt und wollten sie, Annie, bei einem zivilisierten Dinner kennenlernen – das Annie vermutlich besorgen sollte, da Gray den ganzen Tag über zu arbeiten hatte.

»Können wir nicht alle zusammen zum Essen ausgehen?«, schlug sie vor.

»Tja, ich dachte nur, wegen Lana und Owen … sie können dann gehen und tun und lassen, was sie wollen … müssen nicht den ganzen Abend bei uns sitzen und unserer Unterhaltung zuhören.«

Das war nicht von der Hand zu weisen.

»Das heißt, falls du Probleme damit hast …«

War Gray denn noch nicht aufgefallen, dass sie nicht kochen konnte? Hatte er nie bemerkt, dass die meisten ihrer Mahlzeiten in einem Plastikschälchen mit Deckel bereitstanden und nur in der Mikrowelle erhitzt werden mussten?

»Nein, nein, kein Problem«, versicherte sie und fragte sich, in welcher Umzugskiste sich eines ihrer drei kaum jemals berührten Kochbücher befand – und was für ein einfaches, aber trotzdem eindrucksvolles Dinner für sechs sie würde servieren können.

»Soll ich sie dann jetzt anrufen?«, fragte Gray. »Sie freuen sich darauf, dich kennenzulernen.«

»O ja, darauf möchte ich wetten! Frierst du?«, fragte sie verwundert. »Lass uns doch ins Haus gehen.«

Grays Grauen vor der Unordnung und dem Tohuwabohu in seinem Wohnzimmer war so immens, dass er antwortete: »Nein, nein, mir geht's gut, aber wenn du möchtest, hole ich dir eine Jacke.«

Annie kam am nächsten Tag erst kurz nach 14 Uhr zurück nach Hause, viel später als beabsichtigt in Anbetracht der Tatsache, dass seine Eltern um 19 Uhr erwartet wurden. Der Hausbesuch hatte sich als langwierig und intensiv erwiesen: eine Frau in den Fünfzigern, der es schwerfiel, etwas anderes als Marineblau in Erwägung zu ziehen, und noch schwerer, über ihre – zugegebenermaßen kräftigen, aber keineswegs katastrophalen – Schenkel und Hüften hinwegzusehen.

»*Ich kenne keine Tricks, um Hüften zu verbergen*«, hatte Annie ihr mitgeteilt. »*Das ist nicht meine Aufgabe, Schätzchen. Was wir wollen, ist, Ihre schönen blauen Augen in den Vordergrund zu rücken, Ihre wohlgeformten Waden und Handgelenke, ganz zu schweigen von Ihrem wunderschönen hellen Nacken und*

Brustansatz. Und wenn wir das alles geschafft haben, werden Sie feststellen, dass Ihre Hüften sich nicht mehr in den Vordergrund spielen.«

Nach der Beratung begab Annie sich schleunigst zu einem ihrer neusten Lieferanten, um ihre Trumpfkarte für den Abend zu sichern.

Sorgsam in diverse Lagen Zeitungspapier gewickelt, lag auf dem Rücksitz ihres Jeeps ein gewaltiger Fisch.

Auf ihren regelmäßigen Ausflügen zu den Großmärkten von Essex, auf ihrer endlosen Suche nach Zulieferern, Ausverkäufen und Schnäppchen hatte Annie eine nicht zu unterschätzende Zahl neuer Freunde gefunden. Einer von ihnen, ein Fischhändler, hatte ihr zu einem ausgezeichneten Preis den Hauptgang für den Abend besorgt.

Ein riesiger mit der Angel gefangener schottischer Wildlachs. Das Tier war so lang und so schwer, dass sie ihn kaum auf den Rücksitz hatte verfrachten können. Ihr Plan war, dazu neue Kartoffeln, einen schönen Salat, Sauce Hollandaise – sofern es Dinah gelang, ihr per Telefon Schritt für Schritt die entsprechenden Anweisungen zu geben – zu servieren, danach Erdbeeren, Schlagsahne und Baisers.

Sobald sie zu Hause war, würde sie mit den Baisers anfangen. Sie würde die Ruhe bewahren. Noch ganze vier Stunden lagen vor ihr. Es war ganz einfach, wirklich nicht zu kompliziert. Ihr blieb reichlich Zeit, alles bestens vorzubereiten. Was konnte schon schiefgehen?

»Herrgott, Owen! Ein noch größeres Chaos hättest du wohl nicht anrichten können? Wo ist Lana?«, war Annies Reaktion auf den Anblick des Wohnzimmers.Auf dem Boden verstreut lagen Chipstüten, DVD-Schachteln, Socken, Notenblätter und Gott weiß was sonst noch. *Wie lange dauern die Ferien denn noch?*, fragte sie sich unwillkürlich.

»Sie heult in ihrem Zimmer«, antwortete Owen.

»Was ist denn jetzt schon wieder?«

»Nichts, nur das Übliche: *Seth, Seth … Ich werde niemanden je wieder so lieben wie dich … huaaah*«, höhnte er.

»Hör auf! Das ist gemein. Würdest du bitte anfangen, hier aufzuräumen? Grays Eltern kommen zum Abendessen, hast du das vergessen? Ich muss mich erst einmal um Lana kümmern.«

Es dauerte dreißig lebenswichtige Minuten, Lana von einem rotgesichtigen Elend in einen halbwegs ansprechbaren Zustand zu versetzen.

»Aber, aber, Schätzchen … Ganz bald schon wird es dir besser gehen, versprochen! Ich weiß, das sagen alle, aber es stimmt schon: Andere Mütter haben auch hübsche Söhne … Junge Herzen heilen rasch, ich schwör's dir … In ein paar Wochen bist du über ihn hinweg.«

Und als das nichts nützte, fuhr sie gereizt fort: *»Er war viel zu alt für dich … Jungen in dem Alter sind einfach absolut unzuverlässig … und überhaupt, er hatte das ganze Gesicht voller Akne … und den Rücken auch.«*

Und als sie schließlich vollends die Geduld verlor: *»Tut mir leid, es ist mir jetzt auch egal! Du wirst dir nun die Nase putzen, dir deine Tempos schnappen und mir in der Küche helfen!«*

Schließlich hatte Annie Lana wie auch Owen zur Hausarbeit eingeteilt. Sie saugten Staub, schüttelten Kissen auf, kaschierten Umzugskisten geschickt mit Tischtüchern und Überwürfen.

Unter äußerster Konzentration gelang es Annie, ein Dutzend Eier zu teilen: Eiweiß in die Schüssel für die Baisers, Eigelb in eine andere für die Hollandaise.

Dann klingelte ihr Handy, und zu ihrer Überraschung meldete sich Svetlana.

In wenigen atemlos hervorgestoßenen Sätzen schilderte die frühere Miss Ukraine ihre derzeitige Lebenskrise. Kartoffelfresse Igor hatte sie zweifelsohne auch in der Vergangenheit schon betrogen, doch jetzt hatte er eine viel Jüngere, viel Schönere und viel Willfährigere kennengelernt und die *Scheidung* eingereicht.

Doch der Milliardär und Gasbaron hatte – darauf bedacht, jeden Penny seines Vermögens sicherzustellen – in Russland die Scheidung eingereicht und Svetlana in dem Glauben gelassen, sie würde völlig leer ausgehen.

»Ich rufe sämtliche Freunde in Russland an, sie versetzen mich in Panik«, sprudelte Svetlana in Annies Ohr. »Da denke ich: Ich muss eine englische Freundin anrufen, und da sind Sie mir in den Sinn gekommen.«

Unwillkürlich fühlte Annie sich geschmeichelt ob dieser Beförderung von der Stylistin zur Freundin. Wenngleich es nicht viel Gutes über die Multikulti-Beschaffenheit von Svetlanas engstem Freundeskreis aussagte.

»Schätzchen, Sie müssen sich erst einmal beruhigen«, sagte Annie, so besänftigend sie konnte. »Sie leben in London. Ihre Kinder sind in London geboren, nicht wahr?«

»Ja, im Portland, ja.«

»Schätzchen, die Jungen haben die britische Staatsangehörigkeit. Ich bin sicher, absolut sicher, er kann da nichts drehen. Er kann sich nicht in Russland von Ihnen scheiden lassen. Ich bin ganz sicher, Sie können dafür sorgen, dass die Scheidung vor einem englischen Gericht stattfindet.«

»Aber sein Vermögen, sein Besitz ist russisch, alles ist in Russland«, fuhr Svetlana mit erhobener Stimme fort. »Er kann etwas verstecken, kann alles vor den englischen Gerichten verbergen. Das hat er mir früher schon erklärt. Annie, wenn ich nicht einwillige, verliere ich alles. Er wird damit drohen, mir die Jungen wegzunehmen …«

»Svetlana, Schätzchen, beruhigen Sie sich, bleiben Sie ruhig!« Annies ungeteilte Aufmerksamkeit galt jetzt der Russin; die Schüsseln mit den getrennten Eiern waren völlig vergessen. »Sie haben mit Ihren russischen Freunden geredet, nicht wahr? Aber wird befinden uns hier nicht in einem Roman von Dostojewski …« Irgendwo in den Wolken lächelte ihre verstorbene Francis-Holland-Lehrerin auf sie herab. »Schätzchen, Sie leben in einer Zwanzig-Zimmer-Villa in Mayfair; die zu verstecken würde ein gutes Stück Arbeit für Igor bedeuten, und der Erlös aus ihrem Verkauf allein würde Sie wahrscheinlich bequem bis zur Rente durchbringen.«

Eine Pause entstand, während der Annie krampfhaft überlegte, was Svetlana als Nächstes unternehmen musste. Plötzlich lag es klar auf der Hand.

»Wissen Sie was?«, begann sie. »Ich kenne jemanden, der eine äußerst fiese Scheidung hinter sich hat, bei der es auch um das ganz große Geld ging. Ich kann sie fragen, welchen Anwalt Sie brauchen, also bleiben Sie in der Nähe des Telefons. Ich melde mich so schnell wie möglich zurück.«

Bisher war Annie nie bewusst geworden, welche Macht die Frauen, die den Grundstock ihrer Kundschaft in *The Store* gebildet hatten, in den Händen hielten … Und sie besaß die Kurzwahlnummern von allen und konnte sie auf Knopfdruck informieren, wenn etwas Neues hereinkam.

Aha … und hier war die Kurzwahl der äußerst glamourösen Über-Vierzigjährigen, deren monumentale Abfindung anlässlich der Scheidung Schlagzeilen gemacht hatte. Ihr würde sie Svetlanas Situation jetzt erklären, sich den Namen des Anwalts geben lassen, der sie vertreten hatte, und die Exfrau in spe des Milliardärs auf der Stelle wieder anrufen.

»Hi! Megan? Wie geht's Ihnen? Ja, ich bin's, Annie Valentine. Nein, ich arbeite nicht mehr im *The Store* …«

Als Annie Svetlana wieder an der Strippe hatte, stand ihr eine Überraschung bevor.

»Haben Sie Papier und Stift zur Hand, Schätzchen?«, fragte sie. »Er heißt Harry Roscoff, von Roscoff, Barry und Mosse … Wie Sie ihn bezahlen sollen?« Es war Annie nie in den Sinn gekommen, dass Svetlana kein Geld haben könnte – dass die Kartoffelfresse ihr bereits genau deswegen den Hahn zugedreht hatte, damit sie nicht, das Scheckheft in der Hand, auf der Suche nach einem Experten im Scheidungsrecht in ihrem Bentley mit Chauffeur durch die Straßen Londons düsen konnte.

»Sie haben kein Geld?«, fragte Annie fassungslos.

»Nicht einen Penny.«

Diese Information musste Annie zunächst einmal verdauen, dann erteilte sie folgende Anweisungen: »Okay, Schätzchen, ich sage Ihnen, was jetzt zu tun ist. Sie packen einen großen Koffer voll mit einigen Sachen aus Ihrem Kleiderschrank, die Sie nicht mehr mögen; je mehr Handtaschen, Stiefel, Schuhe und Markenartikel, desto besser. Dann sagen Sie mir, wo ich den Koffer abholen kann, und ich setze die Sachen für Sie in Bargeld um. Ich verkaufe alles zum bestmöglichen Preis. Und keinen Penny Kommission für mich, Schätzchen. Das hier tue ich nur für Sie.«

Jetzt beneidete sie Svetlana nicht mehr so sehr um ihr Heer von Personal, ihren vergoldeten Lifestyle und ihre vollkommene Abhängigkeit von einem Arschloch.

Als sie aufgelegt hatte, entlockte ein Blick auf die Uhr Annie einen Fluch. Sie schob die schon leicht verflüssigte Baisermischung in den Ofen, stellte die Zeitschaltuhr ein und begann, die immer noch nicht vertraute Küche auf der Suche nach einem Gefäß zum Dünsten des Fisches auf den Kopf zu stellen.

»Dinah!!!!!! Warum kriege ich dich seit zwanzig Minuten nicht an die Strippe? Hiiiilfe!«

»Was ist denn los?«, rief Dinah, die der Notruf ihrer Schwester völlig in Panik versetzte.

»Ich brauche dich hier. Ich komme nicht klar. Ich schaffe das nicht allein. Mir bleiben nur noch zwei Stunden.«

»Annie, wovon redest du?«

»Ich muss ein Dinner für Grays Eltern zaubern, und hier herrscht das totale Chaos, alles geht schief.«

»Okay.« Dinah stieß einen leisen Seufzer der Erleichterung aus. »Sag mir, worum es geht.«

Die verdammte, besch… Hollandaise war geronnen … Annie musste noch einmal mit dem Auto losfahren und Eier besorgen … Oh, und sie hatte die Sahne vergessen. Im ganzen Haus gab es kein Gefäß, das groß genug für den Fisch war … Doch Dinah versicherte ihr, dass sie den Lachs im Geschirrspüler garen könnte.

»Im Geschirrspüler?!« Annie klang nicht sehr überzeugt.

»Ja, vorausgesetzt, du hast genug Alufolie im Haus. Aber Alufolie ist bei dir ja immer reichlich vorhanden.«

»O ja, ich habe keine Eier und keine Sahne mehr, aber ich habe genug Alufolie, um den verdammten Tin Man samt seiner Familie daraus zu basteln.«

»So ist's recht. Du schaltest einfach für fünfundvierzig

Minuten den heißesten Spülgang ein und musst natürlich unbedingt darauf achten, dass sich kein Spülmittel im Spender befindet.«

Es klang so einfach.

»Hilfst du mir telefonisch bei der Sauce, wenn ich mit den Eiern zurück bin? Wo bist du? Ich höre Musik.«

»Ich bin im *Rialto* und verstecke mich vor den Bauarbeitern. In einer Viertelstunde muss ich Billie vom Ballett abholen.«

Denn kaum war Annie aus London fortgezogen, ereigneten sich in Dinahs und Bryans Leben die merkwürdigsten Dinge: Dinah wurde der Teilzeitjob angeboten (als Administratorin an einem Kunst-College), den sie nach ihren Worten nie hatte haben wollen, und Bryan hatte doch tatsächlich einen größeren Vertrag an Land gezogen. Und jetzt ließ Dinah sich, ob man es glaubte oder nicht, eine neue Küche einbauen.

»Oh ... Wie geht's dem *Rialto?*« Plötzlich empfand Annie heiße Sehnsucht nach dem lebhaften italienischen Café, in dem Dinah und sie sich am liebsten zum Kaffee trafen.

»Ach, weißt du, wie immer, unverändert. Jemand hat den Speck auf dem Grill vergessen, deshalb ist es hier heute ziemlich verraucht. Wohin gehst du in Upper Ploxley zum Kaffeetrinken?«

»Ich koche ihn mir selbst«, antwortete Annie mürrisch. »Die Café-Kultur ist leider noch nicht so weit nach Osten vorgedrungen. Mist! Scheiße! Verdammt ...«

»Entzückend«, bemerkte Dinah.

»Gerade wird mir klar, dass der Piepton da vom Ofen kommt. Scheiße! Die Baisers! Ich rufe später noch mal an.«

»Eton Mess, Annie, hast du das vergessen?«, fragte Dinah

zum Abschied. »Wenn deine Baisers misslingen, matsche sie mit Erdbeeren und Schlagsahne durch und nenne das Ganze Eton Mess.«

Es war nicht einmal die Farbe der Baisers, die so missraten war – nun ja, sie waren eher geröstet als zart angebräunt –, nein, es war die Form. Sie waren zerlaufen, zusammengeschmolzen … es war nur noch eine Masse. Vor Annie lag ein Backblech voll mit einem einzigen großen, sandbraunen, leicht ausgetrockneten Baiser.

»Was soll's? … Eton Mess«, sagte sie sich und kratzte große Baiserbrocken in eine Schüssel. Gemischt mit Sahne und jeder Menge Erdbeeren … und fertig.

Sie räumte den Geschirrspüler ein, gab Spülmittel hinein und schaltete sie ein, damit sie sie später leeren und für den eingewickelten Fisch vorbereiten konnte, dann machte sie sich eilends auf den Weg, um Eier und Sahne zu besorgen.

In den Jeep gesprungen, die Straße hinunter, über acht Kreuzungen und drei Ampeln, in den Supermarkt, durch die Gänge, Eier und Sahne gefunden, noch mehr Wein und Knabberzeug und weiteren Kram gekauft, bis der Korb bleischwer war. Als sie den Jeep zurück über die Straßen, acht Kreuzungen und drei Ampeln lenkte, dachte sie an die Annehmlichkeiten des Lebens in Highgate: Dort hätte sie Owen zum Kauf von Eiern und Schlagsahne losschicken können, und er wäre binnen fünf Minuten zurück gewesen.

Es war schon fast 17.30 Uhr, als sie Grays Haus wieder betrat und Connor aus der Küche rufen hörte.

»Was zum Teufel willst du hier?«, waren ihre ersten Worte, als sie sich aus seiner liebevollen Umarmung befreit hatte.

»Ich war gerade in der Nähe – na ja, Filmaufnahmen –, nicht gerade tausend Meilen entfernt von hier«, erklärte er mit vollem Mund. Er schluckte, drehte sich um und griff nach dem Weinglas auf dem Tisch hinter ihm, das er in einem Zug leerte. »Mmm … himmlisch!«, sagte er.

»Du fühlst dich offenbar wie zu Hause«, sagte Annie. »Das ist doch hoffentlich keines von den feinsten Stöffchen?« Sie drehte die Weinflasche um und sah ein ziemlich neu aussehendes spanisches Etikett. Nein, zum Glück war Connor nicht in Grays erlesene französische Burgunderweinsammlung eingebrochen … oder was immer es war, was sich im Flaschenregal in der Speisekammer säuberlich bis an die Decke stapelte.

»Ja, Owen ist ein ausgezeichneter Gastgeber.« Connor versetzte ihrem Sohn, der vor einer leeren Schüssel am Küchentisch saß, einen herzhaften Schlag auf den Rücken. »Also, was gibt's zum Abendessen? Du bist wohl neuerdings ein rechtes kleines Heimchen am Herd geworden, wie?«, frotzelte er, und sie war versucht, ihn zu boxen.

»Du kannst nicht zum Essen bleiben«, erklärte Annie. »Grays Eltern kommen. Ich soll sie heute kennenlernen, und ich bin voll im Stress.«

Als Reaktion darauf setzte Connor sich, legte die langen Beine auf den Küchentisch, verschränkte die Arme im Nacken und forderte Annie heraus: »Versuch doch, mich rauszuwerfen, Schätzchen, versuch's nur!«

Owen kicherte, und Annie schwächte ab: »Ein Weilchen kannst du noch bleiben, aber vor neunzehn Uhr musst du verschwunden sein.«

»Ach, komm … Ich helfe dir, das Eis zu brechen.«

»Halt den Mund, ja? Ich muss weitermachen … Owen, du wäschst den Salat, Connor, du schrubbst die Kartoffeln, und ich denke nach … Ich muss Dinah noch einmal wegen der Sauce anrufen.«

Die nächste Stunde verlief nicht sehr glücklich. Während Annie sich erneut an der Hollandaise versuchte, schlich Connor sich von hinten an und stellte leise komplizierte Fragen.

»Wie klappt's denn so?«

»Prima. Wir leben uns ein … Ich glaube, alles spielt sich wunderbar ein.«

»Aha … *prima* … *wunderbar* …« Ganz dicht hinter ihr flüsterte er ihr ins Ohr: »Und wie klappt's im Schlafzimmer?« Dazu vollführte er wie zur Untermalung ein paar Beckenstöße gegen ihre Hüfte.

Leider wählte er dafür den Augenblick, als sie gerade vorsichtig einen Löffel Essig in die Sauce träufelte.

»Herrgott! Connor!« Sie versuchte, so rasch wie möglich den überschüssigen Essig aus der Sauce zu löffeln. »Prima, vielen Dank!«, fauchte sie ihn an. »Ich will jetzt nicht darüber reden. Ich habe zu tun!«

»Uuuuh, man ist empfindlich … Und Annie sagt schon wieder ›prima‹.« Dann fügte er plötzlich in ernstem Ton hinzu: »Er muss der Richtige sein, Annie, er muss der *Nächste* … Kein Mensch verlangt, dass du dich festlegst!«

»Lass mich in Ruhe, Connor!«, knurrte sie. »Ich kann jetzt nicht darüber sprechen. Schau in den Geschirrspüler nach meinem Fisch.«

»Wie bitte?«

Connor öffnete den Geschirrspüler und entließ eine heiße Dampfwolke in die Küche, während Annie die zerbröselten Baisers und die Schlagsahne aus dem Kühlschrank nahm.

»Riecht lecker nach Zitrone«, bemerkte Connor.

»Nach Zitrone? Was??« Im selben Moment, als es Annie dämmerte, dass sie vielleicht die Spülmittelschublade noch einmal hätte prüfen sollen, für den Fall, dass sie beim letzten

Spülgang geklemmt und dann ihren Inhalt über den Lachs ergossen hatte, entdeckte sie auch die Baiser-Schüssel, die völlig entleert neben der Spüle stand. »Wo um alles in der Welt sind meine … CONNOR! Du und Owen, habt ihr meine Baisers aufgegessen?!«, schrie sie.

»Die Krusten, die Reste … ich habe zu Owen gesagt, das müssten die …« Connor unterbrach sich. Annies Gesichtsausdruck verriet ihm allzu deutlich, dass es keineswegs die Reste waren, die er und Owen vertilgt hatten.

»Es hat hervorragend geschmeckt«, sagte er kleinlaut.

»Aaaaahhh!« Sie stürzte auf ihn zu, bog jedoch im letzten Moment in Richtung Geschirrspüler ab, der deutlich nach Zitronenspülmittel roch.

»AAAAAHHH!«, schrie sie noch einmal.

Um dann Gray eintreten zu sehen. Noch im Regenmantel fragte er, was denn los wäre. Und, oh, hallo, Connor, und … roch es nach Fisch? Hatte Annie denn vergessen, dass sein Vater allergisch auf Fisch reagierte?

Annie rannte aus der Küche in ihr Schlafzimmer, wo sie sich, melodramatisch wie Lana, übers Bett warf, geradewegs auf das elegante rotweiße Marc-Jacobs-Kleid, das sie für den Abend bereitgelegt hatte, und laut zu schluchzen begann.

Es lag nicht nur daran, dass sie erschöpft war, nicht sonderlich gut kochen konnte und den Lachs im Geschirrspüler gewaschen statt gegart und die Fischallergie zudem völlig vergessen hatte. Es war noch mehr. Sie hatte Angst. Während der vergangenen paar Tage hatte sie versucht, ihre Sorgen zu verdrängen, doch jetzt sprudelten sie unkontrolliert in ihr hoch. Sie hatte Angst, einen Fehler gemacht zu haben.

Allmählich erwachte in ihr der Verdacht, dass es ihr in Upper Ploxley nicht gefiel, dass sie das Vorstadtleben in Essex und die ständigen endlosen Fahrten über die M11, um ihre mürrischen Kinder zur Schule zu bringen, nicht mochte.

Und dann auch noch Gray. Erst als sie bei ihm eingezogen war, hatte sie erkannt, wie festgefahren er war. Wie – wagte sie es, das Wort zu benutzen? – alt und altmodisch er ihr und ihren Kindern erschien.

Im Haus trug er schäbige violette Samtslipper (»Aber die sind bequem!«) und hörte nicht auf ihre Einwände dagegen. Zwar sah er in Anzug und Krawatte adrett aus, in Golfpullover mit V-Ausschnitt und in Freizeithosen … nein. Er las gern ungestört die Zeitung, von vorn bis hinten, wozu er gestrichene zwei Stunden benötigte. Die Kinder waren ihm lästig. Sie machten für seinen Geschmack zu viel Lärm, zu viel Unordnung. Sie verlangten zu viel von ihrer Zeit und Aufmerksamkeit. Er war eine Frau gewöhnt, die ihn verhätschelte, die das Haus blitzblank in Schuss hielt, das Essen auf den Tisch brachte, die bügelte und ihn bemutterte. Vielleicht tat es ihm auch schon leid. Vielleicht fragte er sich, auf was in aller Welt er sich da eingelassen hatte. Vielleicht wurden Ferns schlimmste Befürchtungen wahr: Vielleicht war Annie wirklich nur Mittel zum Zweck im Scheidungskrieg.

Annie ertappte sich dabei, dass sie unablässig die frühen Zeiten mit Roddy vor ihrem inneren Auge Revue passieren ließ, wobei sie versuchte, sich zu erinnern, ob sie damals die gleichen Ängste geplagt hatten. Hatte sie damals, als Roddy und sie in eine gemeinsame Wohnung gezogen waren, auch diese Anwandlungen von Klaustrophobie und Unsicherheit gehabt?

Wenn sie jetzt an diese Zeit zurückdachte, erinnerte sie sich nur an trunkene Glückseligkeit: wie sie ihr winziges Schlafzimmer pink gestrichen hatten … wie Roddy sie, als sie so schnell schwanger geworden war, während der entsetzlichen morgendlichen Übelkeit betreut hatte … wie sie Strampelhöschen und Babyschühchen gekauft und Abende eng umschlungen auf dem winzigen Sofa verbracht, mit gespielter Abscheu ihre jeweiligen LP-Sammlungen angehört und über Namen für das Kind debattiert hatten.

Aber vielleicht war sie damals genauso unsicher gewesen, sagte sie sich immer wieder. Es musste doch auch Augenblicke des Zweifels gegeben haben. Aber sie war noch so jung gewesen. Nichts war so furchtbar wichtig, solange man jung war. Es stand nicht so viel auf dem Spiel. Man konnte jemanden anmachen, man konnte einen Rückzieher machen und einfach gehen. Tja, okay … dank Baby Lana wäre das etwas komplizierter geworden, aber trotzdem …

Jetzt jedoch ließ sich nicht leugnen, dass sie eine große, wichtige, bedeutsame Entscheidung, die ihr Leben und das ihrer Kinder betraf, sehr übereilt getroffen hatte.

Doch sie konnte nicht einfach gehen … Sie musste sich erwachsen verhalten und dem neuen Leben eine wirkliche, wohlüberlegte Chance einräumen.

In der Küche beging Gray den Fehler, Lana, Owen und Connor gegenüber zu äußern, dass er besser nach oben gehen und sehen sollte, ob er »diesen Ausbruch von Launenhaftigkeit« beruhigen konnte.

Daraufhin sprang Lana auf und schrie: »*Nein!* Nein, du gehst nicht rauf zu meiner Mum. Wie kannst du es wagen, das als Launenhaftigkeit zu bezeichnen? Vielleicht hättest du deine Eltern nicht gerade an einem Tag einladen sollen, an dem meine Mum arbeitet! Und du erwartest, dass sie für euch alle kocht, als wäre sie eine Art Wirtschafterin! Sie kann nicht kochen! Ist dir das noch nicht aufgefallen? Weißt du denn noch immer gar nichts von ihr?«

»Lana«, ging Connor dazwischen, »ich finde, dass du ein bisschen …«

»Aber sieh ihn doch an!«, tobte Lana. »Er tut überhaupt nichts, er ist das größte übrig gebliebene Chauvinistenschwein, das ich kenne. Er will Mum einfach zu seiner Haushälterin machen!«

»Lana, das stimmt nicht«, beteuerte Gray höchst verärgert über den Vorwurf. »Ich bin der Meinung, dass du sofort still sein solltest.«

»Ich gehe zu ihr«, wütete Lana. »Du bleibst am besten, wo du bist!«

Und damit stürmte sie aus dem Zimmer.

In der darauf folgenden Stille sahen Connor und Owen einander an. Owen zuckte mit den Schultern. Es war weiß Gott nicht das erste Mal, dass Lana das Maul aufriss.

»Komm, trink ein Glas Wein«, wandte Connor sich liebenswürdig an Gray. »Und dann sagst du am besten deinen Eltern für heute Abend ab. Mach dir deswegen keine Sorgen. Das geht vorbei, ganz sicher … Teenager! Sie sind ein Alptraum«, versuchte er eine gemeinsame Ebene zu finden.

Gray stieß einen schweren Seufzer aus und griff nach der Weinflasche. Er wurde leichenblass. »Um Gottes willen!«, stieß er hervor. »Das ist mein Dominio de Pingus 1996!«

Als Connors Miene keinerlei Anzeichen von Verständnis verriet, platzte Gray heraus: »Äußerst selten, aus Spanien … dreihundert Pfund die Flasche … großartige Investition.«

»Äh … tut mir leid.« Kleinlaut ließ Connor den Kopf hängen, dann griff er nach einem sauberen Glas und sagte: »Du solltest einen Schluck trinken.«

25.

Annie, wieder in der Stadt:

Orangefarbenes Wickelkleid aus Leinen
(Ausverkauf Joseph)
Beigefarbener Regenmantel (der bewährte Valentino)
Große orangefarbene Schultertasche (Coccinelle
von eBay)
Karamellfarbene Highheels (die von Chanel,
zur moralischen Unterstützung)
Orangeroter Lippenstift (Mac)
Geschätzte Gesamtkosten: 390 £

»Sie sind noch nicht tot, Weib!«

Annie schlenderte über das hübsche Kopfsteinpflaster einer ihrer Lieblingsstraßen in Highgate. Adrette gestrichene Zäune umschlossen Gärten voll blühender Fliederbüsche, Buddleia und Geißblatt.

Beinahe sämtliche dreistöckigen georgianischen Häuser waren wunderschön und kostspielig renoviert: der Mörtelkalk erneuert, alte Holzfenster und Türen repariert, der historische Putz originalgetreu wiederhergestellt, bunt blühende Ampeln und Blumenkästen vor den Fenstern.

Ein ganzes Haus an dieser Straße zu kaufen … mindestens 1,5 Millionen Pfund, schätzte sie, und aus diesem Grund waren die meisten auch in kleine elegante Wohnungen unterteilt. Trotzdem war und blieb es ihr Traum, ein Haus in Highgate zu besitzen – aber vielleicht würde es doch etwas Kleineres sein müssen als diese hier. Zwei Stockwerke und ein Garten wären ja schon in Ordnung. Schließlich war sie nicht habgierig.

Sie begegnete einer molligen etwas über Dreißigjährigen, die flotten Schritts an ihr vorbeiging, in marineblauen Shorts, hellblau geblümter Bluse und schwarzen Pumps, den schmalen Riemen der schwarzen Schultertasche diagonal über die Brust geschnallt, so dass ihr Dekolleté einen scheußlich zweigeteilten Anblick bot.

Annie erwog, sie auf der Stelle anzuhalten, ihr ihre Visitenkarte zu überreichen und sie zu drängen: »Kommen Sie … Sie sind noch nicht tot, Weib, warum haben Sie sich aufgegeben?!« Woher stammte eigentlich dieser Hang mancher Frauen zu schwarzen Schuhen und passender schwarzer Tasche? Waren das die Nachwirkungen der Schuluniform? Oder hingen sie immer noch dem Irrglauben an, dass Schwarz zu allem passte? Zwar bestand im Winter die Chance, dass man Schwarz mit vielen Sachen kombinieren konnte, doch im Sommer war es hoffnungslos.

Nummer 39 war keines von den bereits renovierten Häusern. Der Putz bröckelte, das Mauerwerk sah schmuddelig aus, Teile des Zauns waren weggefault. Vermieter abwesend, nahm Annie an, oder aber Vermieter knapp bei Kasse.

Man hatte ihr gesagt, sie solle dem Gartenweg ums Haus herum folgen, wo sie den Eingang zur Souterrain-Wohnung finden würde: 39B.

Annie stapfte durch den zugewucherten Garten, und feuchte Blumenstengel und Stauden peitschten ihre Beine, als sie sich behutsam den moosigen, schlüpfrigen Pfad entlangtastete.

Von der schwarzen Tür blätterte die Farbe ab, und sämtliche Fenster mussten nicht nur neu gestrichen, sondern auch einmal gereinigt werden. Sie drückte den Klingelknopf, und wenig später erschien der Mann an der Tür, der trotz ihrer Bemühungen genauso viel Aufmerksamkeit und Pflege nötig hatte wie seine Wohnung.

»Hallo, hm, Annie … Komm doch herein!« Ed lächelte sie an und winkte sie in den beengten Flur.

Sie musste sich an einer Garderobe – vollgestopft mit Mänteln, Anoraks, Wanderschuhen und Gummistiefeln – vorbeizwängen, bevor sie ihm in eine winzige, ebenfalls aus allen Nähten platzende Küche mit niedriger Decke folgen konnte.

Annie ließ den Blick über den Überfluss an Töpfen, Pfannen, Gläsern voller Utensilien, die Zeitungsstapel, den Tisch, der sich nahezu bog unter der Last von Büchern, Stiften und Papieren, schweifen, während Ed leicht entschuldigendes Begrüßungsgestammel von sich gab.

»Entschuldige … immer diese Unordnung … hoffnungslos … Magst du eine Tasse Tee? Hoffentlich bist du nicht in Eile … Owen macht sich prima …« Und so weiter. Seine Worte wurden mehrmals von Niesanfällen unterbrochen, allerdings nicht so heftigen wie die, mit denen er sie sonst erschreckte.

Sie war gekommen, um Owen vom Musikunterricht abzuholen. Da Ed jetzt nicht mehr einfach mal eben zu ihnen nach Hause kommen konnte, war eine neue Regelung aufgestellt worden, dahingehend, dass Owen donnerstags nach der Schule mit zu Ed gehen und Annie ihn um 19 Uhr abholen sollte. Doch sie war schon zwei Mal verhindert gewesen und hatte Dinah schicken müssen. Daher war dies ihr erster Besuch bei Ed.

»Tee wäre gut, danke«, antwortete Annie und stieß ein Schälchen mit Katzenfutter auf dem Boden um, als sie versuchte, Ed auszuweichen. Nachdem er den Brei mit einem Spültuch aufgewischt hatte, das er einfach zurück in die Spüle warf, wie sie voller Unbehagen bemerkte, füllte er einen verbeulten Aluminiumkessel und setzte ihn auf die Platte eines vorsintflutlichen Elektroherds.

»Komm, ich zeige dir die Wohnung«, bot er an, und sie folgte ihm vorsichtig und fragte sich, welche weiteren Haushaltsschrecken ihr bevorstanden.

Das Wohnzimmer erreichte man durch einen winzigen Flur mit Bücherregalen an beiden Seiten, in denen die Bücher sich in Doppelreihen drängten. Selbst auf dem Boden lagen Bücherstapel. Die Deckenlampe hing so tief, dass Annie sich nicht nur ein Mal den Kopf daran stieß, sondern gleich noch ein zweites Mal, als die Lampe zurückschwang.

Das Zimmer war in einem dunklen Pinkton gestrichen, die Vorhänge und das Sofa zeigten ein verblasstes fadenscheiniges Blumenmuster. Ein paar karierte Decken lagen herum, wegen der Gemütlichkeit, und der Kamin sah aus, als wäre er kürzlich benutzt worden.

»Hi, Owen!«, rief sie ihrem Sohn zu, der im Schneidersitz auf dem Sofa hockte, die Gitarre zwischen den Knien.

»Hör dir das an«, antwortete er und spielte ihr eine kompliziert klingende Akkordfolge vor.

»Brillant!«, lobte sie ihn und betrachtete immer noch das Zimmer, in dem sie sich befand. Das Klavier, drei Gitarren und eine Sammlung von gerahmten Konzertpostern waren die Art von Attributen, die Annie bei Ed vermutet hätte. Der atemberaubende, schwülstige Frauenakt in Öl dagegen kam ein bisschen unerwartet.

Der kitschige Nippes und die Porzellanfigürchen auf dem Kaminsims und den Fensterbänken wirkten ebenfalls fehl am Platz, und Annie nahm an, dass Ed jedes einzelne Stück hortete, das einmal seiner Mutter gehört hatte. Er hatte noch nicht gelernt, sich von ihren Besitztümern zu trennen.

Die niedrige Decke über ihren Köpfen hing zur Mitte hin ein wenig durch. Seit wie vielen Jahrzehnten mochte das schon so sein? Es ließ sich nicht leugnen, dass die Wohnung Charakter hatte, wenn sie auch ein bisschen dunkel und düster wirkte und geradezu nach einem strahlend weißen Farbanstrich schrie. Die Türen hingen sämtlich schief in den Angeln, der Boden knarrte, und wenn sie eine Murmel hätte fallen lassen, wäre sie wohl geradewegs in Richtung des schwarzen Kamins an der einen Zimmerseite gerollt.

Während Owen weiterspielte, trug Ed ein kleines Tablett mit zwei Bechern und einer Teekanne ins Zimmer.

»Nimm doch bitte Platz«, forderte er Annie auf, und als sie sich in einem durchhängenden Lehnsessel niederließ, fiel ihr geübter Blick als Amateurmaklerin auf die krumme Sockelleiste und die Tapete, die sich davon abgelöst hatte. Sie wandte den Kopf und betrachtete den Rest der Sockelleiste, ebenfalls krumm, mit Farbblasen übersät und sich lösender Tapete darüber.

»Wie es aussieht, sind die Wände feucht«, erklärte sie.

»Oh …« Ed landete auf dem Sofa neben Owens Füßen. »Diese alten Häuser« – er fuchtelte mit einem Keks in der Luft umher – »haben immer irgendwelche Macken.«

»Nein, Ed.« Annie hob ein Stück gelöste Tapete an und sah, wie erwartet, auf der Rückseite eine Wolke schwarzen Schimmels. »Du hast feuchte Wände und schweren Schimmelbefall und …«

Wie aufs Stichwort entfuhr Ed ein ordentlicher Nieser, und so konnte sie ihm sehr überzeugend erklären: »Du reagierst allergisch darauf. So geht es den meisten Menschen.«

»Du machst Witze!«, sagte er und trat zu ihr, um das Tapetenstück anzusehen, das sie immer noch angehoben hielt. Sobald er in die Nähe kam, musste er wieder niesen.

Owen kam ebenfalls hinzu und bezeichnete die Sache als »eklig«, zögerte aber trotzdem nicht, Ed in aller Ausführlichkeit über den Hausschwamm-»Fruchtkörper« zu berichten, der im Keller ihrer vorigen Wohnung entdeckt worden war.

»Er war orange-braun und riesig und irgendwie wie ein Pilz, lebendig! Er sah aus, als wäre er aus dem All gekommen und wollte sich zu einer anderen Lebensform entwickeln!«, erzählte er aufgeregt, ein Lächeln auf den Lippen, den Schalk in den Augen.

»Herrlich, Owen! Vielleicht hast du Lust, mich in mein Kohlenloch zu begleiten? Womöglich finden wir dort etwas Ähnliches.«

»Ja!«

»Tja, schön … ich glaube, das ist etwas, worauf wir uns für nächste Woche freuen können.«

Owen machte ein langes Gesicht, und Ed stellte die gute Laune wieder her, indem er fragte: »Würdest du wohl einmal im Garten nachsehen, ob du Hoover und Dyson findest? Meine Katzen«, erklärte er, als Annie ihn mit hochgezogenen Brauen fragend ansah. »Sie sind das, was in meinem Umfeld einer Putzkolonne am nächsten kommt.

Hm … ich muss etwas mit dir besprechen«, begann Ed ein bisschen umständlich, als Owen durch die Hintertür in dem Garten verschwunden war.

Annie wurde ein wenig nervös. Sie sah diesen immer vertrauteren, aber trotzdem noch ziemlich unbekannten Mann nicht einmal einen halben Meter von ihr entfernt auf dem Sofa an und musste unwillkürlich an den Kuss – na ja, besser gesagt: die Knutscherei – im Treppenhaus denken.

Sie hatten beide nie ein Wort über diesen … Vorfall verloren, und sie hatte nicht wieder daran gedacht, seit es passiert war – jedenfalls nicht so richtig. Doch jetzt, bei der Vorstellung, er könnte darauf zu sprechen kommen, krümmten sich ihre Zehen.

Er beugte sich vor, stützte die Ellenbogen auf die Knie und sah sie mit schrecklich ernstem Gesicht direkt an.

»Wie geht's in Upper Ploxley?«, fragte er.

»Prima«, antwortete sie. »Gut«, fügte sie rasch hinzu, ergänzte jedoch sogleich: »Die Fahrerei ist ein bisschen lästig, aber wir werden uns schon daran gewöhnen.«

Als er darauf nichts erwiderte, sondern sie weiterhin nur fragend anblickte, fühlte sie sich bemüßigt hinzuzufügen: »Ich glaube, wir alle haben gewisse Anlaufschwierigkeiten … uns einzugewöhnen … uns zurechtzufinden. Aber ich glaube wirklich, dass sich alles zum Besten entwickelt.«

»Tatsächlich?«, fragte er, immer noch sehr ernst. Er beugte sich vor und sah sie fest an. O Mann, er würde jetzt bestimmt von dem Kuss anfangen, sie wusste es.

»Hör mal, Ed«, ging sie zum Angriff über, »wenn es darum geht, was ich … was wir … du weißt schon, im Treppenhaus …«, stotterte sie. »Sieh mal, das hatte nichts zu bedeuten. Ich möchte nicht, dass du dich falschen Vorstellungen hingibst. Ich habe mich nur so wegen Owen gefreut … wegen des Solos … und bin übers Ziel hinausgeschossen. Ich bin sehr glücklich mit Gray«, sagte sie mit Nachdruck.

Eds Gesicht schien sich zu verdüstern. Sie hatte reinen Tisch machen wollen, doch offenbar hatten ihre Worte die gegenteilige Wirkung. Er sah fast wütend aus.

»Nein, darüber wollte ich nicht sprechen«, sagte er und weckte den Wunsch in ihr, sich selbst einen Tritt zu versetzen. »Ich wollte dir sagen, für den Fall, dass du es noch nicht gemerkt hast, dass Owen nicht glücklich ist. Er hat wieder aufgehört, im Unterricht zu sprechen, und dem Umstand nach zu urteilen, wie gut sich sein Gitarrespiel entwickelt, muss er jeden Tag stundenlang in seinem Zimmer üben. Ich freue mich sehr, wenn Schüler üben, aber ich glaube nicht, dass es gut für ihn ist, wenn er so viel Zeit allein verbringt.«

Im ersten Moment wusste Annie nichts zu sagen, so bestürzt war sie. Hatte sie Owen vernachlässigt? Er hatte sich doch anscheinend recht gut in Grays Haus eingelebt, jedenfalls im Vergleich zu Lana, aber wenn er wieder aufgehört hatte, sich mündlich am Unterricht zu beteiligen, war das ein großer Rückschritt.

»Meinst du nicht, es war ein bisschen zu früh für den Umzug?«, fragte Ed. »Meinst du nicht auch, dass du es aus persönlichen Gründen überstürzt hast?«

Das war zu viel. Er war entschieden zu weit gegangen, und Ärger kochte in ihr hoch.

»Ich meine, dass dich das nichts angeht, Ed«, sagte sie wütend und fügte mit erhobener Stimme hinzu: »Glaub nicht, dass ich mir um die Kinder keine Gedanken mache! Ich denke ständig an sie! Immerzu! Natürlich will ich nur das Beste für sie. Ich bin umgezogen, um uns allen ein bisschen mehr Sicherheit zu verschaffen. Zu behaupten, ich hätte es aus persönlichen Gründen getan, ist völlig daneben!«

»Entschuldige«, sagte Ed, was ihr ein bisschen den Wind aus den Segeln nahm.

»Ich helfe Owen, so gut ich kann«, fuhr sie fort, nicht mehr gar so wütend. »Ich wusste nicht, was in der Schule mit ihm geschieht. Es ist gut, dass du mich aufgeklärt hast.«

Er hielt den Kopf gesenkt und rieb sich die Hände, offenbar sehr aufgewühlt durch dieses Gespräch.

»Tja, vielleicht geht mich auch das hier nichts an«, begann er erneut, ohne zu Annie aufzublicken, »aber ich finde, du solltest wissen, dass auf dem Konto des schulischen Benefizprojekts zweitausend Pfund fehlen. Ich habe noch nicht mit Lana und ihren Freundinnen darüber gesprochen, aber ich werde es natürlich tun müssen.«

»Zweitausend Pfund!«, wiederholte Annie bestürzt. »Wie viel ist denn auf dem Konto?«

»Es sind noch mehr als achttausend übrig, doch dreimal wurden Beträge abgehoben, die sich insgesamt auf zweitausend belaufen. Nur Lana und ein zweites Mädchen sind zeichnungsberechtigt und dürfen Geld abheben«, erklärte er sehr ernst.

»O nein!« Annie war wie vor den Kopf gestoßen. Sogleich fragte sie sich, was Lana mit dem Geld vorhatte. *Ausreißen?*, war ihr erster panischer Gedanke.

»Ed, kannst du mir die Chance einräumen, als Erste mit Lana darüber zu reden?«, bat Annie. »Sie ist im Augenblick so schwierig. Bei Gray gefällt es ihr nicht, ihr Freund hat Schluss gemacht, sie vermisst ihre Freundinnen … Wie es aussieht, hat sie etwas absolut Ungehöriges getan, aber lässt du mir ein paar Tage Zeit, damit ich den richtigen Moment für ein Gespräch mit ihr wahrnehmen und herausfinden kann, was sie über die Sache weiß?«

Und wenn sie die zweitausend Pfund hat, könnte sie einfach abhauen, lauteten die Worte, die Annie nicht aussprach.

»Ja, gut …« Ed stand auf. »Dann sehe ich Owen am Wochenende?« Er spielte auf den lang geplanten Campingausflug an.

Annie stand ebenfalls auf und fühlte sich unbehaglich, nachdem Ed sie mit all diesen Problemen konfrontiert hatte. »Ich kann es verstehen, wenn du keine Lust mehr auf den Ausflug hättest«, sagte sie.

Er sah sie verblüfft an. »Wieso sollte ich keine Lust mehr haben? Owen wäre am Boden zerstört.«

Sie schenkte Ed ein Lächeln und war dankbar dafür, dass er wenigstens das verstand.

26.

Owens Campingpyjama:

Socken (Asda)
Unterhosen (Asda)
Jogginghose (Asda)
Langärmliges Top (Ausverkauf bei Gap)
Geschätzte Gesamtkosten: 12 £

»JA … ZU VIELE BOHNEN.«

Owen fühlte sich in seinem Schlafsack unwohl. Ihm war zu heiß, zu eng, und er fühlte sich zu eingeschnürt. Außerdem fing sein sorgfältig mit sauberem Pflaster verbundener rechter Daumen an zu pochen.

Eine Familiendose Bohnen mit dem Taschenmesser öffnen zu wollen war wohl keine gute Idee gewesen. Die Büchse hatte sich zwar leicht öffnen lassen, aber das Messer hatte einen brutal zackigen Rand hinterlassen, an dem er sich den Daumen aufgerissen hatte, als er die Bohnen in den Topf schüttete.

Im ersten Moment hatte Owen gar keinen Schmerz wahrgenommen, und sein Blut war lautlos auf die Bohnen getropft. Doch kaum hatte er sein erstes »Au!« ausgestoßen, war Ed, der mit zwei Vätern und vier anderen Jungen Kochdienst im Lager hatte, in Aktion getreten.

Der Schnitt wurde rasch begutachtet, mit desinfizierenden Pads gereinigt und hochgehalten, um die Blutung zu stillen. Als das Pflaster gekonnt angelegt und tröstende Worte gesprochen waren, hatten sie sich wieder dem Gaskocher zugewandt, um nach den Bohnen zu sehen.

Obendrauf schwamm eine kleine, aber nicht zu übersehende Blutlache.

»Sollen wir sie lieber wegschmeißen?«, hatte Owen gefragt.

»Nein, nein, nein!«, versicherte Ed eilig. »Natürlich nicht – sie müssen nur gründlich gekocht werden. Eine Extraportion Eisen für alle.«

Er machte noch ein paar Scherze in dieser Richtung, um Owen aufzuheitern: »Spitzen-Blutbohnen … Ich habe einen Mordshunger auf Rote Bohnen … Und wenn man erst einmal Blut geleckt hat …« und so weiter.

Doch der Schnitt in den Daumen war Owens dritte Verletzung des Tages, und allmählich fühlte er sich wie der Tollpatsch des Lagers. Beim Schnitzen hatte er auch in seinen linken Zeigefinger geschnitten, und deshalb trug er jetzt an jeder Hand ein Pflaster.

Beim Staudammbauen ging es auch nicht viel besser: Er hatte sich mit einem allzu schweren Stein abgeplagt, der ihm dann aus den Händen gerutscht und auf seinem Zeh gelandet war.

»Macht nichts«, hatte Ed ihn getröstet, während er die Verletzung des weinenden Owen in Augenschein nahm. »Da kriegst du einen richtig coolen schwarzen Zehennagel – ganz im Stil von Ozzy Osbourne!«

Beim Abendessen hatte Ed neben ihm gesessen, mit ihm und den anderen Jungen geplaudert, Witze erzählt, diese cleveren Wortspiele angebracht, die er so gut beherrschte. Als Owen immer öfter und immer heftiger gähnte, schlug Ed ihm vor, in einem der Zelte in seinen Schlafsack zu kriechen und sich hinzulegen.

Und dort lag Owen jetzt, viel zu warm angezogen in Socken, Unterhosen, Jogginghosen und langärmligem T-Shirt, und wälzte sich unbehaglich hin und her.

An einer bestimmten Stelle verspürte er Magenschmerzen – zu viel von den Bohnen, vermutete er.

Dann stellte er fest, dass er, ob er wollte oder nicht, immerzu an seinen Dad denken musste, einen fröhlichen, extrovertierten Furzer, der für diese Tätigkeit an die fünfzig verschiedene Wörter kannte. Owens Lieblingsbegriffe waren »Summen« und »Dampf ablassen«.

Und dann dachte er an die andere Sache, und seine Sorgen wuchsen noch erheblich. Er hatte geglaubt, er würde es für sich behalten, sein eigenes kleines Projekt daraus machen können, doch jetzt war er nicht mehr so sicher.

Schließlich sah er Ed, in Cordhosen und einer ausgefransten alten gestreiften Pyjamajacke, mit einer altmodischen Sturmlaterne in der einen und einem von Owens Büchern in der anderen Hand ins Zelt kommen.

»Dachte, du könntest das hier vielleicht brauchen«, sagte er, hockte sich neben Owens Schlafsack und reichte ihm das Buch. »Wie geht's dir? Hast du es gemütlich?« Er schaute sich um: In der Ecke dieses großen Pfadfinderzelts hielten sich noch drei weitere Jungen auf.

»Was meinst du, wirst du schlafen können? Oder erzählt ihr euch die ganze Nacht hindurch Gruselgeschichten?«

»Weiß nicht«, antwortete Owen.

»Aber du bist noch nicht müde?«

»Nein, noch nicht«, bestätigte Owen, um prompt gewaltig zu gähnen.

»Aber warm genug ist dir?«, fragte Ed.

»Ja … hm … prima.«

Etwas in Owens leicht schmerzverzerrtem Gesicht bewog Ed zu der Frage: »Bauchschmerzen?«

Als Owen nickte, regte er an: »Vielleicht zu viel von den Bohnen?«

»Ja … zu viele Bohnen.«

»Ich bin sicher, alle hier drin werden verstehen, wenn du ein bisschen …« – er zog eine Braue hoch – »… Druck ablassen musst. Halte nur deinen Schlafsack fest geschlossen.«

Daraufhin musste Owen grinsen, und plötzlich und ungewollt erzählte er Ed: »Die Karten, die ich für diesen Ausflug gezeichnet habe – den besonderen Weg über Even Ridge –, ich habe sie nicht dabei. Ich habe sie auf meinem Bett liegen lassen.«

»Nicht schlimm«, beruhigte Ed ihn, verblüfft über Owens bekümmertes Gesicht. »Wir kaufen gleich morgen früh eine Generalstabskarte und suchen den Weg darauf.«

»Ja, gut, es ist nur …« wandte Owen ein, »ich habe Angst, dass meine Mum oder meine Schwester sie finden.«

»Wieso machst du dir deswegen Sorgen?«, fragte Ed verblüfft.

»Tja, weißt du … die Sache ist die …« Owen legte eine lange Pause ein, doch Ed sah ihn so auffordernd an und nickte so ermutigend, dass er mit sich überstürzenden Worten zu erklären begann: »Es ist wegen meines Dads.«

Jemandem darüber zu erzählen war nicht annähernd so schwer, wie er es sich vorgestellt hatte.

Ed hörte aufmerksam zu, stellte nur ein, zwei Fragen, dann riet er Owen, jetzt zu schlafen und erst am nächsten Morgen weiter darüber nachzudenken.

27.

Lana geht aus:

Fuchsiarotes Mädchen-T-Shirt (Markt in Camden)
Hellgraue Skaterhose (Ausverkauf bei Quicksilver)
Silberner Parka (TopShop)
Fuchsiarote Laufschuhe (Rocket Dog)
Geschätzte Gesamtkosten: 110 £

»ICH KANN DIR UNMÖGLICH ETWAS DARÜBER SAGEN ...«

Mum!«

Lanas Tonfall klang außergewöhnlich drängend, als sie in einem Nichts von einem pinkfarbenen Pyjama, mehrere Bögen Papier in der Hand, Grays Küche betrat.

»Was gibt's?« Annie, noch im Bademantel, löste die Finger mit den frisch lackierten Nägeln von dem Becher Kaffee, den sie vor dem großen sonnigen Fenster genoss.

»Es ist Viertel nach acht! Wieso bist du so früh aufgestanden?«, fragte sie, als Lana ihr die mit Owens Kritzelschrift und kunstvollen Bleistiftzeichnungen bedeckten Blätter reichte.

»Ich habe meinen iPod gesucht, aber Owen muss ihn wohl mitgenommen haben«, fauchte Lana.

Lana liebte es, sich früh am Sonnabendmorgen Musik in die Ohren zu stöpseln und dann für mindestens ein, zwei Stunden noch einmal unter die Bettdecke zu kriechen.

Annie sah die Blätter durch, verstand aber nicht, worüber ihre Tochter sich so aufregte. »Das sind Owens Landkarten und Zeichnungen von dem Ort, wo er mit Ed zeltet«, sagte sie.

Die Pläne waren so detailliert und sorgfältig ausgeführt – auf jedem war oben eine kleine Windrose aufgezeichnet –, dass sie Owen geradezu vor sich sah, wie er sich, die Zunge im Mundwinkel, am Küchentisch über das Papier beugte.

Sie spürte wieder, wie die Sorge um ihn über sie hereinbrach. Das gleiche Gefühl wie am vergangenen Nachmittag, als er in den wenig vertrauenerweckenden Kleinwagen stieg, in dem Ed vorgefahren waren. Von einem Freund ausgeliehen, wie es aussah.

Annie war nie in den Sinn gekommen, dass Ed womöglich gar kein Auto besaß, bis die Ausflugsvorbereitungen sich schließlich im letzten Stadium befanden.

Sie hatte zugesehen, wie Owen sich vorn auf dem Beifahrersitz niederließ und den Sicherheitsgurt anlegte. Sie ließ den Blick gründlich über den abgenutzten Ford Fiesta wandern und versuchte, nicht daran zu denken, dass er vermutlich nicht über einen Airbag für den Beifahrersitz verfügte, geschweige denn über Seitenaufprallschutz oder ABS-Bremsen.

Sie hatten so viel Kram eingepackt, dass der Kofferraum gestopft voll war. Konnte Ed überhaupt noch aus dem Heckfenster sehen?

Ed, bereits in schlammig blauen wasserdichten Hosen und Wanderschuhen, schien ihre Sorge zu ahnen, und als er die Fahrertür öffnete und im Begriff war einzusteigen, versicherte er ihr: »Ich bin ein sehr vorsichtiger Fahrer. Mach dir bitte keine Sorgen, okay? Nicht eine Sekunde lang. Ich passe gut auf ihn auf. Nicht wahr, Owen?« Dann hatte er ihr zugezwinkert, um die Situation zu entspannen und vielleicht auch, um zu zeigen, dass er die herbe Kritik, die er bei ihrem letzten Zusammentreffen über sie gehäuft hatte, bereute.

Als Annie sah, wie Owen sich fröhlich anschnallte, war sie froh, dass sie Ed nicht angerufen hatte, um den Ausflug abzusagen, wie sie es eine Zeitlang erwogen hatte. Und genauso froh war sie darüber, dass auch Ed diesen Anruf nicht getätigt hatte.

Augenscheinlich hatten sie sich beide entschlossen, um Owens willen ihre Zwistigkeiten auf Eis zu legen.

»Okay. Tja, tschüs … auf Wiedersehen, Owen!« Sie ging um den Wagen herum zu ihrem Sohn und gab sich Mühe, nicht zu verkrampft zu wirken und zu lächeln.

»Hattest du eine Ahnung, wohin der Ausflug gehen sollte?«, fragte Lana jetzt vorwurfsvoll, während Annie noch immer die Zeichnungen betrachtete.

»Natürlich weiß ich, wo sie sind! Sie sind in die Black Mountains gefahren.«

»Und weißt du, wo das ist?«

»In Wales.«

»Ja … in der Gegend, die auch als Brecon Beacons bekannt ist.«

Bei diesen Worten fing Annies Herz an zu rasen.

»Diese Karte …«, begann Lana, doch Annie hatte jetzt die Worte *Even Ridge* in winziger Schrift entlang einer der

Konturen entdeckt, die Owen in seinem Plan eingezeichnet hatte.

»O mein Gott!«, rief sie. In ihrer Familie war Even Ridge nur aus einem Grund bekannt: Es war Roddys Platz.

»Verstehst du nicht?« Lana schrie sie beinahe an. »Owen will dorthin, zu Dads …«

»Warum sollte er das tun?«, fiel Annie ihr mit jetzt ebenfalls verschärftem Ton ins Wort. Doch sie wusste längst von diesem tief verwurzelten Wunsch Owens. Er hatte sie schon so oft gebeten, mit ihm dorthin zu fahren, und immer hatte sie ihm versichert, sie würden es tun, zu dritt würden sie als Familie hinfahren, »sobald wir alle bereit dazu sind«.

Was sie wirklich meinte, war, wenn *sie* bereit dazu war. Und sie war es nicht.

Sie mochte nicht einmal daran denken, wann sie sich dieser Reise wohl würde stellen können, und sie hatte Owens Bitte so lange verdrängt, bis sie schließlich ganz in Vergessenheit geraten war.

Aber offensichtlich war Owen fest entschlossen, den Ort aufzusuchen, und hatte ganz allein seinen cleveren Plan dafür ausgeheckt. Annie war überzeugt, dass Ed nichts damit zu tun haben konnte.

Annie griff nach dem Küchentelefon und gab die Nummer des Handys ein, das sie Owen mitgegeben hatte. Ed besaß ärgerlicherweise natürlich kein Handy.

»Ich bin kein Gehirnchirurg«, hatte er gesagt. »Kein Mensch würde mich je so dringend erreichen müssen!«

Aber sie musste ihn jetzt erreichen.

Sie hörte ihre eigene Stimme in der Leitung: »Hi, hier ist Annie, ich kann Ihren Anruf im Moment nicht entgegennehmen …«

»Owen, hier ist Mum«, begann sie, eine Nachricht zu sprechen. »Bitte ruf mich sofort an!«

Kaum hatte sie aufgelegt, wies sie Lana an: »Zieh dich an. Wir müssen hinfahren. Falls Owen seinen Plan heute ausführen will, müssen wir bei ihm sein.«

Lana widersprach nicht, obwohl sie, wie Annie wusste, den Tag mit ihren Schulfreundinnen in London hatte verbringen wollen … Und dann war da noch ein anderes Gespräch, das Annie mit ihrer Tochter führen musste.

Gray kam zum Frühstück herunter, als Annie – vollständig angezogen und im Begriff, sich mit Lana auf den Weg zu machen – ihn gerade wecken und ihm erklären wollte, was passiert war.

»Wir haben ein Problem mit Owen«, sagte Annie. »Lana und ich müssen schnellstens losfahren, wir müssen bei ihm sein.«

»Fehlt ihm etwas?«, fragte Gray und prüfte den Sitz seines Bademantels, als er Lana im Flur bemerkte.

»Er ist nicht verletzt, es ist kein gesundheitliches Problem … Hör zu, wir müssen jetzt gleich los … Ist es in Ordnung, wenn ich dir später alles erkläre?«

»Ja, gut.« Gray schien verstimmt zu sein. »Dann mache ich mir einen ganz ruhigen Tag, wie? Vielleicht könnte ich ein bisschen aufräumen in diesem Schweinestall von Wohnung.«

»Tut mir leid, das wollte ich …« Annie zuckte um Entschuldigung bittend mit den Achseln. Eine Menge Kram lag überall herum. Irgendwie vertrug Grays offener Wohnstil sich nicht mit einem Familienleben. Es fehlte einfach an Platz, um Dinge zu verstauen. Vielleicht brauchten sie Lagerboxen, vielleicht brachte ein Ausflug zu IKEA die Lösung.

»Vielleicht, wenn ich gründlich genug suche, *Lana*«, sagte er mit unüberhörbarer Betonung, »finde ich ja auch die zwei Schachteln mit Medikamenten, die zurzeit in meinen Vorräten fehlen.«

»Was?!«, riefen Annie und ihre Tochter wie aus einem Mund.

»Ja, ganz recht.« Gray stand noch immer ein paar Stufen über ihnen auf der Treppe, mit eindeutig zorniger Miene, aber redlich bemüht, ruhig zu erscheinen. »Eine Schachtel Valium mit fünfzig Tabletten, eine Schachtel mit fünfzig Temazepams. Beide fehlen in meinem verschlossenen Büroschrank.«

»Weißt du irgendetwas darüber?«, fuhr Annie Lana an.

Sie schüttelte wild den Kopf, ohne den Blick von Gray zu lösen.

»Gray, falls du ein Problem mit meinen Kindern hast, sprich bitte zuerst mit mir«, verlangte Annie, inzwischen auch wütend geworden. »Und stell nicht einfach völlig unbegründete Anschuldigungen in den Raum.«

»Aber wir wissen doch, dass Lana unehrlich ist!«, rief er. »Hat sie dich nicht gerade um deinen Job gebracht? Und so, wie sie sich in den letzten paar Wochen aufgeführt hat, würde es mich nicht im Geringsten überraschen zu hören, dass sie Drogen nimmt!«

Das war zu viel für Annie. Sie packte Lana am Arm, zog sie mit sich zur Haustür hinaus und schlug diese effektvoll hinter sich zu.

Als sie im Jeep saßen, ließ sie den Motor aufheulen, schoss aus der Zufahrt und hinterließ zwei tiefe Furchen in Grays ordentlich geharktem Kies.

Mutter und Tochter sprachen kein Wort, bis sie Upper

Ploxley meilenweit hinter sich gelassen hatten und auf der Autobahn in Richtung Norden fuhren. Dann fragte Annie zunächst nach den Medikamenten, worauf sie eine nachdrückliche Antwort erhielt: »Ich weiß nichts davon, ich schwör's!«

Anschließend begann sie mit dem Verhör wegen der fehlenden zweitausend Pfund.

Zuerst erhielt sie nur Schweigen als Antwort. Lana wandte sich ab, verschränkte die Arme und starrte aus dem Beifahrerfenster in die vorbeifliegende Landschaft.

Nach einer langen Pause stellte sie ihrer Mutter eine Gegenfrage. »Woher weißt du davon?«

»Ed hat es mir gesagt.«

»Ed! Woher weiß er davon?«

»Er hat das Bankkonto überprüft. Das Geld wurde abgehoben. Um das zu erkennen, muss man kein Genie sein, Lana.«

»Ich hätte nie gedacht, dass er überhaupt nachsehen würde!«

Annie überging dieses absolut belastende Argument kommentarlos. Sie hielt den Blick auf die Straße gerichtet, fuhr stetig weiter und wartete.

»Ich kann unmöglich darüber reden …«, sagte Lana langsam. »Unmöglich!«

»Doch«, erwiderte Annie sanft, während ihr Herz vor Angst zu rasen begann. »Ich bin deine Mutter. Ich sorge mich mehr um dich als jeder andere.«

Da begann Lana zu schluchzen.

Und Annie bekam sehr große Angst. Lana hatte offenbar etwas Schreckliches getan, oder etwas Schreckliches war passiert. Wilde Gedanken schossen ihr durch den Kopf. Abtreibung? Glücksspiel? Drogen? Schuldgefühle, weil sie sich vielleicht nicht ausreichend um ihre aufsässige, schwierige, aber trotzdem sensible beinahe Fünfzehnjährige gekümmert hatte, drückten Annie das Herz ab.

»Lana, was auch immer es ist, ich bin bei dir! Dir passiert nichts, ich passe auf dich auf. Was immer es auch ist!«

»Es war für Suzie …«, begann Lana unter Tränen, Schniefen und immer neuen Schluchzern. »Sie ist so fertig … ihre Eltern haben sich getrennt, und ihr Freund ist … er … ist ein Junkie, Mum. Es gibt kein anderes Wort dafür …«

Annie nickte ermutigend, doch sie umfasste das Lenkrad so krampfhaft, dass ihre Fingerknöchel weiß hervortraten.

»Sie hat zuerst nur an den Wochenenden gekokst«, fuhr Lana fort, »aber … sie ist abhängig geworden. Sie nahm das Zeug sogar in der Schule. Sie war so fertig! Wir haben ihr immer wieder geraten, sich von ihm zu trennen und sich Hilfe zu besorgen.«

Annie lenkte den Jeep auf die langsame Spur, um Lanas Geschichte aufmerksamer folgen zu können.

»Sie überredete uns, ihr Geld vom Spendenkonto zu leihen. Sie sagte, sie brauche es für den Entzug und würde es von ihrem Dad zurückbekommen, sobald er wieder im Land ist.

Aber ich glaube … wir alle glauben … sie hat das Geld genommen und es mit ihrem Freund durchgebracht. Jetzt wird sie ihren Dad nie im Leben darum bitten, und ich habe keine Ahnung, wie wir es zurückbeschaffen sollen, und …«, sie hob in ihrer Verzweiflung die Stimme, »… wenn das herauskommt, fliegen wir alle von der Schule!«

Sie brach erneut in Tränen aus.

Wenngleich es ein nicht von der Hand zu weisendes Problem gab, atmete Annie doch erleichtert auf, weil es zumindest für Lana nicht so schrecklich war, wie Annie befürchtet hatte.

»Lana«, sagte Annie, »keine Angst, okay? Versuche, keine Angst zu haben. Ich wollte, du hättest es mir früher gesagt.«

»Du warst so mit Gray beschäftigt«, kam der Vorwurf.

»Ich bin nie, niemals zu beschäftigt, um Zeit für dich zu haben! Okay?« Annie sah ihre Tochter an. »Aber wir schaffen diese Sache aus der Welt. – Verflixt«, sagte sie einen Moment später. »In deiner Nähe kommt niemals Langeweile auf, wie?«

»Mum?«, fragte Lana, wischte sich das Gesicht ab und sah den Menschen an, dem sie sich schon vor Wochen hätte anvertrauen sollen. »Bleiben wir bei Gray?«

Annie blickte stur geradeaus, wechselte wieder die Spur und schaltete in den sechsten Gang. Sie stieß einen schweren Seufzer aus, bevor sie eingestand: »Nein, Schätzchen, und es tut mir so furchtbar leid. Ich dachte, er würde uns allen wirklich guttun. Ich hätte euch nicht schon wieder einen Umzug zugemutet, wenn ich nicht geglaubt hätte, es wäre das Beste für uns. Es tut mir so leid.«

»Dann müssen wir schon wieder umziehen«, gab Lana zu bedenken.

»Ich weiß.«

»Wohin?«, fragte Lana, wohl wissend, dass sie auf Monate nicht in ihre alte Wohnung zurückkonnten.

»Daran arbeite ich noch«, erklärte Annie und nagte an ihrer Unterlippe. »Aber wir ziehen zurück in die Stadt … auf jeden Fall. Ich kann Upper Ploxley nicht ausstehen!«, fügte sie vehement hinzu. »Wo habe ich dort die Möglichkeit, mal einen Kaffee zu trinken – oder gar Schuhe zu kaufen?«

Lana kicherte leise, und Annie sah den bevorstehenden Entscheidungen schon mit etwas mehr Zuversicht entgegen.

28.

Annie in freier Natur:

Weinrote Regenjacke (Village Shop)
Weinrote wasserdichte Hose (Village Shop)
Blaue Wanderschuhe (Village Shop)
Geschätzte Gesamtkosten: 50 £

»ICH KANN ES NICHT … ICH KANN ES EINFACH NICHT!«

Lana versuchte vergebens, Owen per Handy zu erreichen, während der Jeep die sie noch von ihm trennenden Meilen fraß. Beinahe zwei Stunden waren vergangen, als Annie die Autobahn verließ und mit Hilfe der Straßenkarte, die sie an einer Tankstelle gekauft hatten, über die kleineren, kurvenreichen Straßen in Richtung Zeltplatz fuhr.

Sie hatten die Städte und Wohngebiete mit ihren roten Dächern hinter sich gelassen und erreichten nun eine liebliche grüne Landschaft: zuerst Bauernhöfe mit Schachbrettfeldern, dann erhoben sich die Berge.

Das Wetter war feucht. Die höchsten Gipfel verbargen

sich in fedrigen Wolken, und durch das Lüftungssystem des Jeeps drang frische, nach Moos duftende Luft ins Wageninnere.

Annie wollte wissen, ob Lana einen Besuch auf Even Ridge verkraften würde.

»Wenn Owen es tut – oder es schon getan hat –, dann kann ich es auch«, lautete ihre gefasste Antwort.

Doch nach einer kleinen Weile fragte Lana: »Mum? Es ist doch normal, dass ich nervös bin, oder?«

»Aber ja, das ist ganz natürlich«, versicherte Annie. »Ich bin außer mir vor Angst.«

Bald schon kroch der Jeep die Hauptstraße der Kleinstadt in der Nähe des Campingplatzes entlang, und Lana versuchte, Owens Karte zu lesen. Sie hatten beschlossen, Ed und Owen zuerst auf dem Zeltplatz zu suchen, und dann, wenn sie sie dort nicht antrafen, allein zur Even Ridge aufzubrechen.

Doch plötzlich rief Lana: »Sieh mal, dort drüben! Ich glaube, das ist Owen!«

Und wirklich, ihnen den Rücken zuwendend ging dort ihr Bruder, und ein paar Meter hinter ihm folgte Ed, deutlich zu erkennen an seinem wirren Haarschopf.

Annie beschleunigte ein wenig, überholte sie, blinkte und fuhr an den Straßenrand. Im nächsten Augenblick standen sie und Lana vor den überraschten Campern auf dem Pflaster.

»Mum?« Owen ergriff als Erster das Wort. »Wie kommst du denn hierher?«

»Wir sind in die Stadt gegangen, um eine Telefonzelle zu suchen«, erklärte Ed, dem der Grund für Annies Kommen völlig klar war. »Aber wir konnten dich einfach nicht erreichen.«

»Owen hat ein Handy«, erwiderte Annie gereizt. »Warum hat er es nicht benutzt?«

»Kein Empfang«, antwortete Ed, der sich nicht aus der Ruhe bringen ließ.

»Owen!« Sie richtete ihre ungeteilte Aufmerksamkeit auf ihren Sohn. »Meinst du nicht, es wäre eine gute Idee gewesen, mich von deinem Plan in Kenntnis zu setzen?«

»Von welchem Plan?«, fragte Owen in einem Versuch, die unvermeidliche Szene noch einen Moment hinauszuschieben, die er fürchtete, seit Ed ihm freundlich, aber mit Nachdruck erklärt hatte, dass er ohne die Erlaubnis und den Segen seiner Mutter unmöglich mit ihm zur Even Ridge aufsteigen konnte.

Annie zog Owens Zeichnungen aus der Gesäßtasche ihrer Jeans und reichte sie ihm.

»Ich wusste doch, dass du nein sagen würdest!«, brach es aus Owen heraus. »Ich wollte es Ed auch nicht sagen … hab's dann aber doch getan … und jetzt ist alles vermasselt!«

Sein Gesicht war plötzlich sehr blass, bis auf einen leuchtend roten Flecken auf jeder Wange. Annie erkannte daran, dass er sehr aufgewühlt oder sehr wütend war, vielleicht auch beides.

»Ich sollte doch wohl Dads Platz sehen dürfen!«, fügte er mit erstaunlich lauter Stimme hinzu.

»Ich bin nicht die ganze Strecke gefahren, um es dir zu verbieten«, sagte sie, mächtig erleichtert zu erfahren, dass sie noch nicht auf den Berg gestiegen waren. »Lana und ich sind gekommen, um dich, weil es dir so wichtig ist, zu begleiten.«

Annie sah, wie Owen die Schultern hängen ließ, und im ersten Augenblick glaubte sie, er würde weinen.

»Ich wollte Owen gerade zu einem Stück Kuchen einladen«, ergriff Ed wieder das Wort und klopfte Owen auf die Schulter. »Es ist noch viel zu neblig zum Bergwandern. Aber es sieht so aus, als würde es noch ganz hübsch aufklaren. Ich finde, bis dahin könnten wir dort drüben in *Edna's Tea Corner* unterkriechen. Dort im Fenster stehen die tollsten Torten«, fügte er fröhlich hinzu.

Alle drei Valentines waren von Herzen dankbar für Eds Begeisterung für Kuchen, die die Spannung durchbrach.

Annie besah sich mit unverhohlenem Entsetzen im Spiegel. »Ein Anorak? Ein Anorak??!!«, wiederholte sie. »Ich trage keine Anoraks.«

Schon gar nicht, dachte sie, *wenn es sich um eine weinrote Regenjacke handelt, kombiniert mit – grauenvoll! – einer weinroten wasserdichten Hose, die in – das kann doch nicht wahr sein! – Wanderstiefeln steckte.*

Das gesamte Outfit war für fünfzig Pfund zu haben. Sonderangebot zum Doppelrabatt-Tag im auf Wetterbekleidung spezialisierten kleinen Textilgeschäft der Stadt.

Ihre Kinder kicherten. Ed – im Wollpullover – hatte einen Arm quer über seine Brust geschlagen und stützte den anderen, das Kinn in der Hand, darauf. Mit blitzenden blauen Augen musterte er Annie ein bisschen zu eingehend.

»Oh, aber das ist wie für dich gemacht«, sagte er und zeigte ein bisher nie gekanntes Talent für Übertreibungen. »Es bringt die Farbe deiner Wangen gut zur Geltung, findest du nicht auch, Lana?«

Lana kicherte noch lauter.

»Und die Hose, sie passt so gut dazu«, fügte er hinzu. »Wer hatte die Idee, diese Sachen zu kombinieren? Ausgesprochen clever!«

Annie wusste nicht, ob sie über ihn lachen oder ihn schlagen sollte.

»Muss ich das anziehen – das alles?«, fragte sie noch einmal gequält.

Er nickte. »O ja, unbedingt notwendig. Und ich werde darauf bestehen, dass du die Kapuze aufsetzt und sie fest um dein Gesicht zuziehst.«

»Aber wir steigen doch nur einen Berg hinauf …«, versuchte sie es ein letztes Mal.

Er schüttelte den Kopf und sagte: »Du brauchst die entsprechende Ausrüstung.«

»Mum, du siehst prima aus«, machte Lana ihr Mut, doch Annie konnte sich des Gefühls nicht erwehren, dass es eine unverschämte Lüge war. Weinrot? Warum musste das Einzige, was in ihrer Größe auf der Stange für heruntergesetzte Sachen hing, ausgerechnet *weinrot* sein? Die Farbe, von der sie im verletzlichen Alter von dreizehn bis fünfzehn eine Überdosis abbekommen hatte. Sie erinnerte sich auch noch an Kunstlederstiefel in fast genau dieser Farbe.

Ed hatte ihr die Nachricht behutsam beigebracht, nachdem der Tee getrunken und beträchtliche Mengen von Ednas Selbstgebackenem konsumiert waren. »Wenn wir zur Even Ridge aufsteigen wollen, Annie, dann brauchst du wasserfeste Kleidung und Wanderschuhe.«

Lana hatte das Haus zwar in einem ungewöhnlich vernünftigen Outfit verlassen, Annie jedoch war wie für einen Schaufensterbummel gekleidet: kurzer Regenmantel mit Gürtel und lederne Laufschuhe. Doch das reichte augenscheinlich nicht. Zu ihrem Entsetzen erklärte Ed, dass sie bei diesem Nieselwetter wasserdichte Kleidung benötigte, damit sie trocken blieb, und zur Sicherheit auch noch ein Paar Wanderstiefel.

»In Regenjacken schwitzt man schon einmal«, warnte er jetzt. »Ich persönlich bevorzuge nette atmungsaktive Anoraks mit Gore-Tex-Futter ...« Er hielt seinen leuchtend gelb und marineblau gemusterten Bergsteigeranorak zur Begutachtung in die Höhe, fügte jedoch hinzu: »Das würde allerdings erheblich teurer, und falls du nicht vorhast, öfter einmal ...«

»Nein!« Annie schüttelte den Kopf. »Ich habe bestimmt nicht vor, öfter auf Berge zu steigen, schon gar nicht, wenn ich mich dazu derartig kleiden muss! Könnten die Hersteller nicht wenigstens das eine oder andere Zugeständnis an die Mode machen?«, fragte sie. »Schmal geschnittene Hosen? Modefarben?«

»Es ist praktisch«, erklärte Ed.

»Es ist kriminell«, hielt sie dagegen.

Sie setzte die weinrote Kapuze auf und zog das Bändchen im Tunneldurchzug so fest um ihr Gesicht, dass sie wie eine Eule aussah.

»Ich kann es nicht ... ich kann es einfach nicht«, protestierte sie abschließend noch einmal.

»Wer den Schaden hat, braucht für den Spott nicht zu sorgen«, zog Owen sie auf.

»Nun? Alles klar?«, fragte Ed, ohne auf ihren Protest einzugehen.

29.

Ed auf dem Berg:

Marineblaue wasserdichte Hose (Tiso)
Uralte Wanderstiefel (Army- und Marine-Surplus)
Zwei langärmlige T-Shirts (uralt)
Gelber Gore-Tex-Anorak (Tiso)
Kleiner wasserdichter Rucksack (Tiso)
Geschätzte Gesamtkosten: 160 £

»VERSUCHEN WIR, DEN AUSFLUG ZU GENIESSEN.«

Der Ausflug zur Even Ridge begann gleich nach dem Kauf der weinroten Wettersachen, nachdem Ed sich vergewissert hatte, dass jeder Einzelne wirklich gehen wollte und dass sie alle völlig sicher waren, ihn bei sich haben zu wollen.

Zu Beginn wurde noch ein wenig geplaudert, allerdings eher nervös als munter.

Nach etwa zwanzig Minuten Aufstieg schliefen die Gespräche ein, und die vier stapften schweigend im Gänsemarsch vor sich hin, konzentriert auf den schmalen, stetig ansteigenden Weg. Annie grübelte in der Stille.

Ed hatte ihnen auf der Karte gezeigt, wie der Höhenweg sich bis zum Gipfel um den Berg schlängelte und die Wanderer auf einer anderen Route wieder herabführte.

»Es ist ein Weg von insgesamt zweieinhalb Stunden«, sagte er. »Weißt du so ungefähr, wo unser Ziel liegt?«

Annie schüttelte daraufhin den Kopf, sagte dann aber: »Ich glaube, es ist nicht weit vom Gipfel entfernt.«

»Okay, schön.« Ed lächelte ermutigend und schloss den Reißverschluss seiner neongelben Jacke. »Wir setzen einfach einen Fuß vor den anderen, gehen immer weiter. Versuchen wir, den Ausflug zu genießen.«

Ein leichter grauer Nieselregen verhängte noch immer den Himmel und die Sonne und schien die Bergwanderer völlig einzuhüllen. Schon nach einer Viertelstunde Marsch fühlte Annie sich feucht am ganzen Körper. Regen lief ihr übers Gesicht, ihr Körper unter dem wasserdichten Outfit war klamm. Plötzlich erschien ihr Gore-Tex nicht mehr als gar so schlechte Investition.

Eine Weile blickte sie auf ihre Füße, die in den nagelneuen marineblauen Wanderstiefeln klobig aussahen. Einen Fuß vor den anderen setzen, wie Ed geraten hatte. Sie versuchte, sich ganz darauf zu konzentrieren, statt an das Ziel zu denken, dem sie zustrebten. Es war kein schwieriger Marsch. Der Weg war etwa einen Meter breit und steinig, zwar feucht, aber kaum schlüpfrig.

Als sie höher kamen, hob sie gelegentlich den Kopf, um den Ausblick zu bewundern, der viel schöner war, als sie erwartet hatte. Der Regen ließ nach, und sie konnte die stillen grünen Hügel und Täler sehen, die sich vor ihnen erstreckten.

Als die Sonne durch die Wolken brach, glitzerten in der Ferne Straßen, Autos und Fenster wie Gold.

Außerdem hielt sie die Augen nach einem Hinweis darauf auf, dass sie an der richtigen Stelle angelangt waren, obwohl sie keine Ahnung hatte, von welcher Art ein solcher Hinweis sein sollte.

Sie hatte damit gerechnet, hier oben große Angst zu empfinden, Panik sogar … so nah bei Roddy. Im Begriff, die Stelle zu sehen, wo er …

Doch zu ihrer Überraschung verspürte sie eher ein Gefühl der Ruhe. Das Gehen trug dazu bei. Während sie weiter allmählich bergauf ging, empfand sie zunehmend ein gewisses Zielbewusstsein.

Sie sah sich nach Owen und Lana um und fragte sich, was sie wohl denken mochten. Owen verfiel in Dauerlauf, holte sie rasch ein und lächelte sie im Vorbeijoggen an.

»Willst du als Erster auf dem Gipfel sein?«, fragte sie ihn, aufgemuntert durch den unbezähmbaren Spaß, den er diesem Unternehmen abgewinnen konnte.

»Auf jeden Fall!«, rief er über die Schulter zurück. Sein roter Anorak war offen und flatterte im Wind hinter ihm her, als er weiterlief.

Automatisch wollte sie ihm nachrufen: »Sei vorsichtig!«, doch sie unterließ es.

Sie waren seit etwa fünfzig Minuten unterwegs und näherten sich zügig dem Gipfel, als Owen, etwa fünfundzwanzig Meter vor ihr, plötzlich rief: »Muuum! Mum, komm, sieh dir das an!«

Annie, Lana und Ed eilten zu ihm und folgten mit den Blicken seinem ausgestreckten Finger, der auf ein an einen großen grauen Felsbrocken gelehntes buntes Bündel wies.

Hier fiel der Berg bedeutend steiler ab, und wenn sie sich das Bündel näher ansehen wollten, mussten sie vorsichtig über das Gras zu dem Felsbrocken etwa zehn Meter unterhalb des Wegs klettern.

»Owen!«, rief Annie ihrem Sohn zur Warnung zu, der bereits den Weg verlassen hatte, rückwärts herabkletterte und mit Händen, Knien und Schuhspitzen Halt im Gras suchte.

»Ich denke, das ist in Ordnung«, beruhigte Ed sie, verließ ebenfalls den Weg, stieg an der Seite herab und streckte Lana die Hand entgegen, die unübersehbar mitkommen wollte. »Da ist zwar Gras, aber ich glaube nicht, dass es allzu glitschig ist.«

Also bewegten sich alle vier rutschend und kletternd den steilen Abhang hinunter zu dem Felsbrocken. Annie, das Gesicht in das nasse Gras gepresst, um ihren Abstieg zu bremsen, fragte sich, wie um alles in der Welt sie sich in diese Situation hatte bringen können … Und wie würden sie jemals wieder hier hinaufkommen?

Als sie den Felsbrocken erreichten, entpuppte sich das bunte Bündel als verwitterter Blumenstrauß. Owen hatte ihn aufgehoben, und während Lana das Einschlagpapier untersuchte, blieb Ed in einiger Entfernung stehen, um sich nicht aufzudrängen.

»Darf ich mal sehen?«, fragte Annie, und Owen legte ihr den nassen Strauß in die Hand. Vor etwa zehn Tagen musste es ein sensationeller Strauß gewesen sein. Die Bedeutung des Datums entging ihr keineswegs.

Sie hatte wirklich ihr Bestes getan, um den Jahrestag von Roddys Tod in diesem Jahr zu vergessen, doch das Datum kam trotzdem und schlug ihr hart ins Gesicht.

Der Strauß war matschig, nass und braun. Es waren dicke pink- und orangefarbene Rosen gewesen, hübsch gebunden mit immergrünen Zweigen. Die Zellophanhülle war stellenweise zerrissen, doch Annie konnte einen Londoner WC-Postcode entziffern.

Sie war überzeugt, dass dies etwas mit Roddy zu tun hatte. Bei der Untersuchung war angemerkt worden, dass am Even Ridge, solange man zurückdenken konnte, nie ein schwerer Unfall geschehen war. Der Blumenstrauß konnte allerdings auch dem Gedenken an jemand anders dienen, der nach Roddy hier verunglückt war.

Lana wies auf die Blumenstiele. »Sieh mal, da steckt eine Karte.«

Annie zupfte das Papier zur Seite und zog zwischen den Stielen einen kleinen silbernen Umschlag heraus. Einen Augenblick lang wusste sie nicht, ob sie es wagen sollte. Wenn es nun etwas war, wovon sie nichts wusste? Nichts wissen sollte? Wenn es Roddys Privatangelegenheit war? Oder an einen völlig anderen Menschen gerichtet war?

Doch Owen und Lana drängten heran, und sie schob den Fingernagel unter die Miniaturklappe und zog eine kleine weiße Karte, kaum mehr als fünf Zentimeter breit, aus dem Umschlag. In einer ihr bekannten Handschrift war auf die Vorder- und Rückseite gekritzelt:

Der dritte Jahrestag, mein Freund … Drei ganze Jahre ohne dich.

Ich kann nur hoffen, dass du, wo immer du jetzt sein magst, eine Vorstellung davon hast, wie sehr wir alle dich vermissen.

Annie starrte auf die Karte. Die Worte verschwammen, und sie wusste, dass sie auf der Stelle etwas zur Abwehr der drohenden Tränen unternehmen musste.

»Von wem ist die Karte?«, wollte Owen wissen.

»Von Connor, nicht wahr?«, fragte Lana.

Annie nickte nur und spürte, wie die Tränen über ihre unteren Lider quollen.

»Ja«, antwortete sie erstickt.

»Ist Daddy hier abgestürzt? Hat er sich hier den Kopf aufgeschlagen?«, fragte Owen.

»Ja.« Ihre Stimme war ein rauhes Flüstern. »Er hatte so großes Pech, Schätzchen, so unbegreifliches Pech.«

Pech ... so hatte sie sich jetzt entschieden, es zu bezeichnen. Es brachte nichts zu überlegen, ob es fair oder unfair war. Das war ihr erst nach langen und fruchtlosen Stunden klargeworden, in denen die Wut darüber in ihr getobt hatte, wie unfair es war.

Warum hatte Connor kein Wort davon gesagt, dass er hierherfahren wollte? Hatte er die Reise in den Vorjahren ebenfalls unternommen? Sie schob die Karte in den Blumenstrauß und legte ihn behutsam an den Felsbrocken zurück. Connors Geste rührte sie zu Tränen.

Und jetzt, so nahm sie an, würden sie das tun müssen, wovor sie sich immer gefürchtet hatte, auf halbem Weg zu einem Berggipfel, wo Passanten sie eventuell sehen konnten: Sie würden sich zusammenkuscheln und weinen müssen.

Sie dachte zunächst, sie würde nur kurz weinen: es herauslassen, sich die Nase putzen und dann wieder hinauf zum Weg klettern.

Sie dachte, sie müsste stark sein um der Kinder willen, sie müsste sich zusammenreißen. *Sie sind diejenigen, die wirklich, wirklich leiden; sie brauchen mich als Halt!* Doch dann spürte sie, wie schreckliche, heftige, herzzerreißende Schluchzer aus ihrer Lunge brachen. Sie konnte nichts tun, um sie zu unterdrücken.

Roddy war nicht an irgendeinen Drehort gereist, wie sie sich so oft einzureden versuchte. Er war fort. War ihr für immer genommen. Er würde nie, niemals zu ihnen zurückkommen. Auf ihrem Handy würde nie wieder seine Nummer erscheinen, er würde nie wieder an der Tür stehen, zurück von einer Reise, beladen mit Geschenken für sie und die Kinder, und nie, niemals würde sie morgens aufwachen und feststellen, dass der Alptraum vorüber war und er wohlbehalten an ihrer Seite lag.

Als sie jetzt zum ersten Mal hier auf dem Berg, am Ort des Geschehens stand, war ihr, als hätte sie das Endgültige nun erst richtig verstanden. Es brach über sie herein und schmerzte so gewaltig, so intensiv, dass sie nicht wusste, wie sie es aushalten sollte. Sie rang nach Atem, hatte Mühe, sich aufrecht zu halten.

Lanas und Owens Vater, ihr herrlicher Ehemann Roddy, hatte sich beim Bergwandern eine tödliche Verletzung zugezogen – hier an der Even Ridge.

Ein »unglücklicher Sturz« offenbar, so hatten alle, die mit dem Unfall zu tun hatten, ihr seinerzeit gesagt.

»Unfalltod«, lautete das Urteil des Gerichtsmediziners.

Als ob die Worte »unglücklicher Sturz … hätte jedem passieren können« es leichter erträglich machen könnten. Nein, sie dachte vielmehr oft, dass es ihr alles noch schwerer machte.

Wäre Roddy an jenem Wochenende aufgebrochen, um einen Gletscher in den Alpen zu erklimmen, wäre sie vielleicht besser auf einen schrecklichen Unfall vorbereitet gewesen. Doch er hatte sich mit drei Kumpels zu einem Bier- und Bergwander-Wochenende aufgemacht. »Dabei geht es bedeutend mehr um Bier als um Berg, das weiß ich jetzt schon«, hatte er gescherzt, als er sein Übernachtungsköfferchen in Connors Auto lud.

Nach einer langen Kneipentour, leicht verkatert, hatten Roddy und seine Freunde sich zu einem den Kopf klärenden Trip zum Gipfel der Even Ridge aufgemacht.

Kurz vor dem Gipfel war Roddy gestolpert, hatte das Gleichgewicht verloren und war gestürzt. Er war diesen steilen Abhang heruntergerollt und hätte eigentlich ein paar Meter weiter unten lachend liegen bleiben müssen. Es war sein Pech, dass er mit dem Kopf hart genug gegen diesen Felsbrocken hier stieß, um eine Gehirnblutung zu erleiden.

Ein Hubschrauber wurde angefordert und brachte ihn auf die Intensivstation der nächsten Notfallklinik, doch er hatte das Bewusstsein nie wiedererlangt und war nach einer Woche lebenserhaltender Maßnahmen gestorben.

Annie konnte sich wünschen sosehr sie wollte, dass er sofort gestorben wäre. Doch die Realität von Roddys Tod war eine Vielzahl von eingehenden Tests, und dann kam das vernichtende Ergebnis, dass er hirntot war. Seine Familie und seine engsten Freunde waren gekommen, um ihn zu besuchen. Sie hatten mit ihm gesprochen, ihn in den Arm genommen und ihm Dinge gesagt, die sie ihm gern so viel öfter gesagt hätten, als er sie noch hatte hören können. Sie hatten um ihn geweint, ihn berührt, ihn geküsst, sich zu ihm ins Bett gelegt.

Bis Annie schließlich bei vollem Bewusstsein und während sie sich fragte, warum sie kein Recht auf eine Schmerztherapie hatte – ein Betäubungsmittel oder doch wenigstens Lachgas –, die Formulare unterzeichnet hatte.

Lana und Owen befanden sich nebenan in Ferns wilder Umarmung, und Annie selbst hielt die Taille von Roddys Mutter Penny viel zu fest umklammert, als sie zusah, wie die Schwester still und mitfühlend die Geräte ausschaltete, die Schläuche entfernte, den Tropf abhängte und die Nadeln herausnahm.

Während seine Frau seine eine Hand hielt und seine Mutter die andere umklammerte, hatte Roddy mehrere unerträgliche Minuten gebraucht, um zu sterben. In dem Moment, als sie wusste, dass es geschehen war, hatte Annie einen grauenhaften, körperlich spürbaren Knacks gespürt. Etwas in ihr war zerbrochen, irreparabel.

Annie hatte hinterher noch fast zwei Stunden bei ihm gesessen und seine Hand gehalten, so verloren und so unter Schock, dass sie nicht einmal bemerkt hatte, wie Penny den Raum verließ.

Bis jemand, der extra dafür ausgebildet war, hereinkam, um mit ihr zu besprechen, was jetzt folgen würde.

Was dann kam, war vergleichbar mit einer großen Familienhochzeitsfeier, nur dass ihr lediglich eine Woche für die Organisation blieb.

Hunderte von Anrufen mussten getätigt werden: Einladungen, Blumen, Kirchen, Broschüren, Kataloge, Verwandte – sowohl geliebte als auch ungeliebte –, das alles wollte beachtet werden. Täglich trafen frische Blumen ein, neue Karten, und immer noch mussten Anrufe erledigt und endlose Anrufe beantwortet werden. Es klingelte unablässig in Annies Ohren.

Nach alledem, nach all dem Lärm und der Hektik und den Terminen und den Plänen und den Vorbereitungen und dem ungeheuren Anprall von Emotionen an jenem Tag … danach setzte ohrenbetäubende Stille ein.

Annies Tage und Abende waren von Schweigen erfüllt. Schweigend zog sie sich aus, schweigend ging sie zu Bett, schweigend wachte sie morgens auf. Ganze Wochenenden verstrichen unter Schweigen. Sie konnte mit ihren Kindern reden, ihre Kinder hören, den Fernseher einschalten, das Radio, laute Musik hören, ihre Mutter anrufen, ihre Schwester besuchen. Es änderte nichts. Alles, was sie endlose Monate lang hörte, war das Schweigen in ihrem Leben, wo vorher Roddy gewesen war.

Hier und jetzt, auf diesem Berg, da sie erkannte, dass der Abhang, den sie und ihre Kinder gerade hinuntergeklettert waren, Roddy umgebracht hatte, begriff sie, wie wütend sie war.

Wie entrüstet, wie absolut und ungeheuer stinksauer sie wegen dieser Sache war.

Wie konnte dieses blöde, harmlose Stückchen Land, dieser harte graue nutzlose Stein, wie konnte er es wagen, ihnen Roddy zu nehmen?

Wie konnte er es wagen?

Wütend trat sie gegen den Stein.

»WIE KANNST DU ES WAGEN? WIE KANNST DU ES WAGEN?!!«

Annie bemerkte, dass sie die Worte laut aussprach, immer und immer wieder. Sie drückte Lana und Owen zu fest an sich, spürte, wie sie sich beide leicht gegen sie stemmten.

Sie ließ sie los, setzte sich schwerfällig auf den Boden und hörte das merkwürdige Knirschen der wasserfesten Hose unter sich. Sie weinte und weinte. Es war ihr jetzt gleichgültig, dass Lana und Owen aufgehört hatten zu weinen, es war ihr gleichgültig, ob jemand oben auf dem Weg zu ihnen hinunterblickte oder was Ed, der Außenstehende, von der Szene hielt.

Sie heulte. Sie klagte.

Vergebens wischte sie sich mit dem Ärmel der Regenjacke die laufende Nase ab. Auf dem wasserdichten Ärmel befand sich jetzt eine glänzende Schleimspur, doch es war ihr gleichgültig.

Alles war ihr gleichgültig: das Schulgeld, die Wohnung, Gray, was gerade Mode war oder nicht, wer in welchen Sachen gut aussah. Alles war ihr gleichgültig, bis auf diese beiden lieben, lieben Menschen, die mit bekümmerten Mienen vor ihr standen, und die Tatsache, dass dieser blöde, verdammt unnütze, herz- und verstandlose Brocken grauen Steins ihnen den Vater genommen hatte – den Mann, der sie auf der ganzen Welt am meisten geliebt hatte.

»Es ist mir gleich … es ist mir gleich … es ist mir einfach völlig gleich …« Sie bemerkte, dass sie zwischen Luftschnappen und erstickenden Schluchzern mit Naselaufen diesen neuen Spruch unablässig wiederholte.

Dann lag ein Arm um ihre Schultern. Nicht Lanas weicher, tröstender, nicht Owens leichter Arm, der gerade ganz knapp von einer zur anderen Schulter reichte. Nein, es war ein schwerer Arm, der sie festhielt.

Mit geschlossenen Augen lehnte sie kurz den Kopf gegen die zu diesem Arm gehörige Schulter und fühlte sich so aufgehoben, dass sie weiterweinen konnte. Heftig weinen, wirklich heftig, mit dem Ziel, sich auszuweinen.

Denn jetzt musste sie noch aus einem weiteren Grund weinen: darüber, wie sehr sie ihren Job vermisste.

Den ganzen Tag über hatte sie sich dabei erwischt, dass sie an kleine Begebenheiten im *The Store* dachte: daran, wie sie die Zellophanhüllen von den Neuzugängen der Saison schälte; an die Aufregung des ersten Tages mit den leuchtend pinkfarbenen Fünfzig-Prozent-Rabatt-Tickets; wie sie an den Reihen neuer Schuhe vorbeischritt und den Duft von unbenutztem Leder atmete.

An den Strom von Frauen, die Tag für Tag durch ihre Suite gegangen waren, an die Verwandlungen vor dem Spiegel … sogar ans Aufräumen zum Ende des Tags, an die Räumlichkeiten im Dämmerlicht der Nachtbeleuchtung. Das alles fehlte ihr so sehr.

Es gefiel ihr, dass dieser massive Arm samt Schulter ihr wortlos angeboten wurde. Niemand sagte »Aber, aber!« oder »Alles wird gut!« oder »Nicht weinen!« oder »Schschsch«. Dieser Arm war einfach nur da, hielt ihre Schultern fest umfangen, bot ihrem schweren Kopf einen Platz zum Ausruhen.

Lange genug, um wieder zu Atem kommen, nach den Rändern dieses Sees aus Kummer zu greifen und beginnen zu können, sich hochzuziehen, ein bisschen wenigstens hinaus aus dem Wasser.

Mit geschlossenen Augen, immer noch mit angelehntem Kopf, wartete sie darauf, dass das schwere Atmen und Keuchen, das brennende Gefühl in ihren Lungen nachließ.

Nach einer langen Zeit fühlte sie sich in der Lage, die verschwollenen Augen wieder zu öffnen. Langsam löste sie sich aus der Umschlingung des Arms und stand auf.

Als sie des Sprechens wieder mächtig war, sagte sie »Es tut mir leid« zu Ed, zu dem dieser Arm gehörte.

»Es besteht kein Grund dazu, ich verstehe schon«, sagte er sanft.

»Wo sind die Kinder?«, fragte sie, verwundert darüber, dass sie fort waren.

»Sie sind weitergegangen, zum Gipfel. Fühlst du dich in der Lage, ihnen zu folgen?«

Als sie mit einem Nicken darauf antwortete, gleichzeitig jedoch angstvoll den Steilhang musterte, den sie hinaufklettern mussten, um wieder auf den Weg zu gelangen, streckte Ed ihr seine Hand entgegen und sagte: »Keine Angst, ich helfe dir hinauf.«

Sie ergriff die dargebotene Hand und ließ sich von Ed den steilen Hang hinaufziehen. Auf dem Gipfel des Berges sah sie Lana und Owen dicht beieinanderstehen und auf Dinge zeigen, die sie in der Ferne sahen.

Als Annie schließlich neben ihnen stand, blickte sie über die weite offene Landschaft vor ihnen hinweg, zauste Owens zu langes Haar und fragte ihn: »Was hältst du davon?«

Den Blick in die Ferne gerichtet schob er seine Hand in ihre und antwortete: »Danke, Mum. Ich habe mir schon immer gewünscht, Dads Weg für ihn zu Ende zu gehen.«

Als Lana das hörte, sagte sie beinahe im Flüsterton zu ihrem Bruder: »Das ist echt lieb, Owen. So habe ich das nie gesehen … Ich bin froh, dass du uns hierhergeholt hast.«

30.

Annie in Wechselkleidung:

Weite, kurze, abgetragene Jeans (Ed)
Gürtel (ihr eigener)
Tennissocken (Ed)
Weiße Boxershorts (Ed)
Marineblaues Sweatshirt (Ed)
Geschätzte Gesamtkosten: 0 £

»Ich bin nass bis auf die Haut, verdammt!«

Ist alles in Ordnung mit dir?«, fragte Ed Annie besorgt, als sie nach einer Rutschpartie auf dem Allerwertesten ein gutes Stück den Berg hinunter – bei wolkenbruchartigem Regen, der sie während des ganzen Abstiegs begleitet hatte – wieder auf die Füße kam.

Auf dem glatten wasserfesten Hosenboden war sie wild wie in einem Bob durch diverse tiefe Mulden, über Buckel und Grasbüschel gedüst, bis sie schließlich mit schmerzenden Knochen und außer Atem liegen blieb. Durch die furiose

Fahrt war die Hose aufgerissen und der Anorak hochgeschoben worden, so dass alles, was sie darunter trug, nass wurde.

»Alles in Ordnung«, beruhigte sie die Dreiergruppe, die sie umringte. »Aber ich bin nass bis auf die Haut, verdammt!«

»Ach, keine Sorge«, tröstete Ed. »Ich habe Wechselwäsche im Zelt.«

Genau darüber machte sie sich während des gesamten restlichen Abstiegs große Sorgen.

Zurück im Zeltlager sahen sie, dass Eds Zelt unter dem Gewicht der Regenmassen zusammengebrochen war. Eine Handvoll Jungen mit ihren Vätern bauten gerade eines der großen Zelte ab, bevor es das gleiche Schicksal ereilen konnte.

»Ich schätze, das war's dann«, rief einer der Väter Ed zu, als sie vorübergingen. »Der Wetterbericht sagt schwere Regenfälle voraus.«

Dennoch gelang es Ed, seine Tasche aus dem Wirrwarr von Zeltplane, Schlafsäcken und verschiedenen Habseligkeiten herauszufischen. Er bot Annie an herauszusuchen, was sie brauchte.

Im muffigen Toiletten- und Duschgebäude öffnete sie den Reißverschluss der uralten Sporttasche und besah sich den Inhalt.

Chaos.

Sie schob behutsam die Hand hinein. Immerhin handelte es sich offenbar um ein sauberes Chaos. Die schmutzigen Unterhosen und Socken, die sie befürchtet hatte, mussten wohl woanders verstaut worden sein. Sie nahm eine verwaschene Jeans heraus, die zu weit und zu kurz sein würde, aber in Sachen Hosen war sonst nichts zu finden. Ein nach Waschmittel riechendes weißes T-Shirt, zwar verzogen und nahezu fadenscheinig, und ein abgetragenes, an den Säumen ausgefranstes Sweatshirt mussten für die obere Körperhälfte genügen. Diese Socken und Boxershorts würde sie auch brauchen. Konnte sie es riskieren, seine Boxershorts anzuziehen? Sie sahen sauber aus.

Sie entledigte sich ihrer nassen Sachen und schlüpfte, so schnell sie konnte, in die trockenen Kleidungsstücke, wobei sie es tunlichst vermied, sich in dem kalten Raum mit den feuchten Wänden und den kontinuierlichen Tropfgeräuschen umzusehen. Ihr eigener Gürtel hielt die Hose in der Taille, so dass der Denimstoff sich bauschte und ausbeulte.

Da begann ihr Handy in der nassen Hose zu klingeln.

»Mum, hi! Wie geht's dir?«

»Wo steckst du, Annie?«

»Ich bin mit Owen und Lana und ihrem Musiklehrer …«, setzte sie an. »Owen hat einen Campingausflug gemacht, und das Zeltlager befindet sich an dem Berg, auf dem Roddy gestürzt ist.« Sie berichtete Fern von dem Marsch, den sie gerade hinter sich hatte.

»Oh, mein Gott!«, sagte Fern. »Ist alles in Ordnung bei euch?«

»Ja«, versicherte Annie. »Uns geht's gut. Es war …« Sie hielt inne. »Es war gut so. Den Kindern hat es sehr geholfen.«

»Ach, Annie, es tut mir so leid«, äußerte Fern ihr Mitgefühl.

»Wie geht's dir? Wieso rufst du mich überhaupt an einem Sonnabend um fünfzehn Uhr nachmittags an?«, wunderte sich Annie.

»Ich habe eben Gray gesehen«, erklärte Fern. »Aber vielleicht ist jetzt nicht der richtige Augenblick, um dir davon zu erzählen …« Sie unterbrach sich.

»Was soll das heißen?«

»Weißt du, wo er sich aufhält?«, fragte Fern.

»Nicht genau. Er sagte, er würde sich einen ruhigen Tag zu Hause gönnen … Kann aber auch sein, dass er ausgegangen ist. Wieso? Wo hast du ihn gesehen?«

»Tja, Süße, vielleicht solltest du ihn anrufen. Mal sehen, ob er dir verrät, dass er in einer gemütlichen Nische im *Le Pont d'Or* ein Drei-Gänge-Menü und zwei Flaschen Wein mit seiner …«, jetzt erkannte Annie die Empörung in Ferns Stimme, »… *Frau*, Marilyn, verkonsumiert«, schloss sie.

»Tatsächlich??!« Annie konnte es kaum glauben. »Du hast sie *dort* gesehen?«

»Ja. Ich habe mich dort mit Netty zum Mittagsangebot getroffen – mehr kann ich mir im *Pont d'Or* nicht leisten –, und erst beim Hinausgehen sah ich die beiden. Ich würde mich ja liebend gern irren … und vielleicht gibt es auch einen völlig harmlosen Grund dafür … aber so war's nun mal.«

Kaum hatte Annie das Gespräch mit Fern beendet, tippte sie Grays Nummer ein. Sie fühlte sich gewissermaßen bloßgestellt, als er sich auf Anhieb meldete.

»Hi!«

»Hi!«

»Wie geht's?«, wollte er wissen. »Wohin bist du so schnell abgedüst? Ist mit Owen alles in Ordnung?«

Er wirkte so besorgt, dass sie einen Augenblick glaubte, ihre Mutter müsste sich geirrt haben. Gray war sicherlich zu Hause und hatte auf ihren Anruf gewartet. Sie verspürte Gewissensbisse, weil sie ihn nicht schon früher angerufen hatte. Bestimmt hatte er sich ihretwegen Sorgen gemacht.

»Alles ist in Ordnung. Wirklich. Bist du noch zu Hause?«, fragte sie.

»Nein. Ich hatte keine Lust aufzuräumen und bin in die Stadt gefahren.«

»Nach Southend?«, fragte sie.

»Ja … ich habe John angerufen, und wir haben uns zum Mittagessen getroffen.«

»John?«

»Du weißt schon, den Yachtbesitzer. Wir haben uns im *Pont d'Or* gewissermaßen der Völlerei hingegeben. Es war nett. Ich komme gerade aus dem Waschraum und will bezahlen.«

»Toll … Entschuldige, Schätzchen, ich muss Schluss machen …«, war alles, was Annie daraufhin antworten konnte. »Wir sprechen später noch einmal.«

»Was meinst du, wann du zurück bist?«, fragte er.

»Tut mir leid, ich habe keine Ahnung. Okay?«

Verdammt noch mal!

Es war eine Sache, zu dem Schluss zu kommen, dass es ein Fehler war, bei Gray einzuziehen. Doch es war etwas völlig anderes, wenn er sich heimlich hinter ihrem Rücken mit seiner Exfrau in spe traf!

Sie öffnete das Make-up-Fach ihrer Handtasche und entnahm ihm ihre Haarbürste und einen neuen Lippenstift.

Nachdem sie ihr nasses Haar sorgfältig durchgebürstet hatte, band sie es zu einem festen Pferdeschwanz und ließ sich ein paar Minuten Zeit, um den Lippenstift perfekt aufzutragen. Wie ein Soldat im Kampfgebiet ließ sie nicht zu, dass missliche Umstände sie an Körperpflege oder Schuheputzen hinderten.

Leider musste sie ihre durchnässten Wanderstiefel und die nasse Regenjacke wieder anziehen, weil der Regen immer noch nicht aufgehört hatte.

Draußen auf dem Campingplatz fand sie Eds Zelt, das wieder aufgerichtet worden war, und nahm an, dass ihre Kinder sich darin aufhielten.

Sie öffnete die Klappe und sah die drei mit den Rücken zu den Nylonwänden auf zusammengerollten Schlafsäcken sitzen und dem Prasseln des Regens lauschen. Sie duckte sich ins Innere, bemüht, sich dabei nicht mit der Hand im nassen Schlamm auf dem knirschenden Plastikboden des Zelts aufzustützen.

»Nimm den Schlafsack.« Ed erhob sich von seinem Platz und setzte sich auf den Boden, und Annie tastete sich in gebückter Haltung zu seinem Schlafsack vor und setzte sich, dankbar für die Wärme, die er abgab.

Mit einem Blick in die Runde der stillen, nachdenklichen Gesichter um sie herum hob sie die Stimme, um sich über das Trommeln des Regens hinweg verständlich zu machen, und sagte: »Tja, da sitzen wir nun. Geht's euch gut?«

Als alle nickten, konnte sie sich nicht verkneifen hinzuzufügen: »Das macht Spaß, wie? Ich wusste gar nicht, wie viel Spaß man beim Zelten haben kann.«

Lana und Owen kicherten zwar, doch Ed meldete sich als Erster zu Wort. »Owen, willst du noch eine Nacht im Zelt schlafen?«, fragte er. »Oder wollen wir lieber einpacken und es ein anderes Mal nachholen, wenn es nicht so nass ist? Das ist allein deine Entscheidung«, fügte er hinzu.

Nachdem sie zu viert das Für und Wider von Bleiben oder Heimfahren abgewogen und sich zum Heimfahren entschlossen hatten, folgte ein unerwartetes Angebot.

»Darf ich euch heute Abend zum Essen einladen – bei mir zu Hause? Ja …« Er winkte ab, als Annie protestieren wollte, wenngleich sie sich fragte, ob sie es ertragen würde, an diesem Abend zurück zu Gray zu gehen … und nach diesem ohnehin schon kräftezehrenden Tag mit ihm wegen seiner Anschuldigungen Lana gegenüber und seinem teuren Mittagessen streiten zu müssen.

»Das ist das Mindeste, was ich tun kann, wirklich. Und es macht überhaupt keine Umstände«, versicherte Ed. »Na ja, ich muss schließlich irgendetwas mit den Mengen von Bohnen anfangen, die ich für diesen Ausflug gekauft habe.«

Annie konnte nur hoffen, dass dies ein Scherz war.

Annie hockte im Schneidersitz auf dem Boden und betrachtete ihre Buchstabenreihe so konzentriert, wie es mit dem vierten Glas Wein in der Hand nur möglich war. KLJWKIU. Unmöglich. Der sadistische Scrabble-Sack hatte ihr ein Blatt ausgeteilt, das nicht zu spielen war.

Irgendwie war es Ed gelungen, sie alle in seine winzige Küche zu zwängen und mit Abendessen zu versorgen, wenngleich Annie ein paarmal in den Katzennapf getreten war. Katzenfutter klebte an ihren Socken, und das frische Paar, das Ed ihr gab, hatte ein Riesenloch im Zeh, doch sie beschloss, ihm nicht noch mehr Aufregung zu bereiten, weil die Verköstigung nicht sonderlich gut gelaufen war.

Die gebackenen Kartoffeln aus der Mikrowelle hatten erstaunlich lange gebraucht.

»Gewöhnlich mache ich ja nur eine«, hatte Ed sich ereifert. »Ich habe nicht daran gedacht, dass vier Stück vier Mal so lange brauchen.«

Als sie schließlich serviert wurden, waren sie zäh, trocken und mehlig. Dazu gab es Baked Beans, geriebenen leuchtend orangefarbenen Cheddarkäse und aus unerfindlichen Gründen Sardinen aus der Büchse.

Doch Annie und ihre Kinder hatten einen solchen Mordshunger nach dem Marsch, dem Regen und der langen Heimfahrt, dass sie alles aufaßen und auch noch die Teller sauberschabten, woraufhin Ed sich am Kopf kratzte, in seinen Schränken nach weiteren Nahrungsmitteln suchte und dann verkündete, er würde Scones backen. Annie reagierte darauf mit Skepsis und rechnete damit, dass sein schwindsüchtiger Ofen am Ende nichts als kleine verbrannte Klumpen aus Mehl und Fett hergeben würde. Doch die Scones gelangen großartig, und Ed war vollkommen rehabilitiert.

Nach dem Essen hatte er eine Weinflasche entkorkt und sie alle in sein Wohnzimmer gebeten, wo er das Feuer schürte, das dieser feuchte, kühle Abend zu verlangen schien.

Resigniert warf Annie einen weiteren Blick auf ihre Buchstabenreihe, hob den Kopf und sah, wie Owen das Wort ZENIT genau über den dreifachen Buchstaben- und den dreifachen Wortwert legte, was ihm an die tausend Punkte einbrachte.

»Owen!«, ächzte sie. »Du weißt ja nicht einmal, was Zenit bedeutet!«

»Eine Spitze oder einen Gipfel – so wie den, den wir heute erreicht haben«, entgegnete Owen etwas undeutlich, denn er redete mit dem Mund voll Schokokeksen, die er sich von dem Teller auf dem niedrigen Tisch, an dem sie spielten, gegriffen hatte.

»Hast du etwa vor, mit meinem knospenden Junior-Scrabble-Champion hier zu streiten?«, fragte Ed, während er ungerührt drei Buchstaben legte, zwei Wörter verlängerte und ein drittes schuf und damit etwa zehntausend Punkte einheimste.

»Wir spielen nie Scrabble«, sagte sie, als wäre das nicht

ohnehin aus ihren erbärmlichen Drei-Buchstaben-Wörtern längst ersichtlich. »Wo hast du Scrabble-Spielen gelernt, Owen?«

»In Eds Scrabble-Club in der Schule«, kam die knappe schokoladige Antwort.

»Mittwochmittags«, erklärte Ed. »Hat er nie davon erzählt?«

Annie zuckte mit den Achseln, was bedeuten sollte: »Jungs! Mach was dagegen!«

»Ich frage Owen ständig nach der Schule«, erklärte sie, »aber ich weiß trotzdem wahrscheinlich höchstens fünfzehn Prozent von allem, was dort vorgeht.«

»Das ist auch besser so, glaub mir«, ertönte Lanas Kommentar vom Sofa her. Annie hatte darauf bestanden, dass Lana in der Küche ein privates, leicht beschämendes Gespräch mit Ed führte, in dem sie genug über das fehlende Geld und ihre Maßnahmen zur Wiederbeschaffung erklärte, damit Ed erleichtert auf eine offizielle Regelung der Angelegenheit verzichten konnte.

Lana wollte nicht Scrabble spielen – *»Nein, das ist nicht mein Ding!«* – und kramte jetzt in einem Stapel dicker Bücher, die sich neben dem Sofa stapelten.

»Die gehören meiner Schwester«, erklärte Ed. »Sie hat sich früher für Bücher über alle möglichen Kunstrichtungen interessiert. Aber die meisten sind offenbar bei mir gelandet.«

Das überraschte im Grunde niemanden. Eds Wohnung war ein Ort, wo aller möglicher Kram endete, um nie wieder zu entkommen.

»Wo wohnt deine Schwester?«, fragte Annie, begierig darauf, ein bisschen mehr über ihn zu erfahren.

»In London«, antwortete er, lieferte jedoch keine weiteren Informationen, vielleicht, weil er sich so sehr aufs Scrabble-Spiel konzentrierte.

»Aber du bist nicht in London aufgewachsen, oder?«, drang sie weiter in ihn, bemerkte die Buchstaben S und T auf dem Brett und legte ihre neuen Plättchen an, um das Wort LIEBST zu bilden. Doch es brachte ihr nur etwa acht Punkte.

»Mum, das ist schwach!« Owen schonte sie nicht.

»Nein, nein, wir haben überall und nirgends gewohnt. Dad war in der Armee«, beantwortete Ed Annies Frage. »Mein Zuhause war das Internat … im Ernst!«, fügte er hinzu, als sie lachte.

Er nahm sich eine große Handvoll Kekse und erzählte, wie er in der Woche nach seinem siebten Geburtstag aufs Internat geschickt wurde. »Jetzt erscheint es einem barbarisch, aber es war die Norm, alle Armeekinder gingen aufs Internat. Wir flogen gemeinsam mit dem Flugzeug, fuhren dann weiter zu unserer jeweiligen Schule und trafen uns am Ende des Schuljahrs im Flugzeug wieder.«

Als sie ihn alle mit verschiedenen Nuancen der Verwunderung im Gesicht ansahen, fügte er hinzu: »Ich kann mich eigentlich nicht erinnern, Heimweh gehabt zu haben … Vielleicht war ich zu jung. Aber meine Mum war total traumatisiert, besonders später. Als Hannahs Sohn, Sid, in die Schule kam, sagte Mum immer wieder zu mir: ›Ich habe dich weggeschickt, als du kaum älter warst als er. Es müsste ein Gesetz dagegen geben!‹ Sie glaubte, ich sei institutionsgeschädigt.«

»Wie meinst du das?« Annie lächelte in der Überzeugung, er hätte einen Scherz gemacht.

»Ich habe die Schule nie wirklich verlassen. Während des

größten Teils meines Erwachsenenlebens habe ich in Internaten unterrichtet. St. Vincent's ist ein echter Aufbruch, glaub mir. Ich habe eine eigene Wohnung … nun ja, Mums alte Wohnung. Ich muss selbst kochen und saubermachen … hm, auf meine Weise … Glaub mir, das sind große Schritte!

»Allerdings«, fuhr er fort, »habe ich schon früher versucht, mich zu befreien. Für ein, zwei Jahre war ich mit einer Band auf Tour …«

Owen hob den Kopf und sah ihn mit etwas wie Ehrfurcht im Blick an.

»Aber ich weiß nicht, mag sein, dass ich den Pudding mit Vanillesoße zu sehr vermisst habe. Wenn der September naht, habe ich richtig Sehnsucht nach dem Geruch von frisch gestrichenen Heizkörpern und frisch eingesäten Rugbyfeldern. Traurig.« Er schüttelte über sich selbst den Kopf. »Sehr traurig, aber wahr.«

»Aber du kommst darüber hinweg?«, fragte Annie.

»Ich versuche es. Allerdings haben Internate etwas überaus Anziehendes, besonders die abgelegenen. Ich habe in Schulen mitten in Nirgendwo gearbeitet. Dort ist man Teil einer hermetisch abgeschlossenen kleinen Gesellschaft. Man braucht sich nicht um Dinge zu kümmern, die anderen Leuten Sorgen machen. Die Schulglocke läutet, der nächste Abschnitt des Tages beginnt, die Mahlzeiten werden pünktlich serviert …«

»Eindeutig höchst attraktiv«, zog Annie ihn auf.

»Man braucht niemals irgendetwas einzukaufen. Überall in der Schule gibt es Schränke voll mit allem, was man braucht: Lebensmittel, Bürobedarf.«

»Kleidung?«, wollte sie wissen.

»Man kann jederzeit die Kiste mit den Fundsachen plündern – vielleicht ein altes Rubgyshirt finden.«

»Das erklärt wirklich eine ganze Menge über dich.« Annie lächelte ihn über ihr Weinglas hinweg an. »Und dein Dad?« Sie hatte sich entschieden, einfach geradeheraus zu fragen, weil ihre Neugier lichterloh brannte.

Sie hörte Owen leise seufzen, bevor Ed zur Antwort ansetzte. »Mein armer alter Dad kam ums Leben. Das ist offenbar das Berufsrisiko in der Armee.«

»Das tut mir sehr leid«, sagte Annie.

»Ich stand kurz vor dem Schulabschluss. Meine Schwester und ich flogen zu Mum und nach ein paar Tagen wieder zurück zur Schule, und das Leben ging ganz normal weiter. Verstehst du, das ist das Schöne an Internaten – solche ungeheuren Schocks kommen vor, aber man ist nach allen Seiten abgesichert. Mein alltägliches Leben ging weiter, als wäre nichts geschehen.«

»Das ist nicht sehr gesund«, ließ Lana ihn wissen.

»Nein.« Er schüttelte den Kopf. »Vielleicht war Mums Sterben deshalb ein solcher … Schlag … Ich hatte einiges aufzuholen.«

Mit diesen Worten fand Annie, die die Unordnung und das Chaos in Eds Wohnung vormals so ärgerlich empfunden und als Beweis für sein hoffnungsloses Festgefahrensein betrachtet hatte, plötzlich zu aufrichtigem Verständnis und Mitgefühl für das, was Ed durchmachte.

Als sie sich in sein Bad begab, das mit so einer höchst unbefriedigenden elektrischen Dusche über der Wanne ausgestattet war, sah sie ein Stück Seife auf dem Waschbecken, hauchdünn und nicht größer als ein Daumennagel. Vermutlich gehörte Seife zu den Dingen, die Ed früher im Internat in den Schränken gefunden hatte.

Jetzt erwachte etwas wie ein Beschützerinstinkt in ihr.

Zurück im Wohnzimmer, als sie sich wieder vor ihre Buchstabenplättchen setzte, stellte sie fest, dass Ed den Platz gewechselt hatte. Er hatte das Sofa aufgegeben und sich einen alten Bohnensack aus Cord neben ihr Polster gezogen.

»Du vergeudest deine Zeit, wenn du bei mir abgucken willst«, neckte sie ihn.

»Wer sagt, dass ich es nötig hätte abzugucken?«, fragte er, griff nach seinen Buchstabenplättchen und vervollständigte ihr LIEBST zu LIEBSTE.

Er suchte ihren Blick und zog kaum merklich eine Braue hoch, so dass sie nicht wusste, ob sie es wirklich gesehen hatte oder nicht.

Sie spielten noch zwei weitere Runden, wobei Owen und Ed immer gemeiner in Konkurrenz zueinander traten, während Annie um Hunderte von Punkten hinterherhinkte. Insgeheim platzte sie vor Stolz auf ihren Sohn. *Seit wann ist er so klug?*, fragte sie sich. Die vielen Stunden, die er mit Fernsehquiz-Shows verbrachte, zahlten sich offenbar aus.

Es sah aus, als versuchte Ed zu verlieren, da seine letzten Angebote, TRAUM und DATE nicht an seinen gewohnten Standard heranreichten.

Plötzlich schrillte eine Alarmglocke durch den Raum, und Ed sprang auf.

»Klingelt es jetzt zur Schlafenszeit, Ed?«, fragte Lana, und alle mussten lachen.

»Nein, nein … Ich muss die Katzen herauslassen«, erklärte Ed, eindeutig verlegen, weil er so erschrocken war.

Als sie über diese Erklärung noch mehr lachten, glaubte er, ausführlicher werden zu müssen. »Wenn ich Gitarre spiele oder so, können Stunden vergehen, ohne dass sie draußen waren, und …«

»Gehen Katzen denn nicht selbständig nach draußen? Oder hast du keine Katzenklappe?«, wollte Owen wissen.

»O nein, nicht meine Katzen, die sind zu faul. Ich muss sie nach draußen jagen«, gestand er.

»So … und ihr wollt jetzt zurück nach Essex?«, fragte Ed, als Annie zu ihrer Überraschung feststellte, dass es schon fast Mitternacht war, und verkündete, dass sie jetzt wirklich aufbrechen müssten, obwohl sie zu müde war und es hier viel zu kuschelig und gemütlich fand.

»Nein, nicht nach so viel Wein«, erinnerte sie ihn. »Wir fahren zu Connor. Ich habe schon mit ihm gesprochen.« Und jetzt musste sie sich auf den schwierigen Anruf konzentrieren, der noch vor ihr lag. Sie hatte bereits einige Nachrichten und fünf verpasste Anrufe von Gray auf dem Handy.

»Annie und Familie!«, begrüßte Connor sie, als er ihnen die Haustür öffnete. Er sah Annie fest und mit unverhohlenem Mitgefühl wegen des langen, schweren Tags an und fügte hinzu: »Ja, nun … kommt herein, ich habe schon auf euch gewartet.«

»Wir waren auf Daddys Berg«, berichtete Lana.

»Ja«, sagte Connor und strich mit einer Hand über ihr Haar. »Das habe ich schon gehört.«

31.

Hector verliebt (in Connor):

Ökocordhose (Howies)
T-Shirt mit Ökoslogan (Howies)
Veganersandalen mit zwei Riemchen (Birkenstock)
Durchsichtige schwarze Netzboxershorts (La Redoute)
Geschätzte Gesamtkosten: 180 £

»SCHÄTZCHENS, IST DAS NICHT EIN SCHÖNER ABEND?«

Annie ließ ihre Kinder in Connors Obhut zurück und fuhr allein im ruhigen Sonntagmorgenverkehr nach Essex, um mit Gray zu reden.

Während des ganzen Wegs redete sie sich ein, es würde kein großes Problem sein … Es würde nicht so schwer werden. Doch als sie vor Grays Haus angekommen war und sein tragisch um Entschuldigung bittendes Gesicht an der geöffneten Haustür sah, wurde ihr klar, dass nichts an diesem Gespräch einfach sein würde.

Gray gab ihr einen sanften Kuss auf die Wange und berührte dabei ihre Schulter, dann bat er sie ins Haus. Er hatte aufgeräumt, so viel war klar. Das Wohnzimmer war beinahe wieder zu dem makellosen Minimalismus ihres ersten Besuchs zurückgeführt, abgesehen von ein paar Umzugskisten in den Ecken.

Auf der Stelle bot er ihr Kaffee an, und sie folgte ihm in die Küche, wo die Hähne blitzten und die Arbeitsflächen glänzten wie nie zuvor, solange sie hier gewohnt hatte.

Während der Kaffee durchlief, setzte er zu einer Reihe von Entschuldigungen an.

Es tat ihm leid, dass er so mürrisch und dass es so schwierig war, mit ihm zu leben ... Es fiel ihm schwer, sich auf so viele Leute in seinem Haus einzurichten, doch er schwor, er wäre im Begriff, sich daran zu gewöhnen, und fände sogar in vielerlei Hinsicht Gefallen daran, *»ehrlich«*, versicherte er.

Seine chromblitzende Gaggia-Maschine keuchte und gluckerte im Hintergrund, während er redete. Annie persönlich allerdings mochte lieber Kaffee aus einer Zwanzig-Pfund-Cafetière (war Gaggia-Kaffee wirklich um fünfhundert Pfund oder so schmackhafter?) oder sogar Instantkaffee, wenn sie in Eile war. Was war überhaupt gegen Instantkaffee einzuwenden – erst recht gegen die erste Tasse aus einem frisch geöffneten Glas?

»Ich habe das Valium und das Temazepam gefunden«, berichtete Gray beschämt, »und zwar unter einem Haufen Kram im Wohnzimmer. Ich muss sie dort abgelegt haben ... dann hat jemand etwas darübergelegt ... und dann noch etwas. Wie auch immer, ich muss mich bei Lana entschuldigen.«

»Ja, das musst du«, pflichtete Annie ihm bei, »und zwar gehörig. Du kannst nicht einfach solche Anschuldigungen in den Raum stellen. Mit Kindern musst du behutsam umgehen, eine Vertrauensbasis aufbauen. Du darfst nicht mit Anklagen um dich werfen.«

»Es tut mir so leid!« Er seufzte. Das Geräusch von Kaffee, der in zarte weiße Tassen tröpfelte, setzte ein.

»Ich werde mich in jeder Hinsicht bessern, das verspreche ich dir!«, sagte er und drückte ihre Hände.

Jetzt war Annie sich ihrer großen, mutigen Entscheidung, Abschied zu nehmen, ein paar Sachen einzupacken und zu gehen, gar nicht mehr so sicher. Sie war sich nicht mehr eindeutig klar. Er war kein schlechter Mensch. Er verstand doch auch, was schiefgegangen war, oder? Und er wollte ihnen allen eine Chance einräumen. Er war ein Mann, der viel zu bieten hatte.

Sie blickte aus dem Fenster hinaus in den großen Garten, wo grüne Zweige sich im sanften Wind wiegten, und sie stellte sich Lana vor, die auf einer Sonnenliege las, und Owen, der in der Erde grub, um ein Biologie-Experiment auszuführen. In London hatten sie nicht einmal einen Garten. Sie hatten Blumenkästen vor den Fenstern und konnten Ausflüge in den Park unternehmen.

Gray stellte den Kaffee vor ihr ab und goss ungefragt genau die richtige Menge Milch hinein, was ihr äußerst fürsorglich erschien.

Dann drehte er sich um und öffnete einen Schrank, nahm jedoch nicht eine Packung Kekse heraus, sondern kam mit einem kleinen lederbezogenen Kästchen zurück an den Tisch und reichte es ihr. *Nicht schwer zu erraten, was es enthält*, sagte Annie zu sich selbst und holte tief Luft, um Mut zu fassen.

Wortlos nahm sie das Kästchen entgegen und öffnete behutsam den Deckel.

Aus dem dunklen Samtbett darin schimmerte ihr ein strahlender weißer Diamant entgegen, oval, in lanzettförmiger Fassung, wie sie erkannte. Mindestens ein Karat, schätzte sie, vielleicht sogar 1,2. Sehr, sehr weiß und klar. Unwillkürlich drehte sie die Schachtel ein wenig, damit sich das Licht in dem Stein fing und ihn zum Blitzen brachte.

Der Ring war einfach atemberaubend. Sie hatte ihr ganzes Erwachsenenleben hindurch geduldig auf einen Ring wie diesen gewartet. Roddys Versprechen, als sie dreißig wurde (er löste es nicht ein) … na ja, vielleicht, wenn er die große Rolle bekam (auch dann nicht) … tja, vielleicht vom Gewinn des nächsten Hausverkaufs (auch dann nicht) … Der Tag war nie gekommen. Wie sich herausstellte, war es nicht einfach, schwer verdientes Geld für einen Diamanten auszugeben, als sie Kinder hatten und eine Hypothek bezahlen mussten.

Sie hatte sogar mal kurz in Erwägung gezogen, sich von Roddys geringfügiger Lebensversicherung einen solchen Ring zu kaufen, aber das war ihr dann doch allzu frivol erschienen.

»O … mein … Gott!«, hauchte sie schließlich.

Grays Blick ruhte auf ihrem Gesicht. Er wartete darauf, dass ihr Lächeln aufblühte und das überwältigte »Ja« zu der neuerlichen Bindung erfolgte.

Stattdessen fragte Annie: »Was ist mit Marilyn?

Bevor er weitere Entschuldigungen oder Ausflüchte vorbringen konnte, fügte sie schlicht hinzu: »Ich weiß, dass du dich gestern mit ihr getroffen hast.« Und bei diesen Worten fragte sie sich, wann er den Ring gekauft haben mochte: vor dem Treffen mit seiner Frau, danach, heute? In irgendeinem großartigen früh geöffneten Diamantengeschäft? Oder schon in den Tagen vor dem großen Streit? Das zu wissen erschien ihr wichtig.

Als Antwort auf ihre Frage entschlüpfte Gray nur ein unverständliches Stammeln.

»Marilyn … tja …«, stotterte er, »sie wollte über die Scheidung reden … wie ich mir das alles vorstelle. Und ich habe dir nichts davon gesagt, weil ich nicht wollte, dass du denkst …«

»Es besteht nie ein Grund, mich wegen irgendetwas zu belügen … hoffe ich«, erklärte Annie kühl. »Wenn du mich belügst und ich es erfahre, denke ich erst dann Gott weiß was. Und im Moment denke ich: Deine Frau wollte mit dir reden, und du lädst sie zu einem kuscheligen Essen im *Le Pont d'Or* ein? Hmmm. Dann bietest du mir einen großen, umwerfenden Diamanten an. Hmmm. Das ist ein merkwürdiges Verhalten, Gray. Das Verhalten eines Mannes, der nicht weiß, was er will.«

Etwas in seinem flackernden Blick – er huschte von ihr zu seiner Kaffeetasse, zu der Schmuckschachtel und zurück zu ihr – ließ sie wieder eine klare Entscheidung treffen. Behutsam schloss sie den Deckel über dem atemberaubenden, im Leben einmaligen Diamanten, stellte das Kästchen sachte auf den Tisch und schob es langsam in Grays Richtung.

Tränen des Bedauerns brannten hinter ihren Lidern, als sie sagte: »Tut mir leid, Gray, aber es klappt nicht mit uns.« Sie schluckte schwer an dem Kloß in ihrem Hals, den diese Worte hervorgerufen hatten, und fuhr fort: »Wir brauchen jemanden für uns alle drei … jemanden, der uns alle will. Du bist ein ganz besonderer Mensch«, jetzt liefen die Tränen ungehemmt über ihre Wangen, »du wirst einer anderen Frau wirklich guttun. Aber für uns bist du nicht der Richtige. Es tut mir leid.«

Er senkte den Kopf unter diesen Worten und verbiss sich womöglich sogar selbst die Tränen. Annie wischte sich über die Wangen, nahm dann ein paar Tücher aus der Schachtel, die Gray ihr reichte, und putzte sich heftig die Nase.

Nach einiger Zeit fühlte sie sich wieder stark genug, um zu fragen: »Du kannst den Ring doch zurückgeben, oder? Du hast ihn nicht auf einer zwielichtigen Internetseite gekauft?«

»Keine Angst, ich werde ihn zurückgeben«, sagte er, dann legte er die Hand auf ihren Arm und fragte, ob sie wirklich ganz sicher wäre … oder sich vielleicht lieber alles noch einmal durch den Kopf gehen lassen wollte.

»Nein, es hat schon seine Richtigkeit«, versicherte sie. »Es fällt schwer, aber es ist richtig so. Verdammt noch mal!«, fügte sie nach einer Pause hinzu. »Schon wieder packen!«

»Wo wollt ihr wohnen?«, fragte er. »Deine Wohnung ist …«

»Noch auf fünf Monate vermietet, ich weiß. Tja …« Während der Fahrt über die Autobahn hatte sie einen Plan ausgearbeitet. »Wir bleiben bei Connor, bis ich eine Anzahlung zusammengekratzt habe, dann verschulde ich mich bis über beide Ohren und kaufe das renovierungsbedürftige Haus, das ich sowieso haben wollte. Also wird alles gut«, versicherte sie.

»Annie, du hast momentan keinen Job«, erinnerte er sie.

»Das konnte mich noch nie aufhalten«, erklärte sie fest.

»Ihr könnt hierbleiben, solange es nötig ist«, bot Gray ihr an, vielleicht in der vagen Hoffnung, dass er sie doch noch zum Bleiben würde überreden können … oder einfach nur, weil er ein schlechtes Gewissen hatte.

»Nein, nein. Es ist das Beste, wenn wir gehen. Vielleicht muss ich ein paar von den Kisten noch für eine Weile hier zurücklassen – nur, bis wir uns eingerichtet haben. Aber ich packe jetzt so viel wie eben möglich schon einmal ein.«

Sie stand auf, ließ den Kaffee wie auch den Diamanten unberührt auf dem Tisch zurück.

Schade, musste sie gegen ihren Willen denken. Aber sie

konnte wohl kaum den Ring annehmen und trotzdem gehen, oder?

»Hier ist ein starker Drink vonnöten«, erkannte Connor, als Annie blass und müde und beladen mit dem Großteil ihrer Habseligkeiten und der der Kinder zurück in seine Wohnung kam.

»Ist das dein Allheilmittel?«, fragte sie.

»In welchen Situationen wirkt ein starker Drink denn keine Wunder?«, fragte er zurück.

Sie, Connor und sein Freund tranken sich mit perlendem Wein, den er von irgendeinem Fotoshooting hatte mitgehen lassen, einen kleinen Schwips an und teilten sich eine wagenradgroße Pizza mit Lana und Owen.

Bevor sie, ihre Kinder und der Großteil ihrer Besitztümer eingetroffen waren, hatte Annie nicht gewusst, das Hector praktisch ein fester Bestandteil in Connors Wohnung war. Unter normalen Umständen hätte sie sich riesig für Connor gefreut, doch im Augenblick war es ein weiteres Ärgernis, mit dem sie fertigwerden musste.

Aber an diesem Abend – beschwipst vom Wein und in dem Wissen, dass Annie vielleicht nicht über Gray, über den Umzug oder den Umstand, dass sie nicht nach Hause konnten, würde reden wollen – hatten Connor und Hector es verstanden, allgemeine Begeisterung für ein brutales Kartenspiel mit »Wahrheit oder Pflicht« als Strafe für den Verlierer zu wecken.

Unter anderem musste Connor verraten, mit wem er zum allerersten Mal geknutscht hatte (es war natürlich ein Mädchen, damals, bevor er sich eingestand, dass er schwul war). Hector musste sich aus dem Fenster lehnen und laut rufen:

»Schätzchens, ist das nicht ein schöner Abend?!« Und Lana, die sich unter gar keinen Umständen jemals für »Wahrheit« entscheiden würde, musste versprechen, dass sie am nächsten Tag mit in die Jeans gestopftem Hemd und bis obenhin zugeknöpfter Strickjacke und Rattenschwänzchen zur Schule ging.

Owen imitierte problemlos auf dem Balkon fünf verschiedene Bauernhoftiere, und dann war schließlich Annie an der Reihe.

»Wahrheit! Wahrheit!«, forderte Lana. »Wir wollen alles wissen!«

»Ausgeschlossen!«, entgegnete Annie. »Ach … es kommt ja irgendwann sowieso alles ans Tageslicht. Halte dir die Ohren zu, Owen.« Im Flüsterton fügte sie hinzu: »Ja, er war öde im Bett … aber das wisst ihr längst, nicht wahr?«

Connor und Lana nickten, und Owen sagte: »Das habe ich gehört!«

»Wie auch immer: Pflicht. Ich wähle ›Pflicht‹. Los, macht schon … Möchte wetten, euch fällt nichts ein, was ich mich nicht trauen würde. Ich habe jetzt vor nichts mehr Angst, Connor McCabe!«

Langsam trat ein listiges Lächeln auf Connors Gesicht. »Oha! Nichts liebe ich so sehr wie eine Herausforderung. Gut, Annie Valentine … jetzt kommt deine ›Pflicht‹!«

Er legte um der dramatischen Wirkung willen eine kleine Pause ein. »Du musst den letzten Menschen, den du leidenschaftlich geküsst hast, noch einmal küssen.«

»Ha!« Sie lachte. »Das ist unmöglich. Mit Gray habe ich Schluss gemacht, Roddy … ist nicht mehr da. Die Telefonnummern von früheren Beziehungen habe ich mir nicht notiert …«

»Mum!«, empörte sich Lana.

»Nein, nein, nein, mein Kind«, mischte Connor sich ein. »Ich denke an keinen von denen.«

Annie sah ihn an und begriff nicht.

»Fällt's dir nicht ein?«, fragte er.

»Keine Ahnung, wovon du redest«, versicherte sie. »Oh, doch nicht etwa das One-Night-Wunder! Das war ja nur ein bisschen Knutscherei«, fügte sie rasch hinzu, als sie Lanas erstauntes Gesicht bemerkte.

»Das habe ich gehört!«, sagte Owen wieder.

»Nein, nein, nein, der doch nicht! Ich werde dir jetzt eine kleine Geschichte erzählen, Annie«, begann Connor. »Eines Nachmittags fuhr ich in der U-Bahn nach Highgate, um meine Freunde Annie, Lana und Owen zu besuchen. Als ich bei ihrem hübschen kleinen schicken Wohnblock ankam, funktionierte der Aufzug nicht, und ich stieß die schwere Tür zum Treppenhaus auf und begann meinen Aufstieg ...« Mitgerissen von seiner eigenen Theatralik mit entsprechender Modulation und Augenrollen wie der Erzähler eines Mystery-Krimis fuhr Connor fort: »Ich trug Schuhe mit Gummisohlen, und während ich die Treppe hinaufstieg und bemerkte, wie geräuschlos ich mich die wunderschönen Steinstufen hinaufbewegte, glaubte ich, deine Stimme hoch über mir im Treppenhaus zu hören. Ja, es war eindeutig deine Stimme, und du redetest mit jemandem ... Dämmert es dir allmählich?«

Annie antwortete nicht, und er fuhr fort: »Ja, du hast gesprochen, und dann herrschte plötzlich absolute Stille. Ich raste hinauf, nahm immer zwei Stufen auf einmal und fragte mich, was geschehen sein könnte, und dann sah ich dich, zwei Treppen über mir, eng umschlungen mit jemandem. Der Kuss dauerte und dauerte, mein Kind. Erinnerst du dich jetzt?«

Annie sah ein wenig sonderbar aus: etwas zu blass, aber mit rosigen Flecken auf den Wangen.

»Auf Zehenspitzen schlich ich so leise wie möglich die Treppe hinunter, um niemanden zu stören, dann wartete ich ein paar Minuten. Man stelle sich meine Überraschung vor, als sich derjenige, der dann mit beschwingtem Schritt die Treppe hinunterkam, als …«

»Das reicht! Hör auf mit dem Quatsch, Connor!«, unterbrach Annie ihn. »Du bist wirklich ein unverbesserlicher Fantast.«

Sie sah zu ihren Kindern hinüber, deren Blicke erwartungsvoll an Connors Lippen hingen.

»Wer war's?«, fragte Lana.

»Ich sage nur so viel«, Connor blickte Annie fest an, »wenn du hier noch länger wohnen willst, dann beeil dich und küsse *den* Mann noch einmal. Das ist die Pflicht, die ich dir auferlege.«

»Hah!«, schnaubte Annie, und ihre Augen verschossen Blitze. »Ich muss schlafen gehen.« Damit erhob sie sich vom Sofa und ging zur Tür.

Doch dann wandte sie sich noch einmal um und fügte wütend hinzu: »Und das ist die Pflicht, die ich dir auferlege, Connor McCabe: Werde erwachsen, und weißt du, was noch? Bring endlich ein vernünftiges Coming-out zustande, um Himmels willen! Rede in Interviews nicht immer drumherum. Im einundzwanzigsten Jahrhundert schadet es der Karriere eines Schauspielers, wenn er *nicht* schwul ist.«

Sie schlug die Tür hinter sich zu.

»Manche Menschen«, sagte Connor, »sind einfach nur stur. Sie haben keine Ahnung, was gut für sie ist, und man muss sie fest bei der Hand nehmen.«

32.

Annie in Aktion:

Hellgrau und silbern gestreifte Hose (Ausverkauf bei Toast)
Schneeweiße Wickelbluse mit großem Kragen und breiten Manschetten (MaxMara vom letzten Jahr)
Glänzendes silbern und türkisfarbenes Halsband (Markt in Camden)
Die hellen karamellfarbenen Schuhe (Chanel)
Hellroter Nagellack (Chanel)
Hellroter Lippenstift (Chanel)
Fester Pferdeschwanz
Geschätzte Gesamtkosten: nicht daran denken!

»An sich selbst zu sparen ist Geldverschwendung.«

Es war kurz vor 13.30 Uhr, doch Annie hockte immer noch vor ihrem Laptop und gab den einführenden Absätzen ihrer Annie-V-Handelsbörsen-Website den letzten Schliff.

Es war die größte Menge Artikel, die sie je zu verkaufen versucht hatte, und sie hoffte, so schnell wie möglich zu Geld zu kommen. Das Leben mit den beiden jungen Schauspielern war höchstens noch ein paar Wochen zu ertragen, und sie war nicht bereit, ein Darlehen aus Familienkreisen zu akzeptieren, wenngleich es schön war zu wissen, dass das Angebot bestand. »Annie, ich bin deine Schwester!«, hatte Nic sie am Telefon bedrängt, »und außerdem bin ich Anwältin, für den Fall, dass es dir entgangen ist. Ich kann dir das Geld für eine Anzahlung auf eine Wohnung leihen oder für die Miete, wenn du vorübergehend woanders wohnen willst.«

»Annie, falls du Hilfe brauchst, finanzielle Hilfe …«, hatte Fern angesetzt.

»Wir haben jetzt mehr Geld und könnten dir etwas leihen«, lautete Dinahs Angebot.

Aber nein, Annie musste es zunächst einmal auf eigene Faust versuchen.

Jetzt musste sie nur noch ein bisschen an ihrer Verkaufsmasche feilen, denn sie hatte einen Haufen tollen Kram zu bieten: Sie hatte die Secondhandläden und Ausverkäufe in ganz London abgegrast und jeder Kundin, die ihr einfiel, angeboten, ihre abgelegten Sachen in Kommission zu nehmen.

Hallo, Leute, lautete die Eröffnung ihrer Website wie üblich.

Ich habe heute vielleicht ein paar absolut fantastische Sachen für euch auf Lager! Heute findet die Onlineversion der Eröffnung des Ausverkaufs bei Harrods statt. Schon im Morgengrauen beginnt die Schlacht. Bietet, was das Zeug hält, Leute, bis die Regale leer sind!

Heute führe ich euch Folgendes vor:

Das Eigentum

- *DER russischen Modezarin (Svetlanas Fonds für den Scheidungskampf)*
- *einiger wohlhabender junger Damen (die hochgeschätzten Besitztümer der Sirup-Sechs, mit denen das Loch auf dem Benefizkonto gestopft werden sollte)*
- *eines Fußballer-Liebchens (Dannii entrümpelt nach einer neuerlichen hitzigen Zickerei ihr Leben von Bling-Bling)*
- *einer ungebeugten Geschiedenen (Megan ließ sich überreden, einige Kleidungsstücke aus ihrem Leben als Ehefrau zu verkaufen)*
- *einer Dame der schönen Künste (Hier handelte es sich um ganz besondere Artikel. Die einzige Kundin, die sie um ein kurzfristiges Darlehen gebeten hatte, Mrs. B-P – die sich gut erholte und entschlossen war, ihr Leben voll auszuleben –, hatte ihr Designermarken, teure Klassiker und mehrere Handtaschen-Sammlerstücke überlassen und wollte keinen Penny dafür – weder jetzt noch in der Zukunft: »Annie, ich kann dir helfen, ich will dir helfen, also sei ein braves Mädchen und lass mich helfen!«)*
- *sowie die Schätze, die ich in dieser Woche für euch aufgetan habe, ich, eure ganz persönliche Online-Einkaufsberaterin.*

Wie schon gesagt, Leute: Zögert nicht! Holt euch ein Schnäppchen! Vergesst niemals, dass es Geldverschwendung ist, wenn man an sich selbst spart. Ich glaube, das hat Coco Chanel gesagt.

Also greift zu …
Annie V xxxx

Annie drückte die Eingabetaste und stellte den Text ins Internet. Ihr Zimmer in Connors Haus platzte aus allen Nähten mit Kisten voller Artikel, die sie noch fotografieren und ins Internet stellen musste, bevor sie schlafen ging.

Und sie musste früh aufstehen. Die Anrufe bei ihren sämtlichen früheren Kundinnen aus dem *The Store*, um ihnen mitzuteilen, dass sie jetzt freiberuflich arbeitete und mit ihnen überall in London einkaufen gehen konnte – »Und, ach, übrigens, haben Sie irgendwelche alten Sachen, die Sie über mich verkaufen möchten?« –, hatten ihr zwölf Termine für die bevorstehende Woche eingebracht. Irgendwie musste sie sich zudem auch noch die Zeit für Lanas und Owens Schulfeier freihalten.

Die Schulfeier war ein wichtiges Event an der St.-Vincent's-Schule. Sie fand zwei Tage vor dem Schuljahresende statt, und selbst die gestresstesten und meistbeschäftigten Londoner Eltern rissen sich ein Bein aus, um daran teilnehmen zu können.

An diesem Tag zeigte sich St. Vincent's von seiner großartigsten Seite. Jeder Schüler war geschniegelt und gebügelt, die Rasenflächen waren frisch gemäht, sämtliche Fenster des viktorianischen Gebäudes waren geputzt, selbst die goldenen Buchstaben, die von den Wänden der imposanten Aula blinkten, sahen aus wie frisch poliert.

Trotz ihres kleinen Wortwechsels hatte Annie Dinah zum Kommen überreden können.

»Du weißt doch, ich schicke Billie nicht dorthin.«

»Aber jetzt hast du doch genug Geld dafür.«

»Es geht ums Prinzip.«

»Schön, schön … und welches Prinzip steckt dahinter, dass ihr

aus eurer Wohnung aus- und in den Einzugsbereich der besten kirchlichen Schule der Stadt einzieht? Erzähl' mir jetzt bloß nicht, dass du auch zur Kirchgängerin mutiert bist …«

»Die Kirche ist schon in Ordnung.«

»Aber du bist Atheistin!«

»Trotzdem ist sie in Ordnung.«

Dinah wie auch Annie trugen kniekurze Kleider mit einem kühnen Muster und modischem Schnitt (Annie: TK Maxx, Dinah: Marc Jacobs zum vollen Preis! *»Das hätte ich dir billiger besorgen können.« – »Ist mir egal!«*). Über dem Arm hatten sie pastellfarbene Regenmäntel (Annie: Primark, Dinah: Jigsaw) gelegt, sie trugen gute Handtaschen und Schuhe »mit Status«. Der Anlass erforderte es.

»Denk an Sommerhochzeits-Chic – aber keine Korsage, keinen Hut!«, hatte Annie ihre Schwester angewiesen.

Annie und Dinah saßen in einer Reihe ziemlich in der Mitte, nicht zu weit vorn, und verfolgten die Preisverleihung: Leichtathletik, Cricket, Tennis, Badminton, Französisch, Deutsch, Englisch, Geschichte, Mathe, Naturwissenschaften, Latein, Griechisch, Musik, Hauspokal für dies, Hauspokal für jenes, Schach, Debattierclub, Domino, Flohhüpfen. So ging es endlos weiter.

Dinah seufzte und verdrehte missbilligend die Augen. Doch endlich war es Zeit für Lana und die anderen Mitglieder der Sirup-Sechs, auf die Bühne zu treten und Mr. Kettering-Smith einen Scheck über elftausend Pfund zu überreichen.

Vor zwei Tagen hatte Annie den Mädchen einen Scheck über fünfhundert Pfund ausgeschrieben: das Geld, das die auf ihrer Website verkauften Sachen der Mädchen eingebracht hatten.

Die restlichen eintausendfünfhundert Pfund hatte Suzies Vater bereitgestellt, der inzwischen umfassend über die Probleme seiner Tochter informiert war.

»Lana sieht hinreißend aus«, flüsterte Dinah an Annies Ohr, und es entsprach der Wahrheit. Zur Schulfeier durften die Schülerinnen der Oberstufe Kleider tragen, und Lana hatte sich für ein kurzärmliges weißes, mit kleinen Kornblumen bedrucktes Wickelkleid aus Baumwolle (von Miss Selfridge) entschieden. *Wenn du dir nicht sicher bist, stimme deine Kleidung auf deine Augenfarbe ab* – eine von Annies klassischen Regeln.

Lana trug das Haar zurückgebunden; einige lose Strähnchen umspielten ihr Gesicht, als sie unter ohrenbetäubendem Applaus schüchtern über die Bühne schritt. Trotz der Zwischenfälle bei der Spendensammlung war Annie ungeheuer stolz auf ihre Tochter.

Jetzt war es an der Zeit für die musikalischen Darbietungen. Annie spürte, wie sich ihr Magen vor Nervosität verkrampfte. Das Schulorchester begann mit einer Reihe lebhafter, ungewöhnlicher Stücke, zweifellos Eds Auswahl.

Er dirigierte die jungen Musiker in – wie Annie erfreut bemerkte – einem der Outfits, die sie gemeinsam bei der Zusammenstellung seiner Kleidung für das Vorstellungsgespräch ausgewählt hatten.

Mit gewaltigem Stampfen schwerer schwarzer Schuhe auf dem Holz der Bühne stellte sich der Schulchor auf, und davor nahm eine bedeutend kleinere Gruppe von Musikern ihren Platz ein: zwei Violinisten, ein Schlagzeuger und schließlich Owen, der sich an seiner Gitarre festhielt und dort oben auf der Bühne klein und dünn aussah.

Annie sah, dass er blass vor Lampenfieber war. Ihr Magen

krampfte sich noch stärker zusammen, sie spürte, wie sich ihre Kehle zuschnürte, und schluckte mühsam. Ihre Hand tastete nach Dinahs, sie drückte sie nervös. Dinah erwiderte den Druck.

Ed sah sich um und lächelte dem Publikum zu. Es war ein zuversichtliches, ermutigendes Lächeln, und Annie fühlte sich gleich besser. Er war ja da, stand direkt vor den Vortragenden. Owen würde Ed ansehen und nicht vergessen zu atmen, und sein Solostück würde kommen und gehen, und ehe sie sich's versah, würde Annie bereits applaudieren. Alles war gut!

Die Musik setzte ein: die erste Strophe, dann der Chor, dann das Solo-Gitarren-Vorspiel zur zweiten Strophe und dann Owens Solo …

Falls Annie geglaubt hatte, es würde schnell vorübergehen, hatte sie sich getäuscht. Die Zeit blieb beinahe stehen, und jede einzelne Note, die Owen spielte, zitterte für sie in der Luft, jeder Atemzug zwischen den Noten schien eine gestrichene Minute zu dauern: Es war, als könnte Owen nur singen, wenn sie ihre ganze Willenskraft darauf konzentrierte.

Während der gesamten Strophe vergaß sie zu atmen. Seine klare Stimme schwebte über das Publikum hinweg, dann folgten seine einsamen Gitarrenakkorde, und schließlich fielen der Chor und die übrigen Musiker wieder mit ein.

Owen sang immer noch, doch jetzt waren seine Wangen rosig vor Freude, und sein Lächeln reichte von einem Ohr bis zum anderen.

Annie stieß einen schweren Seufzer der Erleichterung aus, und auf ihr Gesicht trat ebenfalls ein unbezähmbares Lächeln.

»War er nicht großartig?!« Sie fand Ed in dem Gedränge der Eltern und Lehrer, die sich hinterher zum Tee und Kuchen drängten.

»Ich weiß nicht, wie ich dir jemals danken soll!«, sagte Annie und drückte seinen Arm.

Ed, der eine Teetasse, Untertasse und einen winzigen Teller, überladen mit drei Scones und einem Berg Schlagsahne, balancierte, errötete wieder einmal, dann nieste er, und sein Tee schwappte auf den Boden.

»Upps, ich habe dich doch hoffentlich nicht getroffen?«

»Nicht mit dem Tee«, beruhigte sie ihn, »bloß mit Schnodder … Das war nur ein Scherz, Ed!«, schickte sie rasch hinterher, als seine Gesichtsfarbe ins Tomatenrot überzugehen drohte.

»Das ist meine Schwester Dinah«, stellte Annie sie vor. »Lanas und Owens Musiklehrer, Ed Leon.«

Ed nickte verlegen und wies mit einer Geste darauf hin, dass er die Hände voll hatte und ihr nicht die Hand reichen konnte.

»Und wann fliegst du nun nach Boston?«, fragte Annie und fügte zu Dinahs besserem Verständnis hinzu: »Ed ist ausgesprochen klug; er hat für ein Trimester eine Stelle in Harvard bekommen, um amerikanische Folk-Musik zu studieren. Den Sommer über will er durch die Staaten reisen.«

»Wow!«, machte Dinah. »Das ist ja toll!«

»Übermorgen«, erklärte er, doch die Aussicht schien eher Angst als Begeisterung in ihm auszulösen. »Am ersten Ferientag bin ich weg.«

Er sah Annie leicht bekümmert an, als wollte er ihr noch etwas sagen.

»Tja, dann sollten wir uns allmählich verabschieden«,

sagte Annie mit einem Lächeln. »Ich wünsche dir eine tolle Zeit – eine wirklich tolle!« Sie sah ihm in die Augen und hielt seinen Blick einen Moment fest. »Du hast es verdient, Ed, amüsier dich gut! Wir freuen uns darauf, alles über deine Erlebnisse zu hören, wenn du zurück bist.«

Sie war schon im Begriff, sich über seine vollen Hände hinweg vorzubeugen und ihm ein Küsschen auf die Wange zu geben, als er sagte: »Tja, dann … ich wünsche dir einen schönen Sommer … euch allen.« Dann drehte er sich samt Teetasse, Untertasse, Scones und allem einfach um und verschwand in der Menge.

»Häh? Das war ein bisschen unterkühlt, nachdem wir uns so oft gesehen haben – und nachdem er so besonders lieb zu den Kindern war«, wandte Annie sich an ihre Schwester.

»Vielleicht steht er einfach wegen dieser Schulshow unter Stress. Aber ist das hier nicht das richtige Ambiente für eine großartige Talentsuche, Annie?«, lockte Dinah. »Wir sollten uns im Saal umsehen und die alleinerziehenden Dads für dich heraussuchen.«

»Hmmm …« Annie war, obwohl sie sich mit äußerster Sorgfalt für diesen Nachmittag gekleidet und geschminkt hatte, überhaupt nicht scharf darauf.

»Annie!«

Der Anblick Tors riss sie aus ihren Gedanken. Tor in Sommerkleid und hochhackigen Schuhen, Tor mit rosa Nagellack und Lipgloss. Tor, die beinahe nicht wiederzuerkennen war.

»Du liebe Zeit!«, war Annies erste Reaktion, rasch gefolgt von: »Braves Mädchen!«

Sie fragte nach der neuen Wohnung, nach Angela, und dann konnte sie nicht widerstehen zu fragen: »Ein neuer Job?«

Tor schüttelte den Kopf.

»Hochgradig aufgepepptes Liebesleben?«

Tor schüttelte erneut den Kopf und gestand: »Lediglich neue Tücher, Annie! Gefällt dir dieses?« Sie hob zur Begutachtung ein hauchdünnes hellrosa Chiffontuch hoch. »An den anderen Dingen arbeite ich noch … aber ich schaffe es!«

»Braves Mädchen!«, wiederholte Annie mit einem Grinsen.

32.

Martha auf der Oxford Street:

Weißgrün geblümtes Sommerkleid (TopShop)
Grüne Leggings (TopShop)
Orangefarbene Sandalen (Miu Miu)
Orangefarbene Schultertasche (Accessorize)
Orangefarbene Blumen-Haarspange (Accessorize)
Grün-silberne Halskette (TopShop)
Geschätzte Gesamtkosten: 190 £

»Sie hatten recht; ich habe viel zu viel Geld für die Kleidung der Kinder ausgegeben.«

Annie? Hallo, hier ist Ed.«

»Oh … Ed? Hi!« Annie war leicht verblüfft, von ihm zu hören, erst recht nach seinem abrupten Abschied am Vorabend. »Du bist bestimmt schon fleißig beim Packen.«

»Ja … ja … Hör zu … ich möchte dich etwas fragen.«

Annie legte die Hand über ihr linkes Ohr, um den Verkehrslärm auf der Oxford Street auszuschalten.

»Ja, schieß los!«, sagte sie und war gespannt, ob jetzt eine Nachfrage folgte, welche Krawatte zu welchem Hemd passte. Sie warf rasch einen Blick auf die Uhr, 9.50 Uhr, also blieben ihr nur noch zehn Minuten bis zu ihrem Termin mit Indira Clifford (langjährige Kundin, wohlhabende Anwältin) bei Selfridges. Etwas schnelleren Schritts ging sie den Gehsteig entlang.

»Tja, es ist nur …«, begann Ed. »Ich dachte … du und die Kinder, ihr braucht doch vorübergehend eine Wohnung. So habe ich es zumindest verstanden … Lana hat mir erzählt, dass ihr zurück nach London gezogen seid. Wie auch immer … ich muss unbedingt mein Haus renovieren lassen, weil ich es verkaufen will. Und da habe ich mir überlegt, dass ihr, solange ich in den Staaten bin … Natürlich nur, wenn du willst … Es wäre eine Zumutung für dich, aber natürlich brauchtest du keine Miete zu zahlen, und ich zahle ja für die Renovierung … Tja, ich brauche Hilfe bei der Neueinrichtung, und da dachte ich, es könnte euch zur Überbrückung …«

Annie verstand genau, was er ihr vorschlagen wollte, und sie sah auf Anhieb, dass es die perfekte kurzfristige Lösung wäre. »Großartige Idee, Ed! Großartig!«, rief sie aus. »Wir würden vermutlich nicht einmal sehr lange in deinem Haus wohnen, nur gerade lange genug, um die Renovierung durchzuführen und eine neue Wohnung für uns zu finden. Fantastisch!«

In letzter Zeit hatte Annie das Gefühl, dass auch nur ein paar weitere Abende mit übermäßigem Alkoholgenuss, Spaß und Spielen mit Connor und Hector sie umbringen würden. Aber es würde doch noch eine Weile dauern, bis sie die Anzahlung auf eine neue Wohnung beisammen hatte. Und hier bot sich ihr aus heiterem Himmel diese fantastische, unerwartete

Lösung, wie zum Beweis dafür, dass frau immer Lippenstift, Parfüm, hübsche Highheels tragen und positiv denken sollte.

»Ich muss dich vor meiner Abreise noch einmal sehen«, sagte Ed, »muss dir die Schlüssel geben, dir alles zeigen, besprechen, was getan werden soll und wie hoch dein Budget anzusetzen ist.«

Ja, natürlich hätte Ed früher daran denken sollen, dann hätten sie gemeinsam Kataloge ansehen, Küchenschränke aussuchen, die Farbgebung besprechen und was sonst noch alles planen können. Aber egal, Annie mochte Pläne, die sich erst im letzten Moment zusammenfügten. Ihre Gedanken eilten schon zur Umgestaltung der Wohnungsaufteilung voraus … wo dort Lana und Owen schlafen sollten, wenn die feuchten Wände behandelt wurden …

Sie erklärte Ed, dass sie um kurz nach 13 Uhr zu ihm kommen würde. So blieben ihr noch ein, zwei Stunden für die Besprechung mit ihm, bevor die Kinder Schulschluss hatten und in die Sommerferien entlassen wurden.

»Wie kommt es übrigens, dass du heute nicht in der Schule bist?«, wollte sie wissen.

»Ich habe für die Reisevorbereitungen frei bekommen. Vielleicht hatte man eine gewisse Ahnung, wie lange ich dafür brauche.«

»Aha.«

Und dann ließ Annie beim Anblick der Frau, die da auf sie zukam, nein, auf sie zurauschte, beinahe das Handy fallen. War das …? Konnte es sein …?

»Ich muss Schluss machen«, sagte sie zu Ed. »Bis später!«

»Hey! Lausemädchen!«, rief Annie, nachdem sie das Handy zugeklappt hatte, und winkte heftig. »Hab ich dich erwischt!«

Martha Cooper wandte den Kopf, und als sie Annie sah, fing sie an zu lachen. Sie hatte abgenommen, ihr Haar war noch heller als bei Annies letzter Begegnung mit ihr. Sie sah toll aus.

»Sehen Sie sich nur an!«, sagte Annie und ging auf sie zu. »Sie sehen fabelhaft aus! Und es sind nur …«, sie musterte Martha rasch von Kopf bis Fuß, »… nur die Schuhe, die auf mein Konto gehen! Wow, gute Arbeit! Ich hoffe, Sie empfehlen mich all Ihren Freundinnen.«

»Sie schreien nach Ihrer Telefonnummer!«, antwortete Martha.

Nach einem kurzen Austausch über Marthas Kinder, Marthas Arbeit, Marthas neues Fitnessprogramm bedankte Martha sich aufrichtig für Annies Beratung.

»Sie hatten recht«, sagte sie, »ich habe viel zu viel Geld für die Kleidung der Kinder ausgegeben. Herrgott! Ich habe viel zu viel Zeit damit verschwendet, über den Kindern zu glucken, punktum. Ich und all die anderen abgezehrten Mütter beim Babyturnen. Diese Tage sind vorbei … na ja, natürlich nicht ganz«, setzte sie schnell hinzu, »aber immerhin sehe ich nicht länger aus wie deren schlampiges Au-pair-Mädchen.«

Ed öffnete seine verwitterte Haustür und bat Annie in die Küche. Er trug eine Hose und ein Hemd aus der Garderobe, die sie zusammen ausgewählt hatten, sein Haar war nachgeschnitten, aber nicht zu radikal, und unwillkürlich stellte sie fest, wie gut er aussah. Augenscheinlich bereitete er sich auf sein großes US-Abenteuer vor, und sie war stolz auf ihre Arbeit.

Flüchtig überlegte sie, ob er sich womöglich eine amerikanische Freundin anlachen und vielleicht nie mehr an die St.-Vincent's-Schule zurückkehren würde. Das wäre wirklich schön für ihn, redete sie sich ein. Sie wusste nicht recht, wie Owen das finden würde, aber …

»Wann geht morgen dein Flug?«, fragte sie ihn und machte einen großen Bogen um die Katzennäpfe, in die sie schon zwei Mal hineingetreten war.

»Um sechzehn Uhr«, antwortete er.

Er strahlte eine gewisse Unruhe aus, die sie vorher nie an ihm bemerkt hatte, denn gewöhnlich war er ja die Ruhe selbst. Noch öfter als zuvor raufte er sich die Haare, auf dem Weg vom Wasserhahn zum Herd ließ er Wasser aus dem Kessel schwappen und konnte dann offenbar keinen Lappen finden, um die Pfütze aufzuwischen.

»Tee bekomme ich später«, beschloss Annie. »Wollen wir mit dem Rundgang beginnen?«

Nach einer Pause sagte er: »Ja, ja, kein Problem«, doch seine Stimme klang verunsichert, fast so, als hätte er vergessen, warum sie gekommen war.

Sie gingen ins Wohnzimmer, wo Annie keine Zeit verschwendete, sondern sich auf die Knie niederließ und erneut die abgelöste Tapete auf Spuren von Feuchtigkeit untersuchte. »Das hier müssen wir als Erstes in Angriff nehmen«, erklärte sie. »Wir können hier nicht renovieren, solange dieses Problem nicht behoben ist.«

Dann setzte sie zu ihrem wissenschaftlichen Vortrag über feuchte Wände an. Wollte er eine chemische Feuchtigkeitssperre einbauen lassen oder lieber konservierend vorgehen und Kalkputz oder poröse Farbe in Erwägung ziehen?

»Ach, weiß nicht … Was immer du für richtig hältst«, antwortete er geistesabwesend und erzählte ihr dann, um welche Zeit sein Flugzeug in Boston landen und wie er von dort aus weiterreisen würde.

»Okay, Ed, konzentriere dich!«, forderte sie ihn auf. »Wenn du über den Feuchtigkeitsschutz heute noch keine Entscheidung treffen willst, sollten wir zumindest über die Küchenelemente und Unter-Boden-Isolierung und über die Farbgebung reden. Ich muss wissen, wie hoch du das Budget ansetzen willst, ob du neu tapeziert, neu verputzt oder nur die alten Wände übermalt haben willst … und dergleichen mehr.«

»Nein, nein.« Er schüttelte den Kopf. »Das alles muss ich dir überlassen. Ich will sowieso verkaufen, also stelle ich einen Scheck aus, und du machst es dann einfach so hübsch du kannst. So hübsch, wie es deine Art ist«, fügte er hinzu. »Ich kenne ja deine Wohnung, sie ist wunderschön.«

»Aha, sehr vertrauensvoll.« Annie fragte sich, wieso ein Mann, der seit Jahren nicht einmal in der Lage war, ein Bücherregal auszuräumen, jetzt plötzlich die Renovierung eines kompletten Hauses in Angriff nehmen und umziehen wollte. Der bevorstehende Studienurlaub in Amerika motivierte ihn offenbar. Außerdem hätte sie gern gewusst, was er danach vorhatte.

»Okay, ich habe deine Küche, dein Wohnzimmer und dein Bad gesehen … Falls ich nicht zu sehr in deine Privatsphäre eindringe, könnte ich vielleicht dein Schlafzimmer besichtigen?«, fragte sie ihn.

Ed wühlte in seinem Haar, verzog ein paar Mal den Mund zu einem eigenartigen Halbgähnen und nieste dann. »Es ist wahrscheinlich ziemlich unordentlich … nach dem Packen und so weiter«, warnte er sie.

»Die Reise macht dich wirklich nervös, wie?«, preschte Annie vor. So aufgeregt hatte sie ihn noch nie erlebt; gewöhnlich war er doch so gelassen.

»Irgendwie schon«, erwiderte er nur.

»Hey!« Sie erhob sich von der Sofalehne, auf der sie gehockt hatte. »Es wird schon werden«, ermutigte sie ihn lächelnd. »Du wirst dich bestens amüsieren, und ich verspreche dir, dass ich mich hier um alles kümmere, einschließlich der Lagerung der Sachen deiner Mutter. Ich besorge das alles für dich.«

»Klar.« Er lächelte gepresst und drehte sich um. »Mein Schlafzimmer«, sagte er, und sie folgte ihm in den Flur.

Sie hätte gern gewusst, warum auch sie jetzt einen Anflug von Nervosität verspürte. Sie sah, wie er sich duckte, um sich nicht an der niedrig hängenden Deckenlampe den Kopf zu stoßen, und folgte seinem Beispiel. Dann schob er sich mit seinen breiten Schultern aus dem engen Flur hinaus durch die Schlafzimmertür.

»Hier ist es.«

Sie standen beide in dem dunkelgrünen Zimmer, Seite an Seite, ihre Arme berührten sich fast. Sie sah sich flüchtig um, sah das Doppelbett aus Holz, die Kleider und Koffer darauf, die gerahmten Poster, Bücherstapel, vollgestopften Schränke und Schubladen. Es war unordentlich, wie Ed es war, aber auch einladend und tröstlich … wie Ed es war.

Eine schmale Fenstertür führte hinaus in einen anmutigen Garten, so üppig und ungezügelt wie Eds Haar. Ein Rosenbusch, dessen Zweige sich unter dem Gewicht von schweren gelbrosa Blüten neigten, schwankte im leichten Wind und verstreute Blütenblätter auf den Weg.

»Sehr schön«, sagte Annie, »aber ein viel helleres Grün … vielleicht?«

»Vielleicht«, kam seine Antwort, und das Wort hörte sich an wie aus sehr trockener Kehle herausgepresst.

»Alles wird gut«, versicherte sie erneut. »Du wirst eine tolle Zeit erleben!« Und dann, in einer ihrem Empfinden nach freundlichen, mütterlichen Geste, legte sie die Arme um Eds Taille und drückte ihn leicht an sich.

Das hatte zur Folge, dass er sich umdrehte, sie umschlang, und nicht zum ersten Mal *schienen* sie sich zu küssen.

Mund an Mund berührten sie einander. Das galt doch eindeutig als Kuss, oder?

Sie bemerkte, dass er genauso schmeckte wie damals und dass sie sich deutlich an seinen Geschmack erinnerte. Sein warmer Körper, der sich an ihren drängte, war jetzt nicht nur neu oder zögerlich und unbeholfen, sondern einladend und vertraut. Sie hatte ihn schon einmal im Arm gehalten. Aber dieses Mal war es besser. Dieses Mal zogen sie einander enger an sich.

»Wie geht's dir?«, fragte sie an seinem weichen, mit leichtem Flaum bedeckten Ohr, als sie einen Augenblick innehielten, um Luft zu holen.

»Ich bin ganz extrem nervös«, flüsterte er zurück.

»Was ist aus deiner Abenteuerlust geworden?«, fragte sie zwischen Küsschen und Schlecken an seinem warmen Hals. »Es ist die Reise deines Lebens.«

Die Hände auf ihren Schultern, schob er sie ein wenig von sich, um ihr richtig ins Gesicht sehen zu können. »Nicht wegen der Reise«, sagte er mit einem Lächeln, »wegen dir … Du machst mich völlig verrückt.«

»Oh!« Das kam unerwartet … gelinde gesagt.

Annie wusste nicht, was sie sagen sollte, also neigte sie sich vor und legte ihre Lippen weich auf seine. Ihre Hände glitten an seinem Rücken herab und hielten ihn fest, als seine Lippen sich öffneten. Das Tasten, die zärtliche Jagd. Ihre Zähne berührten sich sanft. Sein Mund bedrängte ihren, und sie spürte das hungrige Prickeln durch ihren Körper schießen.

»Hilft es, wenn ich dich küsse?« Sie unterbrach ihre Zungentätigkeit, um ihn zu fragen.

»Mhm«, antwortete er.

Sie zog sein Hemd aus dem Hosenbund und legte die kühlen Fingerspitzen an seine weiche Haut, die sich daraufhin mit Gänsehaut überzog.

Er nahm ihr Kinn in die Hand und bedeckte ihren Hals mit Küssen. Sein Haar kitzelte sie, und wohlige Schauer liefen ihr über die Schultern und Arme. Behutsam schob er ihr Shirt und die BH-Träger zur Seite, um ihre Schultern küssen zu können.

Sie befreite den Arm aus dem Träger und dem Ärmel, und ihr Brustansatz bot sich seinem Blick.

Er schmiegte die Nase an ihren Oberarm und küsste sie dort. Seine Hand zog den Stoff von ihrer Brustspitze herab und streifte sie dabei, so dass sie sich hart aufrichtete.

Wo immer er sie berührte, streichelte oder auch nur leicht streifte, richteten sich die feinen Härchen auf und verlangten verzweifelt nach mehr.

So schnell sie konnte, knöpfte sie sein Hemd auf und zog seinen warmen Körper an sich.

Sie waren beide oben ohne und küssten sich wild auf Mund, Brustspitzen, Hals und Schultern, erforschten einander immer wieder, hastig und zärtlich zugleich.

Als ihre Hände sich anschickten, seinen Gürtel zu öffnen, legte er seine Hände darüber und hielt sie zurück.

»Annie?«, fragte er an ihrem Hals. »Ich will nicht, dass du etwas überstürzt …«

»Aber ich«, fiel sie ihm ins Wort und zerrte energisch an seinem Gürtel, der sich als erstaunlich unnachgiebig erwies.

»Annie!« Er hielt erneut ihre Hand fest.

»Ed! Bitte!« Sie begann, sich an der unübersehbaren Schwellung unter seinem Hosenstoff zu reiben, woraufhin er an ihrem Ohr aufstöhnte.

»Ed«, setzte sie an, »hast du überhaupt eine Ahnung …?« Sie fand die unter dem Stoff verborgenen Knöpfe unterhalb der Gürtelschnalle und öffnete sie mit eifrigen Fingern.

»Hast du überhaupt eine Ahnung, wie sehr ich dich will?«, fuhr sie fort. Es stimmte. Bis sie angefangen hatten, sich zu küssen, hatte sie es nicht gewusst – nun ja, vielleicht hatte jener vorherige Kuss im Treppenhaus doch schon eine gewisse Ahnung geweckt –, doch jetzt, da sie halbnackt beieinander standen, gab es kein Zurück mehr. Sie musste ihn haben. Bitte!

Der erste Knopf war geöffnet, dann der zweite, ihre Finger befanden sich bereits in seiner Hose, seine Zähne knabberten zart an ihrer Schulter, doch er wölbte den Rücken fort von ihr.

»Ed«, sagte sie in sein Haar, »mein Mann starb, als ich zweiunddreißig war. Ich muss so viel verlorene Zeit nachholen … du hast ja keine Vorstellung …«

Der dritte Knopf öffnete sich, und jetzt konnte sie die Hand durch den Schlitz schieben, vorbei an dem dünnen Stoff seiner Boxershorts, und ihn ertasten. Ihn fest, fordernd anfassen, so dass die kleinen Bisse an ihrer Schulter heftiger wurden.

»Ich lass dich nicht so davonkommen – ausgeschlossen! Ich kann dich nicht …«

Er wölbte jetzt den Rücken in die andere Richtung, sein Leib und seine Erektion kamen ihr entgegen. Seine warmen nackten Arme umfingen sie und pressten sie an seinen Körper.

Endlich war er einverstanden, sich mitreißen zu lassen. Und dann schritten sie zur Tat: zogen sich aus, so schnell sie nur konnten.

Er schob ihren Rock hoch, und in den folgenden Augenblicken mutierte er in Annies Augen von dem Menschen, für den sie ihn gehalten hatte, zu einem bedeutend interessanteren.

Zuvor hatte sie ihn jungenhaft, chaotisch, unfähig und bedürftig gefunden … Aber nein, nein, es stellte sich heraus, dass er ein entschieden erwachsenerer Mensch war. Viel, viel zielstrebiger und doch zärtlich, viel, viel versierter und doch so sehr, sehr lieb.

Jede Bewegung gegen sie und mit ihr enthielt fein ausbalanciert eine Absichtsbekundung und eine Frage. Als wollte er sie immer wieder fragen, allerdings ohne Worte: Jetzt tue ich Folgendes, jetzt fasse ich dich dort an, gehe dort hinein … aber nur, wenn du einverstanden bist. Ist es gut so? Möchtest du es so? Ja? Und auch so?

Sie warfen sämtliche Kleider von sich, obwohl sie geglaubt hatte, sich vor ihm nicht so entblößen zu wollen. Sie nahm die Hände fort und ließ zu, dass er mit Küssen an ihrem Leib abwärtsglitt, bis er vor ihr kniete und seine Zunge dort war, wo sie glaubte, ihn noch nicht haben zu wollen.

Sie musste zulassen, dass er sich dort weiter betätigte und sie berührte, bis sie spürte, wie sich dieser kleine Rausch aufbaute, und sie wusste, dass sie kommen würde, obwohl sie es noch gar nicht wollte. Überhaupt nicht; das hatte sie bei sich behalten wollen, in Reserve sozusagen, hatte es ihm vorenthalten wollen. Doch er ließ es nicht zu. Er wollte sie ganz, jeden Zentimeter und die Tiefen ihres Bewusstseins dazu.

Sie schauderte über ihm, grub die Hände in sein drahtiges

Haar und wollte jetzt alles über ihn wissen, alles, jeden kleinen vergangenen Augenblick in allen Einzelheiten und auf jeden Fall alles über seine früheren Geliebten.

»Du bist äußerst interessant für mich … Weißt du das?«, fragte sie ihn mit dünner Stimme.

Zur Antwort fegte er das ganze Gerümpel vom Bett, damit sie sich zusammen darauf fallen lassen konnten.

Sie schmiegte sich an ihn, schnupperte an seinen Achselhöhlen und wurde sich der scharfen Angst bewusst, die sie in ihm geweckt haben musste, denn er roch nach frischem nervösem Schweiß. Sie hatte vergessen, wie köstlich der Geruch von männlichem Schweiß war … Nun, Gray hatte nie auch nur den kleinsten Hauch von Schweißgeruch an sich geduldet.

Der Geruch stieg ihr in die Nase und vermittelte ihr ein warmes, schwindliges Rauschgefühl. Sie grub ihre Nase in seine Haut, und er stieß ein kehliges Lachen aus.

Sie setzte sich rittlings über ihn und nahm ihn kurz in sich auf, während sie sich mit weit geöffneten Augen immer noch voller Überraschung ansahen. Als er kam, streckte sie sich neben ihm auf dem Bett aus, splitternackt, mit peinlichen Stoppeln in ihrer Achselhöhle, und dachte daran, wie herrlich Sex sein konnte, denn sie war ernsthaft in Gefahr gewesen, es zu vergessen.

Ein langes Schweigen folgte.

Er legte den Arm über sie, und dann lagen sie Seite an Seite und blickten zur Zimmerdecke auf, ohne das Schweigen brechen zu wollen.

Doch Annie konnte nicht widerstehen, den Kopf zu heben, sich über ihn zu beugen und ihn zu küssen, und der Kuss brach den Bann.

Er lächelte breit, so dass die Haut in seinen Augenwinkeln

knitterte, und sagte: »Eltern-Lehrer-Beziehung ... Dieses Mal sind wir wirklich zu weit gegangen.«

»Wusstest du, dass du mich magst?«, fragte sie, tastete nach seiner Hand und strich mit dem Finger darüber. Es war eine breite Hand mit dicken Daumengelenken und Fingerspitzen, die hart waren vom Gitarrespielen, was seine Zärtlichkeit aber in keiner Weise beeinträchtigte.

»Ob ich wusste, dass ich dich mag? Mal überlegen ...«, begann Ed, den Blick auf die Zimmerdecke gerichtet, ein neues Lächeln auf dem Gesicht. »Ich habe zum ersten Mal seit fünf Jahren daran gedacht, wieder mit dem Rauchen anzufangen, ich spiele bis 2 Uhr morgens Elvis-Balladen, ganz zu schweigen von *My Funny Valentine*, ich kann an nichts anderes mehr denken als an dein Gesicht und die Art, wie du den Pferdeschwanz zurückwirfst und sehr, sehr schnell gehst und alle Welt ›Schätzchen‹ nennst ... Ja, ich glaube, wir können mit Fug und Recht behaupten: Ich wusste, dass ich dich mag ... Aber du ...«, er tippte ihr mit der Fingerspitze auf die Nase, »... du wusstest nicht, dass du mich magst, oder?«

»Ich mochte dich schon, Ed«, sagte sie und strich mit der Hand über seinen Bauch. »Mir war nur bis heute nicht klar geworden, wie sehr ich dich mag.«

»Und wie war das damals mit dem Kuss?«, wollte er wissen. »Vorher, im Treppenhaus. Der Kuss, an den ich seither wohl zehn, zwanzig Mal pro Stunde denke.«

Darüber lachte sie hellauf und antwortete dann frech: »Den habe ich auf meinen Hunger geschoben. In dieser Woche war ich auf Entgiftung; das kann merkwürdige Nebenwirkungen mit sich bringen.«

Sie drehten sich zueinander um, schmiegten sich erneut aneinander und fingen wieder an, sich zu küssen.

»Es ist schon nach vierzehn Uhr«, sagte sie, indem sie den Arm hob und einen Blick auf ihre Uhr hinter seinem Kopf warf.

»Du wirst viel zu spät nach Hause kommen«, warnte er sie. »Ruf lieber Lana an und sag ihr, sie soll zu Fuß mit Owen hierherkommen, aber ganz, ganz langsam.« Er leckte sie bereits wieder.

Sie legte die Hände um seine Wangen und zog seinen Kopf hoch, um ihm richtig ins Gesicht sehen zu können. »Kenne ich dich überhaupt?«, fragte sie ihn. »Im Bett erscheinst du mir so anders.«

»Tatsächlich?« Seine Hand glitt streichelnd über ihren Nabel und weiter hinunter.

»Aha.« Sie nickte. »Aber ich mag dich. Ja, ganz bestimmt, ich mag dich.«

Nach dem zweiten Mal folgten keine Minuten verzauberten Schweigens, sondern Tränen.

Annie rollte sich auf dem Bett fort von Ed und konnte nicht verhindern, dass ihr die Tränen kamen.

»Was ist denn los?« Er beugte sich über sie und streichelte in verzweifelter Sorge ihren Arm.

»Bitte, geh jetzt nicht fort!«, hörte sie sich sagen, und sie hasste ihre dünne, traurige Stimme. »Verlass mich jetzt nicht … Du würdest eine Ewigkeit fort sein, und wenn inzwischen etwas passiert?«

Was redete sie da? Urplötzlich brach sie zusammen! Sie wollte sich zum Schweigen bringen, aber stattdessen hörte sie sich klagen: »Wenn ich dich auch noch verliere?« Dann folgten Blubbern und Schluchzen. Es war grauenhaft. Grauenhaft!

Doch Eds Arm umfing sie, hielt sie fest in dieser Krise, so wie er es schon vorher getan hatte. Was hatte dieser Mann nur an sich? Ungefragt lockte er sie jedes Mal aus der Reserve.

Er ging ihr unter die Haut, drang zu ihr vor – auf einer Wellenlänge. Überwand die Mauer, die sie um sich herum aufgebaut hatte, und sah, wie sie wirklich war. Lockte die innere Annie heraus und liebte sie – auf eine Weise, wie es seit Roddy niemand getan hatte. Deswegen war es ein so atemberaubendes Gefühl, so intim und eng verbunden, so echt.

»Ich bin viereinhalb Monate fort«, sagte er sanft und küsste ihr Haar. »Ich wollte diese Reise schon immer unternehmen, und ich finde, ich sollte es tun. Ich glaube, es wäre gut … für … uns.« Er sprach das Wort so leichthin wie möglich, wagte kaum, es zu benutzen. »Du solltest nichts überstürzen, Annie«, sagte er und drückte sie noch fester an sich. »Alles sollte sich ganz langsam entwickeln.

In der Halbjahrspause komme ich dich besuchen«, fügte er hinzu. »Das ist schon in zehn Wochen. Das ist nicht lange, überhaupt nicht lange. Und du könntest mich besuchen kommen … falls du möchtest.«

»Aber du wirst mir fehlen … Du wirst uns so sehr fehlen!« Sie weinte immer noch, empfand immer noch höchste Verwirrung darüber, dass dieser Mann ihr urplötzlich so viel bedeutete. Noch an diesem Vormittag hätte sie ihm am Flughafen glücklich zum Abschied nachgewinkt – jetzt fühlte sie sich bereit, sich vor sein Flugzeug zu legen!

Behutsam tupfte er ihr die Tränen ab und hielt sie mehrere Minuten lang schweigend fest an sich gedrückt in den Armen. Dann stieg er vom Bett und sammelte ihre im Zimmer verstreuten Kleider auf.

»Zeit, sich anzuziehen«, sagte er. »Komm, ich will dir zeigen, wo Owen und Lana schlafen können, bevor sie hier ankommen.«

»Ich habe es längst geplant«, erklärte Annie, während sie sich anzog. Sie gab sich redlich Mühe, fröhlicher zu erscheinen, als sie sich fühlte. »Owen und ich teilen uns dein Zimmer, Lana bekommt ein Bettsofa im Wohnzimmer.«

»Nein, nein«, wehrte Ed ab. »Oben ist auch noch Platz.«

»Oh.«

Hier handelte es sich wahrscheinlich um einen dieser windschiefen Umbauten, die in der Vergangenheit unter Nachbarn ausgehandelt worden waren: eine Art Hühnerleiter führte in ein zu einem engen kleinen Zimmer ausgebautes Treppenhaus.

Sobald sie beide angezogen waren, führte Ed sie ohne jede Verlegenheit zu einer Tür im Wohnzimmer: die Hühnerleiter, wie sie vermutete.

Er öffnete die Tür, und vor ihr lag eine steinerne, von einem Fenster im Obergeschoss ausgeleuchtete Treppe.

»Diese Treppe stellte die Verbindung zwischen der Küche im Kellergeschoss und dem Speisezimmer dar, damals in der guten alten Zeit«, erklärte er.

Sie folgte ihm hinauf, und sie gelangten in einen großen hellgelben Raum, lichtdurchflutet dank großer georgianischer Fenster an beiden Enden.

Putz aus kleinen Löchern in der Decke war auf die nackten Bodendielen gerieselt, doch daran störte Annie sich nicht. Es war ein fantastisches Zimmer, und so leer im Vergleich zu Eds restlicher Wohnung.

»Das Dach ist nicht in Ordnung«, erklärte er. »Ich musste Unmengen von dem Kram aus den anderen Räumen nach unten schaffen.«

»Aus den anderen Räumen?«, wiederholte Annie.

»Ja, einmal das Speisezimmer, tja, das war Mums Wohnzimmer, dann ihre Küche nebenan und ihr Schlafzimmer im Obergeschoss und zwei kleine Schlafzimmer im Dachgeschoss.«

Annie sah ihn staunend an, mit großen Augen und – nicht gerade schmeichelhaft – weit offenem Mund.

Als sie endlich die Sprache wiedergefunden hatte, fragte sie ihn maßlos verblüfft: *»Dir gehört das ganze Haus*?«

»Na ja, ein Drittel gehört meiner Schwester … Mum hat ihr beim Kauf ihrer Wohnung geholfen … und wir haben es so geregelt, dass Hannah ein Drittel des Erlöses bekommt, wenn das Haus verkauft wird.«

Doch das schien Annie gar nicht zu hören.

»Dir gehört das ganze Haus?«, wiederholte sie. »Ein ganzes Haus in meiner Lieblingsstraße …« Annie war schon auf dem Weg zur Speisezimmertür, begierig darauf, die restlichen Zimmer in Augenschein zu nehmen. »Ed, Baby«, sagte sie über die Schulter hinweg, »verstehst du? Die ganze Zeit über hast du dein anziehendstes Attribut vor mir verborgen gehalten!«

33.

Der Adrette kehrt zurück:

Weißes durchgeknöpftes Leinenhemd (Brooks Brothers)
Schmal geschnittene Khakihose (Banana Republic)
Mitternachtsblauer Kaschmirpullover mit V-Ausschnitt (Brooks Brothers)
Wanderstiefel (manche Dinge ändern sich fast nie)
Geschätzte Gesamtkosten: 390 £

»Bist du sicher, Annie? Wirklich absolut sicher?«

Du siehst umwerfend aus, echt fantastisch! Total zum Vernaschen – und betrachte das als großes Kompliment, weil ich schließlich schwul bin – sehr schwul sogar«, fügte Connor hinzu und wedelte mit einem Exemplar der *Daily Mail.*

Oben auf Seite fünf zeigte ein großes Foto ihn und Hector in aufeinander abgestimmten Kilts bei einer Filmpremiere. Die Unterzeile lautete: *Connor McCabe aus* The Manor *zeigt sich mit dem neuen Mann in seinem Leben.*

»Halt bitte den Mund, ja?«, fauchte Annie ihn an. »Du sollst doch bei Dinah in der Küche bleiben und uns nicht im Weg herumstehen!«

Doch Svetlana lachte. »Schon gut«, sagte sie mit melodischer Altstimme. »Ich brauche die Meinung eines Mannes über mein Aussehen.«

»Okay, kommen Sie, schauen Sie in den Spiegel«, wies Annie sie an und trat einen Schritt zurück, um ihr Werk zu begutachten.

Sie führte Svetlana vor den großen dreiteiligen Spiegel in der Ecke ihres strahlend weißen Büros. Der Raum, früher Eds schäbiges Wohnzimmer, war jetzt völlig verändert. In einer Ecke stand ein Schreibtisch mit Computer und Telefon, daneben ein Aktenschrank, auf dem ein monumentaler Stapel Zeitschriften lag.

Den Blickfang des Zimmers bildete ein bequemes pinkfarbenes Sofa, ziemlich nah bei einem Spiegel und mehreren überaus wichtigen Kleiderstangen auf Rollen. An die Kleiderstangen konnten die Kundinnen ihre vielen, vielen Kleidungsstücke hängen: die, die sie zusammen mit Annie gekauft hatten, die, die sie aus den hintersten Winkeln ihrer Kleiderschränke hervorgekramt hatten, und die, für die sie Annies Hilfe brauchten, um sich von ihnen zu trennen oder um den Mut aufzubringen, sie wieder zu tragen.

»Oh, das ist sehr gut!«, verkündete Svetlana, während sie sich aus allen Blickwinkeln eingehend im Spiegel betrachtete.

Sie trug ein enges weißes Chanel-Kostümchen mit schwarzer Paspelierung an den Aufschlägen. Schwarzweiße Pumps mit Fesselriemchen und eine kleine schwarze Patentledertasche vervollständigten den Look.

Die Exfrau in spe des Gasbarons hatte ihr Haar nüchtern,

aber weich zurückgekämmt, und Annie hatte ihr ein dezentes Make-up aufgelegt, das sie wunderschön, aber verletzlich aussehen lassen sollte.

Es war eine Kostümprobe für Svetlanas Auftritt vor dem Scheidungsrichter. Annie kleidete ihre reichen Scheidungsopfer gern in Weiß und Chanel. »Weiß ist die Farbe für einen Übergangsritus. Chanel ist so chic und dem Anlass angemessen wie nur möglich, und zudem kostet ein Haute-Couture-Kostüm erfreulich viel mehr, als Ihr Hochzeitskleid gekostet hat. Und das scheint den Richter wie auch die Richterin immer gewogen zu stimmen.«

»Perfekt!«, pflichtete Annie Svetlana bei und strich den Rücken der Jacke glatt. »Sie werden Igor morgen gehörig in die Eier treten«, fügte sie mit einem Augenzwinkern hinzu, »und das tun Sie …«, sie senkte die Stimme, »*…sexy, aber damenhaft.*«

Darüber mussten Connor und Svetlana lachen. Dann fiel der Blick der Russin auf das große gerahmte Schwarz-Weiß-Foto, das die eine der weißen Wände beherrschte.

Sie ging darauf zu. »Ein Kunde?«, fragte sie. »Er sieht sehr gut aus, wie?«

»Ja, wirklich, Schätzchen, nicht wahr?«, stimmte Annie zu und fühlte … nun ja … Sie trat neben Svetlana, und beide betrachteten das Foto des verwegen aussehenden Mannes in schwarzer Lederjacke, der das Kinn auf die geballte Faust stützte, sich ein Grinsen verbiss und eindeutig der Kamera wegen viel zu dick auftrug.

»Das ist Roddy«, sagte Annie, und sie fühlte sich ganz okay. Sie war sogar in der Lage, stolz zu lächeln und hinzuzufügen: »Das ist ein hinreißendes Foto von meinem verstorbenen Mann, Lanas und Owens Daddy.« Sie sah Svetlana an und zwinkerte ihr zu. »Es ist ein großes Glück für uns, ihn gehabt zu haben. Nicht wahr, Connor?«

So dachte Annie inzwischen darüber. Sie hatte ihren Frieden mit der Tatsache geschlossen, dass Roddy nicht mehr bei ihnen war; jetzt war sie in der Lage, die gemeinsame Zeit mit ihm dankbar wertzuschätzen. Sie empfand es als Gnade, ihn gehabt zu haben. Sie versuchte, sich sein Leben als abgeschlossen vorzustellen, statt innerlich an der Vorstellung zu zerbrechen, dass er mittendrin hinausgerissen worden sei. Erst seit sehr kurzer Zeit glaubte sie daran, dass ihr genauso viel Glück, wie sie einmal genossen hatte, noch einmal bevorstand.

Svetlana brannte eine weitere Frage auf den Nägeln: »Kommen Sie zurück ins *The Store*, Annah? Oder wollen Sie hier in Ihrem hübschen Büro bleiben, wo wir Sie aufsuchen müssen?«

Ehrlich gesagt hatte Annie sich noch nicht entschieden.

Paula war die Erste gewesen, die sie anrief, um Donnas Niedergang zu verkünden: »Ding dong, die böse Hexe ist tot!«

»Vielleicht für zwei oder drei Tage pro Woche«, antwortete Annie auf Svetlanas Frage. »Vielleicht lässt sich so etwas arrangieren, aber ich weiß noch nicht recht … Ich arbeite gern selbständig. Ich gehe gern mit den Kundinnen in die Geschäfte, die meiner Meinung nach am besten zu ihnen passen. Und es macht mir großen Spaß, sie in meinem Büro herumzukommandieren!«

Als Svetlana aufgebrochen war (im Taxi – ihren Chauffeur zurückzubekommen war eine ihrer Hauptforderungen im Scheidungsverfahren), wurde es Zeit nachzusehen, was Dinah und Billie oben in der Küche trieben.

Das frühere Speisezimmer war in eine moderne, blitzende Küche verwandelt worden (doch indem sie sich nur der besten Discount-Anbieter bediente, hatte Annie Eds knapp bemessenes Budget noch unterschreiten können).

»Was macht der Kuchen? Oh, Billie, welch eine tolle Idee! Ist das ein Schiff?«, fragte Annie mit einem Blick auf die graue klumpige Wurst aus misshandeltem Zuckerguss, die Billie mitten auf die Willkommenstorte gematscht hatte.

»Nein, du Dummi!«, antwortete sie beleidigt. »Das ist ein Flugzeug.«

»Willst du dich nicht umziehen, Annie? Du weißt schon … um so toll auszusehen wie nie?«, fragte Dinah in der Annahme, dass Annie für diesen großen Augenblick des Wiedersehens ein von Kopf bis Fuß perfektes Outfit in petto hatte.

»Irgendetwas von deiner New-York-Reise«, drängte Connor. »Die liegt schon drei Wochen zurück, und du hast dich bisher in keinem einzigen Teil davon gezeigt.«

»Ah, New York!« Annie seufzte schwer. »Ich sagte doch schon, Connor, es war eine einzige Einkaufskatastrophe. Ich mit drei Kreditkarten in der Shopping-Hauptstadt der westlichen Welt und keine Gelegenheit zum Einkaufen! Ich habe es nicht einmal zum Empire State Building geschafft! Ich … wir …« Und plötzlich verspürte sie ihren beiden besten Freunden auf der Welt gegenüber etwas wie Verlegenheit.

»Sollen wir daraus entnehmen, dass Ed und du ein bisschen zu beschäftigt wart, um shoppen zu gehen?«, fragte Connor.

»Hm … kann sein«, antwortete sie lediglich.

»Kommt da ein Taxi?« Annie rannte zum Fenster und blickte hinaus. »Ja! Er ist es! Er muss früher als geplant gelandet sein.«

Während Annie zur Tür hinaus und die Treppe hinunterflog, sahen Dinah und Connor einander an und grinsten. Connor zwinkerte und bemerkte: »Ich glaube nicht, dass sie allzu scharf auf ihn ist, hm?«

Sie blieben mit Billie in der Küche und hörten, wie Annie die schwere Haustür öffnete – die prächtige, frisch gestrichene mit dem glänzenden Knauf und Postkasten aus Messing, die jetzt wieder den Eingang zum Haus darstellte.

Sie hörten die begeisterte Begrüßung und Eds Ausrufe staunender Bewunderung, als er seine neu gestaltete Wohnung zum ersten Mal sah.

»Mein Gott, das ist unglaublich!«, rief er. »Total unglaublich!«

»Das bist du auch«, sagte sie, die Arme fest um seine Taille geschlungen.

»Kaschmir!«, stellte sie auf Anhieb fest. »Du hast dir Kaschmirpullover gekauft? Die Verkäuferinnen dort drüben müssen besser sein als ich.«

»Ja, das sind sie«, neckte er sie. »Aber du bist die, zu der ich auf schnellstem Wege zurückwollte.«

»Komm, schau dir die Küche an. Dort warten Connor, Dinah und Billie auf dich. Sie haben eine Torte gebacken – und was oben drauf ist, das ist ein Flugzeug«, warnte sie ihn leise. »Nur, damit du's weißt.«

Später am Abend kuschelte Annie mit Ed auf dem Sofa. Es gab immer noch endlos viel zu erzählen, doch es war schwierig, ein Gespräch zu führen, solange Owen und Lana zu einem Lärm, den sie Musik nannten, in ihren Dachgeschoss-Schlafzimmern auf Trampolins zu hüpfen schienen.

»Soll ich ihnen sagen, dass sie leise sein sollen?«, fragte Annie.

»Nein, nein«, wehrte Ed ab. »Mir gefällt's! Sie haben sich einen guten Song ausgesucht«, sagte er voll des Lobes. »Und überhaupt, dadurch erwacht dieses alte Haus wieder zum Leben – wie ein richtiges Zuhause. Ich fand es abscheulich, als oben alles leer und abgeschlossen war.«

»Schon, aber es besteht ein Unterschied zwischen lebendig und ruiniert«, warnte Annie. »Das Haus gefällt dir wirklich, oder?«

»Über alle Maßen«, versicherte Ed. »Es wird mir das Herz brechen, wenn ich es verkaufen muss, besonders jetzt, nachdem du es so wundervoll hergerichtet hast.«

»Und wenn du es nicht verkaufen müsstest?«, fragte Annie. »Wenn irgendjemand ein Drittel des Hauses kaufte, damit du deine Schwester auszahlen kannst?«

»Das Souterrain und vielleicht den Garten als abgetrennte Wohnung verkaufen, meinst du das?«, fragte Ed. »Glaubst du, das würde genug einbringen?«

Annie schüttelte den Kopf und wedelte Ed mit einem rechteckigen Stück Papier vor der Nase herum.

»Ich habe einen Plan«, verkündete sie verschmitzt, als er ihr das Papier aus der Hand nahm und sah, dass es sich um einen Scheck über eine saftige sechsstellige Summe handelte.

»Ich habe meine Wohnung verkauft – an die Mieter«, begann Annie. »Und mit dem Geld und einer Hypothek ... so viel könnte ich dir für ein Drittel deines Hauses bieten, was ich überaus großzügig finde«, erklärte sie, »und dann könnten wir vier hier ... zusammen wohnen.«

Sie bemerkte, dass ihr Herz raste, während sie darauf wartete, dass Ed das enorme Ausmaß dieses Angebots mitsamt all seinen Implikationen begriff.

Ihr war, als hätte sie ihm einen Heiratsantrag gemacht – und in gewisser Weise war es ja auch so. »Was meinst du?«, musste sie schließlich doch fragen, als er immer noch nicht antwortete.

»Oh … ach, du liebe Zeit!«, stieß er endlich hervor und wühlte mit der Hand durch sein Haar, ein Zeichen seiner Nervosität, wie sie wusste. »Bist du sicher, Annie? Wirklich absolut sicher? Und die Kinder? Könnte sein, dass das alles viel zu schnell für sie geht.«

Sie hielt seine Hände fest und ließ sich Zeit, ihm genau zu erklären, dass sie ihm ja gerade wegen der Kinder dieses Angebot unterbreitete. Sie hatte alles ausführlich mit ihnen besprochen. Sie waren diejenigen, die nicht fortwollten, die ihre Zimmer liebten, die sich hier zu Hause fühlten und die, was das Wichtigste war, Ed über alle Maßen mochten. (Vorausgesetzt, in der Schule benahm er sich wie ihr Lehrer und sonst nichts … Lana konnte er, wenn möglich, in der Schule im Grunde sogar ignorieren …)

»Sie sind total begeistert von der Idee«, versicherte sie ihm. »Owen hat neulich gesagt, dass Roddy dich sehr gemocht hätte. Lana und ich sind völlig seiner Meinung.«

Eine Pause entstand, während der Ed dieses ultimative Kompliment verdauen musste.

»Also wollt ihr alle hier mit mir zusammen leben?«, fragte er, und als Annie nickte, sah sie, dass er zu Tränen gerührt war.

»Und auch du willst das ganz bestimmt?«, fragte er, um völlig sicherzugehen.

Annie nickte. »Ganz bestimmt, Schätzchen.«

»Das ist ein Ding …«, sagte er und blinzelte heftig. »Ich liebe deine Kinder wirklich. Ich meine … Owen ist klasse, ich habe keine Probleme, ihn zu verstehen, und komme prima mit ihm aus … Aber ich brauche deine Hilfe, um mit Lana besser zurechtzukommen.«

»Ed, du liebe Zeit!« Annie lächelte ihn an. »Wir alle brauchen Hilfe, um Lana in den Griff zu bekommen. Sie ist jetzt fünfzehn Jahre alt. Kein Mensch versteht sie, nicht einmal Lana selbst! Und wie steht's mit dir?«, fragte sie. »Willst du es auch?«

Ed zog sie fest an sich. Zwar hätte er gern etwas gesagt, doch der Kloß in seinem Hals gestattete ihm lediglich ein Nicken.

»Ausgezeichnet! Dann ist es also beschlossene Sache«, sagte Annie leise an seinem Ohr. »Und wenn ich dich jetzt offiziell zum Erziehungsberechtigten meiner Kinder mache, bekomme ich doch wohl fünfzig Prozent Ermäßigung beim Schulgeld für St. Vincent's?«

Als er darüber lachte, sagte sie: »Hey, Schätzchen, ich mache niemals Witze über Ermäßigungen, so gut solltest du mich inzwischen kennen!«, in so ernstem Tonfall, dass er wirklich nicht mehr wusste, ob sie scherzte oder nicht.

Er drückte sie ganz fest an sich, um zu fragen: »Ihr bleibt also bei mir?«

Zur Antwort nickte sie bedächtig und sagte dann weich: »Schätzchen, du bedarfst dringend einer gründlichen Modernisierung und Aufwertung, aber ich glaube, du bist eine ausgezeichnete Investition mit langfristigem Potenzial.«

»Ich bin so froh, dass du das erkannt hast«, sagte Ed und nahm sie fest in die Arme.

»Du bist der Richtige, ein unvergleichliches Einzelstück, und kein Mensch hat dich entdeckt, deshalb bekomme ich dich fast geschenkt«, fügte sie hinzu.

»Ich bin sehr, sehr froh, dass du mich bekommst.«

»Tja, nun … Ich hatte schon immer einen Blick für Sonderangebote, Schätzchen.«

Danksagung

Meinem Agenten Darley Anderson und seinem Starteam bin ich so dankbar, weil sie auf mich achtgegeben, harte Arbeit gefordert und mir immer mit gutem Rat zur Seite gestanden haben. Danke euch allen für eure Begeisterung für die Idee zu diesem Roman und eure Hilfe bei den ersten Kapiteln.

Ganz besonders lieben Dank schulde ich Diana Beaumont, meiner Lektorin bei fünf Romanen, die sich jetzt zu neuen Abenteuern aufmacht. Was hätte ich ohne deinen zartfühlenden, liebevollen Perfektionismus getan? Jeder einzelne Roman war dir fast genauso wichtig wie mir.

Auf ewig dankbar bin ich den fabelhaften Leuten von Transworld. Ich weiß sehr wohl, dass ich ohne euch meinen beneidenswerten Tages-(und manchmal auch Nacht-)Job nicht hätte. Insbesondere Kate Marshall, der Interimslektorin: vielen, vielen Dank! Und der neuen Lektorin Sarah Turner: willkommen!

Einen dicken Kuss an die kleinen Leutchen, Sam und Claudie, die mich in regelmäßigen Abständen von meinem Schreibtisch ans Tageslicht zerren. Ebenfalls an die Freundinnen, alte wie neue, die dafür gesorgt haben, dass ich wenigstens gelegentlich das Haus verließ!

Nun bin ich zum ewigen Verdruss meiner dem kontinentalen Chic verhafteten Mama kaum eine Mode- oder Stilexpertin (sagen wir mal, ich habe meinen eigenen unverkennbaren Stil, unter anderem bestehend aus vielen, vielen extra langen Jeans, Wollsocken und Friseurbesuchen zweimal im Jahr), und deshalb stehe ich tief in ihrer Schuld, wie auch in der der fantastischen Ratgeber Brenda Kinsels, Autorin und persönliche Einkaufsberaterin amerikanischer Prägung.

Natürlich war ich gezwungen, zahllose Exemplare von *Vogue* zu lesen, die Abteilungen von *Harvey Nichols* in Edinburgh zu durchstreifen und endlose Stunden mit Recherchen bei www.net-a-porter.com zu verbringen. Harte Arbeit, ich weiß, aber einer musste sie ja erledigen.

Das größte Dankeschön geht an meinen Mann Thomas Quinn, der mich inspiriert, besticht oder schlicht ausschimpft, damit ich Tag für Tag weiterarbeite. Dich könnte ich nicht entbehren.